Kirsten Jüngling · Brigitte Roßbeck

Katia Mann

Kirsten Jüngling
Brigitte Roßbeck

Katia Mann

Die Frau des Zauberers

Biografie

Propyläen

Propyläen Verlag
Propyläen ist ein Verlag des Verlagshauses
Ullstein Heyne List GmbH & Co. KG

ISBN 3-549-07191-4

 Printed in Germany
Gesetzt aus der Goudy bei LVD GmbH, Berlin
Druck und Bindung: Clausen & Bosse, Leck

Inhalt

Auftakt

Ihr Erscheinen war, den Erzählungen nach, eine echte Überraschung. Selbst für die Mutter: Hedwig Pringsheim, geborene Dohm, erfuhr von der Existenz ihres fünften und zugleich ersten weiblichen Kindes durch das freudige Erschrecken der Geburtshelferin: »Jessas! Es kommt noch eins!«[1] Vier Schwangerschaften verteilt, auf ziemlich exakt vier Jahre hatten möglicherweise zur Erklärung einer von der Norm abweichenden Körperfülle ausgereicht.

Für den leichten Schock des Vaters sorgte auch jene Bäuerin, die den Zugriff einer erfahrenen Hebamme hatte ersetzen müssen; er wurde, abends aus München eintreffend, von ihr mit der Botschaft empfangen: »Zwillinge san ankommen!«[2]

Deren Geburtsort war das Fischerdorf Feldafing.[3] Ihre Eltern schätzten die Sommerfrische des Starnberger Sees und ebenso den Vorteil seiner Nähe zur königlich bayerischen Haupt- und Residenzstadt. Dort nämlich wohnte die Familie, und in Münchens Ludwig-Maximilians-Universität wurde Alfred Pringsheim, Privatdozent, zwei- bis dreimal wöchentlich von Studenten erwartet. Wie auch am 24. Juli des Jahres 1883, dem Tag der Geburt von Sohn Klaus und von Tochter Katharina Hedwig – Käte, Kati, Katju[4], Katja, Katia[5]!

Finanzielle Probleme infolge doppelten Kindersegens hatten die Pringsheims nicht zu befürchten; sie waren reich, außerordentlich reich genau genommen, noch größere Vermögenswerte hatte weit und breit kaum einer aufzuweisen.

I. Die Enkelin
Vor ihrer Zeit

Niemand weiß mehr, ob Katia ihre Vorfahren aus der Großelterngeneration als Vererber ebenso mannigfaltiger wie widersprüchlicher Charakteristika in Betracht zog, paarten sich doch bei ihr Intelligenz mit Naivität, Menschenliebe mit Nützlichkeitsdenken, Seelenruhe mit Impulsivität, Nachsicht mit Unnachgiebigkeit, Duldsamkeit mit Ungeduld, Mitgefühl mit Spottlust … Denkbar ist, dass sie im Fundus althergebrachter familiärer Erfahrungswerte, Handlungsmuster und Denkschemata Ausschau hielt nach Beiträgen zur eigenen Persönlichkeit.

Für ihren schier unerschöpflichen Vorrat an Selbstsicherheit war allein schon die Zugehörigkeit zum Bildungs- *und* Besitzbürgertum eine wunderbare Quelle.

Katias Großvater mütterlicherseits, Friedrich Wilhelm Ernst Dohm, lebte nicht mehr, als sie das Licht der Welt erblickte. Wenige Monate zuvor, am 5. Februar 1883, war er vierundsechzigjährig an den Folgen eines Schlaganfalls gestorben. Er stammte aus dem schlesischen Breslau, wo er am 24. Mai des Jahres 1819 als Elias Levy geboren worden war. 1827[1] übersiedelte seine Familie nach Berlin, trat zum Protestantismus über, ersetzte Vornamen jüdischen Ursprungs durch christliche und Levy durch Dohm[2], nach Christian Wilhelm Dohm, einem Beamten, der sich in seinem 1773 erschienenen und viel beachteten Werk *Über die bürgerliche Verbesserung der Juden* für deren Emanzipation stark gemacht hatte.

Ihre weitgehende rechtliche Gleichstellung erlangten die deutschen Juden erst mit Gründung des Deutschen Reiches, berufliche Freiräume aber hatten sie schon vor 1871 genutzt, so gut es ging: Als Bankiers, Unternehmer, Kaufleute, Anwälte, Gelehrte, Ärzte und Schriftsteller waren sie aus Wirtschaft, Wissenschaft und Kultur nicht mehr wegzudenken. Dennoch gelang nur Einzelnen die Assimilation, den Juden als Bevölkerungsgruppe jedoch nicht.

Was gegen sie sprach? Tradierte Vorurteile!

Ausgrenzung und Anfeindung suchten die Betroffenen unter anderem durch das Abstreifen von Identitätsmerkmalen abzuwenden. So wurde ›mosaisch‹ als Eintrag in amtliche Papiere beispielsweise zugunsten von ›protestantisch‹ oder, seltener, ›römisch katholisch‹ aufgegeben; Verluste des Zusammengehörigkeitsgefühls traten insofern kaum ein, als man nach wie vor gleich oder ähnlich situierte Freunde, Geschäfts- und Ehepartner bevorzugte. Genau genommen änderte sich am Zwang zum Unter-sich-Bleiben auch für Konvertiten nicht viel, denn anders als häufig erwartet half Religionswechsel allein in aller Regel nur wenig gegen immer heftiger geschürten und deshalb fortschreitenden Antisemitismus. Von Ausnahmen freilich abgesehen: Die Integration jüdischer oder ehemals jüdischer Bevölkerungsteile war nämlich um so wahrscheinlicher, je wohlhabender oder besser noch reicher sie waren, dokumentiert durch einen Lebensstil demonstrativ großbürgerlichen Zuschnitts. Am wenigsten aber anrüchig war ein Höchstmaß an Bildung, denn das neidlos anzuerkennen, gelang Nichtjuden offenbar noch am ehesten.

So gesehen war die Ausgangsposition Ernst Dohms – Katias Großvater also – nicht die schlechteste, auch wenn sie pekuniär sehr zu wünschen übrig ließ. Er war zwölf, als sein Vater David Marcus Levy respektive Franz Dohm[3], ein Kaufmann und Pfandleiher, starb. Der Knabe wuchs mit zwei Schwestern auf, »armselig«, in »kärglichsten Verhältnissen«; nur an Bücherwissen wurde nicht gespart.[4] Eine streng pietistische Nenntante bezuschusste die Restfamilie und erzwang, als Gegenleistung, Ernsts Theologiestudium. Das allerdings blieb ohne nennenswerte Folgen. Jahrzehnte später kommentierte Ernst Dohms älteste Tochter – Katias Mutter – augenzwinkernd diese »Entgleisung«:

> »Vater im Talar und weißem Bäffchen, das ist schon eine tolle Vorstellung! Er selbst empfand es denn auch als eine Unmöglichkeit [hatte es aber immerhin zu Amt und Würden gebracht und stand in der Umgebung von Halle zwölfmal auf der Kanzel[5]], zog trotz frommer Mutter [Rosalie Levy/Dohm geborene Lichtenstädt[6]] und noch frommerer Beschützerin Talar und Bäffchen aus und wurde Hauslehrer[7], zunächst auf dem Lande, später in Berlin, … und als das tolle Jahr 48 heranbrach, war auf einmal – Kladderadatsch! – der *Kladderadatsch* da …«[8]

1848 machte das deutsche Volk die von wenigen Vordenkern aus dem bürgerlichen Lager formulierten liberal-demokratischen Forderungen zu seinen eigenen und verlagerte damit die Widerstandsbewegung gegen den Obrigkeitsstaat aus den Salons auf die Straßen. Einig war man sich in der Ablehnung politischer und bürokratischer Bevormundung, von Kontrollen, Maßregelungen, Schikanen, Zensur und ähnlichen Repressalien. Auch in Berlin kam es zu erbitterten Kämpfen, an deren Ende das (schnellstmöglich revidierte) Verfassungsversprechen des preußischen Königs Friedrich Wilhelm IV. stand.

Die erste Ausgabe der satirischen Wochenzeitschrift *Kladderadatsch* erschien am 7. Mai 1848, im so genannten Pressefrühling, ab der dritten Nummer stand Ernst Dohm an der Spitze der Redaktion. Mitbegründer des Blattes waren seine Vettern David Kalisch und Rudolf Löwenstein. »Hohe dichterische Veranlagung« und »universales Wissen« bescheinigte Verleger Albert Hofmann seinem Autor; weniger erfreulich fand er Ernst Dohms ausgeprägten Hang zum Schlendrian: »Nur wenn das bittere Muß an ihn herantrat … griff er zur Feder.« Und dieser Notfall lag nach Einschätzung des stets widerwilligen Schreibers in aller Regel erst vor, wenn die Rotationsdrucker schon startklar waren. Auch griff er gerne in letzter Minute auf anderer Leute Manuskripte zurück, die »er verbessernd für den Ton des Blattes einrichtete und die dann unter seiner Flagge in die Welt gingen«[9]. Ebenso freimütig bekannte Hofmann, warum er dennoch über drei Jahrzehnte hinweg niemals in Erwägung gezogen hatte, Chefredakteur Dohm zu ersetzen:

> »Sein feines Verständnis für die jeweilige politische Lage, die Kunst der Abwägung des richtigen, der Situation entsprechenden Maßes in den Formen von Angriffen und Abwehrungen, ließen ihn stets … dasjenige auswählen, … was am treffendsten der herrschenden Stimmung Ausdruck gab. So kam es, daß der *Kladderadatsch* trotz dem einmal gesteckten Ziele, die lächerlichen und verächtlichen Ausgeburten der öffentlichen und geistigen Nation zu geißeln, niemals nach irgend einer Seite hin verletzend wirkte und dadurch sein hohes Ansehen … gewann.«[10]

Anders ausgedrückt: Ernst Dohm war ein allseits gebildeter Lebenskünstler, kritischer Beobachter und sprachgewandter Spötter mit Gespür für gerade noch Akzeptables und zeitgeistübergreifende Trends.

Obwohl Verfechter demokratischer Strukturen und als solcher häufig in Opposition zum Regierungslager, hielt er mit seiner Sympathie für den Politikstrategen Otto von Bismarck nicht hinterm Berg – wofür dieser sich revanchierte: mit vorzeitiger Befreiung seines Laudators aus der Gefängnishaft, die jenem wegen Verunglimpfung einer Verwandten Wilhelms I. aufgebrummt worden war. Auch lobte Ernst Dohm, »lange vor der Menge«, Richard Wagners musikalisches Genie[11], hier bestand sein Lohn in der Aufnahme in die Haus-Wahnfried-Gästeliste und der Verleihung des Ehrentitels »intimster Freund der Familie Wagner«.[12]

Unschlagbar war Ernst Dohm auch als Alleinunterhalter kleiner oder größerer Geselligkeiten, »man riß sich um ihn«[13], »er war ein Plauderer, so amüsant und fascinirend, wie es wohl kaum je einen Zweiten geben wird«.[14]

Ähnlich dem gesprochenen Wort hinterließ sein schriftstellerisches Wirken so gut wie keine dauerhaften Spuren. Mangels

Masse einerseits und, hauptsächlich wie es scheint, als Folge seiner ausgeprägten Aversion gegen Selbstüberschätzung und Wichtigtuerei. Was er an journalistischer Prosa und Poesie produzierte, landete so rasch wie es entstanden war nach Gebrauch im Papierkorb. Nur Gebundenes hatte die Chance auf Bestand. 1849 erschien das schmale Bändchen *Der Aufwiegler in der Westentasche* – Freund und Feind nahm er darin aufs Korn. 1850 war die Satire *Der trojanische Krieg* seine Replik auf den Vormarsch von Restauration und Reaktion.

Mit der Übertragung der Fabeln Jean de La Fontaines ins Deutsche machte sich Katias Vorfahr auch bei Literaturexperten einen Namen: er habe sich, so war damals zu hören, »durch seine Nachdichtung ... in die vordersten Reihen unserer Übersetzer, neben Schlegel, Freiligrath, Geibel gestellt«. Anerkennend erwähnt wurden in den 1860er Jahren auch deutsche Libretti einiger Offenbach-Operetten; ihr Wortwitz soll den der französischen Originale bei weitem übertroffen haben.[15]

Aus Ernst Dohms Höchsteinsatz auf gesellschaftlichem Parkett bei beruflichem Minimalaufwand zog Carl Fürstenberg, Direktor einer Berliner Großbank[16] und dem Freund im Großen und Ganzen sehr zugetan, viel später einmal Bilanz: »Trotz fortschreitenden Alters hatte er von seiner Schlagfertigkeit wenig eingebüßt und an Zahlungsfähigkeit wenig gewonnen.« Was Dohm auf seine Weise bestätigte, als er jenen Vierzeiler reimte, der erst nach seinem Tod in einer Schublade seines Schreibtischs gefunden wurde: »Wie herrlich ist die Miete./Am Ersten zahlt man sie./Manchmal auch erst am Zweiten./Und mancher manchmal nie.«[17]

Am 21. März 1853 heirateten in Berlin Ernst Dohm und Marianne Adelaide Hedwig Schleh, die, wie damals vielfach üblich, mit ihrem letzten Vornamen gerufen wurde. Schleh hieß die Braut erst seit kurzem. Endlich, mit »Königl. Cabinetsorder vom 24. Nov. 1851«, war dem »Kaufmann Schlesinger« die »Führung des Familiennamens Schleh« zugestanden worden; lange war er um den Austausch des erkennbar jüdischen gegen einen neutraleren bemüht gewesen. Doch hatte Hedwig die Schlesinger-Ära ohnehin überspringen müssen, da Mutter und Vater über viele Jahre hinweg ein Paar zwar im Leben, nicht aber auf dem Papier gewesen waren.

Sie wurde am 20. September 1831 in Berlin als erste Tochter von Wilhelmine Henriette Jülich[18] und Gustav Adolph Gotthold Schlesinger[19] – Echanon Cohen Schlesinger bis zu seiner Konversion zum Protestantismus 1817 – geboren. (Schon zu ihren Lebzeiten und bis in die Gegenwart wurde fälschlicherweise 1833 als Hedwigs Geburtsjahr angegeben. Sie selbst unterließ jeden Korrekturversuch und scheint die kalendarische Verjüngung klammheimlich sogar genossen zu haben. Seelenruhig ließ die ansonsten Uneitle beispielsweise öffentliche Feiern zur Vollendung ihres achten Lebensjahrzehnts um zwei Jahre verspätet geschehen.) Unehelich kamen vor ihr drei Brüder und nach ihr sechs Brüder und Schwestern zur Welt.[20] Erst von 1838 an, dem Hochzeitsjahr ihrer Eltern, gesellten sich zu den insgesamt zehn Jülich-Kindern noch acht kleine Schlesingers, deren eheliche Geburten durch den Tod von Großvater Liebermann Marcus Schlesinger[21], »ordentlicher Schutzjude[22], Baumwollhändler, Mitglied der kgl. Technischen Deputation für Gewerbe«[23], möglich geworden waren, denn Schlesinger senior hatte dem Sohn für den Fall der Legitimierung seiner ›wilden‹ Ehe Enterbung angedroht. Groteskerweise war es ihm eher möglich, sich mit einer Vielzahl unehelicher Nachfahren abzufinden, als mit einer Schwiegertochter, deren Hauptmakel seiner Meinung nach im Nicht-Verheiratetsein ihrer Mutter Marie Louise Jülich[24] bestand.

Auf finanziellen Zugewinn von Seiten der Familie waren Hedwigs Eltern aber gar nicht angewiesen. Gustav Schlesinger – Katias Urgroßvater – gehörten mehr als fünfzig Tabakfabriken; und darüber hinaus soll er an einer Vielzahl anderer Unternehmen beteiligt gewesen sein.[25] Gewisse großbürgerliche Rituale gehörten zum Standard auch der Schlesingers: Jeweils zu Beginn der heißen Jahreszeit siedelten sie, Personal eingeschlossen, vom geräumigen Domizil in Berlin-Mitte, Friedrichstraße 232[26], über in eine kleine Sommervilla unmittelbar vor den Toren der Stadt.

Auch modisch befand sich die Dame des Hauses stets auf der Höhe der Zeit. Nur Schöngeistiges tat man, sofern von einem Kind wie Hedwig zum Bedürfnis erklärt, als überflüssig und somit unerwünscht ab.

Hedwig, die sich selbst als still, versonnen, furchtsam und schüchtern beschrieb, brachte die Mutter (resolut, aufbrausend, herrschsüchtig soll sie gewesen sein) schon durch ihr pures Dasein in Rage; vom Vater (den Kindern im Grunde ein Fremder, der sie links liegen ließ) wurde sie schlicht übersehen – nur hatten unter seiner Haltung alle Geschwister zu leiden.

Hedwig hasste die nie enden wollenden Turbulenzen eines Haushalts, der zunehmend den Charakter einer unzulänglich organisierten Kinder- und Jugendbewahranstalt annahm. Eine Zeitlang machte die Kleine sich weis, von Hocharistokraten abzustammen, die ihr einziges vielgeliebtes Töchterchen, um es vor den Nachstellungen böswilliger Menschen zu schützen, den Schlesingers untergeschoben hätten. Auf die goldene Kutsche, die es heimführen würde, wartete das Kind so sehnsüchtig wie vergebens. Später dann, als Jugendliche, sträubte sich alles in ihr gegen die Mädchen vorherbestimmte Verwendung als Stütze der Hausfrau, und selbst bei der Hochbetagten klang noch Empörung durch, wenn sie auf Geschlechtsspezifisches zu sprechen kam:

> »… mit den Jahren wurde es … immer bitterer, dass nur die Brüder auf das Gymnasium oder andere höhere Schulen geschickt wurden. … Die Knaben schwammen, die Mädchen nicht. Die Knaben ruderten, die Mädchen nicht. Die Mädchen, die saßen möglichst still, sittsam, machten Handarbeiten, von der mühsamen Perlen- und Petit-point-Stickerei bis zum ekligen Strumpfstopfen. … Meine Brüder keilten sich grässlich untereinander und wuschen sich am liebsten gar nicht.«[27]

»Mir war dieser Teil der Schöpfung durchaus unsympathisch«, so ihr Fazit,[28] das ein Umdenken im Einzelfall ja nicht ausschloss.

Wut, Trauer und Mitleid vor allem empfand die Siebzehnjährige beim Anblick eines bei Straßenkämpfen im Revolutionsfrühjahr 1848 schwer verletzten Studenten, dessen Sterben sie auf dem Berliner Gendarmenmarkt direkt miterlebte.

Mit einundzwanzig setzte Hedwig eine Reise auf die iberische Halbinsel durch; einer ihrer Brüder lebte damals dort. Zwecks Vorbereitung auf den Auslandsaufenthalt hatte sie nach einem Spanischlehrer[29] gesucht und in dem zwölf Jahre älteren Ernst Dohm »einen Weltmann von urbansten Formen«[30] gefunden.

Taugte der Weltmann auch zum Ehemann? Was war ausschlaggebend für ihre Wahl? Hielt die Verbindung ihren Erwartungen stand? Nicht einmal andeutungsweise hätte die Privatfrau Hedwig Dohm auf solche Fragen eine Antwort gegeben,[31] im Gegensatz zur Publizistin Hedwig Dohm, der Verfechterin »neuer Frauenideale« (aber noch war sie nicht so weit), die gern auf Selbsterlebtes zurückgriff, wenn sie Hinweise gab wie diese: »Die Vernunftheirat ist nicht ohne weiteres zu verwerfen. ... Mitbestimmend oft ist: Die Sehnsucht nach einem eigenen Heim, nach einem Tätigkeitsgebiet, nach einem Kind, nach einem Menschen, dem sie etwas sein kann, gewissermaßen einem Abnehmer ihrer suchenden, überschüssigen Gefühle.« In jüdischen Kreisen, konstatierte sie, seien Vernunftehen überhaupt die Norm, »allerdings mit einem Einschlag persönlicher Sympathie« als Grundvoraussetzung für ihren günstigen Verlauf.[32]

Ob ihr und/oder ihm jenes Quäntchen am Eheglück letztlich fehlte? Dazu schwieg sie konsequent. Geschätzt hat Hedwig Dohm ihren Mann sicherlich: als Gegenentwurf zum gängigen Herr-im-Haus-Modell und als ihren Türöffner beim lang ersehnten Wechsel ins Bildungsbürgertum – wohl wissend, dass rudimentärer Mädchenschulbildung und ein paar, ihr letztlich zähneknirschend zugebilligten oberflächlichen Lektionen im Lehrerinnenseminar noch einiges hinzuzufügen war.[33]

Kinder fürs erste: 1854 Hans Ernst (der einzige Sohn starb 1866 an Scharlach), 1855 Gertrude Hedwig Anna (Hedwig, Katias

Mutter), 1856 Ida Marie Elsbeth (Else), 1858 Marie Pauline Adelheid (Mieze) und 1859 Eva.

Ihren Vater behielten sie als »überaus zärtlich … gütig, weich, sentimental bis zur Schwäche« in Erinnerung, »nie hörten wir ein hartes Wort von ihm«. An kleine Enttäuschungen, die er ihnen regelmäßig bereiten musste, hatten sich die Kinder bald gewöhnt, das vorhersehbar aus zwei Teilen bestehende Geburtstagszeremoniell zum Beispiel: Stets »schenkte er fünf Taler – eine Leihgabe eigentlich, erbat er sie sich doch wenig später, etwas verlegen, zurück«[34]. Symptom für größere Engpässe waren behördliche Geldeintreiber, infolge deren wiederholten Erscheinens mitunter so manches verschwand. Dem Pianino allerdings weinten die vier Dohm-Mädchen, denen jede Musikstunde ein Graus war, nicht eine Träne nach. Wichtig war ihnen nur, dass es wirklich verschwunden blieb, denn ihrer Erfahrung nach tauchten Gegenstände, denen zuvor »so komische kleine geheimnisvolle Zettel an versteckten Stellen« aufgeklebt worden waren, nach kürzerer oder längerer Abwesenheit plötzlich wieder auf. Einige Male wurde Ernst Dohm höchstpersönlich aus der elterlichen Wohnung entfernt, umschrieben mit: von Freunden »rangiert«.[35] 1869/70 verschwand sogar der komplette Dohmsche Haushalt unter dem Zugriff unerbittlicher (wenn auch längst nicht aller) Gläubiger. Während Ernst Dohm, auch um wieder einmal der Schuldnerhaft zu entgehen, in Weimar bei zwei Gönnerinnen[36], die ihn »liebend verehrten«[37], untertauchte, wartete seine Frau in Rom bei einer ihrer Schwestern auf bessere Zeiten. Ihre Töchter harrten, ebenfalls zu Lasten Dritter, so lange in verschiedenen Pensionaten aus, bis die Sanierung der Familie dank Spareffekt abgeschlossen war.

Hedwig wurde, trotz heftigen Sträubens, in Eisenach untergebracht. Einmal durfte sie von dort aus den Vater in seinem Exil besuchen. Ansonsten war lediglich ein kurzes Wiedersehen mit Franz Liszt (im Elternhaus in Berlin war er ein gern gesehener Gast) des Erinnerns an die Zeit in dem thüringischen Städtchen wert; sehr zum Erstaunen ihrer Mitschülerinnen hatte der angesehene Musiker und Komponist eine Eisenbahnfahrt unterbrochen, um kurz mit der Vierzehnjährigen plaudern zu können.

Ernst Dohm sei, auch das resümierte Tochter Hedwig, und zwar lange nach seinem Tod, in einem Artikel für die *Vossische Zeitung,* »so ein seltsames Gemisch aus leichtem Sinn und pedantisch bürgerlichem Ordnungsdrang« gewesen, zuweilen naiv und zum Weinen weltfremd, mit vollen Händen gebend, ohne zu haben. Lieber sei er »wilden Wucherern« in die Hände gefallen, als dass er eine Freundesbitte ausgeschlagen hätte.[38] Wechsel, am Ende ihrer Laufzeit ungedeckte, und Glücksspiel, kontraproduktiv zumeist, waren nur vermeintliche Auswege aus Liquiditätsengpässen. Der dringende Wunsch seiner Frau nach Beendigung ihrer Geldsorgen blieb leider unerfüllt. Verzicht auf Hausangestellte stand jedoch niemals zur Debatte, wobei es nicht immer leicht gewesen sein dürfte, das Mädchen für alles und die Kinderfrau mit Familienanschluss und guter Behandlung über Lohnverzicht hinwegzutrösten. Wie Hedwig Dohm auf das Standardproblem des ehemännlichen Seitensprungs reagierte, deutete sie allenfalls an: unaufgeregt und diplomatisch.

Wenn ihre Töchter auf sie zu sprechen kamen, gerieten sie ins Schwärmen. Ihnen war »Miemchen« Inbegriff von »Zärtlichkeit und Liebe«, der Traum von einer Mutter, erzieherisch wirksam nur in der Absicht, aus den Mädchen »freie und unabhängige Menschen« zu machen.[39] Dies Bestreben trug auch insofern Früchte, als Enkelin Katia einmal, emanzipatorisch dann deutlich besser gestellt, auf eine weitere Lebensleistung von »Urmiemchen« schon ein wenig herabsehen konnte: »Sie schrieb Romane, die heute wahrscheinlich nicht sehr aktuell wären.«[40] Denn dass der Frauen Fortschritt in Sachen Gleichberechtigung zur Selbstverständlichkeit wird, hatte die Autorin Hedwig Dohm ja exakt angestrebt. Zwar noch nicht mit der umfassenden wissenschaftlichen Untersuchung *Die Spanische National-Literatur in ihrer geschichtlichen Entwicklung;* ihr Erstlingswerk brachte Hedwig Dohm 1867 heraus, anstelle ihres Mannes, der diesen Beitrag zu einer Handbuchreihe dem Verleger Gustav Hempel wohl versprochen, aber bald darauf die Lust daran verloren hatte.

Leute mit Einblick munkelten zu Recht, dass das, »was sie sich mit ihrer Feder erarbeitete ... nicht selten den Dohmschen Haushalt über Wasser [hielt]«[41].

Warum sollte sie aus der Not keine Tugend machen? Mehr als einhundert Veröffentlichungen der »literarischen Feministin«[42] Hedwig Dohm sind bekannt: Romane, Novellen, Essays, Schauspiele, Dialoge, Buchbesprechungen und Übersetzungen, um nur einige Beispiele aus ihrer facettenreichen schriftstellerischen Hinterlassenschaft zu nennen.

Inhaltliches betreffend machten zeitgenössische Kritiker ihrer Berufsbezeichnung alle Ehre, ging es aber um Stil und Sprache, kam kein Rezensent um Vokabeln wie frisch, direkt, amüsant, ironisch, mokant, treffsicher, argumentationsstark herum.

Für helle Aufregung in Kreisen der oberen Zehntausend im fernen München sorgte 1896 *Sibilla Dalmar;* der Roman wurde vom Verlag Samuel Fischers herausgegeben. In der südlichen Landeshauptstadt hatte sich per Klatsch und Tratsch in Windeseile ein Gerücht verbreitet: Bei der Arbeit an diesem *Roman aus dem Ende unseres Jahrhunderts*, so der Untertitel, habe Hedwig Dohm ungeniert aus dem Erfahrungsschatz ihrer dann schon in Bayern bestens verehelichten ältesten Tochter geschöpft[43]: Fräulein Dalmar, »reizend, temperamentvoll, begabt«, aber unbemittelt, strebt Besserstellung durch Heirat mit einem nur in Gelddingen erfahrenen Emporkömmling an. Auf Dauer glücklose Ehefrauen aber suchen, nicht immer mit gutem Erfolg, nach Abnehmern für ihren Überschuss an Herz und Phantasie. So auch Sibilla, die an den Falschen gerät – obschon vorgewarnt durch die Autorin: »Brachliegende Felder produzieren Unkraut.« Weshalb die Geschichte böse enden musste.

Je weiter sie in ihrem Leben fortschritt – Hedwig Dohm starb, altersschwach, am 1. Juni 1919 – desto unnachgiebiger pochte sie auf Mädchenbildung, Frauenstudium, Frauenstimmrecht, freie Berufswahl und gleichen Lohn für Menschen beiderlei Geschlechts, weibliche Selbstbestimmung überhaupt und: Nie wieder Krieg! »Jawohl, jawohl, der Krieg ist die verruchteste aller Gotteslästerungen!«[44] Medizinern mit Angst vor weiblicher

Konkurrenz, die Frauen generelle Nervenschwäche attestierten, schleuderte sie wütend entgegen:

> »Und warum dürfen denn die Hebammen ihr Zartgefühl abstumpfen und die Köchinnen und die Schlächterfrauen und jene Weiber, die an missduftenden Orten struppige Besen handhaben? Ich bin überzeugt, wenn das tägliche Honorar für eine Krankenwärterin zehn Goldstücke betrüge, so würde kein Beruf der Welt weniger für eine Frau geeignet sein, als dieser; keiner würde die Schamhaftigkeit mehr verletzen. Hand aufs Herz …, was würden Sie mit Ihrer Köchin tun, die den Aal, den Sie so gern essen, abzuschlachten sich weigerte, wenn die Köchin … von ihrem zappelnden Huhn oder Fisch Ohnmachtsanfälle bekäme …?«[45]

Vollkommen zu Recht nannte Enkelin Katia (die ein Lenbach-Porträt Hedwig Dohms allzeit in hohen Ehren hielt) sie eine Frauenrechtlerin von Format[46] und eine leidenschaftliche Vorkämpferin[47]. Wenngleich ihre Mutter zum besseren Verständnis der Großmutter einwarf: »Wer sie nur aus ihren Kampfschriften kannte … wollte seinen Augen nicht trauen.«[48] Hedwig Dohm fühlte sich nur in Freundeskreisen wohl. Um Begegnungen mit Fremden drückte sie sich möglichst, Menschenansammlungen wich sie konsequent aus. Wiederholten Bitten um Auftritte als öffentliche Rednerin gab sie niemals statt. Ihre Mimik auf Fotos belegt ihre Zurückhaltung selbst bei Beobachtung durch das Objektiv einer Kamera, leicht zu verwechseln übrigens mit einem Von-oben-herab-Mienenspiel als Ausdruck von Snobismus und Arroganz.

Am liebsten wäre Hedwig Dohm im Boden versunken, wenn Straßenpassanten wie angewurzelt stehen blieben, entweder um ihr ungeniert ins Gesicht oder noch lange hinterher zu starren. Sie fiel auf: Ernst Dohms elfengleich-fragile, »dunkellockige Gattin, aus deren großen, braunen, sammetweichen, breitlidrigen ›Märchenaugen‹ der schwungvolle Geist und die reine Phantasie der kleinen, zierlich gewachsenen Dame strahlte …« Sie habe, auch das meinte ein beeindruckter Freund des Hauses, »die dortigen Feste mit dem Zauber ihrer fremdartigen Schönheit geschmückt«[49].

Hauptanziehungspunkt der Jours fixes im Hause Dohm war freilich deren garantiert hochkarätige Besetzung: Oft und gern kamen Fanny Lewald, Karl August Varnhagen von Ense (Rahels Witwer), der bereits erwähnte Franz Liszt, Hans und Cosima[50] von Bülow, Alexander von Humboldt, Fürst von Pückler-Muskau, Theodor Fontane, Fritz Reuter, Lily Braun und Gabriele Reuter, »außerdem die ganze liberale Opposition, [Ludwig] Bamberger, [Eduard] Lasker, selbst der Sozialist Lassalle«[51]. (Eine Liebesbeziehung zwischen Hedwig Dohm und Ferdinand Lassalle, hier und da wurde sie erwähnt, bestand wohl nicht; glaubwürdiger sind Hinweise auf ihre enge Freundschaft.[52]) »Man sprach über jüngste Premieren, letzte Kunstausstellungen, wohl auch über ... Politik und fühlte nicht das Bedürfnis, die Stunden des Beisammenseins durch Bridgespielen totzuschlagen«, begründete ein häufiger Gast seine Vorliebe für den Dohmschen Salon.[53] Gertrud Bäumer (wie die Gastgeberin gehörte sie der bürgerlichen Frauenbewegung an) zeigte sich ebenfalls sehr angetan von der »liberalen, witzigen Gesellschaft, mehr Geist als Gemüt ... aber verfeinert und jedenfalls über alle Bourgeoisuntugenden hinaus«[54].

Regelmäßig waren an Montagabenden die »verhältnismäßig bescheidenen, auf eine solche Geselligkeit gar nicht berechneten Räume« überfüllt.[55] Beengt lebten die Dohms also nach wie vor. Und doch war mit jedem notwendigen Wohnungswechsel ein Gewinn verbunden gewesen. Genötigt, zwischen den Wertmaßstäben Größe und Lage zu entscheiden, hatten sie es schließlich, ausgehend von einer ganz ordentlichen Berliner Adresse, Marienstraße, über bessere, Magdeburger und Potsdamer Straße, zu einer richtig guten gebracht: der Matthäikirchstraße im Tiergartenviertel.

Nach seiner Eingemeindung im Jahr 1861 hatte sich der nach Plänen von Peter Joseph Lenné gestaltete Landschaftsgarten, das ehemalige kurfürstliche Jagdrevier, vom Ausflugsziel zu einem bevorzugten Stadtbezirk Berlins entwickelt. Vorstadthäuser wechselten ab mit Villen.

So wie es Anrainern des Tiergartens keineswegs unangenehm war, in Bausch und Bogen der so genannten besseren Gesellschaft zugerechnet zu werden, schätzten Eigentümer von Immobilien an der Wilhelmstraße den Automatismus ihrer Einordnung in Berlins High Society. Ursprünglich in der Hauptsache von Residenzen einer aristokratischen Oberschicht flankiert (noch ältere Handwerkerquartiere waren mittlerweile weitgehend verschwunden), breiteten sich bald entlang der Wilhelmstraße repräsentative Sitze preußischer Ministerialverwaltungen aus. Von den dreißiger Jahren des 19. Jahrhunderts an wurden noch verbliebene Baulücken mit Prestigeobjekten einer ganz neuen sozialen Spezies gefüllt; Geldadlige, enorm vermögende Bürgerliche, Nutznießer des Frühkapitalismus in ihrer Mehrzahl, strebten als Folge räumlicher Annäherung persönliche Verbindungen zum Geburtsadel an.

Auch Katias Großvater aus der väterlichen Linie wurde von Zeitgenossen als »wichtige Persönlichkeit aus der Industrie- und Finanzwelt«[56] bezeichnet. Ihr selbst kam in Erinnerung an ihn zuallererst »sehr reich« in den Sinn.[57] Wie die Dohms stammten die Pringsheims aus Schlesien. Als Rudolph Pringsheim, geboren am 3. April 1821 in Oels, einer Stadt im gleichnamigen Fürstentum,[58] am 19. Oktober 1906[59] in Berlin fünfundachtzigjährig starb, war Enkelin Katia schon verheiratet und erwartete ihr zweites Kind. Auch Rudolphs Ehefrau Paula kam in Oels zur Welt, am 24. September 1827 als Tochter eines königlich preußischen Lotterie-Einnehmers namens Deutschmann. Eine weitere Gemeinsamkeit beider Großelternteile war ihre jüdische Herkunft, über Paula wissen wir darüber hinaus kaum etwas. Ihr Todestag fiel 1909 mit dem sechsundzwanzigsten Geburtstag Katias zusammen, welche dieser Großmutter die notorisch geäußerten Zweifel am guten Aussehen der heranwachsenden Enkelin ein wenig übel nahm. Das von einem anderen spätgeborenen Familienmitglied formulierte Pauschalurteil: »Die Pringsheims waren sehr nüchterne Leute, sehr kühl, ohne Emotionen«[60], traf somit vielleicht schon auf Rudolph und Paula Pringsheim zu.

Rudolph nannten die Berliner den »schmalspurigen Pringsheim«, im Gegensatz zu seinem »großspurigen« Verwandten Hugo. Während der eine riesige Gewinne als Betreiber von Kleinbahnen machte, war der andere im Segment Normal- und Vollspurbahnen erfolgreich.

Rudolph Pringsheim leistete einen wesentlichen Beitrag zur Verkehrserschließung des oberschlesischen Kohlereviers. An das weit verzweigte Streckennetz waren zuletzt fünfunddreißig Gruben angeschlossen, einige davon erwarb er nach und nach. Seine Pferdebahnen bewährten sich in schwierigem Gelände. Vergleichsweise spät, 1872, stellte er auf Dampflokomotiven um; Konkurrenten, die das früher taten, hatten sich – zu seinem Vorteil – gründlich verkalkuliert. Als der preußische Staat kurz vor Rudolph Pringsheims Tod die Oberschlesische Schmalspurbahn übernahm, wurde er mit 3 270 000 Mark entschädigt.[61] Obwohl im Einzelnen nicht mehr nachweisbar, müssen seine Aktivitäten außerordentlich vielfältig gewesen sein. Reichlich Profit warf unter anderem die finanzielle Beteiligung an der 1870 von ihm begründeten Aktiengesellschaft Ferrum[62] ab. Nach seiner Profession befragt, gab er dem »Rittergutsbesitzer« (zu Rodenberg bei Beuthen in Oberschlesien[63]) stets den Vorzug. Im Jahr 1869, als Sohn Alfred und Tochter Martha[64] allmählich ins heiratsfähige Alter kamen, erwarb Rudolph Pringsheim das Grundstück Wilhelmstraße 67. Multimillionäre waren auch viele seiner Nachbarn und manche darunter wie er bestrebt, wirtschaftlichem Aufstieg den gesellschaftlichen hinzuzufügen. Ganz Berlin bestaunte nach seiner Fertigstellung[65] das »bunte Haus« der Pringsheims, über Jahrzehnte hinweg blieb es eine Sehenswürdigkeit. Einer der Autoren von *Berlin und seine Bauten*, einer architektonischen Bestandsaufnahme aus dem Jahr 1877, widmete sich in aller Ausführlichkeit dem Stadtpalais, »das schon allein durch sein äußeres Erscheinungsbild die neu gewonnene Position der bürgerlichen Kräfte demonstriert«[66]. Theodor Fontane vermochte die allgemeine Begeisterung nicht zu teilen; am 5. August 1875 wetterte er in einem Brief an seine Frau Emilie, der Niedergang städtebaulicher Kultur sei vorgezeichnet, wenn immer wieder so ein Pringsheim daherkäme, um die preußische Hauptstadt mit seiner »Kakel-Architektur« zu verschandeln. Tatsächlich hatte sich das Büro Ebe & Benda beim Entwurf des Neubaus penibel an die Vorgaben des Bauherrn halten müssen:

»Keller- und Erdgeschoss waren aus Sandsteinen, einem teuren Baumaterial, das aus Kostengründen damals in Berlin kaum ... Verwendung fand. Der untere Teil um das Souterrain zeigte diamantierte Quader ... Sechs Fenster – von Eierstäben umrahmt und mit Masken abgeschlossen – waren im Erdgeschoss um das Portal gruppiert ... Zwei kolossale Rittergestalten, die links und rechts vom Eingangsportal auf Pilastern standen, trugen einen im Obergeschoss hervortretenden polygonen Erker, der an südeuropäische Vorbilder erinnerte. Erd- und Obergeschoss waren durch ein Zahnschnittgesims und knaufartige Konsolen getrennt. ... Die Rundbögen der Fenster erhielten einen Pilasterrahmen und Verzierungen aus farbigen Terrakotten. Den oberen Abschluss der Fassade bildete ein Halbgeschoss mit kleinen Fenstern. Zwischen diesen Fenstern befanden sich Glasmosaike auf Goldgrund. Ein Kranzgesims aus glasierter Terrakotta mit gelben Palmetten auf grünem Grunde ragte auf roten Konsolen hervor. Die Fassadenmalerei im oberen Halbgeschoss stammte von Anton von Werner, dem wohl begehrtesten Berliner Künstler dieser Jahre. ... Das Motiv des Fassaden-Zyklus stellte das menschliche Leben in seinen charakteristischen Momenten dar. Es begann mit einer lächelnden Sphinx, die zwei Kinder am Busen nährte. Dann folgte ein Bild von Kindern beim Spiel; auf dem nächsten erschien ein Jüngling im Kreise seiner Freunde. Im vierten Bild lag ein Jägersmann im Arm seiner Geliebten, während im fünften Bild ein Architekt bei seiner Arbeit gezeigt wurde ... Eine weitere Anspielung zeigte das sechste Bild, auf dem das Innere der Werkstatt eines Goldschmieds zu sehen war – der Künstler bei seiner Arbeit – und möglicherweise Anton von Werner selbst meint. Den Abschluss der Reihe bildete die Darstellung eines verstorbenen Fürsten auf seinem Paradebett. Eine weitere Sphinx stellte am südlichen Ende die Symmetrie her und sollte zugleich das Rätsel des Werdens und Vergehens andeuten.«[67]

1906, nach dem Tod ihres Mannes, verkaufte Paula Pringsheim das Haus. Da hatten, heißt es, die einstmals kräftigen Farben des Terrakotta-Frieses bereits erheblich an Leuchtkraft verloren.

Anton von Werner trug – neben anderen stadtbekannten Künstlern und Kunsthandwerkern – maßgeblich auch zur Innenausstattung bei. Für das Herrenzimmer schuf er eine Darstellung aller Familienmitglieder in historischen Gewändern.

An nichts und niemandem hatte es Rudolph Pringsheim also fehlen lassen, denn auch Investitionen dieser Art zahlten sich erfahrungsgemäß aus: Trotz großer Abneigung des Adels gegenüber den bürgerlichen Emporkömmlingen hätten die äußeren Umstände dazu beigetragen, dass »mit der Zeit Zugeständnisse gemacht werden mussten«, bemerkte seinerzeit ein kundiger Kommentator.[68] Vielleicht hatte Pringsheim deshalb einen hochherrschaftlichen Tanzsaal eingeplant. Nach Überwindung einiger Anlaufschwierigkeiten erschien hier bei Empfängen und Bällen die Berliner Hofgesellschaft: hohe Staatsbeamte und hochdekorierte kaiserliche Offiziere sowie Flügeladjutanten in Damenbegleitung.[69] Einladungen der Pringsheims ins Schloss der Kronprinzessin beschrieben den Gipfelpunkt ihres sozialen Aufstiegs.

Rudolph Pringsheim, assimilierter Jude und konservativer Patriot preußischer Prägung, stand nun im Ruf eines kultivierten, an Kunst und Wissenschaft lebhaft interessierten Mannes. Unbekannt ist, wann genau er die Religionsangabe ›mosaisch‹ in den Familienpapieren ersatzlos streichen ließ. Um die Dinge zu vereinfachen, habe er diesen Schritt getan; das war, so ist es überliefert, die Begründung für die Säkularisierung.[70] Sohn Alfred, auch er letztlich konfessionslos, wuchs jedenfalls in dem Glauben auf, Pflichteifer in Verbindung mit Nationalstolz sei das wichtigste, da untrügliche Kennzeichen guter Deutscher – und Antisemitismus, staatliche, öffentliche und private Diskriminierung nichts weiter als ein Relikt atavistischer Feindbilder und überwindbarer Komplexe.

II. Die Tochter
1883–1904

»Mein Vater war Professor der Mathematik ..., und meine Mutter war eine sehr schöne Frau.«[1] So setzte Katia die Akzente, spontan, gesprächsweise und aus erheblicher zeitlicher Distanz. Die der Tochter nächstwichtige Erinnerung ans Elternhaus gibt Kunde von dessen Glanz und Anziehungskraft auf illustre Gäste. An »großen Abenden« war dort »ganz München« anzutreffen[2] oder besser gesagt: dessen geistige und künstlerische Elite – mit gewissen Einschränkungen, Literaten betreffend.

Alfred Pringsheim, Katias Vater, kam am 2. September 1850 als erstes Kind und einziger Sohn von Rudolph und Paula Pringsheim im schlesischen Ohlau zur Welt. Schon in die Wiege wurde ihm ein immenses Vermögen gelegt, nur unwesentlich geschmälert durch die Ansprüche seiner um ein Jahr jüngeren Schwester Martha. In Breslau besuchte er das Gymnasium und überwand mühelos alle schulischen Hürden. Einziger Kummer des Heranwachsenden dürfte seine stark unterdurchschnittliche Körpergröße gewesen sein. Frei von jeder Verpflichtung zur Erwerbstätigkeit machte der achtzehnjährige Abiturient bei der Planung seines Lebensweges von dem Privileg Gebrauch, allein seinen Neigungen folgen zu dürfen. Lediglich die Wahl der Studienrichtung machte dem vielfach Befähigten Kopfzerbrechen. Welcher seiner derzeitigen Vorlieben sollte er den Vorzug geben: der zur Musik oder jener zur Mathematik?

Den Erwerb exzellenter musikalischer Kenntnisse und Fertigkeiten – Alfred Pringsheim galt als ausgezeichneter Pianist – erledigte er schließlich gleichsam nebenbei, wobei sein erklärtes Hauptinteresse auf das Œuvre eines Komponisten gerichtet war: »In musikalischen Kreisen kennt man mich als langjährigen und eifrigen Vorkämpfer Richard Wagner's, auch habe ich eine Anzahl von Bearbeitungen Wagner'scher Musikwerke veröffentlicht.«[3] Als Patronatsherren für den Bau des Richard-Wagner-Festspielhauses in Bayreuth gesucht wurden, konnte er es sich leisten, mit gutem Beispiel voranzugehen. Gemeinsam mit Vater Rudolph erwarb er die ersten Anteilscheine; Dankesbriefe seines Idols hielt er hoch in Ehren.[4] Selbst dann noch behandelte Alfred Pringsheim sie wie Heiligtümer, als er schon längst in Ungnade gefallen war.[5] Dabei war seine wütende Attacke, die der Entzweiung vorausging, selbstverständlich nicht gegen den großen Meister gerichtet gewesen, sondern hatte neben der eigenen insbesondere Richard Wagners Ehrenrettung zum Ziel gehabt:

> »In dem berühmten Angermann, einer Bierkneipe, in der sich alles, was ein bißchen was war, traf … hatte eines Abends ein Berliner Kritiker sich in hämischen Bemerkungen über Wagner ergangen: das ganze Bayreuth sei purer Schwindel, er mache sich anheischig, mit einem einzigen Straußschen Walzer die ganze Sippe vom Festspielhügel herunterzulocken, und so fort … Pringsheim, in seinen heiligsten Gefühlen aufs tiefste verletzt, verbat sich diese mehr als ungehörige Sprache, ein Berliner Professor Leo mischte sich in diese Kontroverse, bezichtigte den Enthusiasten der Feigheit, im Schutze eines ganzen Kreises von Wagnerianern einen einzigen anzugreifen, und als nach einem unerquicklichen Hin und Her der Berliner Professor … Pringsheim fragte, beim wievielten Glase Bier er sei, da eins schon zuviel für ihn zu sein scheine, und ein Dritter einwarf: ›Und das läßt der Junge sich gefallen!‹ erwiderte ›der Junge‹: ›Durchaus nicht!‹ Und warf dem Professor Leo sein Bierseidel an den Kopf. Die Sache machte unliebsames Aufsehen, wurde in gehässiger und völlig entstellter Darstellung durch die Presse verbreitet, … Journalisten telegrafierten an die Zeitungen: ›Auf den Straßen von Bayreuth ist bereits Blut

geflossen‹, und da Dank vom Hause Wagner nie die stärkste Seite dieser Familie war, sie vielleicht auch unangenehme Folgen für sich davon befürchtete, wurden damit die Beziehungen zu … dem Treuesten der Treuen, ein für allemal schroff abgebrochen.«[6]

Ein »unblutiges Duell« und den Spitznamen »Schoppenhauer« handelte er sich zudem ein.

Nach Abschluss des Studiums der Mathematik und Physik in Heidelberg wurde Alfred Pringsheim 1872 summa cum laude zum Doktor der Philosophie promoviert. Da war er zweiundzwanzig – und das prunkvolle elterliche Berliner Palais gerade bezugsfertig geworden. Lange hielt ihn dessen Exklusivität indes nicht gefangen; 1875 ging er nach München, bezog in bester Innenstadtlage eine Junggesellenwohnung, beantragte mit der Schrift *Zur Theorie der hyperelliptischen Funktionen, insbesondere derjenigen dritter Ordnung* seine Zulassung zur Habilitation und nahm zwei Jahre später das Angebot einer Privatdozentur an der Ludwig-Maximilians-Universität an. Privatdozent sein, das bedeutete auch, auf ein festes Einkommen zu verzichten.[7]

Mehr als einhundert Veröffentlichungen Alfred Pringsheims sind bekannt[8], die *Vorlesungen über Zahlen- und Funktionslehre* beispielsweise erschienen in mehreren Bänden zwischen 1916 und 1932. Hoch eingeschätzt wird sein Wirken noch heute: »Pringsheims wissenschaftliches Werk berührt viele Gebiete der Mathematik. Seine Arbeiten zur Konvergenztheorie betreffen nicht nur die Analysis, sondern auch die Zahlentheorie, die Theorie der Kettenbrüche. Er klärt bislang übersehene Probleme im Zusammenhang mit der Taylor-Entwicklung von Funktionen und bemüht sich um die Problemgeschichte der Mathematik.«[9]

Hellauf begeistert vom Hochschullehrer Alfred Pringsheim waren seine Studenten: Wissensvermittler seines Typs, kompetent, stets bestens vorbereitet, sicher im Vortrag und ausgestattet mit der Gabe sprachlicher Auflockerungsübungen auf hohem Niveau, gehörten in Zeiten, da von Didaktik nicht einmal die Rede war, zu den Raritäten: »Man muß den lebhaften kleinen Mann vor sich sehen, wie er auf und ab gehend mit Kreide und Schwamm an der Tafel hantiert, nachdem er das versehentlich stehen gelassene Lesepult des Vorbenutzers des Hörsaals mit unnachahmlicher Verachtung vom Katheder entfernt hat; man muß an seinem Munde hängen und seine Bewegungen verfolgen; man muß ihm in die listigen glänzenden Augen sehen, deren Blick deutlich die Begeisterung für seinen Gegenstand verrät …«[10] Zu Höchstform lief er auch allsamstagabendlich im Kreise seiner Freunde und Freundinnen aus Münchens Künstlergesellschaft Allotria auf.[11] Daheim wirkte er im Großen und Ganzen »etwas kränklich, unwirsch und ungeduldig«[12].

Die Wahl Alfred Pringsheims zum ordentlichen Mitglied der mathematisch-physikalischen Klasse der Bayerischen Akademie der Wissenschaften erfolgte 1898.[13] Auf seine Ernennung zum ordentlichen Professor musste er noch länger warten; sie sei, notierte der Rektor der Münchner Universität zu Beginn des Jahres 1901 erleichtert, ohne Mehrbelastung des Hochschuletats, unter Umgehung der »Geldfrage« also, möglich geworden.[14] In der Tat lagen Alfred Pringsheims Professorenbezüge stets am unteren Ende der Besoldungsskala; manche Kollegen bekamen doppelt so viel – unmittelbar vor dem Ersten Weltkrieg bis zu 10 000 Mark jährlich. Doch war sein Gehalt im Vergleich zu seinen sonstigen Erträgen ohnehin geradezu lächerlich gering. 1914, er war inzwischen im Vollbesitz seines Erbes, listete das *Jahrbuch des Vermögens und Einkommens der Millionäre in Bayern* den Geheimen Hofrat (diesen zuletzt erworbenen Titel zog er als Anrede allen anderen vor) »Dr. phil. Alfred Pringsheim, Kgl. Universitätsprofessor …, Sohn des Berliner Rentiers Pringsheim« an zweiundzwanzigster Stelle auf. Sein Vermögen wurde mit 13 Millionen und sein Jahreseinkommen mit 800 000 Mark beziffert. (Ein Arbeiter trug zu jener Zeit jährlich im Durchschnitt 1163 Mark nach Hause.[15]) Allseits sichtbares Zeichen der Pringsheimschen Wohlhabenheit war das »fürstliche Haus in der feinsten Gegend der schönen Stadt München«, von Alfred errichtet für »seine geliebte Hedwig«, wie Enkel Klaus Mann einmal anmerken sollte.[16]

Jede der Töchter des Ehepaars Dohm, hieß es, habe den wachen Verstand ihrer Eltern geerbt. Maßnahmen zu ihrer Erziehung, im Detail nicht bekannt, gingen jedenfalls deutlich über das gängige Bildungsrepertoire für Mädchen hinaus.

Auch Else zog daraus den Profit pekuniärer Besserstellung, sie bekam den Privatbankier Hermann Rosenberg zum Mann; Mieze brachte es durch diese Mitgift nicht nur zu anerkannt guten Leistungen als Übersetzerin, sondern auch zur Ehe mit Ernesto Gagliardi, einem an der Berliner Universität lehrenden Professor für neuere Geschichte; Eva schließlich heiratete nach Max Klein, einem Bildhauer von einigem Format, den bekannten Verleger Georg Bondi, der unter anderem die Werke von Stefan George herausgab.

Als die »schönste unter den vier Schwestern«[17] aber galt Hedwig, die Älteste, geboren am 13. Juli 1855, an der auch die fast männlich tiefe Klangfarbe ihrer Stimme angenehm auffiel. Ein sehr ansprechendes Äußeres, verbunden mit einem gewissen Etwas im Timbre, mache sich gut auf Bühnen, befand im Jahr 1874 ein Gast im Hause Dohm: Die einstige Mimin Ellen Franz, Freifrau Helene von Heldburg, »nach dem Wesen der morganatischen Ehe«[18] mit Herzog Georg II. von Sachsen-Meiningen verbunden und eng befreundet mit Ernst Dohm, versprach, Hedwig zur Hofschauspielerin zu machen. Obwohl Hedwig von klein auf »eine wahre Passion für das Aufsagen der längsten Gedichte gehabt und kein Alter und kein Geschlecht« mit ihren Deklamationen verschont hatte, mischte sich in anfängliche Hochgefühle einige Skepsis. Wusste sie doch nur zu gut um das Risiko der Chancenminimierung gerade junger Damen respektabler, aber nicht vermögender Herkunft auf dem Heiratsmarkt bei Verlust ihres guten Rufes. Auch dass ihr Vater noch vor ihrer Mutter bedenklich den Kopf geschüttelt hatte, hing mit dessen »höchst persönlichen Erfahrungen« mit dem »lockeren Theatervölkchen« zusammen. »Die Vorstellung, seinen Liebling in diesen Sündenpfuhl zu schicken, erfüllte ihn mit Grausen«, welches schließlich auf ein erträgliches Maß zurückgeschraubt wurde durch Informationen über die Höhe und Steigerungsfähigkeit der Gage einer »richtiggehenden Meiningerin«, wie Hedwig sich später erinnerte: »man höre und staune – 1500, 2500, 3500 Mark jährlich«.[19] Für Gastspiele war ihr sogar die Verdoppelung der Honorare zugesagt worden.

Das berühmte Schauspielensemble des Sachsen-Meiningischen Hoftheaters trat zwischen 1874 und 1890 mit einundvierzig Stücken in einundachtzig europäischen Städten auf. Wohin es in Sonderzügen auch reiste, ob nach Basel, London, Brüssel, Budapest, Warschau oder St. Petersburg, der Kampf um Logenplätze ging seiner Ankunft voraus, und um die Schirmherrschaft bewarben sich Könige, Kronprinzen, Fürsten, Industriemagnaten – größtenteils vergeblich. Aufführungen der Meininger ließen Publikum und Presse jubeln. Sensationelle Erfolge ihrer Gastspiele in Berlin hatten den Ruhm der Truppe aus dem Thüringischen begründet. Gemeinsam mit Manager Ludwig Chronegk und Helene von Heldburg, des Herzogs dritter Frau und Hofschauspielerin a. D. wie gesagt, hatte Georg II. von Sachsen-Meiningen, Intendant, Dramaturg und Ausstatter in Personalunion, aus der Mischung von modernster Bühnentechnik, spektakulären Effekten, kompromisslos werkgetreuen Inszenierungen und hoher darstellerischer Qualität in Verbindung mit einer ordentlichen Portion Pathos ein Erfolgsrezept gemacht.[20]

Für den 5. Januar 1875 war Schillers *Kabale und Liebe* angesagt; laut Programmzettel übernahm den Part der Louise »Frl. Dohm aus Berlin als ersten theatralischen Versuch«. Am Ende der Schonzeit für Debütantinnen aber war allen Beteiligten klar: Trotz bester Absichten und Bemühungen würde Hedwig den Anforderungen an eine Meiningerin niemals so ganz gerecht werden können. »Venezianische Schönheit à la Tizian«[21], Jugendfrische, Temperament und ungebremste Freude am Fabulieren vermochten den Mangel an Talent auf Dauer nicht auszugleichen. Für Hedwig beim Theater von Nachteil waren auch Machtkämpfe im Kolleginnenkreis sowie entsetzliches Lampenfieber. »Dumme Gans«, zischte Chronegk ihr aus den Kulissen zu, als sie mitten in einer Schlüsselszene unwiderruflich stecken blieb. Ihr Schützling werde »unbeholfen« bleiben, befürchtete schlussendlich auch die Patronin und ließ Herzog Georg II. zugleich wissen, man habe der Dohm »in freundlichen Worten ihre Entlassung gegeben«.[22] Was Hedwig 1876 mehr erfreute als verdross, war ihr doch unterdessen von ganz anderer Seite eine ohne jeden Zweifel viel versprechende Rolle im wirklichen Leben angeboten worden: »Als der große Joseph Kainz ... als Romeo gastierte, war sie seine Julia und sah so unwiderstehlich aus, daß einer der jungen Kavaliere in der Proszeniumsloge ... prompt beschloß, sie zu ehelichen.«[23]

Aber ja, die Umworbene ließ sich nicht zweimal bitten und beschloss ihrerseits, dem erkennbar einzigen Manko des Bewerbers keine Bedeutung beizumessen beziehungsweise es immer wieder einmal (und gar nicht bös gemeint) ein wenig ins Lächerliche zu ziehen, indem sie ihn ihren »kleinen Mann« oder auch »kleinen Kerl« titulierte.[24]

»Meine Verlobung mit Fräulein
Hedwig Dohm, ältester Tochter des
Herrn Ernst Dohm, beehre ich
mich hierdurch ergebenst anzuzeigen.

Berlin, den 31ten December 1877

Dr. Alfred Pringsheim
München 32, Maximilianstr.«[25]

Lange musste man auch auf die Hochzeitsanzeigen nicht warten. Am 23. Oktober 1878 unterzeichneten Bräutigam und Braut, er achtundzwanzig und sie dreiundzwanzig Jahre alt, auf dem Standesamt Berlin II die Heiratsurkunde.[26] In München, in einer »neuen, großen Etagenwohnung ... in der Nähe des Glaspalastes[27] mit Blick auf den Botanischen Garten«[28] kamen die ersten drei Kinder zur Welt: am 9. August 1879 Erik, am 19. März 1881 Peter und am 7. April 1882 Heinz. Und im Jahr darauf konnte der stolze Vater schon wieder eine freudige Nachricht in Umlauf bringen:

»Feldafing, den 24. Juli 1883

Heute wurde meine liebe Frau Hedwig, geb. Dohm, von einem Zwillingspaar – Knabe und Mädchen – glücklich entbunden.«[29]

»Ich … hatte in 4 Jaren meine fünfe weg«[30], kommentierte die Mutter mehr lakonisch als euphorisch die rasche Geburtenfolge.

Ein Blatt nahm im Hause Pringsheim niemand vor den Mund, wobei Meinungsäußerungen noch vor Meinungsaustausch rangierten. Kaum ein Thema blieb unbeachtet, alle Familienmitglieder suchten einander in »boshafter Schlagfertigkeit und skurriler Wortkunstfertigkeit«[31] zu übertreffen. Zumeist ging es ums Rechthaben, nur selten ums Rechtbekommen.

Über ein Höchstmaß an Redeeifer verfügte Frau Hedwig; Enkel Golo erinnert sich später: »Die … *femme du monde* der bayerischen Kapitale … beherrschte die … so seltene Kunst vollendeter Konversation.« Sie »wusste immer amüsant und originell zu sein – ob sie nun über Schopenhauer oder Dostojewskij oder Napoleon [ihre große Verehrung für den kleinen Franzosen drückte sich auch in einer umfangreichen Devotionaliensammlung aus] plauderte oder über die letzte Soirée im Hause der Kronprinzessin«. Freimütig äußerte sie aber auch ihre erheblichen Zweifel am Herrschertalent Kaiser Wilhelms II. … Hedwig Pringsheims Zivilcourage war überhaupt beachtlich: »Als sie von Rathenaus Ermordung erfahren hatte und in der Stadt eine Freundin traf, welch letztere sie freudig begrüßte: ›Nun, was sagst du dazu? Jetzt haben sie auch den Rathenau erschossen!‹ war die Antwort: ›Solche Reden kann ich nicht hören. Rathenau war ein naher Freund von mir. Mir zittern die Knie.‹ … und eine uralte Freundschaft war zuende.«[32] (Hedwig Pringsheim war mit dem Industriellen, Schriftsteller und Politiker der Deutschen Demokratischen Partei Walther Rathenau, der kurz vor seiner Ermordung 1922 auch Außenminister wurde, häufig zusammengekommen.)

Alfred Pringsheim hingegen schockierte mit Bonmots »oft

etwas gewagter Natur«. Bei Bedarf wurde seine knarrende Stimme übertönt vom melodiösen Protest der Gattin: »Ach Alfred! Wie *schrecklich* du wieder bist.«[33] Er war und blieb ein Schürzenjäger, notorisch animiert, woraus er zu keiner Zeit ein Geheimnis machte. Infolgedessen fand auch »das senile und schon recht hemmungslose Gejökel des dann Dreiundachtzigjährigen mit dem hübschen Stubenmädchen«[34] im Beisein zumindest eines peinlich berührten Zuschauers statt. Und indem Katia ihrem Vater posthum nachrief, er habe die »hervorragende Wagnersängerin, die Primadonna, sie nannte sich [Milka] Ternina[35] ... über alle Maßen« verehrt, sprach auch sie, diskret, wie es ihre Art war, und exemplarisch seinen steten Drang zu Nebenfrauen an.[36] »So Männer haben's gut, die dürfen ja immer ... one lächerlich zu wirken«, kommentierte Ehefrau Hedwig die Eskapaden ihres Gatten, für die sie die Bezeichnung »verliebtes Getu'« passend fand, während seine wechselnden Mätressen in ihren Augen »Flammen« waren, »die er hegt und pflegt«.[37] Und die ihn ihr, insgeheim gutgeheißen vielleicht, vom Leibe hielten?

So viel ist sicher: Man arrangierte sich.

»Die Pringsheims waren eine ungewöhnliche Familie, auffallend sogar in dem bunt gemischten Milieu der Münchner Gesellschaft« – »zwanglos«, »kosmopolitisch«, »kultiviert« und »opulent« sind Adjektive, die den »Stil des Hauses« wohl ziemlich genau beschreiben.[38] Unvergleichlich auch die Auftritte der Dame des Hauses im Rahmen sonntäglicher Teegesellschaften: »Sie zu betrachten, wie sie, stets in einen wallenden ›Teagown‹ aus chinesischem oder indischem Seidenstoff gekleidet, mit den schweren Silberkannen hantierte und die schönen Schüsseln, Schalen und Schälchen mit Kuchen und Backwerk in Umlauf setzte, war ein Genuß.«[39]

In Katias siebtes Lebensjahr fiel der Wohnungswechsel der Familie. Weit hatten die Pferdefuhrwerke mit Mobiliar und Hausrat nicht zu fahren, dafür erforderte die ungewöhnlich hohe Stückzahl zu transportierender Kostbarkeiten allergrößte Vor- und Umsicht.

Wie zuvor die Berliner auf das großelterliche Wilhelmstraßen-Palais reagierte nun die Bevölkerung der bayerischen Metropole auf Katias Elternhaus. 1890 im Wesentlichen fertiggestellt, avancierte das Zentrum im Mikrokosmos des Kindes, die Prachtvilla mit der Adresse Arcisstraße 12[40], rasch zur lokalen Attraktion. Ein reichshauptstädtisches Architekturbüro, das der Königlichen Bauräte Kayser und von Großheim, hatte dieses Pringsheim'sche Domizil entworfen:

An seiner Fassade kontrastierten rot glasierte Klinkersteine mit leuchtend weißen; Sandstein-Applikationen unterstrichen optische Anziehungspunkte wie Türmchen, Erker, Balkone, Fenster, Portal. Schätzungsweise insgesamt 1500 Quadratmeter Wohn- und Nutzfläche verteilten sich auf zwei Vollgeschosse und Mansarde. Im Hochparterre lagen die üppig dimensionierte Diele mit dem Haupttreppenaufgang, Speisezimmer und Musiksaal (mit versenkbarer Zwischenwand: »Man drückt auf einen Knopf und sie versinkt, leise rauschend.«[41]), Bibliothek, Herrenzimmer, Damenzimmer, Dienerzimmer, Herren- und Damengarderobe. Im ersten Stockwerk gab es Küche, Vorratsraum, Bad und Toiletten, Eltern- sowie zwei Kinderschlafzimmer (das größere davon gehörte den vier Brüdern gemeinsam, worum Katia die Jungen heftig beneidete, während sie das ihre zeitweise mit der Kinderfrau zu teilen hatte), des Weiteren ein Spielzimmer und die Studierstube mit fünf Schreibpulten, Bücherborden und einem Stutzflügel für Übungsstunden junger musikalisch ambitionierter Familienmitglieder, zu denen Katia, obwohl sie das Instrument passabel spielen lernte, damals eher weniger, ihr Zwillingsbruder Klaus aber unbedingt gehörte. Unter Umgehung der häuslichen Erwachsenenwelt führte eine separate Stiege ins Quartier der heranwachsenden Pringsheims. Waschküche, Trockenboden und Bügelzimmer, kleine Dienstbotenkammern und geräumige Unterkünfte für Gäste befanden sich unterm Dach.

Die Versorgung mit Elektrizität – welcher Privathaushalt konnte sich schon dessen rühmen? – erfolgte mittels eines Generators, der im hintersten Gartenwinkel in einem so genannten Maschinenhaus untergebracht war.

Weit über den Umfang des gängigen Konglomerats großbürgerlicher Repräsentationsobjekte hinaus ging das Interieur der Salons – prunkhaft Gründerzeitliches, wohin der Blick auch reichte: »vergoldete, kassettierte Decken, von Säulen eingefaßte Bogendurchgänge und Flügeltüren, Holz- und Marmorschnitzwerk, Seidentapeten, Brokatbehänge und Gobelins, herrliche Teppiche, große Lüster«. Insgesamt betrachtet, »wohl ein wenig überladen und auch nicht ganz frei von gewissen Geschmacksentgleisungen, die den ausgehenden achtziger Jahren eigen waren«[42]: der ausgestopfte Pfau etwa oder der entkernte Eisbär oder das vielfarbige Glühbirnen-Blumenbukett. Zeugnis vom Stilempfinden des Hausherrn legte selbst das Mobiliar der Kinderzimmer ab, bis hin zum Neo-Renaissance-Babystühlchen.

Echte Cinquecento-Raritäten füllten Stellflächen in Nischen, auf Simsen, Borden und Kredenzen. Alfred Pringsheim »sammelte so ziemliches alles an alter Kunst«[43], beginnend beim Mittelalter bis hin zu virtuosen Rückgriffen auf den Formenschatz der griechisch-römischen Antike, die besonders stark vertreten war. Einzig Arbeiten aus dem Barock fehlten gänzlich. Er selbst versah seine Kollektion italienischer Majoliken mit dem Etikett »bedeutendste Privatsammlung dieser Art«.[44] Sie allein umfasste etwa vierhundertvierzig Exponate, ergänzt um ungezählte Schalen, Teller, Vasen, Pokale, Becher, Plastiken und dergleichen mehr aus Glas und Edelmetallen. Während Experten oder zumindest lebhaft Interessierte aus vielen Teilen der Welt all das ganz genau betrachten durften, war Kindern jede Annäherung an die Familienschätze strengstens untersagt. Frau Hedwig pflegte im Fall der Zuwiderhandlung nur »silbrig zu kreischen und sich ihr schönes kastanienbraunes Haar zu raufen«, doch stand zu befürchten, dass sich der »cholerische kleine Herr … zu Racheakten von wahrhaft alttestamentarischer Furchtbarkeit« würde hinreißen lassen.[45] Wobei Katia der Zorn des Vaters nur höchst selten traf, denn die Tochter war und blieb seine Favoritin.

Großes Staunen und viel Bewunderung rief bei Besuchern des elterlichen Hauses auch jener zwanzig Meter lange und hundertdreißig Zentimeter hohe Fries hervor, der zur Ausschmückung der Bibliothek von dem aus dem Schwarzwald stammenden, seit zwei Jahrzehnten in München ansässigen Maler – und

Richard-Wagner-Verehrer – Hans Thoma[46] geschaffen worden war. Vor dem Hintergrund einer paradiesisch anmutenden Landschaft zeigte das Bilderband »glückliche Menschen in zeitlosen Gewändern oder freier Nacktheit … zwischen weidenden Tieren unter blühenden oder fruchtbeladenen Bäumen«[47].

Im unbefangenen Umgang mit Künstlergrößen waren auch die jungen Pringsheims geübt. »Kann Herr Thoma nicht eigentlich besser malen als Herr Lenbach? Was ist schwerer, bloß nach 'm Kopf malen oder anders?«, erkundigte sich die kleine Katia 1891, nach Anlieferung des Frieses und erster kritischer Inaugenscheinnahme. Von kindlicher Neugier und Altklugheit abgesehen, ließ jene Frage schon Ansätze der Pringsheimschen Usance erkennen, beinahe alles zu hinterfragen oder nahezu jeden in Frage zu stellen. Lokalpatriotismus, aus Küchengesprächen herausgefiltert, klang hingegen an, als Katia bei gleicher Gelegenheit den Hinweis, Herr Thoma sei nicht original bajuwarisch, mit dem Ausruf »Schade, denn das tät Bayern so ehren« quittierte.[48]

Franz von Lenbach[49] porträtierte die etwa Zwölfjährige. Das Gemälde zeigt Katia im Profil, schon deutet sich orientalisch eingefärbte Schönheit an. Doch förderte weder dieses Bildnis noch weitere des Mädchens Eitelkeit. Niemals wurde es auf sein außergewöhnlich gutes Aussehen hingewiesen, zu Katias späterem Bedauern: »Schade eigentlich.«[50] Auch dass die Dichterin Else Lasker-Schüler sie eine »morgenländische Prinzessin«[51] nannte, musste Katia nicht sofort erfahren. Eine kleine Unart aber hatte sich schon früh in ihre Mimik eingeschlichen: die schmollend vorgeschobenen Lippen, die untere etwas weiter als die obere, konnten, je älter sie wurde desto mehr, Ausdruck sowohl nervöser Anspannung als auch von Arroganz sein.

Die optische Extravaganz des Pringsheim-Nachwuchses insgesamt inspirierte Friedrich August von Kaulbach[52] zu seinem *Kinderkarneval;* das 1888 entstandene Original hing nach seiner Ausstellungstournee durch etliche deutsche Städte im Eingangsbereich der Villa in der Arcisstraße. Schwarzlockige Kinder mit elfenbeinfarbenem Teint, Erik, Peter, Heinz, Klaus und Katia in Pierrotkostümen, neun, sieben, sechs und fünf Jahre damals alt; das Bild wurde, ohne Preisgabe ihrer Identität allerdings, europaweit prominent, es fand Verbreitung in Tages-, Wochen- und Monatsblättern, es verschönte Kalender, ja zierte selbst Papierservietten. Seine Freude daran hatte unter vielen anderen ein gewisser Thomas Mann, der »Schüler im entfernten Lübeck« heftete den *Kinderkarneval* als Zeitungsausschnitt über seinem Schreibpult an die Wand. Unschwer konnten Betrachter erahnen, wie gering die Bereitschaft des munteren Quintetts zum Stillsitzen gewesen sein musste, aber auch, wie hochgemut und selbstbewusst unbekümmert die Geschwisterriege auftrat.

Sie habe sich, erzählte Katia aus jener Kinderzeit, nur unter Knaben wohlgefühlt, ja als Zwillingsbruder von Klaus empfunden, als Teil gewissermaßen einer aus ihnen beiden bestehenden Ganzheit: »Die zwei seltsamen Kinder schienen in einer Welt für sich zu leben – beschützt von ihrem Reichtum und von ihrem Witz, bewacht und verwöhnt von Bedienten und Verwandten.«[53] Wollte man Katia überreden, mit kleinen Mädchen zu spielen, reagierte sie mit zorniger Zurückweisung: Der Umgang mit ihresgleichen sei ihr unerträglich, und werde sie dazu gezwungen, dann könne man gewiss damit rechnen, dass sie die derart Unerwünschten »brutalisieren« werde.[54] Weihnachten 1887 tauschte Katia ihr Geschenk, ein Puppenservice, unverzüglich gegen Peters Spielzeugpistole ein. »Die fünf [!] Pringsheimbuben waren in der ganzen Umgebung als rechte Lauser bekannt«, erinnerte sich Bruder Heinz, an allen Streichen sei Katia beteiligt gewesen und habe selbst beim Raufen eifrig mitgemischt.[55] Wenig Ähnlichkeit mit der von Töchtern ähnlich gut situierter Eltern hatte auch Katias Kleidung: Schleifen, Smok und Spitzenrüschen, steifes Leinen und fester Zwirn waren zumeist ersetzt durch schlichtes, schmutzunempfindliches und bewegungsfreundliches Gestrick.

In späteren Jahren »nach Florentiner Art von 1500 gekleidet«[56], wies Katia Korsetts weit von sich, was ihren Tanzpartnern zu einem völlig neuen Körpergefühl verhalf: »Ah comme c'est charmant, on sent tous vos petits Rippchen ...«[57]

Nicht einmal für den Schulbesuch musste sich die kleine Pringsheim herausstaffieren lassen. Katia erhielt Privatunterricht, elementare Kenntnisse, über drei Jahre hinweg vermittelt, erwarb sie noch in Gesellschaft von Klaus. Täglich eine Stunde kam der Lehrer, Herr Bengelmann, ins Haus. Wie rasch sie, von ein paar nach nur einjähriger Unterweisung entschuldbaren Unsicherheiten abgesehen, im Pensum fortschritt, lässt ein Brief der Siebenjährigen an den »Lieben Großpapa« Rudolph Pringsheim erahnen. Vom Geburtstagsdefilee für den Prinzregenten galt es zu berichten:

> »... es war ein Festzug für ihnen und war sehr schön. Am Anfang kamen zwei Herolde darnach kam Musig zu Pferde und dann kamen geschmückte Wägen. Im Festzug waren auch Wägen mit Niederbaiern im Folgstracht. Ein Wagen stellte eine Senhütte for. Ein anderer Wagen stellte ein Schiff auf dem Starnbergersee for. Im Festzug waren zehn Reiter mit Lorbeerkränzen auf Stangen. Am Anfang waren Weteranen und Fanen. Es waren auch Feuerwerer dabei. Im Festzug waren auch Studenten mit Fanen in Wichs und dazwischen waren Wägen mit Professoren und Direktoren. Sie hatten furchbar komige Kapen. Im Festzug waren auch furchbar komike Pfeifer. Es waren auch sehr viel Gebürgläute da.«[58]

Im Gegensatz zu ihrer Mutter, die das Dehnungs-H aus Schriftstücken verbannte, würde Katia sich allmählich an seinen regelmäßigen Einsatz gewöhnen. Seit jeher reicherte sie die hochdeutsche Sprache sowohl mit alpenländischen, Dienern und Dienstmädchen abgelauscht, als auch mit französischen Einsprengseln an. Für die perfekte Beherrschung der Fremdsprache sorgten Gouvernanten, zunächst Mademoiselle Girardin und danach Madame Griselle, welche als ekelhaft empfunden und deshalb nur Made gerufen wurde.

Mit elf wurde Katia zum ersten Male in Wagners *Meistersinger* mitgenommen. Opernchorgesänge fehlerfrei wiederzugeben war ihr schon mit knapp drei gelungen. Und war sie nicht bereits im Alter von noch nicht zwei Jahren für Überraschungen gut gewesen? »Käte spricht alles nach, was man ihr vorsagt und äußert sich auch schon selbständig. Dabei ist sie das lustigste ... kleine

Geschöpfchen …«[59], hatte Hedwig Pringsheim damals vermerkt.

Nicht nur ums Dokumentieren frühkindlicher Reife dürfte es ihr jedoch gegangen sein, als sie 1891 diese Szene in ihrem Notizbüchlein festhielt: »Wir sitzen am Theetisch, ich meine, Alfred, der noch fehlt, trinke gewiß bei der Milka Thee. Kati: ›Der Fey [so wurde der Vater und Fink die Mutter genannt] spielt Milka überhaupt sehr den Hof, er wird sie wohl heiraten wollen, auf ein Jahr, bis sie ein Kind hat, dann wird er wiederkommen und sich mit dem Kind protzen, als wenn es gescheiter wäre als wir fünf, aber dann jagen wir Milka mit'n Kind fort.‹« Alfred Pringsheim, nach seiner Rückkehr sofort informiert und prompt aufgeschreckt, wollte von Katia nun doch noch erfahren, ob sie auch vom Den-Hof-Spielen eine genaue Vorstellung habe. »›Ja‹, … du gehst halt immer Theetrinken zu ihr und gibst ihr den Arm und applaudirst im Theater … du bist wie ein Witwer, der eine andere will …!«[60]

»Völlig ahnungslos« aber waren Tochter und Söhne (alle evangelisch getauft, Katia und Klaus am 6. Juli 1885) hinsichtlich »ihrer Abstammung«. Juden!? Auch in ihren Reihen!? Davon wollte der Pringsheim-Nachwuchs nichts wissen. Nur Heinz, der auf Nachfrage (sein Turnlehrer hatte die Endung von Namen auf -heim als typisch jüdisch ausgegeben) von der Mutter den Hinweis erhalten hatte, dass eine Freundin der Familie, Frau Guggenheim (Pringsheim als Beispiel heranzuziehen war auch ihr wohl nicht in den Sinn gekommen), tatsächlich Jüdin sei, lehnte diese Auskunft entschieden ab: »Nein, das kannst du uns nicht einreden, denn ich kenn die Juden ganz genau.«

Klaus legte Wert auf die Feststellung, dass er zur evangelischen Kirche gehöre; jede Beziehung zu »Alttestamentlern« leugnete er kategorisch. Erik äußerte, es störe ihn weiter nicht, dass er in der Schule neben einem Juden sitzen müsse, denn »ein Jud ist grad dasselbe wie ein Christ, nur die Religion ist ein bischen anders«. (Dass sie »Juden en masse« »abscheulich« fand,[61] verriet Hedwig Pringsheim dem Sohn vielleicht doch noch nicht.)

Wie Erik war Katia für friedliche Koexistenz; in jungen Jahren bei Großmutter Hedwig in Berlin zu Besuch, sprach sie sich für Verlobungen zwischen christlichen Männern und »Judenmädeln« aus, schloss ihr Plädoyer jedoch ab mit der Erklärung: »... daß ich keine Jüdin bin, weiss ich ganz gewiß.«[62]

Besorgnis erregend fanden die Eltern eine Erkrankung Katias im Alter von acht Jahren, Ärzte suchten vergebens nach einer Erklärung für verhältnismäßig lang anhaltendes hohes Fieber. Ihren Bruder Klaus übertraf sie an Robustheit aber allemal. »Fast mütterlich wachte sie darüber, daß er nur ja genug aß, bis ihm das einmal zu dumm wurde: ›Du rufst immer die Namen von allerlei Speisen aus, ich esse schon, was und soviel ich mag.‹ In unserer zweimal wöchentlich von einem Feldwebel des Kadettenkorps geleiteten Turnstunde stellte dieser Herr Zimmerer sie ihm immer als Muster hin: ›Schaun S' die Katja an, die ist zwar nur ein Mädel!‹«[63] Leibesübungen gehörten also ebenfalls zu den förderungswürdigen Beschäftigungen. Alfred Pringsheim liebte rasches Gehen, bei jedem Wetter bewegte er sich zu Fuß durch die Stadt; der Anschaffung einer eigenen Kutsche, oder, in späteren Jahren, gar eines Automobils hätte er niemals zugestimmt. Schon deshalb war seine Frau »eine der ersten Damen, die in München radelten«. Voraussetzung für die obligatorische polizeiliche Fahrradprüfung war die Vorlage einer schriftlichen Einverständniserklärung ihres Ehemannes in seiner Funktion als »Haushaltungsvorstand« gewesen. Beim Radeln trug Hedwig Pringsheim statt des Rocks eine Hose, ein Unding für Damen eigentlich, und erntete dafür unterwegs sowohl Anerkennung: »Gelt, Spezi, das san a Paar Waderln!« als auch Tadel, die in dem Zuruf gipfelten: »Steig ab, du Sau!«[64] Am Anfang unternahm man Touren durch Deutschland, dann wagte man sich weiter fort. Gemeinsam mit den drei älteren Söhnen erfuhren sie Teile der Schweiz und der Niederlande, von Norwegen, Italien, Frankreich und England. Katias und Klaus' Aktionsradius beschränkte sich indessen auf München und seine Umgebung, stundenlange Ausflüge unternahmen die Zwillinge auf ihren Fahrrädern der Marke Cleveland. Nahziele waren auch allgemein beliebt. 1886 machte laut örtlicher »Fremdenliste« »Dr. Pringsheim Alfred mit Familie und Dienerschaft, München, mit 11 Personen« Ferien am Tegernsee.[65] Mehrfach kam des Professors Entourage in den Jahren 1889 und 1893 ins oberbayerische Bauernland. Im Verlaufe etlicher Wochen von der vorwitzigen kleinen Katia mit Ortsansässigen geschlossene Freundschaften würden der Erwachsenen einmal eine große Hilfe sein – bei ansonsten mühevollen Hamstertouren in wirtschaftlicher Notzeit. Und noch ein Hinweis am Rande: 1888 und 1890, jeweils im August und September, kurte »Senator Mann, Lübeck« im benachbarten Wildbad Kreuth. Einmal kam er mit, einmal ohne Gattin. Dass »Frau Julia Mann« 1893 allein, wenn auch »mit Bedienung« und unter Angabe einer Münchner Adresse in der Tegernseer »Passantenliste« auftauchte, hing damit zusammen, dass aus ihr unterdessen eine »Senators-Wwe.« geworden war.[66]

Nicht nur im Radeln, auch im Schwimmen, Tennisspielen und winters im Skifahren – den meisten Mädchen unter dem Vorwand gesundheitsschädigender Auswirkungen untersagt – brachte es Katia im Gefolge der Brüder zu gleicher Könnerschaft wie diese. Falls zutrifft, was familienintern erzählt und weitergegeben wurde, nämlich dass sie »so einen kleinen Stimmbruch«[67] hatte, dann schloss die knabenhafte Katia auch insofern auf zur männlichen Jugend an ihrer Seite. Und der Herausforderung zur intellektuellen Variante des Aneinandermessens konnte die blitzgescheite Schnelldenkerin erst recht nicht widerstehen.

Um 1893: »Es war eine Idee meiner Mutter oder meiner Großmutter …, die ja bekanntlich Frauenrechtlerin war, daß ich das Gymnasium machen sollte.«[68] Obwohl Mädchen vom Unterricht an Oberschulen, die zur Reifeprüfung führten, ausgeschlossen waren!?[69]

Gegen Ende des Jahrhunderts schaltete sich die bayerische Presse vermehrt in Diskussionen um Pro und Kontra höherer Schulbildung auch für den weiblichen Teil der Bevölkerung ein. Angeheizt wurde die Berichterstattung durch sehr kontrovers geführte Reichstagsdebatten. Am lautstärksten meldeten sich die Gegner zu Wort. »Je mehr Frauen höhere Schulen besuchen, um so mehr steht die Männlichkeit in Gefahr, insoferne als sie vor lauter Rücksichtnahme gegen das weibliche Geschlecht zu duldenden Eunuchen werden«, malte beispielsweise ein Korrespondent der *Neuen Bayerischen Landeszeitung* den Teufel an die Wand.[70] Auch nannte er die »Ausbreitung des Frauenstudiums« »gemeingefährlichen Unfug«[71]. Und wer, wie der liberale Abgeordnete Dr. Andreae, nicht nachließ, für die Einrichtung von Mädchengymnasien zu werben, lief Gefahr, als »notorisch unchristlich« beschimpft zu werden.[72]

Für die privilegierte Pringsheim-Tochter fand sich eine individuelle Lösung: Während Klaus forthin im Münchner Königlichen Wilhelms-Gymnasium (einer 1559 vom baierischen Herzog Albrecht V. im Zuge der Gegenreformation gegründeten Traditionslehranstalt) die Schulbank drückte, wurde seine Zwillingsschwester extern, also daheim, auf die Reifeprüfung vorbereitet. Nachdem ein Student, der in erster Linie ins Haus kam, um Wissenslücken der Brüder zu stopfen, mit ihrem Lerntempo nicht mehr hatte Schritt halten können, verblüffte Katias rasche Auffassungsgabe die daraufhin engagierten Gymnasialprofessoren, »einer für die alten Sprachen, einer für Mathematik, einer für Deutsch und Geschichte«, jeder erschien »die Woche vielleicht zwei Stunden«.[73] Das Fach Religion, im letzten Unterrichtsjahr ins Curriculum aufgenommen, erwies sich als bestens geeignetes Anwendungsgebiet für die exzellenten Altgriechischkenntnisse des Mädchens. Doch erfasste es unterdessen auch lateinische Texte so selbstverständlich wie deutsche. Französisch war Katia bekanntlich von Kindesbeinen an vertraut, und später irgendwann trat der sichere Umgang mit dem Englischen hinzu. Plagen musste sich die Vorzugsschülerin wohl nie. In ihrem Gedächtnis blieb der Eindruck haften, »das Ganze« sei furchtbar leicht gewesen.[74]

Im Sommer 1901 ging es darum, ihren Wissensreichtum an zur Erteilung befugter Stelle in eine Hochschul-Zugangsberechtigung umzumünzen. Lion Feuchtwanger[75], ein Mitschüler von Klaus und befreundet auch mit dessen Zwillingsschwester, beobachtete das in München Noch-nie-Dagewesene:

»Inmitten eines Gedränges ... neunzehnjähriger Knaben stieg [Katia] die niedrigen, ausgetretenen Stufen des Wilhelms-Gymnasiums ... hinauf zur Aula, wo die Abiturienten-Prüfungen abgehalten wurden. Bisher waren Mädchen von diesen Prüfungen ausgeschlossen gewesen; sie war die Erste, die nach einem harten Vorexamen zugelassen wurde, und für uns Jungens war es eine ungeheure Sensation, unsere Nöte und Ängste mit diesem fremdartigen, ungewöhnlich hübschen Mädchen zu teilen.«[76]

Letztlich kam die Schulleitung nicht umhin, der »Privatstudierenden Katharina Pringsheim« ein, bei leiser Kritik im Einzelfall, glänzendes »Gymnasial-Absolutorium«[77] auszustellen:

»Nach ihren schriftlichen Prüfungsarbeiten ist der Stand ihrer Kenntnisse im allgemeinen ein recht erfreulicher. Der deutsche Aufsatz hob die richtigen Gesichtspunkte hervor, ließ aber Sicherheit sowohl in der sachlichen Begründung wie auch in der sprachlichen Behandlung vermissen. Die Bearbeitung der übrigen Prüfungsaufgaben war ihr gut gelungen; insbesondere zeugte die Übersetzung aus dem Griechischen ins Deutsche von richtiger Auffassung und gutem Verständnisse. Auch in der mündlichen Prüfung wußte sie die ihr vorgelegten Autorenstellen sehr gewandt zu übersetzen und zu erklären und zeigte in Mathematik und Geschichte wohlbefriedigende Kenntnisse.
Im Einzelnen lassen sich ihre Kenntnisse nach den bei der Prüfung gegebenen Proben folgendermassen bezeichnen:

in der Religion .... gut
in der deutschen Sprache .... genügend
in der lateinischen Sprache ...... sehr gut
in der griechischen Sprache ...... sehr gut
in der französischen Sprache ..... sehr gut
in der Mathematik und Physik ... gut
in der Geschichte .... gut«[78]

Ob des Prüfers und Zeugnisschreibers, allerdings recht vorsichtig formulierte Herabwürdigung ihrer muttersprachlichen Kompetenz ein Ärgernis für die Erfolgsverwöhnte war, lässt sich nicht mit Sicherheit sagen. Aber könnte es nicht sein, dass diese ausnahmsweise negative schulische Erfahrung ein Grund mit dafür war, dass Katia ihr restliches Leben lang jeder unmittelbaren literarischen Betätigung so ablehnend gegenüberstand?[79]

Klaus Pringsheim schloss seine neun Gymnasialjahre mit drei ›genügend‹ ab: in Latein, Geschichte und Turnen. Leibesübungen hatte man Katia nicht abverlangt. Als ›gut‹ wurden des Bruders Leistungen in Religion, der deutschen, griechischen und französischen Sprache bezeichnet. Die Bestnote hatte der Regelschüler somit nirgends zustande gebracht. Und kam dennoch zu höheren Ehren. Obwohl, auch das im Gegensatz zu Katia, selbst Klaus' Fleiß erheblich zu wünschen übrig gelassen hatte, hielt dieser es für eine logische Konsequenz, dass »die Zwillinge[!]… Headlines in der deutschen Presse machten«[80].

Im *Jahres-Bericht über das K. Wilhelms-Gymnasium zu München für das Schuljahr 1900/1901* hingegen taucht, neben denen seiner Mitschüler, nur der Name des Bruders auf. Des Weiteren heißt es dort: »Die Gymnasialabsolutorialprüfung, welcher sich die 51 Schüler der Oberklasse, sowie durch höchste Ministerial-Entschließungen[81] zugewiesen, 2 weibliche Privatstudierende unterzogen, wurde … in ihrem schriftlichen Teile in der Zeit vom 18. bis 21. Juni, die mündliche … in der Zeit vom 1. bis 8. Juli abgehalten.«

Zu mehr als pauschaler Abhandlung des Novums hatte sich der Chronist nicht durchringen können. Zumindest aber wissen wir durch ihn, dass Katia, wenn nicht die erste, wie oftmals geschrieben, so doch vermutlich eine der ersten beiden Abiturientinnen Münchens war.[82] Und durchaus gewillt, vom großartigen Erfolg den rechten Gebrauch zu machen.

»München, 31 October 1901
An
das kgl. Rectorat der
Ludwig-Maximilian[s]-
Universität.

Gesuch um Zulassung
als Hörerin.

Die Unterzeichnete, Katia Pringsheim,
Tochter des kgl. Universitätsprofessor[s] Alfred Pringsheim, richtet aufgrund des beiliegenden Absolutorialzeugnisses an das kgl. Rectorat das Gesuch, im Wintersemester 1901/2 zu folgenden Vorlesungen zugelassen zu werden:
1) Experimentalphysik bei Geheimrat Dr. Röntgen.
2) Kunstgeschichte bei Privatdozent Dr. Weese.
3) Über unendliche Reihen, etc. bei Professor Dr. Pringsheim.

Der Bescheid auf dieses Gesuch wolle ihr Arcisstraße 12/0 zugestellt werden.

[gez.] Katia Pringsheim«

Bereits am 2. November 1901 wurde ihr von Lujo Brentano, Rektor der Münchner Universität, Professor der Nationalökonomie, Finanzwissenschaft und Wirtschaftsgeschichte, schriftlich und »vorbehaltlich der Zustimmung der Herren Professoren beziehungsweise Dozenten, welche Sie einzuholen haben«, die »Erlaubnis erteilt«, »die Vorlesungen … als Hörerin zu besuchen«.[83]

Achtunddreißig junge Damen insgesamt, bei rund 4500 männlichen Studierenden, hielten die zu befragenden Hochschullehrer in diesem Wintersemester für zumutbar.[84]

Bislang hatte jedes einzelne, von Semester zu Semester erneut zu stellende Gesuch auch dem Königlich Bayerischen Staatsministerium des Innern für Kirchen- und Schulangelegenheiten zur Entscheidung vorgelegt werden müssen. Katia Pringsheim gehörte zu den ersten weiblichen Studierenden, die von der jüngst verfügten Vereinfachung und Beschleunigung des Selektionsverfahrens profitierten. Seit dem 18. September 1901 waren die Rektorate »ermächtigt, die ministerielle Genehmigung als stillschweigend gegeben anzunehmen und die Zulassung zu verfügen, wenn der Vorbildungsnachweis eines deutschen Gymnasiums« vorlag.[85] Was höchst selten vorkam, doch auf die Abiturientin Katia Pringsheim erfreulicherweise zutraf.

»Ich ging an die Universität und hörte vor allem Naturwissenschaften. Bei Röntgen Experimentalphysik und bei meinem Vater Mathematik: Infinitesimal-, Integral- und Differentialrechnung und Funktionstheorie.«[86] Was Katia sehr viel später von sich sagte, stimmt allerdings nur zum Teil. Warum sie aus des Vaters Mund über die ›unendlichen Reihen etc.‹ gleich zu Beginn ihres Studiums dann doch nichts hören wollte, ist leider im Nachhinein nicht mehr feststellbar.

Auskunft über den Studienverlauf erteilen hingegen insgesamt sieben im Münchner Universitätsarchiv verwahrte ›Belegblätter‹, mittels deren das »Fräulein Pringsheim« pflichtgemäß pro Halbjahr sein Auswahlprogramm bekannt gab:

Wintersemester 1901/02[87]

Prof. Röntgen[88]	Experimentalphysik
Prof. Krumbacher	Anfangskolleg Russisch
Dr. Weese	Kunstgeschichte

Sommersemester 1902[89]

Prof. Röntgen	Experimentalphysik
Prof. Lipps	Einleitung Geschichte [der] Philosophie

Wintersemester 1902/03[90]

Prof. von Bayer	Unorganische[91] Experimentalchemie
Prof. Zeh[e]nder	Über Kathodenstrahlen etc.
Prof. Röntgen	Praktische Übungen
Prof. Furtwängler	Moderne ästhetische Streitfragen

Sommersemester 1903[92]

Prof. Pringsheim	*(den Namen des Vaters strich Katia nachträglich aus)*

Prof. Röntgen	Experimentalphysik II
Prof. Röntgen	Physikalisches Praktikum
Dr. Voll	Alte und neue Malerei

Alfred Pringsheim war erstmals im Frühjahr 1903 zwecks Befreiung von der Verpflichtung zu Vorlesungen an Ministerium und Universitätsverwaltung herangetreten. Er arbeite, so seine Begründung, an einem »größeren wissenschaftlichen Werk« und wolle sich bis gegen Ende 1904 auf dessen Fertigstellung konzentrieren. Ablehnende Antworten als definitiv zu akzeptieren, ließ sein Widerspruchsgeist nicht zu; Argumentationsstärke in Verbindung mit sturer Beharrlichkeit brachte ihn, nach einigem schriftlichen Hin und Her, schließlich ans angestrebte Ziel.[93] Die Tochter konnte sich von der hervorragenden Qualität seiner Vorlesungen und Seminare, sofern sie es sich jetzt tatsächlich ernsthaft vorgenommen hatte, also vorerst nicht selbst überzeugen. Übrigens hatte Katia, kurz bevor ihr Vater gegen seine Vorgesetzten opponierte, auch ihrem Ärger über die Unbeweglichkeit universitärer Obrigkeiten Luft gemacht: im Dezember 1902[94] als Mitunterzeichnerin einer Eingabe »An das K. B. Staatsministerium des Innern für Kirchen- und Schulangelegenheiten … Betreff: Immatrikulation.« Fünf »Hörerinnen der philosophischen« und sechs der »medizinischen Fakultät der Universität München« forderten, »daß in Zukunft diejenigen Frauen, welche sich das Reife-Zeugnis eines humanistischen oder Realgymnasiums erworben haben, zur Immatrikulation an der Bayerischen Hochschule zugelassen werden«, wobei es folgende »Mißstände« zu beseitigen gelte:

– die bestehende Rechtsunsicherheit,
– das Verwehren von Kollegienbüchern mit Nachweisen besuchter Vorlesungen,
– das Verbot ihres Aufenthaltes in Universitätsbibliothek und Lesesaal[95],
– die willkürliche Zulassung zu Lehrveranstaltungen sowie schließlich
– dass Frauen keine Studentenausweise und nicht einmal Hörer-

karten erhielten, weshalb sie sich weder legitimieren könnten noch in den Vorzug von Preisermäßigungen kämen.[96]

Im fortschrittlichen Baden waren Frauen seit dem 28. Februar 1900 »versuchs- und probeweise zur Immatrikulation an den beiden Landesuniversitäten zugelassen«.[97]

In Bayern wurde der 21. September 1903 zum Stichtag für die Zulassung regulärer Studentinnen. Der von Prinzregent Luitpold unterzeichneten Vorlage entsprechend waren »... vom Wintersemester 1903/04 an Damen, welche das Reifezeugnis eines deutschen humanistischen Gymnasiums oder eines deutschen Realgymnasiums besitzen, zur Immatrikulation an den bayerischen Universitäten zugelassen«.[98] Zweiunddreißig »Immatr. weibliche Studierende« fanden daraufhin Eingang in das »Amtliche Verzeichnis des Personals der Lehrer, Beamten und Studierenden an der königlich bayerischen Ludwig-Maximilians-Universität zu München«. Nicht ohne Stolz wird »Katia Pringsheim, Cand. der Physik«[99] zur Kenntnis genommen haben, dass endlich auch eine weibliche Pringsheim darin zu finden war. Auffällig ist die Ausrichtung ihres Studiums nun voll und ganz auf naturwissenschaftlich-mathematische Lehrveranstaltungen (die erheblich gesteigerte Anzahl der Semester-Wochenstunden[100] stand allerdings mit zeitintensiven Versuchsreihen im Zusammenhang):

Wintersemester 1903/04[101]

Prof. Röntgen	Anleitung zu selbständigem Arbeiten
Prof. Röntgen	Colloquium
Prof. Voss	Analytische Mechanik
Prof. Voss	Analytische Geometrie
Prof. Voss	Übung zur analytischen Geometrie
Prof. Korn	Variationsrechnung

Sommersemester 1904[102]
(aus der Physik-Studentin war eine »Cand. der Mathematik« geworden)

Prof. Voss	Analytische Geometrie II
Prof. Voss	Analytische Mechanik

Prof. Voss	Übungen zur anal. Mechanik
Prof. Graetz	Einleitung in die geometrische Physik
Prof. Lindemann	Grundlagen der Geometrie

Im Wintersemester 1904/05[103] stand Professor Pringsheim der Universität als Lehrer wieder zur Verfügung. Schon deshalb wohl hatte sich Katia gleich zwei der väterlichen Vorlesungen, »Functionen-Theorie« und »Diffential-Rechnung«, für ihr siebentes und letztes Studienhalbjahr vorgenommen …

Eine besondere Veranlagung für Mathematik und Physik habe sie an sich nicht entdecken können, suchte Katia später die vorzeitige Aufgabe eines Studiums zu erklären, das »eigentlich mehr so« Ausdruck »töchterlicher Anhänglichkeit« und mit dem es schon deshalb »nicht weit her« gewesen sei.[104]

Daran mag viel Wahres sein.

Von anderer Seite wurde spekuliert, sie habe sich für Mathematik und Physik entschieden, um Oskar Perron, einem Schüler ihres Vaters und 1906 dessen Nachfolger auf dem Lehrstuhl, zu imponieren.[105] Fest steht nur, dass »Dr. Oskar Perron aus Frankenthal, Mathematik« sowohl im Sommersemester 1904 als auch im darauf folgenden Winterhalbjahr gemeinsam mit Katia in München eingeschrieben war. Einer ihrer Kommilitonen an der Ludwig-Maximilians-Universität war auch Albert Einstein. Und zeitgleich mit ihr studierten dort, wie bereits angedeutet, die Brüder Erik, Peter, Klaus sowie: Mutter Hedwig, was durchblicken lässt, dass Gemeinsamkeiten zwischen Mutter und Tochter im Hause Pringsheim weit über die üblichen Schnittmengen weiblicher Interessensgebiete hinausgingen.

Auch »Frau Professor Pringsheim« hatte mit ihrer Bitte um Zulassung als Hörerin Erfolg gehabt, wobei ihr Erstantrag mit dem Katias zeitlich zusammengefallen war.[106] Verteilt auf je zwei Sommer- und Wintersemester bildete sie sich fort, teils Seite an Seite mit der Tochter. Gemeinsam besuchten sie beispielsweise das ›Anfangskolleg Russisch‹ und die ›Einleitung in die Geschichte der Philosophie‹; des Weiteren zeigte Frau Hedwig Interesse an der ›griechischen Skulptur‹, befasste sich mit ›Hellenistischer und römischer Plastik‹ und drang mit der Vorlesung zur ›Hochrenaissance‹, ein Stück weit zumindest, in die kunstgeschichtliche Domäne ihres Mannes vor; auf ihren Belegblättern finden sich überdies Vorlesungen zu ›Beziehungen der Plastik zur Malerei‹, der ›Kunst im Zusammenhang mit Kulturgeschichte‹, zu ›Ethik‹, ›Ästhetik‹ und ›Ästhetischen Streitfragen‹.[107]

Und Katia?

Ihre akademische Laufbahn fand bekanntlich ein jähes, später von ihr mitunter betrauertes Ende. Ein Mann, Thomas Mann, hatte sich ihr in den Weg gestellt.

III. Die Braut
1904–1905

Eine Trambahnfahrt zur Universität.[1] Haltestelle Schelling-/Türkenstraße.

Kontrolleur: »Ihr Billett!«

Katia Pringsheim: »Ich steig hier grad aus.«

Kontrolleur: »Ihr Billett muß i ham!«

Katia Pringsheim: »Ich sag Ihnen doch, daß ich aussteige. Ich hab's eben weggeworfen, weil ich hier aussteige.«

Kontrolleur: »Ich muß das Billett –. Ihr Billett, hab ich gesagt!«

Katia Pringsheim: »Jetzt lassen Sie mich schon in Ruh!« [*springt wütend ab*]

Kontrolleur: »Mach, daß d' weiterkimmst, du Furie!«[2]

Daraufhin ein Ohren- und Augenzeuge des Disputs [*sichtbar entzückt, vor sich hin murmelnd*]: »… schon immer wollte ich sie kennenlernen, jetzt muß es sein.«[3]

Rein visuelle Annäherungen zwischen der »Furie« und dem Fahrgast waren vorausgegangen.

Über 1700 Plätze verfügte der Kaim-Saal[4], Aufführungsort der Kaim-Konzerte und neben dem Odeon das zweite Konzerthaus Münchens, benannt nach Franz Kaim, dem Spiritus Rector des Ganzen. Noch vor der Aufnahme des Spielbetriebs im Oktober 1895 hatte dem Unternehmen das wirtschaftliche Aus gedroht; Kunstfreunde verhinderten den Konkurs durch langfristige Vorfinanzierung von Kartenkontingenten. Immer die gleichen Sitze, »gute und teuere … in der zweiten Reihe«[5], wurden zu musikalischen Darbietungen des Kaim-Orchesters[6] auch von Söhnen und Tochter des Abonnenten Alfred Pringsheim angesteuert, stets verfolgt von den Blicken der Münchner Gesellschaft, interessierten und bewundernden Blicken, die am längsten auf Katia ruhten, von dieser halb geniert und halb geschmeichelt zur Kenntnis genommen.

Der achtundzwanzigjährige Thomas Mann allerdings, äußerst korrekt gekleidet, in Aussehen und Haltung fast wie ein Offizier in Zivil, jener stillvergnügte Beobachter auch ihres (furiosen) Auftritts in der Trambahn übrigens, hatte, auf einen preisgünstigeren Galerieplatz abonniert, seine Beobachtungen unter Zuhilfenahme eines Opernglases machen müssen[7]: Er sah Katia Pringsheims »wohlausgebildete und dennoch kindliche Gestalt«, ihre »bräunlichen Schultern und ihre Arme ..., die rund und fest waren und dennoch vor dem Handgelenk wie die eines Kindes wurden«. Er sah die »Schwärze ihres aufgelösten Haares, das eine Neigung zeigte, ihr in glatten Strähnen in die Stirn zu fallen, ihre übergroßen und schwarzen, glänzend fragenden Augen in dem perlblassen Gesichtchen, ihren vollen und weichen Mund, den sie mit verwöhnter Geringschätzung vorschob, wenn sie sprach«[8]. Fürwahr: ein »Sonderfall«!

Dass in einer Konzertpause Seine Hoheit der bayerische Prinzregent Luitpold mit der jungen Dame zu scherzen beliebte, dürfte Thomas Mann 1903 ebenfalls nicht verborgen geblieben sein. Und genauso wenig das reizverstärkende Phänomen juveniler männlich-weiblicher Undifferenziertheit, gut erkennbar im direkten optischen Vergleich der altersmäßig so nahe beieinander liegenden Geschwister Erik, Peter, Heinz, Klaus und Katia Pringsheim. Unentschieden hinsichtlich seiner geschlechtlichen Orientierung scheint Zwilling Klaus geblieben zu sein, dessen Sohn Klaus Hubert ihn einmal als »zumindest latent homosexuell« bezeichnete.[9]

Es gibt perfide Gesellschaftsspiele, Außenstehenden von Insidern aufoktroyiert. Ihr Ausgang ist gewollt und vorhersehbar. Und noch dazu sehen sich die unausweichlichen Verlierer zu guter Miene trotz erkennbar böser Absicht gezwungen. Die Gebrüder Pringsheim machten sich einen Spaß daraus, nicht zur Familie Gehörende, selbst solche, die sich bislang für hinlänglich redegewandt gehalten hatten, mit als Beiläufigkeit getarnten verbalen Attacken in Windeseile den Schneid abzukaufen. »Die Geschwister sprachen mundfertig und mit scharfer Zunge ..., scheinbar im Angriff und doch vielleicht nur aus eingeborener Abwehr, verletzend und wahrscheinlich doch nur aus Freude am guten Wort, so daß es pedantisch gewesen wäre, ihnen gram zu sein.« Anmaßend auch ihre Körpersprache: Mit »lässiger Haltung, mit launisch verwöhnten Mienen« suchten sie den Eindruck »üppiger Sicherheit« zu verstärken.[10] Auch sie »habe schon ganz gern ein bißchen Überlegenheit durchblitzen lassen«[11], sagte Katia im Rückblick von sich.

Manchem fiel an ihren Brüdern »etwas Skeptisches, Zahmes und Flaues« auf, weil sie von ihrem Vater in ihrer Kindheit geduckt worden seien – vielleicht. Rebellion habe nur der Jüngste gewagt, »streitsüchtig« wurde er genannt und »subversiv«, aber auch »anregend und humoristisch«.

Klaus Pringsheim nahm in der Brüderreihe eine Sonderstellung ein, er »mag von der Liebe profitiert haben, mit der der Geheimrat seiner einzigen Tochter, der Zwillingsschwester anhing«.[12] Komponist, Dirigent, Opernregisseur, Musikpädagoge, Musikschriftsteller – für Klaus erfüllten sich alle Berufswünsche. In Wien war ihm Gustav Mahler ein wichtiger Mentor. Otto Klemperer nannte ihn einen Freund. Früh trat Katias Zwilling ins Rampenlicht; 1903 brachte das Kaim-Orchester an einem der so genannten Modernen Abende *Das Meer*, eine Tondichtung des Zwanzigjährigen, zu Gehör. Sein erstes Engagement trat er als Kapellmeister beim Deutschen Theater in Prag an und heiratete dort im Jahr 1912 die Tänzerin Klara (Lala) Koszler[13]. Im ersten Ehejahr kam Tochter Emilie (Milka), 1915 dann Sohn Hans Erik zur Welt. Leiblicher Vater des dritten Kindes, Klaus Hubert, 1923 geboren, war der Sänger Hans Winckelmann[14]. Nach Gastspielen in Genf, Breslau und Bremen ging Klaus Pringsheim 1918 nach Berlin, war dort musikalischer Leiter der Max-Reinhardt-Bühnen und schrieb Kritiken für den *Vorwärts* und Essays für die *Weltbühne* Carl von Ossietzkys. 1931 folgte er einem Ruf an die Kaiserliche Akademie in Tokio und entschied sich 1933 gegen die ursprünglich für dieses Jahr geplante Rückkehr. Danach hielt er sich zeitweilig in Siam[15] auf mit dem Ziel, der Musikwelt auch dieses fernöstlichen Landes Anschluss an die europäische zu verschaffen.[16] Sein kompositorisches Werk ist äußerst umfangreich. Neben vielem anderen verfasste er eine Musiktheorie in erheblicher Länge, das Manuskript mit dem Titel *Pythagoras* wurde nur in Teilen veröffentlicht. Nach dem Zweiten Weltkrieg versuchte Katias Zwillingsbruder eine Fortsetzung seiner beruflichen Karriere in den USA. Alle Bemühungen blieben erfolglos.[17] 1951 ging er wieder zurück; Tokios Musashino Academia, mit mehr als 1000 Studenten die größte Musikhochschule des Landes, hatte ihn zum Professor für Komposition berufen. Klaus Pringsheim, geistig rege und künstlerisch aktiv bis ins hohe Alter, wurde von seiner Schwester hier und da »Nichtsnutz« oder auch »die Närr« (stets benutzte sie das Femininum) genannt. Und mitunter fragte sich Katia kopfschüttelnd, wie ausgerechnet sie, die Pragmatikerin, zu solch einem Zwilling käme.[18] Was auch immer sie damit meinte.

Erik Pringsheim, der Erstgeborene, Jurist und Offizier, »ein flotter Pseudo-Aristokrat«, wie sein Neffe Golo es ausdrückte[19], »ein hochfahrender und eigensinniger Herr« und Weiberheld, lebte auf verschwenderisch großem Fuß. Als seine Spielschulden »die bestürzende Höhe von zweihunderttausend Mark erreicht hatten, gab es großen Krach in der Arcisstraße«[20]. Der Vater tobte, »regulierte« dennoch den Sohn »nochmals völlig«, unter der Voraussetzung anschließender dauerhafter Entfernung aus seinem Gesichtskreis. Verbannung war seinerzeit ein probates Mittel zur Schadensbegrenzung im weitesten Sinne. Delinquenten aus vermögenden Familien konnten wenigstens auf ein erkleckliches Sümmchen als Starthilfe hoffen. Erik Pringsheim wurde am 9. Juli 1905 nach Südamerika abgeschoben. Der Mutter brach das schier das Herz. Einmal, im Herbst 1907, durfte sie zu ihm reisen, um festzustellen, dass der Sohn sich kaum verändert hatte und in einem erbärmlichen Zimmer hauste. Einem ihrer besten Freunde gestand sie aber auch ein, dass Erik ihr Liebling, ihr

»eigentliches Kind war, mit all seinen von mir gut erkannten Fehlern, Schwächen und schlimmen Taten«. Die Hoffnung auf eine positive Wendung habe sie schon früher verloren, handelte es sich doch, wie sie meinte, nicht nur um »gewöhnlichen Leichtsinn und verschwenderischen Lebenswandel eines jungen Mannes aus sogenannt reichem Haus«. Bei Erik liege, so Hedwig, alles viel tiefer: »... seine ganze Art ist nicht die eines Verbrechers, sondern eines partiell – nur partiell – Irrsinnigen, und er gehört vor den Psychiater.«[21]

Eine Farm in Argentinien, wie oftmals angenommen, besaß Erik Pringsheim sicherlich nicht. Vielmehr wurde der gelernte Militärreiter vom Besitzer einer Estancia als eine Art Cowboy beschäftigt.[22]

»Mein kleiner goldiger Locken-Erik sitzt ... in den argentinischen Pampas«, klagte die Mutter 1908, dieses Mal einer Freundin, altes und neues Leid. »Erik, der arme gute Dumme, hat sich ›drüben‹ verheiratet [mit einer nicht näher bezeichneten Mary, einer Engländerin]; ich fürchte, auch wieder nicht sehr klug.«[23] Instinktsicher witterte sie auch jene Gefahren, in die sich der Sohn nun manövriert hatte, nicht ahnend gottlob, dass diese Fehlentscheidung Eriks letzte war ...

Nur Peter, der Zweitälteste, von ruhiger, ausgeglichener Wesensart und auch sonst, so scheint es, charakterlich eine Ausnahmeerscheinung unter den männlichen Pringsheims, trat beruflich in die Fußstapfen seines Vaters. Auch vom Aussehen her schlug er ganz diesem nach – schon in frühen Jahren büßte er seine Haarpracht ein, so dass die Mutter, wenn sie diese beiden meinte, von ihren »schönbeglatzten Männern« sprach.[24]

Dem Studium der Physik in München fügte er die Promotion bei Nobelpreisträger Conrad Röntgen, der ja auch Katias Lehrer war, hinzu. Göttingen und Cambridge waren erste Stationen auf seinem Weg zum renommierten Wissenschaftler. Auf eine zunächst unentgeltliche, ab 1911 dann bezahlte Beschäftigung als Assistent am Physikalischen Institut der Berliner Universität folgte 1922 die Ernennung Peter Pringsheims zum außerordentlichen, 1929[25] zum ordentlichen Professor – unter Beibehaltung der rangniedrigeren Besoldung eines Extraordinarius. Viele seiner Schriften wurden veröffentlicht, das Standardwerk Fluoreszenz und Phosphoreszenz im Lichte der neueren Atomtheorie behielt jahrzehntelang Gültigkeit. Der Ausbruch des Ersten Weltkriegs überraschte ihn 1914 als Teilnehmer an der Jahrestagung der British Association in Australien; bis Kriegsende blieb er im Land interniert. 1923 heiratete er die belgische Staatsbürgerin Emilia Clément. Die Ehe blieb kinderlos.[26] Im Mai 1933 »beurlaubt« und vier Monate darauf »wegen nicht arischer Abstammung ... in den Ruhestand versetzt«, machte er vom Angebot eines Lehrauftrages der Université Libre in Brüssel unverzüglich Gebrauch. 1940, deutsche Truppen hatten bald nach Kriegsbeginn das neutrale Belgien überfallen und besetzt, wurde er auf der Straße festgenommen und zunächst im Konzentrationslager Camp St. Cyprien/Pyrénées Orientales, danach im Lager Gurs festgehalten. Wieder auf freiem Fuß, ging der inzwischen Sechzigjährige in die Vereinigten Staaten. Auf die Anstellung an einer kalifornischen Universität folgte eine wissenschaftliche Mitarbeit am Argonne National Laboratory in Chicago. Nach Europa und zu seiner Frau, sie war in Antwerpen geblieben, kehrte er, mittlerweile im Ruhestand, erst 1954 zurück.

Heinz Pringsheim schließlich hatte es bereits zum promovierten Archäologen gebracht, bevor er in einem zweiten beruflichen Anlauf Musik studierte. Fachleute nannten seine Kompositionen »gehaltvoll, gediegen und originell«[27]. Speziell für Mary Wigman entstanden *Die sieben Tänze des Lebens*[28]. Zunächst an der Münchner Oper als Korrepetitor sowie als Kapellmeister in Bochum, Mülhausen im Elsass, Dresden und Berlin beschäftigt, wandte er sich nach dem Ersten Weltkrieg dem Musikjournalismus zu. Zwischen 1945 und 1950 Leiter der Musikabteilung des Bayerischen Rundfunks, organisierte er nebenbei auch Musikveranstaltungen. Trotz alledem soll er »in der Familie Pringsheim als der Unbedeutendste« gegolten haben.[29] Die Antworten der Eltern auf die Nachricht von seiner Heirat mit der in Moskau geborenen Malerin Olga Markova Meerson im Jahre

1912, einer Schülerin immerhin von Henri Matisse, waren vorübergehendes Hausverbot und »moralische Enterbung«. Zur Strafe wurde ihm überdies der monatliche Zuschuss entzogen, so dass seine Frau sich Bekannten als Köchin anbot, allerdings »wohl nur zu demonstrativem Zweck«.[30] Die eheliche Verbindung war keine glückliche. Olga Pringsheim litt an Depressionen; 1929, die gemeinsame Tochter Tamara war sechzehn, stürzte sie sich in Berlin vom vierten Stockwerk des Hotels Adlon in den Tod – wohl auch, »weil ihr Gatte eine andere liebte, die er nun nach einer Trauerpause heiraten konnte«[31]. Mit Hilfe dieser zweiten Frau, Mara Duvé, einer Nichtjüdin, überstand er die Zeit der Judenverfolgung weitgehend unbeschadet. Von einem bereits erteilten Ausreisevisum machte Heinz Pringsheim keinen Gebrauch. 1934, seine Stellung in Berlin war verloren, ging er mit Ehefrau und Adoptivsohn Horst[32] nach Oberbayern. In dem im Isartal gelegenen Örtchen Icking konnte die Familie, vermutlich mit dem Geld Alfred Pringsheims, ein Häuschen erwerben. Von wohlwollenden Mitbürgern bis zum Kriegsende gleichsam übersehen und notfalls gewarnt, entging er dem Zugriff der Nazischergen.

Doch zurück ins Jahr 1904, als die Brüder es mit einem ernsthaften Bewerber um die Hand ihrer Schwester Katia zu tun bekamen.

Ein kluger Schachzug Thomas Manns auf der Suche nach einem Weg in deren prominentes Elternhaus war die Einschaltung der ihm bekannten, mit dem Münchner Justizrat und Theaterkritiker Max Bernstein verheirateten und mit Katia wie Hedwig Pringsheim sehr gut befreundeten Elsa Bernstein, die für ihre Leidenschaft, Ehen zu stiften, berüchtigt war. Erwartungsgemäß prompt machte die erfolgreiche Dramatikerin (auch ihre Werke wurden von Fischer herausgegeben; sie schrieb unter dem Pseudonym Ernst Rosmer, war aber zudem, wie die Pringsheim-Damen, an der Universität eingeschrieben[33]) ein Zusammentreffen des Schriftstellerkollegen mit Katia Pringsheim möglich. Die ihm im Bernsteinschen Salon wiederholt sich bietenden Chancen muss er ganz klar genutzt haben – denn Einladungen in die Briennerstraße zogen sicherlich nicht zwangsläufig solche in die Arcisstraße nach sich. Bald aber bat man Thomas Mann per Billetts auch dorthin: zum Tee, zum Diner, zu einem großen Hausball gar für »150 Leute«.

Er sei »gesellschaftlich eingeführt … bei Pringsheims«, »ein Erlebnis«, jubelte Thomas Mann Ende Februar im Brief an Bruder Heinrich. Und habe sich nicht übel gehalten, eingedenk des ihm eigenen »gewissen fürstlichen Talents zum Repräsentiren«, vorausgesetzt, er fühle sich »einigermaßen frisch«. Was leider, ein typischer Zug an hypochondrisch Anfälligen, nicht allzu oft der Fall war.

Zu bestaunen gab es bei Katias Eltern einiges: neben des Gastgebers goldener Zigarettendose und der Gastgeberin beeindruckender Extravaganz den »italienischen Renaissance-Salon mit den Gobelins«, die »Thürumrahmung aus giallo[34] antico«, den »unsäglich schönen Fries« von Thoma und noch manche andere Gemälde mit Signaturen von nicht nur geldwertem Vorteil. Und nicht zu vergessen: Katia selbst! Auch sie »etwas unbeschreiblich Seltenes und Kostbares«. Was dem entgegenhalten? Falsche Bescheidenheit erschien Thomas Mann fehl am Platz, eine Spur von Trotz setzte er an ihre Stelle: »Ich habe niemals aus Hunger gearbeitet, habe mir schon in den letzten Jahren nichts abgehen lassen und habe schon jetzt mehr Geld, als ich im Augenblick zu verwenden weiß.« Nicht zu unterschätzen war auch das: »Ich bin Christ, aus guter Familie«, was, so Thomas Mann, »gerade diese Leute zu würdigen wissen«.[35] *Diese Leute* – das stand für Juden. Doch sollte nicht einmal dieser einzige Wermutstropfen[36] zu bitterem Nachgeschmack führen: »Kein Gedanke an Judenthum kommt auf …, man spürt nichts als Kultur.«[37] Und eine gewisse Zurückhaltung. Freilich war das Publikum im Pringsheim-Palais vom Feinsten. Dauergastrecht genossen in Katias Elternhaus neben den vielen anderen namentlich nicht mehr Bekannten: Franz von Lenbach, Friedrich August von Kaulbach, Franz von Stuck, Franziska zu Reventlow, Karl Wolfskehl, Ludwig und Anna Derleth, Else Lasker-Schüler, Annette Kolb, Paul Heyse, Max Halbe und Hugo von Hofmannsthal.

Maler und Schwabing-Avantgardisten erfreuten sich bei allen Pringsheims großer Beliebtheit. Vertreter und Vertreterinnen der Branche Poesie und Prosa jedoch gehörten zu den Gästen, die in erster Linie Frau Hedwig mit offenen Armen empfing. Dem Freundeskreis der Gastgeberin war unbedingt Maximilian Harden zuzurechnen, der unerschrockene Herausgeber der *Zukunft*, des publizistischen Kontrollorgans kaiserzeitlicher Machtpolitik.[38]

Der Neuling kam nur partiell gut an. Klaus Pringsheim wusste davon zu berichten. (Obwohl Katias Zwilling ihm grundsätzlich wohlgesonnen war, machte er beim mokanten Bespötteln Thomas Manns sicherlich gemeinsame Sache mit den Brüdern. »Leberleidenden Rittmeister« nannten sie ihn scherzhaft, »weil er nämlich etwas blässlich war und schmal, und dann war er sehr korrekt mit seinem Schnurrbart und in seinem ganzen Auftreten«.[39])

> »Die Stimmung in der Familie war geteilt, auch zwischen den Eltern bestand keine Einigkeit. Von entgegenkommender Sympathie, wie unsere Mutter, selbst aus einem literarischen Milieu stammend, sie dem künftigen Schwiegersohn sogleich zeigte, war beim Vater recht wenig zu spüren. Seine Neigungen, außerhalb des Kreises seiner wissenschaftlichen Berufsinteressen, waren wesentlich zwischen Musik und bildenden Künsten geteilt. Für Literatur hatte er nichts übrig, er las Detektivromane auf Reisen und betrachtete Romaneschreiben nicht als einen seriösen Beruf. Jedenfalls hätte der Universitätsprofessor für seine Tochter einen Mann mit einer bürgerlich solideren Existenzgrundlage gewünscht.«[40]

Hauptmotiv der väterlichen Abwehrhaltung aber dürfte Alfred Pringsheims Widerwille dagegen gewesen sein, die über alles geliebte Tochter schon jetzt einem Konkurrenten zu überlassen.

Wonach es allerdings noch nicht aussah.

Katia machte, ihre Wortwahl, »Sperenzchen«[41]: »Ich war … nicht so sehr enthusiasmiert … Ich war zwanzig und fühlte mich sehr wohl und lustig in meiner Haut, auch mit dem Studium, mit den Brüdern, dem Tennisklub und mit allem, war sehr zufrieden und wußte eigentlich nicht, warum ich nun schon so schnell weg sollte.«[42] Außerdem war sie gewarnt durch die Liebschaften ihres Vaters. Nicht umsonst hatte sie schon als erst Fünfjährige das Heiraten für ein unkalkulierbares Risiko gehalten, »denn man kann ja glauben ein Mann ist sehr brav, und wenn man geheiratet ist, dann merkt man, er ist sehr bös, da ists doch besser, man heiratet sich erst garnicht: ich bleib bei meinem Mutterl«[43].

All das waren gute Gründe, auf Avancen, insbesondere jene, hinter denen sich ernsthafte Absichten zu verbergen schienen, mit Ausweichmanövern zu reagieren. Vor den Kopf gestoßen hatte sie auch einen weit entfernt mit ihr verwandten Kommilitonen: Ernst Georg Pringsheim[44] war schon insofern absolut chancenlos geblieben, als ihm kein passenderer Ort als der »Radstall« der Universität für seine Liebeserklärung eingefallen war. Ans Heiraten dachte Katia nach eigener Auskunft »selbst nicht, als ich Thomas Mann kennen lernte und er sich für mich interessierte«[45]. Interessieren ist ein ziemlich schwaches Wort für in Wirklichkeit beharrlichste Überzeugungsarbeit: »Ich, der ich sonst von einer wahrhaft indischen Passivität bin, habe in Wort und That eine unglaubliche Initiative an den Tag gelegt ...«[46]

Stilsicherer Ästhet und vom Glauben an seine Prädestination beseelt, zum Erfolg ebenso entschlossen wie zum Wiederaufstieg in den Rang seiner Väter, hatte Thomas Mann in Katia die Garantin für die Erfüllung seiner Wünsche ausgemacht und dabei intuitiv erfasst, dass exakt sie auch diejenige Frau sein würde, »die es am besten verstände, wie er sich selbst am besten befände«.[47]

War Liebe im Spiel? Noch sprach er davon nicht. Sexuelles Verlangen? Aber nein, galt ihm das doch als »*Gift*, das in aller Schönheit lauert«[48], als »Hunde im Souterrain«, die »an die Kette«[49] zu bringen seien oder erfahrungsgemäß besser noch: in den Kopf zu vertreiben, zu sublimieren. Oder Glück zumindest? »Es ist müßig, zu fragen, ob es mein ›Glück‹ sein würde ..., ich trachte nach dem Leben; und *damit* wahrscheinlich ›nach meinem Werke‹.«[50]

Und: Die Wahl einer Frau vom Typ Katia Pringsheims gab Hoffnung auf ein Loskommen von homoerotischer Disposition: Dank ihrer würde er sich »im Bürgerlichen bewegen …, ohne eigentlich zu verbürgerlichen«.[51]

Thomas, genannt Tommy, Mann, Paul Thomas Mann, so sein vollständiger Name, wurde am 6. Juni 1875 in Lübeck als zweites Kind – nach Luiz Heinrich (Heini) und vor den Geschwistern Julia Elisabeth Therese (Lula), Carla Augusta Olga Maria, Karl Viktor (Vikko) – geboren und nur wenige Tage danach evangelisch getauft, dem Glauben seines Vaters Thomas Heinrich Mann und all seiner Vorväter entsprechend.

Mutter Julia, eine geborene da Silva Bruhns, halb portugiesisch[52] und halb deutsch ihrer Abstammung nach und als Kleinkind unter katholischem Einfluss stehend, war im südamerikanischen Angra dos Reis bei Rio de Janeiro aufgewachsen, bis ihr Vater Johann Hermann Ludwig Bruhns, ein in Brasilien rasch zu Geld gekommener Überseekaufmann und Plantagenbesitzer, den frühen Tod seiner Frau zum Anlass nahm, die Siebenjährige und vier weitere Kinder in seine Heimatstadt Lübeck zu expedieren. Julias mitteleuropäische Prägung erfolgte im Wesentlichen durch Pensionatserziehung – mit eher unzureichendem Ergebnis.

Thomas Manns Vater, Jahrgang 1840, besaß in der Freien Hansestadt die Getreidehandlung Johann Siegfried Mann, er war Niederländischer Konsul und von 1877 an Steuersenator. Im Alter von erst einundfünfzig Jahren setzte eine Blutvergiftung seinem Leben ein Ende, zuvor aber hatte er testamentarisch die Liquidation des traditionsreichen[53], zuletzt bilanziell instabilen Familienunternehmens in die Wege geleitet. Keinem seiner älteren Söhne[54], weder Heinrich noch Thomas, und erst recht nicht Witwe Julia hatte er eine Erfolg versprechende Geschäftsfortführung zugetraut.

Als der Zweitgeborene, damals knapp neunzehn Jahre alt, das Katharineum 1894 verlassen musste, hatte der »verkommene Gymnasiast« mit (streng genommen: ohne) Müh und Not der Minimalanforderung an Söhne von Vätern höheren Standes entsprochen, war doch sein Abgangszeugnis gleichzeitig Berechtigungsschein für den einjährig-freiwilligen Militärdienst. »Nicht daß ich durchs Abiturientenexamen gefallen wäre, – es wäre Aufschneiderei, wollte ich das behaupten, sondern ich bin überhaupt nicht bis Prima gelangt; ich war schon in Sekunda so alt wie der Westerwald. Faul, verstockt und voll liederlichen Hohns über das Ganze.«[55]

Und doch gab es Lichtblicke in schulischer Düsternis. Helles, weiches Haar, blaue Augen, Lippen von sinnlich zu nennender Fülle, Kopf und Gesicht fein zugeschnitten, schmaler Rumpf und sich streckende Glieder im Stadium pubertären Umbaus: die körperlichen Merkmale von Schulkamerad Armin Martens (»... *den* habe ich geliebt – er war tatsächlich meine erste Liebe ...«: eine »Mischung aus Sehnsucht und Verachtung«[56]) hatten sich im Winter 1889/90 zu jener Spielart des menschlichen Gesamtkunstwerks hübscher Jüngling (»mein eigentlichstes Gefühlsgebiet«[57]) zusammengefügt, die den vierzehnjährigen Thomas tief berührte.[58] »Beim Jüngling fällt das Martialische weg, der Stock im Rücken, das Hackenzusammenschlagen, der Schnurrbart. Er rasiert sein Gesicht, was die großzügigere Schönheit seiner Jugend ... doch der weiblichen annähert ...«[59] Dem etwa Gleichaltrigen »an einem ›großen‹ Tage«[60] eingestanden und von diesem verständnislos ignoriert, womöglich gar mit einem höhnischen Lachen quittiert, nahm die Passion ersten Schaden.[61] Armin Martens' Schwester Ilse erinnerte sich an ein Gedicht Thomas Manns, auf dessen Verszeile »Was hat der bleiche Tod Dir angetan« der Geliebte sich seinen Reim machte mit dem im Scherz eingeworfenen Satz »Ich weiß nicht, aber frag ihn mal«. Vollends verflüchtigte sich das Anbetungswürdige an dem Sohn eines Mühlenbesitzers, nachdem seine Ausstrahlung ins eindeutig Männliche zu changieren begonnen hatte. Auf der Flucht vor skandalösen Weibergeschichten verschlug es ihn später in die damalige deutsche Kolonie Südwestafrika, wo er, so Thomas Mann dann lakonisch, »starb und verdarb«[62]. Und doch durfte Armin Martens weiterleben: in Hans Hansen, seinem in Ewigkeit jungen literarischen Alter Ego, geschaffen für *Tonio Kröger* alias Thomas Mann.

Auch an Mitschüler Williram (Willri) Timpe Wahrgenommenes wurde, zu gelegentlichem Heraufbeschwören einst tief greifender Herz-Schmerzlichkeiten sowie zur Weiterverwendung in noch zu Schreibendem, sorgsam im Langzeitgedächtnis verstaut.[63] Doch starke Signale waren nur vom sinnlich überhöhten Schauobjekt Willri ausgegangen, einem in die Niederungen des Alltags zurückgestuften Williram haftete sogar Abschreckendes an. So gesehen war es keine gute Idee Julia Manns gewesen, Thomas ausgerechnet bei Vater Timpe, einem Oberlehrer mit Nachhilfe-Ambitionen, vorübergehend als Pensionsgast einzuquartieren. Der Mutter waren Thomas' Vorlieben wohl verborgen geblieben, nicht jedoch dem Bruder. Nur mit einer »tüchtigen Schlafkur mit einem leidenschaftlichen, noch nicht allzu angefressenen Mädel« seien seine Schwärmereien, ein »Blödsinn«, zu kurieren, suchte der Ältere den Jüngeren eines Besseren zu belehren. Heinrich nämlich hatten in Bordellen praktizierte Initiationsriten auf die Sprünge geholfen.

Bevor Thomas Mann, 1893/94 gegen Bezahlung bei wechselnden Familien logierend, seine dritte und letzte Klassen-Wiederholungsrunde[64] drehte, war durch Verkauf des »weitläufigen Heims« in der Lübecker Beckergrube, »in dessen parkettiertem Ballsaal die Offiziere der Garnison den Töchtern des Patriziats den Hof gemacht hatten«[65], der Hort seiner Kindheits- und Jugend-Erinnerungsschätze in fremde Hände übergegangen. Zwei Jahre nach dem Tod seines Vaters war seine Mutter – »ihre sinnlich-praeartistische Natur äußerte sich in Musikalität, geschmackvollem, bürgerlich ausgebildetem Klavierspiel«[66] – mit ihren drei Jüngsten nach München übersiedelt; »Unterströmungen von Neigungen zum ›Süden‹, zur Kunst, ja zur Bohème waren offenbar immer vorhanden gewesen«[67], kommentierte der Sohn im Rückblick. Von einem solchen Nachholbedürfnis ließ auch er sich jetzt leiten.

400 000 Mark, ein »mittleres bürgerliches Vermögen«[68], waren Frau Julia nach dem Aufrechnen von geschäftlichem Haben und Soll geblieben. Jedes der Kinder konnte fortan mit Zuwendungen von 160 bis 180 Mark monatlich rechnen. Bei vorsichti-

gem Disponieren befreite eine Alimentation in dieser Höhe, einem Kontoristengehalt vergleichbar, Thomas Mann vom Zwang zu regelmäßiger Erwerbstätigkeit.

Auch insofern schon halbherzig angetreten, war seinem Volontariat bei einer Münchner Feuerversicherungsgesellschaft das vorzeitige Ende direkt vorherbestimmt. Mit ernsthaftem Bemühen hatten seine Stippvisiten in universitären Einrichtungen ebenfalls nichts gemein. Da brachten ihn Lektoratsarbeiten in der Redaktion des *Simplicissimus* den Berufszielen Journalismus und/oder Schriftstellerei schon näher. Schwabing aber hatte noch viel mehr zu bieten: Lebenserfahrungen nämlich. Zudem bot sich nun Gelegenheit, gemeinsam mit dem älteren Bruder den Süden zu bereisen; Italien war 1901 das Ziel: in Rom, Palestrina, Neapel, Venedig und auch in Riva am Gardasee sahen sie sich um. Eine erste Liebäugelei in Richtung Weiblichkeit verlegte Thomas später (ein Ablenkungsmanöver des Autobiografen womöglich) dann nach Florenz – Urlaubsstimmungen, speziell von mediterranem Ambiente angeregten, wohnt seit jeher vorübergehend Verführerisches inne. So rasch wie in der bezaubernden Stadt am Arno eine Verlobung ins Gespräch gekommen sein soll, machte Thomas Manns Rückkehr nach München aus der Engländerin Mary Smith[69] wieder eine nette Hotelbekanntschaft. Auf Dauer hätte sie ohnehin nicht mit den Reizen Paul Ehrenbergs[70] konkurrieren können, jenes faszinierenden Flirters, des Spielers mit Blicken und Worten. So wie der junge Maler mussten Impulsgeber »zentraler Herzenserfahrungen«[71] beschaffen sein. In Gesellschaft des nur wenig jüngeren, gebildeten, gewandten, beliebten Paul war das Dasein des unsicheren, scheuen, einsamen Thomas ein wunderbares: »Dies sind die Tage des lebendigen Fühlens!/Du hast mein Leben reich gemacht. Es blüht –/O horch, Musik! – an meinem Ohr/Weht wonnevoll ein Schauer hin von Klang –/Ich danke dir, mein Heil! mein Glück! mein Stern!«[72] Noch mehr Unaussprechliches wurde dem Fundus »Leidenschaftsnotizen« hinzugefügt. Auch der Gefühlausbruch »Ich liebe dich – mein Gott, – ich liebe dich!«[73] wurde für die *Die Geliebten* aufgehoben. Die Thomas Mann/Paul Ehrenberg-

Novelle blieb ungeschrieben, ihr kam des Dichters Hinwendung zu Katia Pringsheim zuvor.

Irgendwann gegen Ende 1903 hatte Thomas Mann beschlossen, sich eine »Verfassung« zu geben, was heißen sollte, sich mittels »ehelicher Befestigung«[74] in der bürgerlichen Welt zu verankern, »Verantwortlichkeiten des normalen Lebens zu akzeptieren, Kinder zu zeugen, eine Familie zu gründen.«[75] Im Rückblick stellte er lakonisch fest: »Die Umstände lagen günstig.«[76] In der Tat!

Endlich war ihm als Schriftsteller von berufenen Mündern sozusagen das Prädikat »künstlerisch wertvoll« zuerkannt worden. Ihn selbst hatte das »sichere Gefühl latenter Fähigkeiten«[77] nie verlassen, obwohl seine berufliche Laufbahn in ihrer Startphase von erheblichen Unsicherheiten geprägt gewesen war. Sechs von zwölf bisher einzeln veröffentlichten Novellen, 1898 in Band IV der Collection Fischer zusammengefasst, hatten Rezensenten noch hier getadelt (geschraubte, schwerfällige Ausdrucksweise, den Leser zunächst nervös machend und dann einschläfernd, so der Tenor der Kritik[78]) und da maßvoll gelobt (eine im Großen und Ganzen empfehlenswerte Sammlung), bevor Ende 1900[79], ebenfalls beim Berliner Verlag S. Fischer, der zweibändige Roman *Buddenbrooks. Verfall einer Familie*, seiner Familie, herauskam. Schleppend hatte sich der Verkauf auch dieses umfangreichen Werks angelassen. Erst mit dem Druck einer preiswerteren einbändigen Ausgabe »begannen die Auflagen einander zu jagen … Geld strömte herzu, mein Bild lief durch die illustrierten Blätter, hundert Federn versuchten sich an dem Erzeugnis meiner scheuen Einsamkeit, die Welt umarmte mich unter Lobeserhebungen und Glückwünschen.«[80] Rasch hatten anfangs noch vorsichtig taktierende Feuilletonisten mit glänzenden Besprechungen nachgezogen, frühere Eindrücke revidierend, sprach man nun von feinster Beobachtung, wunderbarer Ausdrucksfähigkeit, eigenem Stil voll Biegsamkeit und Reiz und sogar unerhörter Meisterschaft. Kaufempfehlungen wurden ausgesprochen: Wer Thomas Mann noch nicht gelesen habe, hole es schleunigst nach.

Keinem kulturell interessierten Deutschen konnte des Dichters kolossaler Aufstieg verborgen bleiben. Berichten der *Münchner Neuesten Nachrichten* hatte auch Katia Pringsheim entnehmen können, dass der kleine Saal des Restaurants Eckel in der Theresienstraße bei einer Lesung Thomas Manns aus allen Nähten geplatzt und an deren Ende frenetischer Beifall aufgebrandet war und dass der jungen Berühmtheit Gleiches beim Auftritt anlässlich einer Veranstaltung der renommierten Münchner Literarischen Gesellschaft widerfuhr. Bemerkenswert war auch Thomas Manns Erwähnung in *The Times Literary Supplement*, und zwar insofern, als der für die meinungsbildende Beilage der großen englischen Tageszeitung schreibende Rezensent dem Autor die Angst vor der Einmaligkeit seines Erfolges nahm. Nach *Tristan* und fünf weiteren jüngst unter diesem Titel vereinten Erzählungen könne von Anfängerglück des *Buddenbrooks*-Erfolgsschriftstellers nun wirklich nicht mehr die Rede sein.

Kein einziges gutes Wort aber konnte der sonst so hoch Gelobte von Alfred Kerr[81] erwarten, dem wohl originellsten und sprachmächtigsten, witzigsten und geistreichsten, aber auch dem schädlichsten und gefährlichsten, boshaftesten und eitelsten Literatur- wie Theaterkritiker jener Zeit.[82] 1902 bereits hatte sich der Mittdreißiger in Katia verguckt und mit seinem lebhaften Interesse an der Pringsheim-Tochter nicht hinterm Berg gehalten. Der erhoffte Widerhall blieb allerdings aus. Im Gegensatz zu ihrer Tochter scheint Hedwig Pringsheim diese Verbindung nicht rundweg abgelehnt zu haben, hatte sie doch Maximilian Harden damals brieflich gefragt, wie Kerr ihm denn als ihr Schwiegersohn gefalle.[83]

Davon, dass Katia spätestens, als das Werben Thomas Manns um sie konkrete Formen anzunehmen begann, zu seinen Büchern griff, ist auszugehen. Nicht jedoch davon, dass die gerade zwanzigjährige, bestens behütete höhere Tochter beispielsweise aus *Tonio Kröger* des Autors homophilielastige Sowohl-als-auch-Erregbarkeit schon herauszulesen vermochte. Doch wenn diese erotische Gemengelage mit der von Zwillingsbruder Klaus tatsächlich vergleichbar war, dann fielen mit ihr vielleicht verbundene Verhaltensweisen, aus Katias Sicht, ohnehin kaum aus dem Rahmen.[84]

Im Sommer des Jahres 1904 entfernten Pringsheims die Tochter aus München. Ein längerer Aufenthalt in Bansin auf Usedom würde, so glaubten die Eltern, Entscheidungsdruck von ihr nehmen. Die Aufsicht dort oblag den Berliner Tanten Eva und Mieze, die gegen Annäherungsversuche von Austausch-Ehekandidaten wohl nicht ernsthaft vorzugehen hatten. Da machte es sich recht gut, dass auch Alfred Kerr – der Verehrer mit den seiner Meinung nach älteren Rechten hatte, des lästigen Konkurrenten vermeintlich ledig, gleichfalls auf der Ostseeinsel Quartier genommen – Gelegenheit bekam, Fräulein Katia mit seinen Heiratsabsichten zu konfrontieren. Doch »lachend erwiderte die Schnippische: Ganz und gar unmöglich, sie sei ja schon verlobt.«[85]

Daran war allerdings selbst im Traum noch nicht zu denken (auch nicht in dem, den Thomas Mann in seinem Notizbuch festhielt): »Ich war unter anderen Leuten an einem fremden Orte mit [Katia] zusammen. Ich hatte vor, etwas aus der *Apotheke* zu besorgen, und es ergab sich, daß sie, während ich noch Geld oder etwas Anderes suchte ›unten‹ vor der Hausthür auf mich warten sollte.« Hier fand er Katia, »zusammen mit ihrem *Vater*« und weiteren männlichen Begleitern »in einer seltsamen, geräumigen und innen verschnörkelten Kutsche«, ließ sich neben ihr, dem Geheimrat gegenüber, nieder. Man hielt vor einer Apotheke, ging hinein. »Als ich mein Medikament gefordert hatte, fiel irgendwie zwischen uns das Wort ›Eifersucht‹, und ich sagte ›Laß sie mir eifersüchtig sein! Je eifersüchtiger sie sind, desto besser!‹« Daraufhin griff Traumwesen Katia zu einem Küchenmesser, drohte ihm, »offenbar im Ernst« – und verschwand, nachdem der zu Tode Erschreckte zuerst zurückgewichen und danach sich zur Beruhigung gut zugeredet hatte: »Wo viel Glück ist, muß doch andererseits auch viel Leiden sein.«[86]

Wie im wirklichen Leben!

Kein einziger seiner werbenden und ihrer hinhaltetaktischen Briefe aus Frühjahr, Sommer und Herbst des Jahres 1904 liegt uns heute im Original vor.[87] Nach der Emigration 1933 hatte das Ehepaar Mann dem Münchner Rechtsanwalt Dr. Valentin Heins unter anderem die zurückgelassenen Manuskripte und Briefschaften anvertraut, im Krieg gingen sie angeblich verloren. Erhalten blieben nur Auszüge; kürzere oder längere Passagen seiner Briefe an Katia hatte Thomas Mann, als Gedächtnisstütze und Formulierungshilfe für *Königliche Hoheit*, schon bald nach seiner Heirat exzerpiert.

Zunächst muss Katia ihm zur Selbsttäuschung Anlass gegeben haben, versuchte sie doch gleich zu Beginn des Briefwechsels, Anfang April, ihn auf den Boden der Tatsachen zurückzuholen. Hatte er (wie er glaubte) »Riesenfortschritte«[88] gemacht, strafte sie seine Einschätzung der Sachlage durch Verstärkung ihrer Abwehrhaltung Lügen. Meistens aber verschanzte sie sich hinter dem grundsätzlichen Widerstand ihres Vaters. Und außerdem: Was war von einem Erfolgsschriftsteller zu halten, dem Liebesbriefe unter der Hand zu Leidensgeschichten gerieten: von Kopfschmerzen und Rachenentzündung war da die Rede, von Bauchweh, Halswickeln und Guttapercha-Therapie[89].

Überhaupt neigte der Kandidat zu Ungeschicklichkeiten. Ein »bißchen eifersüchtig« sei er auf ihre »Wissenschaft«, bekam Katia ein andermal zu lesen. Auch wenn sie ihr Studium eine Zeitlang etwas halbherzig vorangetrieben hatte, enthob das einen zukünftigen Ehemann nicht der Akzeptanz intellektueller Leistungsbereitschaft und -fähigkeit. Beides anzuerkennen aber war gerade für Thomas Mann ansonsten selbstverständlich, obwohl er, noch in jugendlichem Alter, einen der Trugschlüsse Friedrich Nietzsches (»Wenn ein Weib gelehrte Neigungen hat, so ist gewöhnlich Etwas mit ihrer Geschlechtlichkeit nicht in Ordnung.«[90]) in seine Zitatensammlung aufgenommen hatte. Für Fauxpas, auch uns unbekannte, mündlich geäußerte vielleicht, strafte Katia ihn mit nervenaufreibendem Schweigen – ihr nächster Brief ließ dann lange auf sich warten. Und als Ergebnis einer »großen Aussprache« am 9. April zwang sie dem Bewerber eine zweite auf, diesmal am 16. Mai. Doch hatte das Zaudern und Hinauszögern damit noch lange, lange kein Ende: »Mit Donnerstag d. 19. Mai begann die Wartezeit.«[91] Ob deren Dauer ebenfalls fixiert war, weiß niemand mehr zu sagen.

»Natürlich bin ich vollkommen dérangiert, und zur Arbeit fehlt jede Ruhe und jene egoistische Eingezogenheit, die dazu nöthig ist«, hatte sich Ende März Thomas bei seinem Bruder Heinrich beschwert.[92] Keinen Schritt war er seitdem auch mit *Fiorenza* vorangekommen. Wie ein Seismograph reagierte sein ständig gereizter Magen auf kleinste seelische Erschütterungen. Ganz zu schweigen von verheerenden Auswirkungen auf den gleichfalls chronisch trägen Darm. Außerdem war es unbedingt an der Zeit für die seit 1901 alljährlich fällige Erholung am Gardasee. Im April 1904 war Aufschub nicht mehr möglich. In bewährter Zweierkonstellation reisten die Brüder nach Riva, wo Dr. Christoph von Hartungen ein Sanatorium für Nervenschwache betrieb.

Keineswegs nach Katias Geschmack war auch das bisherige Domizil Thomas Manns in München gewesen, ein »Dachsbau« im Haus Nr. 11 in der Schwabinger Konradstraße. Zum Tee dort eingeladen, hatten Tochter und Mutter Pringsheim am Übermaß an Bescheidenheit erkennbar Anstoß genommen. Leichte wohnliche Verbesserungen brachte des Mieters Umzug gleich nach seiner Rückkehr in die Ainmillerstraße 31, 3. Stock.

Nach wie vor suchte Katia in ihren parfümierten Briefen nach Ausflüchten, die sie Unsicherheit, Ratlosigkeit, »Unbeholfenheit oder so etwas« nannte. Auch »Geduld« trat in vielerlei Synonymen auf. »Mangel an Harmlosigkeit« hatte sie im Nachgang »viertelstundenweise« zugeteilter Wohlwollens-Häppchen zu beklagen. Der Werbende wiederum bemängelte viel zu seltene Gelegenheiten unbeobachteten Beisammenseins. Und beantwortete Katias unklare Aussagen in der Art von ›Ich weiß nicht, ob ich Sie liebe‹ mit: Er sei nicht der Mann, um »einfache und unmittelbar sichere Gefühle zu erwecken«, verbunden mit dem Hinweis, dass, so seine Worte, nur Trottel sich sicher sein könnten, immer und von allen geliebt zu werden.[93] Zur Abwechslung versuchte er es mit Appellen an ihr Mitgefühl: »Sie wissen, welch kaltes, verarmtes, rein darstellerisches, rein repräsentatives Dasein ich Jahre lang geführt habe; wissen, daß ich mich Jahre, *wichtige* Jahre lang als Menschen für nichts geachtet und nur als Künstler habe in Betracht kommen wollen ...«

Ein erster Schritt in die richtige Richtung war das Bekenntnis zur Hoffnung auf Glückseligkeit: »... durch *Sie* meine kluge, süße, gütige, geliebte kleine Königin!«. Um sich dann, in den ersten Junitagen, noch ein Stückchen weiter auf gefährliches Terrain vorzuwagen. (Zur Erinnerung: Offen hatte er seine Liebe zu einem Menschen erst einmal bisher eingestanden, hochmütig war da der Knabe Thomas vom Knaben Armin zurückgewiesen worden.) Angst vor einer Wiederholung der Enttäuschung von einst mag ihn beschlichen haben, als er jetzt Katia geradezu anfleht: »Was ich von Ihnen erbitte, erhoffe, ersehne, ist Vertrauen, ist das zweifellose Zumirhalten selbst einer Welt, *selbst mir selbst* gegenüber, ist etwas wie Glaube, kurz – ist Liebe ...«

So weit, so gut.

Der Durchbruch schon jetzt, sein heimlicher Geburtstagswunsch vielleicht zum 6. Juni, scheiterte vermutlich am Nachsatz: »Seien Sie meine Bejahung, meine Rechtfertigung, meine Vollendung, meine Erlöserin ...« Das nämlich war zuviel verlangt. Katia jedenfalls fühlte sich überfordert und nannte es »überschätzt«. Aber welcher lebensfrohen jungen Dame wird nicht mulmig bei dem Gedanken an Vorherbestimmung zur musengleichen Schutzmantelmadonna? Und die Degradierung der Studentin der Naturwissenschaft im sechsten Semester zur »dummen kleinen Katja« war wohl auch keine besonders gute Idee.

Also noch einmal die Taktik ändern?

Ein ihm wohlgesonnener Freund, gab der unermüdlich Werbende gegen Ende des Monats an Katia weiter, habe ihn (wenn auch sofort zurückgepfiffen) energisch zur Wahrung seiner Mannesehre aufgefordert, ihn gar einen »Schwächling« genannt und empfohlen, ultimativ nun seinerseits ein Ende »fortdauernder Geduldsfristen« herbeizuführen. Woraufhin die nun noch mehr in die Enge getriebene Katia das Aussehen eines gehetzten Rehs annahm und dann die Flucht ergriff, zunächst nach Kissingen, wo der plötzlich erkrankte Vater kurte, dann in die Schweiz und zuletzt an die Ostseeküste, wo bekanntlich Alfred Kerr so ganz und gar glücklos blieb.

Und Thomas Mann?

»Tiefmiserabel« habe er sich gefühlt, nach »qualvollem Abschied, der mir noch in allen Nerven und Sinnen liegt«. Nichts hatte es gebracht, dass Katias Zwillingsbruder am Bahnhof seine Aufsichtspflicht eine halbe Stunde lang vernachlässigt hatte. Erfolglos geblieben war auch der Einsatz von Blumen.

Nur professioneller Rat konnte hier noch weiterhelfen.

Der Psychologe Dr. med. Leonhard Seif, von Thomas Mann in München konsultiert, gab dem Grundübel endlich einen Namen: Entschließungsangst der jungen Dame, je verständnisvoller und diplomatischer man ihr – der Angst wie der Dame – begegne, desto größer die Chance auf Heilung.[94] Wem sagte der ärztliche Ratgeber das? Erprobt in der Suche nach und Anwendung von Hilfsmitteln zur Entlastung von seelischem Druck – »Depressionen wirklich arger Art mit vollkommen ernst gemeinten Selbstabschaffungsplänen«[95] hatten Thomas Mann das Leben schon mehrfach sehr schwer gemacht[96] –, hätte keiner besser als er einschätzen können, was jetzt für sie beide gut war. »Zwischen uns muss Vernunft zu Worte kommen … Wir müssen miteinander reden … ruhig, umsichtig, verständig« ist nur ein Beispiel für einen Paradigmenwechsel im Monat August, den Katia Pringsheim – »Sie waren ja gut, waren gütig.« – prompt mit Sinneswandel honorierte. In Ordnung fand sie auch, dass ihr männliches Gegenüber, zuvor meist bittend gebeugt, nun endlich erhobenen Hauptes daherkam und sie selbstbewusst wissen ließ: Nach »Herkunft und persönlichem Werth« könne er durchaus auf ihr Jawort hoffen, sollte sie sich eines fernen Tages dazu entschließen können, einen »Gnadenakt« indes müsse sie schlechterdings nicht vollziehen.

Über gewisse Ressentiments kam Katia dennoch nicht hinweg. »*Die Buddenbrooks*, das sind doch keine Herrschaften«, pflegte die »klassenbewusste«[97] Pringsheim-Tochter, selbst später noch, unüberhörbar herablassend zu räsonieren und meinte damit die Manns[98], derweil der Lübecker Kaufmannssohn genau genommen doch einige Mühe hatte mit der gesellschaftlichen Hürde zwischen ihm und der Pringsheim-Familie.

Wohl nannte sich Thomas Mann, 1907 um seinen Beitrag zur

»Lösung der Judenfrage« gebeten, einen »Philosemiten« und das Judentum einen »unentbehrlichen europäischen Kultur-Stimulus«, bevor er die Assimilation unter den bislang diskutierten Vorschlägen »zur Lösung oder Förderung des Judenproblems« den vernünftigsten nannte, wenngleich »in einem anderen, allgemeineren Sinn als dem üblichen. Ich meine nämlich, daß es weniger auf Nationalisierung (das Aufgehen in den verschiedenen Nationen), als zunächst auf die Europäisierung des Judentums [gekoppelt an »allgemeine kulturelle Entwicklung«] ankommt, – gleichbedeutend mit einer Nobilitierung der zweifellos entarteten und im Getto verelendeten Rasse …« Nicht zu vergleichen oder gar zu verwechseln mit dem »wirtschaftlich bevorzugten Judentum«, denn aus diesem gingen längst »junge Leute« hervor, »die bei englischem Sport und unter aller Gunst der Bedingungen erwachsen, ohne ihre Art zu verleugnen, doch einen Grad an Wohlgeratenheit, Eleganz und Appetitlichkeit und Körperkultur darstellen, der …«, begünstigt durch Übertritte ins Christentum, »…jedem germanischen Mägdelein und Jüngling den Gedanken einer ›Mischehe‹ recht leidlich erscheinen lassen muß«.[99] Recht leidlich!?

Katia wenigstens wird beim Lesen dieser Zeilen eingefallen sein, wie über alle Maßen erstrebenswert ihr Verfasser eine solche eheliche Verquickung 1904 noch gefunden hatte – und wie zweckdienlich die Betonung ihrer beider Gleichwertigkeit, auf höchstem sozialem Niveau, gegen Ende der Werbephase. »Wissen Sie, warum wir so gut zueinander passen?«, hatte Thomas sie da brieflich gefragt und zugleich aufgeklärt: »… weil Sie, wie ich das Wort verstehe, eine *Prinzessin* sind. Und ich, der ich immer – jetzt dürfen Sie lachen, aber Sie müssen mich verstehen! – der ich immer eine Art Prinz in mir gesehen habe, ich habe, ganz gewiß, in Ihnen meine vorbestimmte Braut und Gefährtin gefunden.«

Viel war dem Ende September 1904 durch Katia nicht mehr hinzuzufügen: zum einen das unmissverständliche Angebot, ihm unter Ausschluss der Familienöffentlichkeit ihre Büchersammlung zu zeigen und zum anderen das Du. Damit war es nun wirklich an der Zeit, denn schon am 3. Oktober, einem Montag, fand die Verlobung der beiden Königskinder statt.

»Auch kein Spaß«[100] war deren Feier für den Bräutigam. Und ebenso wenig Freude daran hatte der Brautvater. Wie gut, dass es da noch Richard Wagner gab. »Wenn sie sich sonst nicht viel zu sagen hatten, so konnten sie immer noch Zitate aus den Musikdramen austauschen und sich gemeinsam an kostbare Details aus dem bewunderten Œuvre erinnern.«[101] Versuche, hinsichtlich der Werke Arthur Schopenhauers auf gleich und gleich zu kommen, ließ der Geheimrat bereits im Ansatz scheitern.

Paul Ehrenberg im Übrigen eiferte dem Freund nach. Die einst sehr intensive Beziehung zwischen ihm und Thomas Mann mutierte zu lockerer Bekanntschaft, nachdem der Maler binnen Jahresfrist der Künstlerkollegin Lily Teufel die Ehe versprochen hatte.

Zum 30. November 1904 war Thomas Mann vom Verein für Kunst nach Berlin eingeladen worden, sein noch unveröffentlichtes Drama *Fiorenza* und die Novelle *Das Wunderkind* vorzustellen. Schon 1902 hatte das *Berliner Tagblatt* auf den Autor der *Buddenbrooks* aufmerksam gemacht. Während einer von der Lessing-Gesellschaft organisierten Lesung war dem Berichterstatter damals eine Dame aufgefallen, die sich, in der Nähe des Rednerpultes sitzend, gleich zu Beginn in eine Haus-und-Heim-Postille vertiefte und diese erst wieder in ihrer Tasche verstaute, »als Thomas Mann die Schluß-Verbeugung machte«.[102] Die diesjährige literarische Veranstaltung, von »warmem Beifall begleitet«, fand statt »vor apartem Publikum«, bekannten »Gestalten aus der geistigen Welt«. Nunmehr aber war das Hauptaugenmerk des Reporters auf die dicht vor dem Podium sitzende »Enkelin Hedwig Dohms, die nun bald Ehefrau Thomas Manns sein wird« gerichtet gewesen.[103] Was er verschwieg, bereitete Katia noch nach Jahrzehnten allergrößtes Vergnügen: Zum Auftakt hatte Kunsthausherr Herwarth Walden[104] Selbstkomponiertes zum Besten gegeben, ein Stück namens *Thomas Mann*. »Es war ein sehr sonderbares Gebrumme auf dem Cello. Ich war immer sehr zum Lachen geneigt und kriegte einen furchtbaren Lachanfall. Um mich zu beruhigen, bewarf mich die Lasker-Schüler [Waldens Exaltiertheiten nie abgeneigte Noch-Ehefrau] ständig mit Pralinés.« Was am eigentlichen Ziel natürlich glatt vorbeiging, brachte es Katia doch »nur noch mehr zum Lachen«[105].

Die Mutter nutzte die Lesereise zur Präsentation des zukünftigen Schwiegersohns im erweiterten Familienkreis.

Man wohnte bei Tante Else, Hedwig Pringsheims Schwester, und Onkel Hermann, Bankdirektor. Das Tiergartenstraßen-Haus der Berliner Rosenbergs stand dem der Münchner Pringsheims in der Arcisstraße an Prachtentfaltung in nichts nach. Dieses sei »doch entschieden ein sehr herrschaftlicher Durchblick«[106], stellte das Familienmitglied in spe, durch Speisesaal und Salon auf die Gartenterrasse blickend, im Tonfall wohlgefälliger Zurkenntnisnahme fest. Auch die von zwei »blanken Pferden« gezogene, glänzend schwarze Equipage tat ihre Wirkung. Und erst recht die Inaugenscheinnahme jenes Hauses, in dem Katias Großeltern väterlicherseits residierten. Einen Wunsch stellten sie dem Verlobten ihrer Enkelin frei (»Na, Tommy, was wünschst du dir denn?«) in einer Umgebung, die zum Sichzieren keinerlei Veranlassung gab. Die goldene Uhr der Nobelmarke Glashütte, zur vom ersten Juwelier der Stadt vorgelegten »prachtvollen« Auswahl gehörend, trug Thomas Mann sein restliches Leben lang, und ihre Qualität machte sie noch zum Erbstück.[107] Inklusive goldener Kette erstand man das Glanzstück zum Preis von 700 Mark; im Jahr 1904 entsprach das in etwa dem Jahresgehalt eines Textilarbeiters.[108]

So uneingeschränkt wie Pringsheim senior konnte Katias Großmutter Dohm (die inzwischen Vierundsiebzigjährige bewohnte, wenn sie nicht im Sommerhaus der Familie am Wannsee weilte, im Obergeschoss der Rosenberg-Villa drei Zimmer, erreichbar per lautlosem Lift, und umgab sich vorzugsweise mit Gleichgesinnten) »den Räuber an dem freien und ebenbürtigen geistigen Streben des Weibes«[109] nicht willkommen heißen. Sie war, entsann sich die Enkelin, »enttäuscht daß ich nicht zu Ende studierte und promovierte«.[110] Doch hatte Hedwig Dohm bekanntlich gegen Vernunftehen prinzipiell wenig Vorbehalte; umso mehr aber gegen »Antifeministen« – und welches ausgewachsene männliche Wesen zählte in jener Zeit nicht zu denen, irgendwie. Nichtweibliche Familienmitglieder dürfte sie darum ebenfalls in vier Gruppen eingeteilt haben: »Altgläubige« (ewig Gestrige), »Herrenrechtler« (fürchten sich vor weiblicher Vormacht), »Ritter der Mater dolorosa« (singen mit falschem Zungenschlag das hohe Lied weiblicher Schutzbedürftigkeit und Schwäche) mit der Unterabteilung »Jeremiasse, die auf dem Grabe der Weiblichkeit schluchzen« und »praktische Egoisten«, zu erkennen daran, dass ihnen nichts lieber ist als eine Frau, der nichts über das Wohlergehen ihres Gatten geht.[111] Unter diese überhaupt nicht exklusive Kategorie fiel zweifelsfrei auch der ihr vorgestellte zukünftige Schwiegerenkel.

Zu den »üppigen« Berliner »Abenteuern«[112] Pringsheimscher Couleur verhielt sich Katias Einführungsbesuch bei Thomas' Mutter in Augsburg wie Großstadtoper zu Provinztheater. Denn »im Gegensatz zu der brillanten Selbstbewußtheit und Eleganz« der Ihren »wirkte die alte ›Senatorin‹ glanzlos und bescheiden«.[113] Früh, allzu früh, denn obwohl als alt angesehen, hatte Julia Mann 1905 die Fünfzig um nur wenige Jahre überschritten, war ihr die südländisch akzentuierte Attraktivität ebenso abhanden gekommen wie die in ihren besseren Zeiten bevorzugt jüngeren Galane.[114] Die Münchner Wohnung war aufgegeben. Zunehmend ruhelos und unstet bewohnte sie, gemeinsam noch mit Nachkömmling Vikko, wechselnde Unterkünfte in wechselnden oberbayerischen, vorwiegend ländlichen Gegenden.[117] Besuchern offerierte sie gewöhnlich »Eierbrötchen, Kuchen und ein wenig Natron als Dessert«.[116] Da mag Sohn Thomas darauf gedrungen haben, dass ein erstes vorsichtiges Abtasten von Schwiegermutter und künftiger Schwiegertochter in Augsburgs feinstem Hotel Drei Mohren stattzufinden habe. Die Begegnung war, insoweit ein Erfolg, geprägt von beiderseits größtem Bemühen. Hernach standen Katia und »Mama« auf vertrautem Duzfuß, während Vater Pringsheim immer beim Sie bleiben sollte, alle(!) Manns betreffend. Katias Mutter Hedwig hingegen, arg vereinnahmend und gönnerhaft mitunter, hatte, dem Vorbild der Tochter folgend und die hanseatische Koseform adaptierend, aus Thomas spontan einen Tommy gemacht.

Zu Frau Julia wäre noch zu bemerken, dass deren Hang zu larmoyanter Geschwätzigkeit den Umgang mit ihr erschwerte. Zu Beginn des Jahres 1905 »quälte« sie die Heirat des Sohnes. Geradezu unwürdig fand die Senatorin seine Kompromissbereitschaft in deren Vorfeld. »Könnte man mir garantieren, daß *nach* der Hochzeit alles gut würde, daß man von T. nicht allzu viel Rücksichten verlangt u. ihn nicht allzu *gnädig* aufnimmt – aber ich habe durchaus in d. Weihnachtstagen nicht den Eindruck bekommen, wie ich ihn wünschte.« – »Ach, Heinrich«, seufzte sie dann noch fast hörbar im Brief an ihren Erstgeborenen, »ich war ja *nie* mit dieser Wahl einverstanden.« Sie, die Pringsheims, hätten doch Tommy mit aller Gewalt gewollt! »Und grade die Mutter …«! Während Katia 1904 auf Usedom weilte, hatte Thomas Mann drei Ferienwochen mit seiner Mutter in Utting am Ammersee verbracht. In dieser Zeit war Julia Mann die intensive briefliche Einmischung Hedwig Pringsheims in die Liebesangelegenheiten der Tochter aufgefallen.[117]

Präeheliche Familienzusammenführungen bergen allerlei Gefahren. Man stelle sich vor: München, Arcisstraße 12, zweiter Weihnachtsfeiertag, ein festliches Abendessen, serviert von einem Diener, dessen Vornehmheit der eines Aristokraten in nichts nachstand. Hier die Eltern der Braut und Katias Brüder im sicheren Bewusstsein ihres (Heim-)Vorteils. Da Tommys Auswahl (»Doch eine wunderliche Constellation, die ich da bewerkstelligt habe!«[118]): Mutter Julia samt Vikko, ihrem Jüngsten; Lula Löhr, geborene Mann[119], die ihm am nächsten stehende, siebenundzwanzigjährige Schwester, begleitet von Töchterchen Eva Maria und Ehemann Josef; Mitglied der Mann-Fraktion war auch Otto Grautoff, Neubürger in München und engster Vertrauter seit Lübecker Schülertagen.[120] Die jungen Herren des Hauses gaben sich »ausnehmend« höflich, wohingegen ihr Vater mit »Sarkasmen« nicht sparte, in deren Gefolge »Frau Professor« den Besuchern versicherte, innerlich sei Gatte Alfred die Gutmütigkeit in Person, und darüber hinaus dank ihres Talents zu unentwegtem Geplauder über dieses und jenes der Unterhaltung bei Tisch nicht die geringste Chance zum Einschlafen ließ.

Den erstmals ins Palais Geladenen wollte die Konzentration auf Speis und Trank, unentwegt umherschweifender Blicke wegen, so recht nicht gelingen. Lediglich Vikko, der Vierzehnjährige, immer hungrig und immer zu deftigen Scherzen aufgelegt, schulisch jedoch weniger zur Freude Anlass gebend[121], vermittelte den Eindruck relativer Unbefangenheit.[122] Ganz anders als der Knabe gab sich Lula: übermäßig fein und reichlich affektiert. Sie schätzte das von Pringsheims Dargebotene außerordentlich. Noch ist sie der Meinung, dass vortreffliches Einheiraten alle Mühe wert sei. Über kurz oder lang würde ein unerträglicher Widerwille gegen den Gatten, einen pekuniär exzellent gestellten, angesehenen Münchner Bankier und Vater auch der 1907 geborenen Zwillinge Rose- und Ilse-Marie, sie in Schwermut und die Arme wechselnder Liebhaber treiben.

Am 26. Dezember 1905 wurde Frau Julia von Frau Hedwig – die Gesellschaft war gerade dabei, sich in eine männliche und eine weibliche Fraktion zu teilen – diskret beiseite genommen; es ging um die Beichte einer Unterlassungssünde: »... nach dem Diner ... zog mich ... [Katias] Mutter in ihr fürstliches Boudoir u. fragte mich wegen der bloßen Ziviltrauung.«[123] Die Entscheidung, so der Ladies Agreement, liege letztlich bei dem jungen Paar. Hätte Julia Mann wirklich ein Wörtchen mitzureden gehabt, woran überhaupt nicht zu denken war, dann hätte sie sich gewünscht (im Bericht an Sohn Heinrich sagt sie es frank und frei), dass »T[ommy] *aufträte* und sagte: »Nein, so lieb, wie ich Katia habe, der Tradition und dem Sinne meiner Eltern und Voreltern will ich treu bleiben u. verlange eine kirchliche Trauung!« Denn wenn, woran sie wohl so recht nicht glauben konnte (und auf den Geheimrat trafen ihre Zweifel bekanntlich ja zu), die Pringsheims Protestanten seien, »sollten sie bei solchem Wendepunkt in Katias Leben es auch beweisen«.[126] Mit dem Fuß aufzustampfen war jedoch eine Gewohnheit des Geheimrats, der seine Ablehnung einer christlichen Zeremonie mit Nachdruck vertreten hatte, in diesem Punkt ganz einer Meinung (abgesehen davon, dass gar keine Trauung ihm am allerliebsten gewesen wäre) mit Katia, die zwar getauft, aber nicht minder kirchenfern war. Thomas Mann aber, am Ende seiner Kräfte infolge monatelanger »seelischer Strapazen«, »absorbirender Bemühungen«, menschlichen Strammhaltens und Zähnezusammenbeißens, war des Kämpfens ganz schlicht und einfach müde. Je weniger strapaziös das Verfahren der Eheschließung, desto lieber war dies letztlich auch ihm, der darüber hinaus gleichfalls keinen sonderlichen Wert auf Religiöses legte.[125] Offen muss die Frage bleiben, wie es zu dem Gerücht kam, ein »protestantischer Pastor« habe die Heirat »legalisiert«.[126] Katia selbst erwähnte viele Jahrzehnte später eine »Zeremonie in der Lukaskirche« am Isarufer.[127] Nachweisbar ist sie nicht.[128] Denkbar wäre eine formlose Segnung des Brautpaares, doch wird dergleichen in Pfarrbüchern nicht festgehalten.

Um die Jahreswende 1904/1905 musste Katia eine Weile auf Tommy verzichten. »Erotinfreie« Tage im Klosterdorf Polling, nahe der Kreisstadt Weilheim gelegener derzeitiger Aufenthaltsort seiner Mutter, hatte sich der in München an »egoistischer Eingezogenheit« und an literarischem Fortkommen nachhaltig Gehinderte verordnet: zur psychischen und physischen Genesung und zur Fertigstellung von *Fiorenza*.

Ihr Hochzeitstag: Die Braut, sehr schmal, sehr blass, in »Crêpe-de-Chine-Toilette mit Spitzen garniert und Myrtenkranz«, trug keinen Schleier. Mit Schleier käme sie sich wie ein Opfertier vor, hatte sie zuvor erklärt. Der Bräutigam war in gut sitzendem Frack erschienen. Zur Trauung im Standesamt am Marienplatz waren nur deren Zeugen sowie Alfred Pringsheim von Seiten Katias und Josef Löhr als Repräsentant der Mann-Familie geladen. Und mit Zaungästen war nicht zu rechnen, da das Ereignis kurz und knapp erst im Nachhinein offiziell bekannt gegeben wurde:

> »Ihre heute den 11. Februar 1905
> vollzogene Vermählung beehren sich
> anzuzeigen
>
> Thomas Mann
> Katja Mann
> geb. Pringsheim«[129]

Daheim, bei den Pringsheims, stand im »großen Saale eine große Tafel voller schönster Blumen und vieler Hochzeitsgaben«, so zum Beispiel aus besseren Lübecker Tagen ein, um das Dutzend zumindest voll zu machen, noch rasch zuvor (Julia Mann vergaß nicht, auf die damit verbundenen Kosten hinzuweisen) aufpoliertes und durch Neufertigungen ergänztes Besteck im Empirestil, dem eine »*Kommode* mit Silberzeug für *24 Pers.* … von den alten Pringsh[eim]s in Berlin« gegenüber stand, in welcher die Senatorin »Sachen« entdeckte, die es gar nicht gab nach ihrer Erfahrung und bei deren Anblick ihr der Satz »*Die* Leutchen müssen Geld haben!« durch den Kopf schoss.[130] Und Lula fiel unangenehm auf, wie sonderbar bescheiden die von ihr ausgewählte Kristallgarnitur sich an Ort und Stelle ausnahm. Von der Rosenbergschen Verwandtschaft stammte das edelmetallene Teeservice, dem die Bezeichnung »Prunkgeräth« wirklich gut anstand, wohingegen dem weißgrundigen Kaffeeservice mit Kleeblattmuster, einem Geschenk Heinrich und Carla Manns, seine ausschließlich alltägliche Verwendbarkeit deutlich anzusehen war.

Persönlich waren Thomas Manns älterer Bruder und jüngste Schwester nicht erschienen, obwohl gerade Ersterer allseits eindringlich darum gebeten worden war, von der Mutter etwa mit den Worten: »Bitte, bitte, lieber Heinrich, befolge meinen Rat und ziehe Dich nicht von T[ommy] … zurück … u. zeige … nicht, daß Du Dich von der literarischen Welt nicht so anerkannt fühlst wie es T[ommy] momentan ist.«[131] Auch Heinrich Manns schriftstellerische Werke hatten ihren Weg in die Öffentlichkeit gefunden, doch leider weitaus weniger Zuspruch erhalten als die des *Buddenbrooks*-Autors.[132] Auch mag er Thomas dessen private Erfolgsgeschichte geneidet haben. Und überhaupt hing Heinrich derzeit fest in Florenz, eine Liebesaffäre hielt ihn dort gefangen. Ines Schmied, genannt Nena, 1883 geboren (und somit gleichen Jahrgangs wie Katia, ihre einzige Gemeinsamkeit allerdings) hatte dort Station gemacht, nachdem die Tochter eines deutsch-argentinischen Plantagenbesitzers mit Mutter und Bruder, einem exzentrischen Bohemien, in ganz Europa ziellos unterwegs gewesen war.

Der Aktionsradius von Schwester Carla[133], Schauspielerin, war über deutsche Provinzstädte kaum hinausgegangen. Zu jener Zeit hatte es die in jeder Beziehung glücklose Dreiundzwanzigjährige an das Oberschlesische Volkstheater in Königshütte verschlagen, doch wurde aus diesem Engagement erneut nicht mehr als eine Episode. Bald war an Aufstieg nicht mehr zu denken. Per Zufall würde sich 1906 Ex-Mimin Hedwig Pringsheim bei einem Aufenthalt in Westfalen persönlich ein Bild von verbliebenen Einsatzmöglichkeiten der angeheirateten Verwandten machen können: »Daß ich in dem einen blonden Freudenmädchen, das im *Totentanz* zum Schluß in schwarzseidenen Strümpfen und kurzem Hemdchen herausstürzt, Carla Mann, Tommy's jüngste Schwester erkannte, war pikant.« Und bot zu der Feststellung Anlass, dass »Katias's neue Familie« eine »komische Familie« sei.[134]

Zurück zur Münchner Hochzeitsgesellschaft: Das Festmahl wurde also im Wesentlichen in der weihnachtlichen Besetzung eingenommen. Nur Katia hatte noch ein paar Leute hinzufügen dürfen: eine Tante aus der Dohmfamilie, ihre Taufpatin Eugenie Schäuffelen mit Gatten und ihre Freundin Dora Gedon, Tochter eines Münchner Bildhauers.

Vikko langte bei der Hummermayonnaise kräftig zu, übel wurde ihm gottlob erst Stunden später, so dass jener »nagelneue« Anzug keinen Schaden nahm, dessen Anschaffung seine Mutter für völlig überflüssig gehalten hatte, wohingegen die Wiederverwendbarkeit des eigenen Festgewandes, bei Lulas Hochzeit im Jahr 1900 noch lila und nun schwarz umgefärbt, der Senatorin sehr gelegen gekommen war.[135] Ganz gegen ihre sonstige Gewohnheit, gute Stimmung unter Gästen zu verbreiten war ja gewöhnlich ihre Angelegenheit, unterbrach Katias Mutter nur selten ihre Jammerepistel vom so schwer zu verkraftenden Verlust der »einzigen Tochter und Freundin«, während Katias Vater »soviel als möglich« die Hand der Braut »in der seinen« hielt. Zu weinen hatte er schon Tage zuvor begonnen.[136] Halb verwundert und halb verärgert nahm Julia Mann auch die kühle Distanziertheit der jungen Ehefrau zur Kenntnis. Was dieser da möglicherweise durch den Kopf ging? Niemand sollte davon erfahren. Halten wir uns darum an das, was Katias ältester, ihrem Herzen wohl am nächsten stehender Sohn einmal als in Frageform gesetzte Vermutungen weitergab:

> »Klammerte sie ihr Herz an die Vergangenheit? Gedachte sie all der süßen und vertrauten Dinge, die sie verlieren sollte? Die Spiele mit den Brüdern, die Teegesellschaften der Mama, der Gutenachtkuß des Vaters, die Riten am Frühstückstisch – sollte es mit all dem nun vorüber sein? Die Neckereien, das Gekicher, die Studien, das Familienkauderwelsch, jedem Außenstehenden unverständlich. Es galt, Abschied davon zu nehmen.
> Und jetzt? Was wartete ihrer, wenn dies Fest vorüber war? War es ein neues Abenteuer, ein neues Märchen, das nun beginnen sollte? Was meinte er denn, ihr junger Schriftsteller, wenn er von einem ›strengen Glück‹ sprach, das sie gemeinsam erleben würden? Er hatte eine seltsame Art, solche Dinge zu sagen, feierlich und spöttisch zugleich ...«[137]

»Das Ganze« sei »ein sonderbarer und sinnverwirrender Vorgang« gewesen[138] und die ganze Zeit habe er sich über das, was er da angerichtet habe, gewundert, kommentierte Thomas Mann den Start ins Eheleben.

Am 12. Februar 1905 traf das Paar in der Schweiz ein, per Eisenbahn. Die Hochzeitsnacht hatte es in Augsburg im Drei Mohren verbracht, nichts wissen wir definitiv von ihr. Signifikant unterschiedlich von der anderer unerfahrener Hochzeiter dürfte sie kaum verlaufen sein.

In Zürichs Luxushotel Baur au Lac lebten sie »auf größtem Fuße«, »mit ›Lunch‹ und ›Diner‹ und abends Smoking und Livree-Kellnern, die vor einem her laufen und die Thüren oeffnen«.[139] Alles wunderbar! Und auch wieder nicht!

Der leidige Magen, die Hartleibigkeit, die trotz ständigen in sie Hineinhorchens äußerst mangelhafte Entleerung seiner Gedärme, brachten den Flitterwöchner um mancherlei Genüsse.

Adressen zweier Züricher Spezialisten für Nervenleiden und eines ortsansässigen Hypnotiseurs finden sich, nebst Sprechzeiten, in Thomas Manns Notizbuch aus dieser Zeit.[140] Katia suchte in Zürich eine Frauenärztin auf; von Kindern, jedenfalls bald geborenen, riet diese dringend ab. »Sehnsüchtige und wehmutsvolle Briefe« gingen aus dem Baur au Lac in die Arcisstraßen-Villa, wo Hedwig Pringsheim im verlassenen Jungmädchenzimmer, »das noch alle Spuren seiner kleinen lieblichen Bewonerin trägt, nach ihr ruft und nach ihr schreit«, in Trauer versank, über das buchstäbliche Mutterseelen-Alleinsein der Tochter nicht hinwegkam und sich einredete, Katia habe zum Glücklichsein an der Seite eines Mannes kein Talent.[141] Die Zukunft sollte sie eines Besseren belehren. Denn ihr grundlegender Irrtum bestand in der Voraussetzung übereinstimmender weiblicher Erwartungshaltung in Sachen Eheglück.

1905, am 23. Februar zurück in München, galt es für Katia Mann zuerst einmal, vorsichtige Ansätze zu einer Definition des ihren auf Alltagstauglichkeit hin zu überprüfen …

IV. Die Ehefrau und Mutter

1905–1914
Erika, Klaus, Golo, Monika – und Katia schreibt Briefe aus Davos

Da saß nun die Einundzwanzigjährige nicht weit entfernt von ihrem prächtigen Elternhaus in der Franz-Joseph-Straße 2, wo die Wohnung im dritten Stock sich nach und nach mit den Möbeln füllte, die der reiche Vater für würdig und nötig befand, den Rahmen für seine(!) Prinzessin abzugeben. Erste Besucher, allen voran Katias Schwiegermutter, notierten als Vorzüge die Aussicht auf den Garten des Prinz-Leopold-Palais, den mit rosa-goldenem Samt bezogenen Lehnstuhl im Arbeitszimmer des Dichters, den Stutzflügel im Salon, die getrennten Schlafzimmer mit den weißlackierten Möbeln, die Annehmlichkeiten des Badezimmers und gleich zweier Wasserklosetts, die aparten »kreisförmigen Lüster« – zum Beispiel »grünes Laub mit roten Beeren, daran hängen die elektr. Birnen« – an den Decken aller Zimmer, sieben insgesamt an der Zahl, ausreichend also auch für mehr als zwei Personen. Mit Blick auf die überwiegend im Münchner Antiquitätenhaus Bernheimer (Spezialist für italienische Renaissance) erworbenen Möbel und die gerade einmal drei Stücke aus dem Besitz ihres Sohnes (Empirefauteuils), die Gnade gefunden hatten, missbilligte Julia Mann allerdings die Pringsheimsche Dominanz: »Ich habe T. aber gebeten, sich nicht alles geben zu lassen; man fühlt sich ja kaum als Herr im Hause, wenn das wenigste einem durch Kauf gehört.« Und so offenbarte sie Sohn Heinrich weitere schwiegermütterliche Befürchtungen: »Telefon hat der Vater auch schon anbringen lassen. Ich denke mir, dass er jeden Morgen nach d. Befinden seiner Tochter fragen wird.«[1]

Das kam der Wahrheit sehr nahe, obgleich Pringsheim nicht

aufs Telefon angewiesen war, wenn er sich ein Bild vom Wohlergehen seiner Jüngsten machen wollte. Sie sahen sich fast täglich.[2]

Katias Interesse an der Wohnungseinrichtung war bald abgeklungen; die Perlenblässe ihrer Wangen hatte sich vertieft, denn sie war schwanger, und schon nach kurzer Zeit musste man ihr die schlechte Treppe ins dritte Stockwerk hinaufhelfen.

»Geheiratet habe ich nur, weil ich Kinder haben wollte.«[3] So Katia. »... das Ehebett wartet. Es ist nicht sicher, ob der Prinz schon in die Wege geleitet. Man muß sich regen.«[4] So Thomas.

Ohne Frage, ein Wunschkind war unterwegs.

Doch vor allen anderen nahm Katia ihren Mann in ihre Fürsorge auf. Ein »rehartiges Gebilde von großer Sänfte«[5] nannte sie ihn. Daraufhin schenkte er ihr ein kleines Bronzereh, das seinen Platz auf ihrem Schreibtisch fand. Er hatte entschieden, sich ihr so nachgiebig zu zeigen, obwohl er mit sich selbst streng war: »Sie hat es nie verstanden, obgleich sie sein Einverständnis prätendirt, daß ihm das ›Glück‹ verboten ist, will aber doch, aus Liebe, Ehrgeiz, Weiblichkeit hören, daß er glücklich sei. Wie er es ihr, nachdem er sich lange moralistisch gewehrt, endlich zum ersten Male bestätigt.«[6] Hat sie es wirklich nie verstanden? Wie wenig entspannt ihr Gefährte seine von ihm so leidenschaftlich erkämpften neuen Lebensverhältnisse genießen konnte, muss ihr bald aufgegangen sein, und vielleicht war gerade das der Grund für ihre drängenden Fragen. Dem Druck, sich für eine neue größere Novelle in Schreibstimmung zu bringen, wusste er, kaum war ihre Schwangerschaft bekannt, nicht anders zu begegnen, als sich gegen seine »schreckliche Constipation den Bauch elektrisieren«[7] zu lassen.

Den Sommer verbrachte das Paar in Zoppot an der Ostsee, nachdem es zunächst Travemünde erwogen, dann aber verworfen hatte: Er fürchtete den Kontakt zu den Buddenbrook-Lübeckern, sie mochte sich seinen Landsleuten nicht schwanger zeigen. »Übrigens Gott Lob! Es scheint sie weniger zu mühen, als die meisten anderen Frauen. Sie ist guter Dinge, ist in Zoppot täglich zwei bis drei Stunden ohne sonderliche Ermüdung mit mir spazieren gegangen, kurz, es wird ihr offenbar leicht, und so möge es bis zum guten Ende bleiben.«[8] Dass sie einem Jungen den Vorzug vor einem Mädchen geben würden, hatten die werdenden Eltern auf der Hinreise während einer Stippvisite im Obergeschoss der Rosenbergschen Tiergarten-Villa ausgerechnet Hedwig Dohm offenbart. Das heißt, auf den Sohn war wohl Katia stärker fixiert, und Thomas fungierte als ihr Sprachrohr, wenn er der alten Feministin erklärte, ein Mädchen, das sei doch nichts Ernsthaftes.[9] Die wegen schlechten Wetters vorzeitig angetretene Rückreise ging wieder über Berlin, für eine Woche vertauschte man die Ostsee mit dem Wannsee, wo Rosenbergs ebenfalls eine Villa besaßen und Katia wieder einmal die Wirkung luxuriösen Lebens auf Thomas studieren konnte.

Zurück in München musste die Jungvermählte neue Proben ihrer Fähigkeit im Abwimmeln von Lästigem bestehen. Im Falle von Teppichhändlern, Spendensammlern, Journalisten oder Gymnasiasten mit Poesiealben[10] war ihr das ein Leichtes, ungleich schwieriger war der Umgang mit den Auseinandersetzungen um *Wälsungenblut*, das jüngste Werk ihres Mannes. Die Faszination, die die Pringsheimsche Welt auf den jungen Schriftsteller ausübte – und in die er nicht ungern eintauchte, da er fast klaglos eine Wohnung in ihrem Stil als die seine akzeptierte –, hatte er zu einer Novelle ausgesponnen. Wagners Walküre, Siegmund und Sieglinde, ein dezidiert jüdisches Zwillingspaar, Luxuswesen, die ihresgleichen vergeblich suchen und nur aneinander finden, genauer: im Inzest täppisch zu finden versuchen und unerwartet an die Grenze ihres dekadenten Höhenfluges geraten. Die Verwendbarkeit des gewählten Rahmens war wegen einiger gut nachvollziehbarer Ähnlichkeiten mit lebenden Personen in einem Gespräch mit Schwiegermutter Hedwig und Schwager Klaus abgeklärt und von ihnen abgesegnet worden. Auch hatte Thomas Mann den Schluss der Geschichte für die Veröffentlichung in der *Neuen Rundschau* entschärft (»Beganeft haben wir ihn – den Goy!«, übrigens aus dem Wortschatz Alfred Pringsheims, war dem Redakteur selbst für eine Geschichte, in der Thomas Mann reichlich satirisierte,[11] als zu stark erschienen) und damit das bereits Gedruckte zur Makulatur gemacht. Dennoch, oder besser gerade auch aus diesem Grund gab es Ärger. Der sparsame S. Fischer Verlag hatte nämlich das Altpapier zum Verpacken von Büchersendungen verwendet. Und so gerieten einige Bögen ausgerechnet in die jüdische Münchner Buchhandlung Jaffe, wo ein aufmerksamer Gehilfe[12] erkannte, was er da in Händen hatte. Sein Wissen behielt er nicht für sich, und so wurde der Münchner Klatsch virulent.

> »Ich zeige Ihnen die Geburt eines wohlgebildeten kleinen Mädchens an. Der Tag war ein schrecklicher Tag, den ich all meiner übrigen Lebtage nicht vergessen werde. Aber nun ist alles Idyll und Friede, und das Kleine an der Brust der Mutter zu sehen, die selbst noch wie ein holdes Kind wirkt, ist ein Anblick, der die Foltergreuel der Geburt nachträglich verklärt und heilig spricht. Ein Mysterium! Eine große Sache! Ich hatte einen Begriff vom Leben und einen vom Tode; aber was das ist: die Geburt, das wusste ich noch nicht. Die Anschauung davon hat mich gewaltig durchrüttelt.«[13]

Was Thomas am 9. November 1905 derart beeindruckt hatte, waren die vierzig schweren Stunden, nach denen Katia – ihrer Erinnerung nach halb tot, da Hofrat Stieler zu spät eingegriffen – Mutter geworden war.[14] Auf ihren Wunsch bekam die kleine Tochter den Namen Erika Julia Hedwig.[15]

Vater und Großvater reagierten jeder auf seine Weise. Thomas Mann: »Die Kleine … verspricht sehr hübsch zu werden. Momentweise glaube ich, ein klein bischen Judenthum duchblicken zu sehen, was mich jedes Mal sehr heiter stimmt.«[16] Und: »Zuweilen, wenn ich morgens mit weich massiertem Leib und leidlich kräftigem Magen erwache, das Kind schreien höre und Arbeitslust spüre, habe ich ein durchdringendes Gefühl von Glück.«[17] Alfred Pringsheim verehrte der kleinen Erika den Silberbecher, den er selbst zu seinem Geburtstag am 2. September 1851 bekommen hatte.

Möglicherweise war Katia nicht unglücklich darüber, dass Thomas etwa einen Monat nach der Geburt zu einer Vortragsreise nach Prag, Dresden und Breslau aufbrach. Man möchte es ihr wünschen, dass sie sich als Wöchnerin unangreifbar fühlte und es wichtiger fand, sich von der schweren Geburt zu erholen und an Erika zu gewöhnen, als sich mit ihrer Rolle im *Wälsungenblut*-Skandal zu beschäftigen. Hatte im Mai der mit biografischen Bezügen gespickte Aufsatz *Schwere Stunde* zum hundertsten Todestag Schillers von der Münchner Gesellschaft unbeanstandet erscheinen können und auch die Veröffentlichung des Bühnenstücks *Fiorenza* Mitte Oktober keinerlei Anlass zu Diskussionen geboten, gab Thomas Mann nun mit *Wälsungenblut* den Klatschmäulern reichlich zu tun. Und Alfred Pringsheim kramte seine alten Vorbehalte dem Schwiegersohn gegenüber hervor und ließ sich in Rage bringen. Als der am 15. Dezember mit dem Nachtschnellzug von der Lesereise zurückkehrte, stand Schwager Klaus schon am Bahnsteig und legte ihn auf eine Unterredung gleich am nächsten Vormittag fest. Der Text dürfe nicht erscheinen. Eine abermalige Bloßstellung seiner Familie – nach Hedwig Dohms Roman *Sibilla Dalmar* – würde Alfred Pringsheim nicht tolerieren. Dass dessen Wut genügte, um Thomas Mann zur Rücknahme seiner Novelle zu bringen, darf bezweifelt werden. Bei den *Buddenbrooks* hatte er ähnliche Stürme ungerührt überstanden. Aber Katias Gefühle waren ihm nicht gleichgültig. So verzichtete er scheinbar leicht auf die Veröffentlichung seiner Arbeit, dem Schwiegervater aber nahm er seine Haltung übel. Eifersucht war auf beiden Seiten im Spiel.

An ihrem Wunsch nach einem Sohn hielt Katia entschiedener fest als Thomas, der sofort seine Erwartungen umlenken konnte: »… vielleicht bringt mich die Tochter innerlich in ein näheres Verhältnis zum ›anderen‹ Geschlecht, von dem ich eigentlich, obgleich nun Ehemann, noch immer nichts weiß.«[18] Vielleicht hätte er vor der Tochter besser die Mutter zu seiner Lehrmeisterin machen sollen, aber er drückte sich, und als er von Katias zweiter Schwangerschaft erfuhr (sie fand sich mutig, nach der ersten schweren Geburt so bald eine zweite ins Auge zu fassen), beschloss er erst einmal, im Anschluss an eine Vorlesung in Dresden einen dreiwöchigen Sanatoriumsaufenthalt zwischenzuschalten. Ende Mai kam er todmüde zurück. Wieder einmal konnte Katia erleben, wie er sich ständig lauernd umkreiste, um den Moment nicht zu verpassen, an dem er seine Arbeit aufnehmen konnte. Sie war eine gute Beobachterin ihres Mannes, und sie zog ihre Schlüsse aus dem, was sie sah. Und so hatte sie bald ein weiteres Ziel vor Augen, das letztlich den Vorrang erhielt, selbst vor ihrer Mutterschaft: der Schriftstellerei ihres Mannes das ideale Umfeld zu bieten. Die am 15. Juni 1906 begonnene erste Familien-Sommerfrische – mit Kind und Kinderfrau bezogen sie die Villa Friedenshöhe in Oberammergau, die Katia und Thomas bereits am Karfreitag besichtigt und gemietet hatten – war insofern erfolgreich: Er konnte schreiben, an jedem Vormittag, so hatte sich seine Arbeitszeit bald eingespielt, ein paar Seiten: an *Königliche Hoheit*. (»Imma Spoelmann reitet dem Prinzen Klaus Heinrich davon«[19], wie Katia Pringsheim einst Thomas Mann auf ihrem Cleveland-Rad überholte. Der Schriftsteller nutzte auf diese Weise gemeinsame Erlebnisse und auch seine Werbebriefe für seinen Roman.) Es war heiß, Heinrich und Carla kamen zu Besuch, doch nichts durfte diese Stunden stören. Sehr ruhig und glücklich war Katia in diesen Wochen, so ließ sie es zumindest in einem Brief anklingen, den sie viel später schrieb. Zeitnah entstand dagegen Hedwig Pringsheims positives Resümee eines zweitägigen Kontrollbesuchs »draußen in dem lieblichen Oberammergau, das one Passionsspiele eine Freude, mit Passionsspielen ein Grauen ist. Ganz idyllisch und allerliebst haben sich meine jungen Leute da eingerichtet … Ihr Eheglück schien auch sehr zu gedeihen, und Katia machte einen behaglich-zufriedenen Eindruck.«[20]

Am 18. November 1906 war es so weit: Der ersehnte Sohn wurde geboren. Katia erging es dieses Mal besser. Das Kind wurde Klaus Heinrich Thomas getauft. (Klaus: Katias Zwillingsbruder, Heinrich: der ältere Bruder des Vaters, Thomas: auch nach diversen lübischen Vorfahren.) »Ich komme nicht zu mir selber, laufe zweimal täglich zu Katja, hüte dazwischen Klein-

Erika, die bei mir wohnt.« Gute drei Wochen währte das großmütterliche Hin- und Herflattern, dann war Hedwig Pringsheim es leid. Da es Katia wieder »normal« ging, reduzierte sie ihre Besuche.[21]

Mit zwei Kindern blieb der Dreiundzwanzigjährigen wenig anderes, als »ziemlich still« zu leben, auch da, so Katias Mutter, »ihr Mann ein rechter Pimperling« war, »der nicht viel verträgt«.[22] Doch machte sich dieser Gedanken: Es fehle ihr ein bisschen von der geistigen Beschäftigung, an die sie von früher her gewöhnt war, so Thomas an Heinrich Mann am 5. Juli 1907 aus der Villa Hirth in Seeshaupt, der diesjährigen Sommeradresse. Und: »Im Winter muß man sie anhalten, wieder Collegien zu hören. Für jetzt bin ich auf folgenden Einfall gekommen. Du giebst doch den deutschen Flaubert bei Müller heraus. Ist die Übersetzung aller Bände schon vergeben? Würdest Du vielleicht einen der von Dir übernommenen an Katja abtreten? Sie hat Lust und würde es aller Voraussicht besser machen, als der Durchschnitt.«[23] Katia als Übersetzerin? Eine gute Idee, deren Verwirklichung jedoch noch etwas auf sich warten lassen musste. Vorläufig kämpfte Thomas Mann um jede Seite *Königliche Hoheit* – Ende September/Anfang Oktober, nach Seeshaupt, in München mit Zwischenstopp in der Arcisstraße, da in der Franz-Joseph-Straße noch Instandsetzungsarbeiten im Gange waren. Dem Bruder gegenüber übte er sich in Koketterie, indem er seine Ehe mit einer goldenen Kugel an jedem Bein verglich. Doch war de facto wohl weniger das Gewicht von Bedeutung als vielmehr das Edelmetall. Ein weiterer Grand-Hotel-Aufenthalt, der im Frankfurter Hof anlässlich der Uraufführung von *Fiorenza* in Frankfurt am Main am 11. Mai 1907, wurde von ihm ebenso wenig als Belastung empfunden wie die Spazierfahrt in der Equipage einer Dame aus der Familie Rothschild. Wieder einmal hatte sich Katia als nützlich für die »Verfassung« ihres Mannes erwiesen. Ob sie aber Partnerin eines intellektuellen Austauschs war, eingebunden in seinen Schaffensprozess? Nichts weist zu dieser Zeit darauf hin.

Auch 1908 waren Familienreisen zu organisieren und nebenbei der Standortvorteil von Katias Elternhaus, der häufige Besuche erlaubte, zugunsten der Mann-Fraktion auszugleichen. Im Februar beispielsweise ein Kurzaufenthalt in Polling bei der Schwiegermutter, im Mai endlich, nach mehreren Anläufen, Venedig (wo Herr und Frau Thomas Mann standesgemäß im Grand Hotel des Bains am Lido logierten[24]) mit Carla, Heinrich und dessen Verlobter Ines Schmied, die sich, gelinde gesagt, als sehr kapriziös erwies und nicht nur die überaus höfliche Katia auf eine harte Probe stellte. Bevor Manns am 10. Juni eine in Bad Tölz[25] gemietete Villa bezogen, hatten sie noch Löhrs in ihrer Sommerfrische in Starnberg besucht.

Katia und Thomas spielten mit dem Gedanken, statt sich jedes Jahr auf die Suche nach einem geeigneten Ferienhaus zu machen, selbst eines zu bauen. Die Tölzer Gegend gefiel ihnen, und bald erfuhren sie von einem bezahlbaren Grundstück etwas oberhalb des Ortes, mit Blick ins Isartal und aufs Gebirge. Der Eigentümer wollte das erst kürzlich erworbene Bauland unbedingt wieder loswerden. Sie griffen sofort zu. Auf die Hilfe des Schwiegervaters war der Autor nun nicht mehr angewiesen, denn allein für *Königliche Hoheit* standen 12 500 Mark Honorarvorauszahlung an; auf eine vorsichtige Bitte bei Samuel Fischer um einen Vorschuss von 3000 Mark erhöhte dieser großzügig auf das Zehnfache des Betrags. Die Baukosten deckte eine Hypothek ab.[26] Hugo Roeckl hieß der Architekt, über dessen Pläne sich Katia nun beugte, es sollten in ihrem Leben noch viele folgen. Am 28. September 1908 wurde mit dem Bau begonnen, und Katia, erneut schwanger, sah das Landhaus Mann[27] entstehen. Im Sommer jenes Jahres aufgenommene Fotos zeigen die fünfköpfige Familie samt Schottischem Schäferhund Motz vor dem »Herrensitzchen«, wie Thomas das Haus in aller Bescheidenheit nannte, wenn er nicht, wie der Rest der Familie, vom Tölzhaus sprach. Katia hat den am 27. März (dem Geburtstag Heinrich Manns) 1909 zur Welt gekommenen Gottfried Angelus Thomas, Golo, auf dem Arm. Eine Klinikgeburt hatte es dieses Mal sein müssen, von Mitternacht an siebzehn schwere Stunden hatte sie gedauert, und: »Es fehlte nicht viel, so hätte zur Zange gegriffen werden müssen, da die Herztöne des Kindes schon schwach wurden.«[28] Kein Wunder also, dass der sensible, nun dreifache Vater sich von der schweren Entbindung durch einen mehrwöchigen Kuraufenthalt erholen musste. Statt auf den Weißen Hirsch in Dresden fiel seine Wahl nun auf Dr. Max Bircher-Benners diätetisch-physikalische Heilanstalt in Zürich. Die kleine Erika hingegen war nicht wegzubringen von der Wiege des jüngeren Bruders: Nachdem sie in Tölz den kleinen Angelus Möslang[29], Sohn eines Postexpeditors, hatte herumtragen dürfen und unbedingt einen »eigenen Angelus« haben wollte, den sie mitnehmen konnte nach München, hatte Katia nun ihr Versprechen eingelöst: der »eigene« war da.

Außerhalb der beschützenden Wände der Kinderzimmer hatte die Familie einen herben Schlag hinzunehmen, der vielfältige Erschütterungen hervorrief[30]: Katias Bruder Erik, nach dem Erika benannt war, galt es zu betrauern. Die Nachricht vom Tod des noch nicht Dreißigjährigen in Argentinien war gegen Ende von Katias Schwangerschaft eingetroffen, mit allen irritierenden Details, ob nun mutmaßlich oder verbürgt; wer wusste schon genau zu beurteilen, ob er vom Pferd gefallen, erhitzt ein Glas kaltes Wasser getrunken und einen Herzschlag erlitten, in einem Duell umgekommen, einer rätselhaften Krankheit erlegen oder vom Geliebten seiner Frau Mary umgebracht worden war? Alfred Pringsheim hatte den Sohn ja vor Jahren, damals nicht unüblich, wegen hoher Spielschulden zum Auswandern gedrängt; Hedwig Pringsheim war noch 1907/1908 während einer Südamerikareise, die sie auch nach Brasilien und Chile führte, bei ihm gewesen (das damals entstandene Tagebuch sollte dem Schwiegersohn für *Felix Krull* nützlich sein). Sie war es auch, die die Witwe zunächst persönlich beschuldigte, Erik sei unter ihrer Beteiligung vergiftet worden, um später einzugestehen: Zwar habe sie ihn nicht direkt ermordet, jedoch in den Tod getrieben. Die junge Engländerin, die mit dem Sarg nach Deutschland gekommen war (der nichts mehr barg, was zu einem eindeutigen Obduktionsergebnis führen konnte), wurde von der Teilnahme an der Beerdigung ausgeschlossen. Pringsheims machten Front gegen die Schwiegertochter. All das hatte Katia sehr belastet. (So gesehen mutet die Passage des Briefes vom 19. März 1909, also eine Woche vor Golos Geburt, von Thomas Mann an seine Schriftstellerkollegin und Vertraute Ida Boy-Ed in Lübeck nachgerade grotesk harmlos an, in der steht: »Ich freue mich darauf, Sie mit meiner Frau und meinen drolligen Kindern bekannt zu machen. Meine kleine Frau sieht, obgleich von allen Beschwerden der Schwangerschaft geplagt, in rührendstem Glück ihrer dritten Entbindung entgegen.«[31])

Also weg aus München, aufs Land, in die reale Tölzer Idylle. Das neue Domizil war fertig, wieder einmal löste sich der Münchner Haushalt auf, stellte »eigentlich nur noch einen Haufen Holzwolle dar«.[32]

Im Frühherbst, noch in Tölz,[33] wurde Katia zum vierten Mal schwanger. Hätte sie ausschließlich an ihre ungeborenen und geborenen Kindern gedacht, sie wäre wohl wenig herumgekommen. So aber reiste sie im Oktober mit Thomas und dem unterdessen wieder entlobten Heinrich nach Nizza und im November für zwei Wochen nach Berlin, während ihr Mann auf eine Vortragsreise ging. Er war gefragt als Redner und verdiente gut dabei. Er verdiente überhaupt so gut, dass er im Dezember dem vergleichsweise armen Heinrich finanzielle Unterstützung anbieten konnte. Sicher geschah dies im Einvernehmen mit Katia, die, von der ihm eigenen Mischung aus äußerster Zurückhaltung und Zügellosigkeit immer zu kleinen Wortgefechten gereizt, den Schwager (den sie niemals duzte) schrecklich gern imitierte und doch in ihren Memoiren ihrer beider Verhältnis als freundlich und gut bezeichnete[34]; noch oft würde sie ihm helfen. Im Februar 1910 also lieh Thomas dem Bruder zweitausend, bald darauf weitere viertausend Mark. In dieser Zeit beschäftigte er sich übrigens intensiv mit der Frage, wie man ohne Geld durchs Leben kommen könnte. Die Idee zum *Felix Krull* hatte er schon 1909 im Gespräch mit Katia entwickelt, nun nahm der Text seit Januar konkrete Formen an. Am 7. Juli konnte er den Anfang seiner Hochstaplernovelle im Familienkreis vortragen – noch in München. Den Aufenthalt im Landhaus in Tölz hatte man etwas verschoben, da Katia auf den Tag genau einen Monat zuvor Monika geboren hatte, ihrer Meinung nach »bei weitem der hübscheste Säugling von allen Vieren«[35]. Monika sollte, so wünschte Thomas es damals, das letzte Mann-Kind sein, hatte er doch längst brieflich unmissverständliche Kommentare zu seiner erneuten Vaterschaft verschickt: »Wenn ich … zum fünften Mal [Vater] werde, übergieße ich mich mit Petroleum und zünde mich an.« Und: »Die Grenze des Lächerlichen ist, fürchte ich, erreicht.«[36]

Nun also: Zwei »Pärchen«, mit den jungen Eltern eine Bilderbuchfamilie, samt Personal versteht sich, in der Sommerfrische im eigenen Haus. Nach der Rückkehr in die Stadt im Oktober stand der Umzug in eine angemessenere, größere Wohnung an. Als Katia am 24. Juli 1910 ihren siebenundzwanzigsten Geburtstag feierte, hatte sie das Ziel ihrer vorläufigen Familienplanung erreicht, sie war Mutter von zwei Töchtern und zwei Söhnen, und es mag ihr entgegengekommen sein, dass auch der Ehemann dankbar von ihr eine Art der Zuwendung annahm, die der einer zärtlichen, verständnisvollen, auch vor des Lebens Schwierigkeiten schützenden Mutter immer mehr ähnelte. Ja, sie hatte sogar das Vergnügen gehabt, in der *Berliner Illustrirten Zeitung* einen Artikel zu finden unter dem Titel »Die Anmut der Dichterfrauen«, dem ihr Porträtfoto neben dem Margarete Hauptmanns und Tilly Wedekinds beigefügt war.[37]

Und doch war ihr Tommy keine Woche später, am 30. Juli, mit einem Ereignis konfrontiert, das sie ihm nicht annehmbar zurechtdefinieren konnte, das er als einen nicht mehr wieder gutzumachenden Rückschlag empfand im Kampf um seine bürgerliche Verfassung. Die jüngere Schwester Carla hatte sich im Alter von knapp neunundzwanzig Jahren mit einer Dosis Zyankali, die keinen Zweifel an ihrer Absicht zuließ, den Tod gegeben. Der Traum von einer Karriere als Schauspielerin war ebenso gescheitert wie der von der Flucht in eine akzeptable Ehe; nun war sie nach Polling zu ihrer Mutter gereist, wo sie, nach einer erfolglosen Aussprache mit ihrem Bräutigam, sich in ihrem Zimmer einschloss, das Gift nahm und um vier Uhr nachmittags qualvoll an Atemlähmung starb. Drei Tage später wurde sie um die gleiche Stunde auf dem Münchner Waldfriedhof beigesetzt. Diese Tat, Katia hatte die Schwägerin nicht oft gesehen und keine Beziehung zu ihr aufbauen können, erschien Thomas als Verrat.

Da mag ihn die bürgerlich-gediegene Feier zum sechzigsten Geburtstag Alfred Pringsheims am 2. September wieder etwas ins Lot gebracht haben. Begangen wurde sie im Tölzhaus. Die Kurkapelle spielte im Garten ein Ständchen, die Schulkinder sangen, es gab einen Fackelzug, Thomas Mann hielt eine Tischrede ... Das Anwesen präsentierte sich gut: Eine kleine Allee führte über das Grundstück zum Haus, das von Apfelbäumen umgeben war, über deren Wipfeln das rote Ziegeldach mit dem Wetterhahn leuchtete. Es gab eine Terrasse, auf der die Familie aß, es gab einen schattigen Platz unter einer Kastanie, einen Spielplatz mit Sandhaufen für die Kleinen, einen Tennisplatz für die Großen, den dunklen Tannenwald hinterm Haus, und an diesem Septemberfeiertag standen die Asternbeete vielfarbig in Blüte.

Nach ihrer Rückkehr nach München genoss Katia eine Woche lang die Unterstützung ihres Ehemannes beim Umzug in die neu erschlossene Wohngegend im Herzogpark, wo sie in der Mauerkircherstraße 13 zwei zusammenhängende Vierzimmerwohnungen gemietet hatten. Für die darauffolgenden drei Wochen entzog er sich allerdings dem Trubel und fuhr allein zurück nach Tölz. Höhere Miete, höhere Haushaltskosten (sechs Personen, vier Bedienstete): Selbst unter Berücksichtigung von Katias »Einkommen« in Form elterlicher Zuwendungen konnte es leicht knapp werden. Also musste der Haushaltsvorstand schreiben, auch ordentlich honorierte Zeitungsbeiträge, und auf Lesereisen gehen, wie im November 1910 nach Weimar und im Januar 1911 nach Westfalen, ins Rheinland und ins Ruhrgebiet. Eine weitere Tilgung des Heinrich-Darlehens (1000 Mark hatte dieser bereits zurückzahlen können) wäre ebenfalls willkommen gewesen. Zumal Erika (sie war zuvor ein Jahr privat unterrichtet worden) und Klaus inzwischen die kostspielige Vorschule von Fräulein Ebermayer besuchten, eine sehr feine, strenge und dabei doch etwas muffige kleine Anstalt. Den langen Schulweg durch den Englischen Garten bis nach Schwabing machten Erika und Klaus mit einer ganzen Gruppe von Herzogpark-Kindern gemeinsam, darunter Ricki Hallgarten und Gretel und Lotte Walter. Mit Ricki – sein Vater war germanistischer Privatgelehrter, seine Mutter Mitbegründerin der Internationalen Frauenliga für Frieden und Freiheit, beide waren berühmt für die Hauskonzerte, die sie veranstalteten – blieben die Mann-Kinder zeit seines Lebens befreundet, obwohl der Kontakt ursprünglich von den Eltern arrangiert worden war. Die Bekanntschaft mit den Töchtern des 1913 als Generalmusikdirektor von Wien nach München berufenen Bruno Walter (die Familie etablierte sich in einem der so genannten Drillingshäuser – drei Einfamilienhäuser in einem Block – in der Nachbarschaft der Manns, Mauerkircherstraße 43) war dagegen über die Kinder zustande gekommen und bezog bald die Eltern ein: Weil die Ebermayersche Privatschule

> »ziemlich weit vom Herzogpark lag, war es so eingerichtet, dass die Kinder immer abwechselnd von einem der Kinderfräulein hinbegleitet und wieder nach Hause gebracht wurden. Walters waren erst ganz kurz eingezogen, wir kannten Bruno Walter noch gar nicht persönlich, als er eines Tages bei uns anrief.
> Ich sagte: Es freut mich, Sie kennenzulernen, Herr Walter. Was ist denn?
> Ja, ich wollte nur einmal Folgendes sagen: es geht absolut nicht, dass ihr Klaus meine Gretel auf dem Schulweg an den Haaren zieht. Das ist heute geschehen, und das dürfte doch eigentlich nicht vorkommen, nicht? Es hat mich sehr befremdet, dass Klaus dergleichen tun darf.
> Darauf ich: Das ist mir ganz neu, und ich will die entscheidenden Schritte tun. Wir werden Klaus ermahnen, und er wird es bestimmt nicht wieder tun. Soll nicht wieder vorkommen, Herr Walter, tut mir leid.«[38]

Dieses Telefonat, wie es Katia im Gedächtnis blieb, war der Beginn der lebenslangen engen Freundschaft zwischen beiden Familien – allerdings zunächst in unterschiedlicher Ausgestaltung durch die beiden Generationen. Während Katia in angenehmer Erinnerung behielt, dass Bruno Walter zum Dirigieren der Akademiekonzerte in der zweispännigen Hofkutsche mit Diener vom blau-livriertem Kutscher gebracht wurde und sich in der Regel auch Plätze für einige Manns darin fanden, so gedachten Erika und Klaus mit gemischten Gefühlen der wilden Streiche der Herzogparkbande. Offenbar hatte Katia ihre Ältesten etwas aus den Augen verloren, sonst hätten die beiden ihre Intelligenz, ihren Ehrgeiz, ihren Charme nicht eingesetzt, um einigen Mitmenschen zum Ärgernis zu werden. Es begann mit Grenzüberschreitungen im häuslichen Umfeld, wie dem Fabrizieren provokanter Gedichte oder verbotene Lektüre, und setzte sich fort in bewussten Ungezogenheiten den Lehrern gegenüber. Bald hatte die Mutter sich mit Beschwerden wegen Telefonterrors auseinander zu setzen (hier tat sich Erika hervor, bei der sich früh die große Begabung zum Schauspielern und Stimmenimitieren zeigte), ja sogar mit Ladendiebstählen. Ihre älteren Sprösslinge reagierten hyperempfindlich auf die Zeitläufte und auf ihre Umgebung. Und wenn das feine Bogenhausener Leben, zu dem auch die sonntäglichen Besuche in der Arcisstraße gehörten, sie dazu reizte, sich »böse«, »einfallsreich«, »ein bißchen verwahrlost« darzustellen[39], dann wartete das Landstädtchen Tölz mit anderen Herausforderungen auf.[40] Hier schienen Erika und Klaus kaum Anstrengungen nötig, um sich den kleinen Zwickers, Öttels oder Möslangs ebenbürtig oder überlegen zu fühlen. Eher waren es die beiden jüngeren Geschwister, Golo (»mit einem masochistischen Hang zur Demütigung«) und Moni (»klein und dumm und niedlich«[41]), die die älteren zur Entwicklung subtiler Unterdrückungsrituale anspornten. Ihren Briefen zufolge sah Katia, oder Mielein, wie die Kinder sie nannten (Pielein, das war Thomas, bis er der Zauberer wurde), jedes ihrer Kinder zuerst als Individuum und durchaus auch kritisch, vor allem aber schätzte sie Originalität, die ihr in gewissen Grenzen sogar wichtiger als gutes Benehmen war. Überhaupt richtete sie ihr Augenmerk weniger auf das Zwischenmenschliche. Sie tolerierte durchaus Exzentrizitäten, ja sie hatte sogar ihren Spaß daran, aber im Außenverhältnis durften keine Peinlichkeiten entstehen. Wohl war der erfolgreiche Weg der Kinder in ein bürgerliches Leben erwünscht, Abitur schien unumgänglich, wenigstens einer(!) hätte Arzt oder Ingenieur werden sollen[42], aber bitte, »Kulturgebärden«[43] waren dabei nicht unbedingt nötig!

Die frühesten Erinnerungen der Kinder an ihre Mutter sind mit Körpererfahrung verbunden. Für Klaus waren das Szenen im ländlichen Klammerweiher, einem kleinen runden Teich mit Schilf am Ufer und tellergroßen weißen Seerosen auf goldschwarzem Wasser schwimmend (das im Winter der Klammer-Brauerei das zur Kühlung des Biers benötigte Eis lieferte)[44], den man vom Tölzhaus über feuchte Wiesenwege schlitternd erreichte und »in dessen moorigem Wasser ich so mühsam schwimmen lernte. Auf dem Arm meiner Mutter – auf Mieleins Arm mußte ich mich ›auslegen‹; was für grässliche Angst ich immer hatte, sie könnte loslassen! … Mielein konnte bis zu den Seerosen schwimmen; weiter ging es überhaupt gar nicht.«[45] Die Stärke der Mutter offenbarte die Schwäche des Sohnes, so empfand es wohl auch das Kind.

»Sonntag früh empfing die Mama. Nämlich meine Schwester und ich durften zu ihr ins Bett hineinschlüpfen. Dies war breit und aus elfenbeinfarbenem, mit Schnitzwerk versehenem Holze. Die Mama hatte ein überfußlanges Hemd an, am Hals und an den Handgelenken mit Volants, das, obgleich es aus feinstem Linnen war, an das Hemd der Großmutter in Rotkäppchen erinnerte. Zwei schwarze Zöpfe – die sie tags um den Kopf gewunden trug – lagen auf den großen Kissen, die gleichfalls aus feinstem Linnen mit Locharbeit waren, und mit tiefer, rauher, liebkosender Stimme wünschte sie uns guten Morgen. Es war sehr angenehm, erst einmal auf dem dicken Eisbärfell barfuß zu stehen oder zu knien und allmählich unter die kornblumenblaue Daunendecke zu kriechen, um dann den merkwürdig herben und Geborgenheit ausströmenden Duft des mütterlichen Bettes einzuatmen. … In friedlichem Dämmer lag das Zimmer meiner Mutter, das für mich stets mit liebenswürdig chaotischer Fülle und Lebensmitte verbunden war. Auf dem Toilettentisch mit dem dreiteiligen

Spiegel flatterten zwischen den geschliffenen Flakons und Kristall- und Silberdosen die womöglich schon bezahlten Kohlen- und Milchrechnungen, auf der grüngerippten Samtchaiselongue lag ein Haufen roter Häkelwolle, ein Band Maupassant, Zola und Josef Ponten, die Kommode nickte unter der bunten Last von Briefen, Manuskripten, einem riesigen Beutel aus lila Wildleder, unzähligen Familienphotographien, Schlüsseln, einem großen atlasbezogenen Nadelkissen, in dem hübsche alte Broschen steckten, einer Vase mit Rosen, Telephonlisten und Speisezetteln, Weihnachtsgaben, von Kinderhand gefertigt; der graziöse Schreibtisch bog sich unter zwei Schreibmaschinen, Lateinbüchern meiner Brüder, russischen Lexikons und Schachteln von Extrabitter Katzenzungen. Übertrieb ich, da ich von liebenswürdig chaotischer Fülle und Lebensmitte sprach, wenn ich noch dazu bedenke, daß das Schlafzimmer meiner Mutter von früh bis spät in freundlich aufgerührter Bewegung war? Eine magnetische Anziehungskraft schien es zum Herzen des Hauses zu machen. Hatte das Fräulein dort nicht mit hochrotem Kopfe eine Klage vorzutragen, so wollte ein Handwerker instruiert, eine Magd mit Geld versehen sein; und rief der Papa nicht zum Spaziergang, so wollte der Hofschneider blassen, etwas närrischen Angesichts die neue Robe anmessen oder ein Kind vertröstet sein. Wir brachten alle unsere Freunde ins Schlafzimmer meiner Mutter, auch die Hunde fanden ihren Weg dorthin, und alle Telephongespräche fanden dort statt.«[46]

Monikas Multimomentstudie wirft mehr Fragen auf als die nach dem Inhalt des riesigen Beutels aus lila Wildleder. Was alles schwingt wohl mit, wenn eine Tochter das mütterliche Schlafzimmer als die mit Silber, Kristall und feinstem Leinen ausstaffierte Kommandozentrale des Hauses in Erinnerung haben will und die Kommandeuse[47] im Nachthemd an Rotkäppchens Großmutter erinnert. Die Schilderung einer weiteren Szenerie führt jedoch direkt zum Werk des Vaters: »Ein paar Lichtstrahlen fielen durch die grünen Läden der beiden Fenster und der Tür, die auf den Balkon führten, auf dem die Mama immer Siesta hielt (im Winter in einem großen Pelzsack).«[48] Wie war das doch auf dem »Zauberberg«? »Du mußt es dir nicht allzu grimmig vorstellen … nicht gerade arktisch. … Wenn man sich gut verpackt, kann man bis tief in die Nacht auf dem Balkon bleiben, ohne zu frieren. … Aber Du hast ja nun deinen Liegesack.«[49] Er wärmte Hans Castorp wie die anderen Gäste des Internationalen Sanatoriums Berghof; die Vorlage lieferte Katia, die 1912 im Waldsanatorium von Professor Friedrich Jessen in Davos »eine kleine Lungenaffektion« auskuriert hatte. Die dort eingeübte Liegekur führte sie in München weiter. Es ging um ihre Gesundheit.

»Es war ein Lungenspitzenkatarrh, eine verschleppte, geschlossene Tuberkulose, aber ich mußte verschiedene Male zum Kuraufenthalt ins Hochgebirge. Man schickte mich zuerst auf ein halbes Jahr, von März bis September …, ins Waldsanatorium nach Davos …« Na, von Tuberkulose konnte wohl nicht die Rede sein – später angefertigte Röntgenbilder beweisen tatsächlich, dass sie nie daran erkrankt war –, auch bestanden ihre Beschwerden schon seit dem Sommer 1911: »Sie hatte eine leichte Influenza und kränkelt immer noch etwas. Sie wäre Dir dankbar, wenn Du ihr eine Übersetzungsarbeit (französisch) verschafftest, vielleicht vom Müller'schen Verlag.«[50] Hatte Thomas diese Bitte 1907 nicht schon einmal an Heinrich gerichtet? Hatte Katia 1906 nicht ihr zweites Kind geboren? Nun, 1911, erneut die Anfrage, nachdem sie ein Jahr zuvor zum vierten Mal Mutter geworden war und nach wie vor mit Ängsten zu kämpfen hatte, diese Aufgabe könnte ihre Kraft in einer Weise aufzehren, dass für anderes nichts mehr blieb? Es war mehr als Katias Lunge zu sanieren, und Thomas wusste das wohl. Aber sie akzeptierte »eine verschleppte, geschlossene Tuberkulose« als Schutz vor zu viel Familie und als Möglichkeit, zu Kräften zu kommen. Und lieferte nachträglich die etwas schwache Erklärung, dass, was es auch war, wohl von selbst gut geworden wäre, die Sanatoriumsaufenthalte hätte sie eben absolviert, da sie es sich hätten leisten können.[51]

In Davos hatte Katia jedenfalls Zeit und Lust, ihrem Tommy viele Briefe zu schreiben, in denen sie ihm vor allem »die verschiedenen Typen«, die sie beobachtete, schilderte. Ab 15. Mai 1912 verschränkten sich für drei Wochen Erlebtes und Erzähltes.

> »Nun, er besuchte mich in Davos[52], und schon seine Ankunft war eigentlich ziemlich genau wie die Ankunft von Hans Castorp. Er stieg auch in Davos-Dorf aus, und ich holte ihn unten ab, genau wie sein Cousin Ziemßen es tut. Dann gingen wir zum Sanatorium hinauf und haben so endlos geschwätzt wie die Vettern. Ich war doch schon monatelang dort und legte los, erzählte hundert Sachen und habe immer wieder gesagt: es ist doch so nett, dass man endlich wieder mit jemandem reden kann.«[53]

Und dann zeigte sie ihm die Vorbilder für Frau Stöhr und Frau Iltis, den Herrenreiter, Tous-les-deux, die Mylendonck, Prof. Dr. med. Jessen, Madame Chauchat (die dann Katias Züge und in diesen Zügen die des jungen Pribislav Hippe tragen sollte und wohl auch ein wenig vom in Brioni beobachteten Erzherzoginnengetue mitbekam). Den jungen Marineoffizier, ihren Kurschatten sozusagen, bekam Thomas wohl nicht zu sehen. Sie konnte sehr gut beobachten, treffend beschreiben, hatte Humor. (Wie auch ihre Mutter Hedwig Pringsheim, die nachgerade »spaßige« Beschreibungen der Moribunden in Jessens Waldsanatorium verschickte[54], in denen auch so mancher Patient Hofrat Behrens' wiederzuerkennen ist. Sie besuchte Katia zum Beispiel mit deren Zwillingsbruder Klaus zur gemeinsamen Geburtstagsfeier; Alfred Pringsheim kam ebenfalls nach Davos zu seiner Tochter.) Auch von späteren Kuren berichtete Katia, denn noch viele Jahre lang blieb sie schonungsbedürftig – und der *Zauberberg* würde erst 1924 erscheinen. »Quasi als groteskes Nachspiel und Gegenstück«[55] zum *Tod in Venedig* hatte Thomas Mann den Roman zunächst als Novelle geplant. Wie so oft bisher und danach hatte das Werk eine Eigendynamik entwickelt, die den ursprünglich gedachten Rahmen sprengte.

Den *Tod in Venedig* hatte der Autor überhaupt nicht schreiben wollen, er liebäugelte zu der Zeit mit einer Goethe-Novelle (über dessen späte Liebe in Marienbad), da es ihm schwer fiel, den Krullschen Memoirenton durchzuhalten,[56] an dem er sich wohl noch einmal versucht hatte.[57] Doch dann gingen Katia und Thomas im Frühjahr 1911 mit Heinrich auf eine Reise ans Mittelmeer.

> »Weil es uns sehr empfohlen worden war, sind wir erst nach Brioni gegangen. ... Es gefiel uns nicht sehr. Erstens hatte es keinen Sandstrand, und zweitens war die Mutter des späteren Kaisers Karl von Österreich dort als Kurgästin. Diese Erzherzogin hatte die geschmackvolle Eigenheit, immer zwei Minuten, nachdem alle schon saßen, zu Tisch zu kommen. Man aß in dem großen Saal des Hotels, *table d'hôte*, an verschiedenen Tischen. Da erhob sich die ganze Gesellschaft, Ausländer inbegriffen, bei ihrem Eintritt, und dann ging sie immer zwei Minuten vor Schluß weg; die ganze Gesellschaft stand wiederum auf. Das war wirklich sehr lästig und verdroß uns.«[58]

Und wurde im *Zauberberg* zu Madame Chauchats Unart.

Derlei Gebaren war ihnen also zuwider, aber das »fürstliche Sterben in Paris und Wien, das man in den täglichen Bulletins schrittweise miterlebte ...«, verfolgten Katia und ganz besonders Thomas sehr aufmerksam, denn es handelte sich ja um einen berühmten, bedeutenden Menschen, den er persönlich kannte. Viele Zeitungsnotizen dokumentierten damals Gustav Mahlers langes Leiden – seit eine ohne Penicillin nicht beherrschbare Streptokokkeninfektion ihn im Griff hatte – insbesondere von dem Moment an, als er mit dem Schiff aus New York in Europa eintraf. Vom 17. April bis zum 11. Mai 1911 kamen die Nachrichten aus Paris, danach, bis zu seinem Tod am 18. Mai im Sanatorium Löw, aus Wien. Im September des Vorjahres war Thomas dem Komponisten in München begegnet. Auch dazu hatte ihm seine Verwandtschaft mit den Pringsheims verholfen: Alfred und Hedwig kannten Mahler, aufgrund dieser Beziehung war Katias Zwillingsbruder als »Volontärassistent und Korrepetitor für ein oder zwei Jahre zu ihm an die Wiener Oper« gekommen.[59] Gustav Mahler war im Herbst 1910 Teegast in der Mauerkircherstraße gewesen, und Thomas und Katia hatten die Generalprobe für die Welturaufführung seiner Achten Symphonie am 12. September desselben Jahres in München besucht.[60]

Die Insel Brioni hatte der kleinen Reisegesellschaft missfallen, also fuhren sie mit dem Dampfer – auf dem sie tatsächlich den geschminkten greisen Geck trafen, der mit dem Dirigenten zum Vorbild für Gustav von Aschenbach verschmolz – am 26. Mai von Pola nach Venedig. Mit der Gondel erreichten sie von dort aus den Lido; den äußerst dubios wirkenden Gondoliere würde man im *Tod in Venedig* ebenfalls wieder erkennen.

> »Dann gingen wir in das Hotel-des-Bains, wo wir reserviert hatten. Es liegt am Strand, war gut besucht und bei Tisch, gleich den ersten Tag, sahen wir diese polnische Familie, die genau so aussah, wie mein Mann sie geschildert hat: mit den etwas steif und streng gekleideten Mädchen und dem sehr reizenden, bildhübschen, etwa dreizehnjährigen Knaben, der mit einem Matrosenanzug, einem offenen Kragen und einer netten Masche gekleidet war und meinem Mann sehr in die Augen stach. Er hatte sofort ein Faible für diesen Jungen, er gefiel ihm über die Maßen, und er hat ihn auch immer am Strand mit seinen Kameraden beobachtet. Er ist ihm nicht durch ganz Venedig nachgestiegen, das nicht, aber der Junge hat ihn fasziniert, und er dachte öfters an ihn.«[61]

Doch auch Venedig war für diesen Urlaub nicht das ideale Ziel: Während der ersten Tage dort kam der Wind nicht vom Meer, sondern von der Landseite her und mit ihm der üble Geruch der Lagune. Vor allem Heinrich wollte weg, ins Gebirge, in einen hoch im Apennin gelegenen Ort, wo sie in einem Hotel »ohne moderne Kommoditäten, was mich schon sehr störte« unterkamen, wie Katia sich später erinnerte. Als sich dann auch noch das Warten auf das Freiwerden einer bestimmten attraktiven Villa als aussichtslos erwies, reisten sie zurück nach Venedig, wo Thomas Mann die Vorbilder für Tadzio und Jaschu, Wladyslaw Moes und seinen Freund Janek Fudakowski, mit ihren Müttern und Geschwistern erneut beobachten konnte. Ein weiterer Grund für die Rückkehr war, dass dort, auch das war tatsächlich passiert,

Gepäckstücke bei der Abreise verwechselt worden waren. Zwar waren es nicht Thomas', sondern Heinrichs Koffer gewesen, und die Cholera brach auch nicht eigentlich in Venedig, sondern mehr in Palermo aus, alles in allem aber hatte der Autor hier (auch vor dem Hintergrund des Sterbens von Mahler) genügend Eindrücke gewonnen, die Stoff boten für eine Novelle. Und ein weiteres: Die Geschichte um Liebe und Tod, um die Liebe eines Mannes zu einem schönen Knaben, war in Thomas Mann angelegt.

Am 2. Juni traten Katia und Thomas mit Heinrich die Heimreise an. In München angekommen, blieben bis zum 14. Juni, dem Beginn der Familienferien, nur wenige Tage der Vorbereitung. In Tölz ging es Katia nicht gut. Waren es nur die schwer zu bestehenden Regentage[62]? Oder war das Unternehmen »Lido« weniger erfolgreich gewesen als beim ersten Mal 1908, nach der Geburt von Klaus?

Belastete sie die Novelle, an der Thomas nun arbeitete, in der er seinen homoerotischen Phantasien freien Lauf ließ wie nie zuvor? Zermürbte sie die Suche nach ihrer Haltung zu seiner Neigung? Als sie sechs Jahrzehnte später die Interviews gab, die dann als ihre *Ungeschriebenen Memoiren* in Buchform erscheinen sollten, offenbarte sie nichts in dieser Hinsicht. Aber was mag es sie gekostet haben, sich dazu durchzuringen, nichts weiter daran zu finden, jetzt, wo das, was zwischen ihr und Thomas bisher ein Geheimnis war, kaum verschleiert an die Öffentlichkeit drang. Seit wann sie sich der Bisexualität ihres Mannes bewusst war, seit wann sie mit ihm darüber sprechen konnte und wollte, ob sie ihr ablehnend oder gleichmütig gegenüberstand, ob sie ein Gefühl für die Ähnlichkeit zwischen ihm und ihrem Zwillingsbruder hatte – Katias Diskretion lässt diese Fragen offen. Genau wie die, ob es ihr genügte, dass er Homoerotik als »erotischen Ästhetizismus« und »sterile Libertinage«, als »romantischen Individualismus« und also »des Todes« ansah und dass ihm zur Ehe einfiel: »Lebensbefehl«, »Lebensfreundlichkeit«, »Lebensgutwilligkeit«, »Lebensbürgerlichkeit«.[63] Ob sie gar Originalität so weit schätzte, dass sie Neigungen zu jungen Männern gelassen hierunter verbuchte? Möglicherweise fragte sie sich auch gelegentlich, welche Begriffe ihr Vater mit »Ehe« assoziieren mochte – und ob sie wohl zahlreiche Liebschaften und Gänge ins Münchner Künstlerhaus, wo Großbürger vom Schlag ihres Vaters sich mit Malern, Bildhauern und Musikern umgaben (und vor allem mit deren weiblichen Pendants), von ihrem Tommy ebenso kühl hätte hinnehmen können wie Hedwig von Alfred Pringsheim. Oder war es doch nur ein Zufall, dass es ihr gerade in dieser Zeit so unerwartet schlecht ging? »Man« erachtete es jedenfalls als notwendig, sie zur Regeneration aus dem familiären Rahmen herauszulösen. Doch die Ferien mit den Eltern in Sils-Maria vom 2. bis 19. September 1911 blieben ohne nennenswerten Erfolg. Ein weiterer Versuch, eine Kur in Ebenhausen bei München im Januar und Februar 1912, ebenfalls. »Katias Befinden macht sehr langsame, kaum merkliche Fortschritte. Sie ist im Ebenhausener Sanatorium, um die Ruhe zu haben, die sie braucht, und wird gleichzeitig mit Serum-Injektionen behandelt, wozu sie von Zeit zu Zeit hereinkommt. Dauernd wird sie sich mutmaßlich in der Stadt vorderhand nicht aufhalten dürfen, sondern in der Anstalt bleiben müssen«, schrieb Thomas Mann am 17. Februar 1912 an seinen Bruder Heinrich und fügte hinzu:

»Ich muß mich daher entschließen, Dich einmal ernstlich und dringend zu bitten, auf die Rückerstattung des Geldes, das Du unserem viel in Anspruch genommenen Haushalt schuldest, etwas mehr, als bisher, Bedacht zu nehmen. Du bist doch jetzt ein Mann von – wenn ich nicht falsch rechne – rund 10 000 Mark jährlich; Deine wirtschaftliche Lage ist also viel günstiger, als die meine, denn Du bist allein, Du hast keine vier Kinder, keine vier Dienstboten, kein Landhaus, keine 5000-Mark-Wohnung in der Stadt; und bei einigem guten Willen hätte es Dir ein Leichtes sein müssen, durch monatliche oder vierteljährliche Ratenzahlungen, wie ich es Dir vorschlug, Deine Schuld bis heute größten Teiles zu tilgen … Ich habe es … nötig. Unser Haushalt ist so zugeschnitten, daß Katjas Rente bei Weitem nicht ausreicht, ihn zu bestreiten …«

Und schließlich kam er auf den Punkt: »Meinen Schwiegervater anzugehen widerstrebt mir.«[64] Heinrich war wohl beeindruckt, denn am 2. April 1912 konnte Thomas sich bedanken: »Die 500 Mark sind gestern richtig eingetroffen. Sie sind sehr willkommen. Katja … schreibt muntere Briefe und fühlt sich schon besser. Die Ärzte droben erklären den Fall für unbedenklich aber langwierig … Die Injektionskur … hat großen nervösen Schaden angerichtet. Ich konnte sie nicht hindern, weil die lange Trennung von den Kindern damit umgangen werden sollte.«[65] Auf den Rat ihres Ebenhausener Arztes hin war Katia da schon in Davos – nach einem kurzen Münchenaufenthalt, während dessen sie versuchte, ihre neuerliche Abwesenheit zu organisieren. Am 10. März 1912 war sie mit ihrer Mutter »zunächst bis Chur gefahren, wo man übernachtete … In Chur sei sie am nächsten Tag mit ihrer Mutter zusammen sorgfältig mit Pelzen und vielen Decken in einen Schlitten verpackt worden. Man sei sehr behutsam mit ihr umgegangen. Und dann sei man nach Davos abgereist. Sie erinnere sich noch an die schöne Fahrt.« Eigentlich hatte sie ins Sanatorium des berühmten Professors Turban gesollt. Zunächst sei man im Hotel Rätia abgestiegen. Dort riet man, doch besser in das modernere Waldsanatorium zu gehen[66], und dorthin sei sie dann am 22. März übersiedelt. Sie habe, so wird ihr Bericht mehr als fünfzig Jahre später im *Deutschen Ärzteblatt* wiedergegeben,

> »zunächst ein Nordzimmer bewohnt, sei dann aber in ein Südzimmer mit Balkon umgezogen. Anfangs war sie verpflichtet, die Liegehalle aufzusuchen. Dort wurde man morgens von einem Pfleger, der gleichzeitig Bademeister war, sorgsam in die Decken gewickelt. Sie erinnerte sich, daß gleich an einem der ersten Tage ein junger Marine-Offizier, der dort auch Kur machte, ihr zurief: ›Frau Mann, darf ich Ihnen nicht helfen?‹ Solch kecker Ton habe dort geherrscht. ›Nein! Das dürfen Sie gar nicht! Herr Leutnant.‹ Später habe er eine verehrungsvolle Beziehung zu ihr gewonnen … In den Ort hinunter sei sie nur selten gegangen. Man habe seine Spaziergänge am Berghang entlang – zum Wasserfall beispielsweise – unternommen, sich aber sonst im Sanatorium aufgehalten, wo eine

internationale Gesellschaft versammelt gewesen sei und eine ›unerhört geschlossene Atmosphäre‹ geherrscht habe. Mit den Einwohnern von Davos sei man kaum zusammengekommen. Das Dienstpersonal, so auch die im Speisesaal bedienende Zwergin ... sei einheimisch gewesen. Es habe wirklich einen ›guten‹ und einen ›schlechten‹ Russentisch gegeben. Der Professor habe abwechselnd an einem der Tische gesessen. ... Tatsächlich habe Jessen ihren Mann hierbehalten wollen, nachdem er ihn untersucht hatte. Sie seien zunächst ratlos gewesen, hätten dann aber einen befreundeten Arzt in München angerufen und ihn nach seiner Ansicht befragt. Der habe ihnen mitgeteilt, dass fast alle Menschen einmal eine tuberkulöse Erkrankung durchmachen und nicht jeder deswegen in Davos bleiben müsse. Daraufhin habe sich Thomas Mann zur Abreise entschlossen.«[67]

Am 15. Mai 1912, Katia war noch keine zwei Monate dort, fand der erwähnte Besuch des Ehemanns statt, die Kinder blieben mit seiner Mutter in Tölz; nach der Kur kehrte Katia zunächst dorthin zurück. Und Julia, ganz besorgte Mutter, Großmutter, Schwiegermutter, versuchte wie so oft, unterdessen auch brieflich die Beziehungen in der Familie zu moderieren:

»Ich möchte Dich bitten, lieber Heinrich, am Samstag Katia zu sagen, daß Du nicht gleich erfahren habest, wann sie von Tölz zurückgekommen sei, u. dann auch nicht gleich hättest Besuch machen wollen in der Meinung, in den ersten Tagen würde es ihr zuviel werden. Ich meine, es ist Katia gegenüber richtig, wenn Du ihr so sprichst u. überhaupt recht eingehend und liebenswürdig über ihre Gesundheit Dich äußerst. Ich habe es so im Gefühl, lieber Heinrich, daß T. u. K. so von Dir behandelt werden müssen, denn sie meinen es so brüderlich mit Dir, davon bin ich fest überzeugt, u. sie empfinden es sehr arg, wenn Du Dich wenig um sie kümmerst.«[68]

Der liebe Heinrich hatte es offenbar an den erwarteten Gesten zu Katias Rückkehr fehlen lassen.

Nach Davos und Tölz war Katia im November für zwei Wochen in Berlin. Der *Tod in Venedig* war fertig, und Heinrich hatte nochmals Geld geschickt, somit waren die Fahrtkosten wohl vom Familienbudget abzuzweigen.

1913 (das Jahr hatte mit Keuchhusten der Kinder begonnen), nach einem Urlaub mit Thomas in Viareggio im Juni, fuhr Katia in Begleitung ihrer Eltern und des Bruders Peter vom 14. November bis zum 21. Dezember nach Gardone.[69] Nach den Feiertagen in München war klar: »Meine Frau ist wieder erkrankt, nicht schlimm, aber es waren wieder Katarrh und Temperaturen da«, schrieb Thomas an Ida Boy-Ed und verband damit die Absage einer geplanten Reise nach Lübeck, denn: »Die Pointe des Ganzen war ja eigentlich, daß ich meiner Frau die Heimat zeigen wollte.«[70]

Am 4. Januar 1914 reiste sie nach Arosa, am 12. Mai war sie wieder in München. Und wie so oft rang Julia Mann um ihre Einbeziehung in Familiäres: »Ob Katia wohl gestern zurückgekommen? Gäbe der Himmel doch, dass es ihr nun dauernd besser gehen möge!«[71] So schrieb sie am 13. Mai an ihren Ältesten.

Und gleichzeitig, wer wusste es besser als Katia, wuchsen die Schulden dramatisch: 10 000 Honorarvorschuss, dagegen »70 000 Hypothekenschulden und dann noch welche fürs Grundstück«. Aber doch nicht für das Tölzhaus! Ein neuer Besitz war gemeint; Thomas' Brief vom 7. Januar 1914 an Heinrich wurde bereits unter einer anderen Adresse geschrieben: München, Poschingerstr. 1. »Ich bin ja nun mit den Kindern ins Haus gezogen, – ohne Katia, wodurch ja nun das Vergnügen zur Hälfte zum Teufel ist.«[72] Der Umzug in die legendäre »Poschi« am 5. Januar 1914 hatte also ohne Katia stattgefunden. An den Entwürfen war sie wohl beteiligt, der Bauplan des Architekten Ludwig ist auf den 4. Juli 1913 datiert, das Grundstück war im Februar desselben Jahres in Katias Namen erworben worden. Aber einen großen Teil der Bauzeit weilte sie fernab von München zu Kuraufenthalten. Da Thomas in den drei Monaten vor dem Einzug drei Vortragsreisen absolvierte, mag auch er eher wenig von den Arbeiten mitbekommen haben. Überdies waren beide noch bis zu Katias Meran-Reise in Bad Tölz gewesen. Dennoch überwog seine Präsenz, und das Haus wurde folgerichtig am Abend des 18. Februar 1914 mit einem Herrenessen eingeweiht. Geladen waren: Ernst Bertram (Gespräche zwischen ihm und Thomas nannte Katia »Germanistengeraune« – diesen homosexuellen Freund der Familie mag sie besonders aufmerksam beobachtet haben, war aber sicher 1918 noch völlig damit einverstanden, dass Thomas Mann sich an ihren Onkel Georg Bondi wandte und sich für eine Bertram-Publikation über Nietzsche einsetzte[73]), Bruno Frank, Kurt Martens, Emil Preetorius, Wilhelm Herzog und die Pringsheim-Männer[74]. Die Kinder durften in ihren Schlafröcken herunterkommen und die prächtig angerichtete Tafel bewundern. Katias Mutter fand das Ganze nicht gut, sie meinte, mit der Einweihung hätte Thomas sich bis zur Rückkehr der Hausfrau Zeit lassen können.[75]

1914–1919
Elisabeth, Michael – und Kriegszeiten sind zu überstehen

Wie hat man sich eine der Kulissen vorzustellen, in denen sich die Inszenierung des Mannschen Familienlebens abspielte – dem jeweiligen Publikum gefällig verbreitet durch die verschiedensten Medien und in vielerlei Gestalt: von der Boulevardkomödie bis zur Tragödie, damals genau wie heute? Und nicht zuletzt: Wie sah Katias »Arbeitsplatz« aus?

»Es war zu jener Zeit buchstäblich das letzte Haus von München. Dahinter begann die Wildnis. … Das Haus stand in einem großen Garten, und seine Vorderfront [mit ihrem charakteristischen halbrund vorspringenden Vorbau, der sich bis zum zweiten Stockwerk hinaufzog] war der Allee und dem Fluß zugekehrt. Eine Steinmauer mit aufgesetztem weißem Holzzaun umgab es.« Seine Ausstrahlung war durchaus nobel, wie Thomas Mann es schätzte: »Der Mond steht doch recht herrschaftlich über unserem Garten«, sagte er einmal zu Katia.

> »Die Haustür befand sich auf der Rückseite des Hauses. Man betrat einen Vorraum mit einer Garderobe, der in eine große holzgetäfelte Diele mit hohen Bücherschränken an allen Wänden, einem Kamin und einer Treppe nach oben führte. … Auch begrüßte einen hier der russische ausgestopfte Bär aus dem Lübecker Elternhaus mit seiner hölzernen[1] Visitenkartenschale … Von der Diele ging es auf der einen Seite in den Salon, einen dreifenstrigen Raum, in dem der Flügel und Frau Katias Bibliothek standen und in dem sich in einer Ecke der ›Besuchsteetisch‹ befand, auf der anderen Seite das große Eßzimmer …

Den Mittelteil, zwischen Salon und Eßzimmer, nahm Thomas Manns geräumiges Arbeitszimmer mit der Flügeltür und der Steintreppe zum Garten ein. Hier … waren die alten Lübecker Bücherschränke aufgestellt, hier befanden sich die Empire-Leuchter aus dem Beckergrube-Haus, hier standen die Empire-Sessel aus *Königliche Hoheit*. … Im Arbeitszimmer hing auch das liebreizende Kinderbild Frau Katias, das Franz von Lenbach malte, als sie etwa acht Jahre alt war …
In der ›oberen Diele‹, im ersten Stock, frühstückten die Kinder und erhielten ihr Nachtessen. Von hier aus gelangte man in Frau Katias Schlaf- und Arbeitszimmer, das direkt über dem Arbeitszimmer Thomas Manns lag und dessen Flügeltür sich zum großen Balkon öffnete. Links davon lag Thomas Manns Schlafzimmer mit seinem blauen Spannteppich und den einfachen, weiß lackierten Möbeln, rechts davon befanden sich zwei Kinderzimmer mit dem Zimmer des Kinderfräuleins dazwischen. Von der ›oberen Diele‹ führte eine Treppe in den zweiten Stock; hier waren drei Zimmer ›auf Vorrat‹ gebaut … Kamen die Kinder von der Schule heim, so läuteten sie nicht an der großen Haustür, sondern benutzten den Lieferanteneingang zum Keller oder Souterrain, von dem eine besondere Treppe zum Anrichtezimmer oder ›Office‹ neben dem Eßzimmer hinaufführte. … Hier lagen die Küche mit einem Speiseaufzug zum ›Office‹, die Waschküche, die Heizung, die Vorratskammer; hier wohnten die Köchin, die Stubenmädchen … Und hier unten war auch das Telefon. War Frau Katia daheim, so wurde es zu ihrem Zimmer geschaltet, und sie nahm es ab. War sie nicht da, so wurde von unten verbunden. Thomas Mann hatte einen Apparat in seinem Arbeitszimmer, aber er liebte ihn nicht; er telefonierte ausgesprochen ungern und wurde stets ärgerlich, wenn man ihn zum Telefon rief. Während der vormittäglichen Arbeitsstunden durfte das Telefon unter keinen Umständen zu ihm durchgestellt werden; Frau Katia fing alle Anrufe ab. ›Kann ich Herrn Thomas Mann sprechen?‹ – ›Nein, das können Sie nicht.‹ – ›Warum nicht? Ist er denn krank?‹ – ›Nein, er ist nicht krank, aber er arbeitet.‹
So schildert sie es selbst. Wurde draußen im Garten Wäsche

aufgehängt, so schloß er die Fenster des Arbeitszimmers und zog die Vorhänge zu.«[2]

Die wichtigsten Nachbarn blieben die Familie Hallgarten (sie wohnte wenige Schritte von der Poschi entfernt in der zwischen dem Fluss und der Mauerkircherstraße verlaufenden Pienzenauerstraße Nr. 15) und, nach wie vor, die Familie Bruno Walter[3]. Doch mit diesen und anderen honorigen Nachbarn wurde auch Frau Bartl gleichsam Teil der literarischen Topographie: Sie hatte an der Ecke Poschingerstraße/Mauerkircherstraße einen Kramladen, in dem alles für den täglichen Bedarf zu haben war. Die Sympathie zwischen ihr und den Mann-Kindern beruhte auf Gegenseitigkeit.

Akribisch erforschte vor allem Peter de Mendelssohn, Thomas Manns legendärer Biograf, dessen Umfeld, wohl wissend um die Bedeutung, die es für seine Arbeitsfähigkeit hatte; keine Mitteilung, keinerlei Information hält er darüber zurück. Doch auch Katia bewegte sich in diesem Umfeld – für ihre Arbeitsfähigkeit, ihre Spannkraft, auf der, wie Thomas es einmal formulierte, »alles aufgebaut«[4] war, bedeutete es ebenso viel. Und dass diese sehr leicht zu erschüttern war, zeigen ihre überaus häufigen Kuraufenthalte. Bis in die zwanziger Jahre hinein fiel sie immer wieder für mehrere Monate aus, musste der große Haushalt ohne sie funktionieren, waren die Kinder (fast, diese Einschränkung gilt wegen des in dieser Zeit immerhin häufiger anwesenden Vaters) allein der Obhut von Hausangestellten überlassen. Klaus gab diesen Frauen Raum in seinen Erinnerungen, wo er ihnen eine eher launige Passage gönnte. Eine gründliche Auseinandersetzung mit diesen Persönlichkeiten, die ihn doch auch mit prägten, beabsichtigte er offenbar nicht:

»Man muß sie nicht geradezu lieben, aber man rechnet doch fest mit ihnen, so sehr ist man an sie gewöhnt. Sie werden zu Begriffen, zu kleinen Extramythen, die im großen Kindheitsmythos einen Platz einnehmen, dessen Wichtigkeit man nicht unterschätzen darf. Einige Dienstmädchen wurden sehr erinnerungsmächtig und legendenumwoben: so Köchin Maja, der Bravsten und Stattlichsten eine ...; oder Grete Bauernschubert, an die ich eine Erinnerung finde, als habe sie sich ununterbrochen im feschen Rhythmus des Schuhplattlertanzes bewegt ...; oder Resi Adelhoch, aus dem stolzen Geschlecht der Adelhochs, ... strahlend brünett, südlich-stämmig ...; ... Affa ... von der noch die Rede sein wird ... Aber alle diese schrumpfen ein, werden Zwerginnen und gar nicht der Rede wert, neben der Kinderfräulein ehrfurchtgebietender Familie. Wie eine Dynastie von Königinnen – die jeden männlichen Thronfolger ermorden lassen, um die heilige Einrichtung des Matriarchats zu wahren – schreiten diese regierenden Damen durch unsere Kindheitsgeschichte; launisch meist, leicht verdrossen und nur durch unsere äußerste Artigkeit oder durch überraschend angenehme Post von auswärts zu gnadenvollen Scherzen zu bewegen: angefangen mit der aller-aller-ersten, der Ur-Königin, der vom Beginn der Zeiten, der prähistorischen Kindheitsanna, von deren blauen Backen nur die Hauschronik, nicht mein Gedächtnis mir sagt, – bis zur schaurigen Muhme Zilli ... mit falschem Zopf, falschem Zahn und der lamentierend gellenden Stimme der Tauben. (Warum verstand sie nur, wenn sie nicht verstehen sollte? Redete ich sie mal unziemlicherweise als ›Fräulein Stinkmeier‹ an – gleich kreischte sie schwäbisch: ›Ha – was hast g'sagt?‹ und keine Silbe war ihr entgangen.) Zwischen diesen: die Langbeinige, die wir Betty-Lilie nannten; Fräulein Amalie mit rotem Haar und harter, sommersprossiger Miene; Mademoiselei aus Düsseldorf, die im Gehen zu stricken pflegte und weniger leicht aufbrausend, als manche andere, dafür von aufreizendster Kühle war; die dicke Hermine, die in meiner Erinnerung von einer etwas larmoyanten, ja hysterischen Zärtlichkeit scheint. ... Wir litten unter jeder von ihnen und wir liebten jede ... Die Macht der Kinderfräuleins wuchs dadurch ins Unermeßliche, daß unsere Mutter, in diesen Jahren viel krank, mehrfach längere Zeit in Davos und Arosa sein mußte. ... In solchen Monaten und halben Jahren herrschten die launischen Damen fast unumschränkt über uns, da unser Vater, wenngleich sehend, nichts von ... erzieherische[m] Furor an sich hatte.«[5]

Die beiden Ältesten nutzten das eben aus.

Nun ja. Kein Wunder, dass Katia sich auf die unsinnige Injektionskur einließ, kein Wunder, dass ihre Probleme sich durch Kuraufenthalte nicht lösen ließen, dass sie sie überallhin mitnahm. Klug, wie sie war, konnte sie sich über mögliche Folgen ihrer wiederholten Trennung von den Kindern nicht täuschen.

Doch schon bald galt es Schwierigkeiten zu meistern, hielten ihre Kräfte Belastungen stand, die bisher Erlebtes weit übertrafen – und dennoch leichter zu bewältigen waren, da die Vorgabe quantifizierbar war: Es ging um die Befriedigung der elementaren Bedürfnisse von insgesamt sechs Personen, um die Grundversorgung ihrer Familie mit Nahrung und Kleidung also; für Thomas Mann waren darüber hinaus mit gleicher Dringlichkeit zu beschaffen: Zucker für seinen »Thee« und Zigarren oder Zigaretten.

»Nun wird wohl auch gleich ein feuriges Schwert am Himmel erscheinen«[6], durch diesen Kommentar zur Nachricht vom Ausbruch des Ersten Weltkriegs, mit einem Blick von der Veranda des Tölzhauses hinüber zu den verschneiten Gipfeln des Karwendelgebirges gesprochen, hatte der Vater die Kinder nachhaltig beeindruckt. Als er am 28. Juni 1914 während einer Vortragsreise in Freiburg im Breisgau von der Ermordung des österreichischen Thronfolgers Erzherzog Franz Ferdinand und seiner Frau durch serbische Nationalisten erfuhr, hätte er diese Entwicklung nicht für möglich gehalten.

Einen Monat später war das Ultimatum an Serbien, gegen Österreich-Ungarn gerichtete Umtriebe zu unterbinden, gescheitert; die Bewegungsfreiheit der Politik war durch den Druck militärischer Vorkehrungen und Mobilmachungen längst verhängnisvoll eingeschränkt.

Vier Jahre später war weit mehr als die Tölzer Idylle dahin.

Es war ein strahlend schöner Tag, Katia hatte gerade noch mit Thomas beim Tee gesessen, aber nun falteten beide die Plaids zusammen, die sie zur Nachmittags-Liegekur zu benutzen pflegten.

Die hinzugekommenen Kinder – denen das Kinderfräulein nicht ohne Lust an der Sensation verkündet hatte, sie könnten die Kostüme (ein Sammelsurium aus den Kleiderschränken der Erwachsenen und phantasievollen Papierkreationen) wieder ausziehen, mit dem Theaterspielen sei es heute nichts, der Krieg sei ausgebrochen[7] – waren mit Blick auf die zusammengesunken vor der ausgebreiteten Zeitung sitzende Mutter überzeugt: Ihr Vorhaben, mit den Löhr-Cousinen Eva Maria, Ilse-Marie und Rose-Marie den Erwachsenen am 1. August die »Büchse der Pandora« vorzuführen, musste aufgegeben werden.[8]

Doch weitaus größere Einschränkungen standen bevor. Klaus, damals sieben, erinnerte sich später:

> »Wir durften nicht in den Ort gehen, aber wir hörten, dass die Badegäste in Scharen zum Bahnhof flohen. Alle Züge waren total überfüllt … Mielein telephonierte mit Frau Holzmeier, damit man für die nächsten Tage Butter und Eier im Hause hätte … [Mit allen vier Kindern und einem Leiterwagen, der zum Transport von 20 Pfund Mehl geeignet war, zog Katia los.] Die Eltern fuhren nach München, um sich von Onkel Heinz und Onkel Vicko zu verabschieden, die sofort eingezogen wurden. Besonders schlimm war, daß der Onkel Peter sich gerade in Australien auf einem Physikerkongreß befand. Erstens schien Australien sehr weit weg zu sein, außerdem hatten allem Anschein nach die Feinde Einfluß dort. Onkel Peter würde festgehalten werden. Man bestätigte uns, daß wir von allen Seiten überfallen waren. Frankreich wollte irgendwas zurückhaben, was wir ihm einst aus guten Gründen weggenommen hatten. Das infame England fürchtete sich vor unseren tüchtigen Kaufleuten … Zum Glück blieb Italien neutral. Die Schweiz blieb auch neutral. Amerika auch. Unser Kaiser hatte es *nicht* gewollt. Plötzlich gab es keinen Nachtisch mehr.«[9]

In die Jahre des kollektiven Verhängnisses fiel im Sommer 1915 ein privates, die Familie mit Ausnahme des Vaters betreffend – Klaus' Erinnerungen daran spielen auf das Unglaubliche einer

Serie an: An Blinddarmentzündung erkrankten erst Moni, dann Golo. Nach komplikationslosem Verlauf konnten die beiden bald Geheimrat Kreckes chirurgische Klinik verlassen. Nicht so Klaus, bei dem ein Durchbruch vorlag. Vier Operationen hatte der Achtjährige zu überstehen, eine Bauchfellentzündung war hinzugekommen. Zwei Monate blieb er in der Klinik, während deren auch Erika wegen Blinddarmentzündung eingeliefert wurde. Und Katia war es, die seinen Körper, der auf nichts mehr sonst reagierte, mit Eau de Cologne abrieb und so vielleicht in der Krisis die Wende zur Besserung förderte. In Tölz wurde der abgemagerte Junge mit allem, was an Leckereien verfügbar war, aufgepäppelt. [10]

Essbares erhielt man offiziell nur gegen Lebensmittelkarten, für die man lange anstehen musste. Und Kleidung? Die schön bestickten Kittel der Kinder waren bald abgetragen, die feinen Schuhe konnten nur durch Holzsandalen ersetzt werden. Als Hugo von Hofmannsthal zu Besuch kam, freute er sich über ein Sardinengericht. Nun betete Katia mit den Kindern jeden Abend für die beiden Onkel im Felde, den Vizewachtmeister Vikko, den Rittmeister Heinz Pringsheim und auch für Peter Pringsheim, den man ja in Australien festhielt.[11] (Klaus, Katias Zwillingsbruder, war ausgemustert worden.) Auch für den Sieg der deutschen Waffen![12] Darüber, ob sie auch erhört wurden, wollte Katia sich größtmögliche Klarheit verschaffen: Golo wurde künftig spät nachmittags zum nahen Kufsteiner Platz geschickt, um die dort als »Tagesbericht« angeschlagenen Listen von gefangenen und getöteten Feinden einzusehen und zu Hause Bericht zu erstatten. Und nach einem Sieg wurde schon mal die schwarz-weiß-rote Flagge über dem obersten Balkon gehisst.[13]

Eine der Sparmaßnahmen, die die Eltern ergriffen, war den Mann-Kindern nicht unlieb: das Kindermädchen wurde sofort entlassen, und statt zum elitären Ebermayer-Institut in der Luisenstraße gingen Erika und Klaus nun ganz ordinär in die Bogenhausener Gebele-Volksschule. Aber es hätte nicht des Kontakts zur Nachkommenschaft der Münchner Volkshefe bedurft, denn die Herzogparkbande hatte schon längst ihre eigene Dynamik. Es hagelte weiter Beschwerden von Gefoppten, die es zu beschwichtigen galt, wobei den »Geschädigten« die Katia eigene Höflichkeit ebenso zugute kam wie den Sprösslingen ihre Lachlust und die Schwäche, die sie für junge Exzentriker hegte. Dennoch, es blieb ein Zwiespalt: Da war zum einen das Schuldgefühl wegen erzwungener Vernachlässigung der Kinder durch Krankheit, zum anderen das Bedürfnis, tradierte Vorstellungen von einer gelungenen Erziehung durchzusetzen, also beispielsweise auf die fortgesetzten Diebstähle der beiden Älteren mit (auf Dauer erfolgreichen) Sanktionen zu reagieren. Katia nahm ihre Mutterrolle sehr ernst, und die Entwicklung der Kinder wurde (wie schon im Hause Pringsheim) sorgfältig dokumentiert, während der Kuren ergänzt durch Tommys Beobachtungen, die er ihr brieflich mitteilte. Nicht nur die Eskapaden der beiden Älteren, auch die leicht erregbare Phantasie des im Geschwistervergleich nicht so hübschen Golo, seine altklugen Kommentare, seine stundenlangen Spaziergänge im Garten mit Klaus, während deren der Ältere dem Jüngeren Furcht erregende Geschichten erzählte, Monis seltsame Puppenliebe, die das Ausreißen von Armen und Beinen einschloss, ihr eigensinniges, anschmiegsames, verzogenes, liebebedürftiges, trotziges Wesen, Erikas Bereitschaft, sich als Stellvertreterin der Mutter zu fühlen ... die Eltern beobachteten ihren Nachwuchs genau. Katia hinterließ in braunes Leder gebundene Notizbücher mit Eintragungen, die auch viel über sie selbst preisgeben. Kühl und klar betrachtete sie demnach ihre Kinder. Was immer sie in deren Verhalten als nachteilig oder von Vorteil ansah, sie bemühte sich in jedem Fall um exakte Darstellung. Und blieb dabei immer bereit, nach oben oder unten zu korrigieren. Was ihr aber als unveränderliches Problem erschien, wurde großzügig mit dem Mantel der Mutterliebe umgeben. Zumal Aktionen wie der Beschaffung von Butter und Eiern nach dem 1. August 1914 nur zu oft der Vorrang eingeräumt werden musste vor erzieherischen Maßnahmen.

»Im Ersten Weltkrieg war es sehr schwierig, eine Familie mit vier heranwachsenden Kindern einigermaßen zu ernähren,

und ich habe es nicht leicht gehabt. ... wir wollten absolut mit dem Schwarzhandel nichts zu tun haben. Aber schließlich ging es gar nicht mehr. Außerdem bekamen wir auch immer Angebote, die natürlich verlockten. Ein junger Mensch von höchstens siebzehn Jahren kam auch einmal zu uns und sagte: Also, wenn Sie mal was brauchen, da könnt i scho allerhand beibringen ... Dann hat er mal ein bisschen Butter geliefert, mal Eier und so. Ich erwartete in der Zeit meine jüngste Tochter, und gleich das Jahr darauf erwartete ich meinen jüngsten Sohn. Da sah er mich ganz streng an und sagte: Scho wieder, Frau Doktor? Den kann i nimmer ernährn!
Mit der Heizung war es auch furchtbar prekär. Da hatten wir einen Mann, der nannte sich Hirschbethelo von Rosenstein, ich weiß nicht wieso; der sagte, er könne Kohlen liefern, nur müßte ich hinkommen, um das mit ihm zu besprechen, er wohne da und da. Also fuhr ich mit meinem Rad dorthin, kletterte vier Treppen hinauf, und da lag der Kerl im Bett und sagte gleich: Setzen Sie sich nur auf mein Bett, Frau Mann. Es war mir sehr ungemütlich, und dann sagte er, er werde Kohlen bringen. Eines Abends kam er spät, schmiß den Koks auf die Straße und fuhr wieder weg. Da mussten wir in aller Heimlichkeit spät in der Nacht den Koks wegschaufeln und in den Keller schaffen. Es war wirklich eine schwierige Zeit.«[14]

Das war es in der Tat: Katia mit dem Rad unterwegs zu legalen und illegalen Quellen für Güter des täglichen Bedarfs – kreuz und quer durch München. Katia mit der Schwiegermutter[15] auf dem Pollinger Schweighardthof korrespondierend, die immer wieder bereit war, von den Bauern im Dorf ergatterte Lebensmittel an die Familie weiterzugeben. Und Katia auf dem Amt, um den »Mietzwang« abzuwenden: »Wir brauchen jetzt keinen Zwangsmieter aufzunehmen, wir haben noch ein neues Baby. Da sagte der Beamte: Dazu hatten Sie kein Recht!«[16]

Auf Kind Nummer fünf, Elisabeth, im April 1918 geboren, war drei Tage vor deren erstem Geburtstag Nummer sechs gefolgt. Der Krieg war nun zwar zu Ende, doch die Wirtschaftslage weiterhin prekär.

Hatte die politisch längst interessierte Katia, die sehr wohl über die Ursachen ihrer für das Überleben der Familie erzwungenen Aktivitäten Bescheid wusste, die ersten Gehversuche ihres Mannes auf diesem Gebiet auch so kritisch betrachtet wie dessen Bruder Heinrich? Das wäre durchaus vorstellbar, dass es zwischen den Eheleuten darüber zum Streit kommen würde, dagegen nicht.

Für den Abbruch der Beziehungen zwischen den Brüdern war Thomas' Essay *Gedanken im Kriege* nicht mehr und nicht weniger ursächlich als Heinrichs *Zola*-Essay von 1915. Der Jüngere hatte seine Arbeit am 22. August 1914 begonnen; nur zu gut ordnete sie sich dann ein in den deutschnationalen Chor, in dem 93 Professoren, Dichter und bildende Künstler mit ihrem Manifest *An die Kulturwelt!* – »dem schändlichsten und dümmsten Dokument des Krieges«[17], das sich mit dem Kaiser und der Regierung nachdrücklich solidarisch erklärte – Anfang Oktober 1914 eine führende Stimme übernommen hatten.[18] Vorgänger dieser Vereinigung war die Deutsche Gesellschaft 1914, ein Zusammenschluss von Bankiers, Schwerindustriellen, ostelbischen Junkern, Zeitungsverlegern, Parlamentariern, Schriftstellern und bildenden Künstlern, die ihre Aufgabe darin sah, durch eine zwanglose Verbindung mit der Regierung in heiklen Momenten die deutsche Politik und die Kriegführung wirksamer zu beeinflussen, als etwa die Presse dies konnte. Der Sitz der Deutschen Gesellschaft befand sich an vertrautem Ort: im ehemaligen Berliner Stadtpalais Pringsheim in der Wilhelmstraße. Viele Mitglieder waren Thomas und auch Katia bekannt: Gerhart Hauptmann, Hugo von Hofmannsthal, Max Liebermann, Julius Meier-Graefe, Max Reinhardt, Richard Strauss, die Brüder Ullstein, die Brüder Cassirer und der Kreis um Samuel Fischer, um nur einige zu nennen. Wie sie nahm ihr Mann Verlautbarungen der Regierung und der Heeresleitung ohne Argwohn auf und kommentierte sie entsprechend. Kritiker titulierten ihn dafür als »Erzschwein« und »im Damensattel reitender, kokette Gebärden produzierender Ritter«, und auch seinen Bewunderern wurde es schwer, ihn zu verteidigen.[19] Beide Fraktionen haben wohl nicht ohne Blick auf Heinrich Mann ihr Urteil über den Bruder gefällt.

Für Katia waren jedenfalls seit 1915 das freundlich-zänkische Verhältnis zu ihrem Schwager wie auch die Treffen von ihr und Thomas mit dem gar nicht so weit entfernt in der Leopoldstraße 59 wohnenden Ehepaar[20] Mimì und Heinrich auf lange Zeit vorbei. Dass sie sich dem Bruderzwist nicht gänzlich unterordnen wollte, zeigt, dass sie zur Geburt ihrer Nichte Leonie der Schwägerin einen Glückwunsch schickte (zart, menschlich und ausführlich war ihr Brief nach Einschätzung ihres Mannes). Allerdings bekam sie »Frechheiten« zur Antwort, die Heinrich seiner Frau in die Feder diktiert hatte. Eine Aussöhnung zwischen den Brüdern, im Dezember 1917 von Heinrich erstmals versucht und an Thomas gescheitert[21], war erst 1922 möglich. Der Begegnung, die anlässlich Frank Wedekinds Beerdigung am 12. März 1918 hätte stattfinden können – Heinrich hielt die Totenrede, und auch Thomas war mit Katia erschienen –, ging Thomas aus dem Weg. Er ließ sein Taxi vorfahren, hieß es warten (was Katia sicher nicht nur wegen der Geldverschwendung geärgert haben dürfte) – um dann gleich nach Ende der Zeremonie zu verschwinden.[22]

Sein Hauptwerk während des Krieges (der *Zauberberg* blieb derweil liegen), das ihn und die Familie erheblich belasten sollte, wurden die *Betrachtungen eines Unpolitischen:* eine

> »leidenschaftliche Polemik gegen den Bruder – die Idee vom Zivilisationsliteraten, welchen Heinrich mehr oder weniger repräsentieren sollte, beherrscht zu großen Teilen das Buch –, gleichzeitig freilich hat Thomas Mann, indem er es schrieb, sich von den ihn beherrschenden Ideen allmählich gelöst. In der Vorrede, die zum Schluß geschrieben ist, ist er schon distanziert, kann sich auf sein eigenes Rückzugsgefecht berufen und mit Überzeugung meinen, daß, was kommen müsse, die Demokratie sei.«[23]

So Katias bemerkenswerte Sicht, die zeigt, dass sie die Kombattanten durchaus in ihren jeweiligen Positionen würdigen wollte. Ihren Tommy wird sie in der Widmung, die er am 1. November 1918[24] in ihr Exemplar der *Betrachtungen* schrieb, schon erkannt haben:

»Wir haben es zusammen getragen, liebes Herz, und wer weiß, wer schwerer daran zu tragen hatte, denn zuletzt hat der immerhin Thätige es leichter, als der nur Duldende. Auch trug ich es nur aus Not und Trotz, Du aber trugst es aus Liebe. Schmeichler sagen Dir wohl, es sei nichts Geringes und Leichtes, meine Gefährtin zu sein. Aber mich schmerzt das Gewissen, und ich weiß wohl, daß dieser Schmerz nur durch immerwährende Dankbarkeit zu beruhigen ist.«

Aber? Ihn schmerzte das Gewissen? Trotz der Worte der Schmeichler, die ihre Eitelkeit bedienen wollten? Wo sie doch nur aus Liebe alles trug? Wie auch immer: Es gab und gibt wirklich keinen Grund, an seiner Dankbarkeit zu zweifeln, Dankbarkeit vielleicht auch dafür, dass sie ihm erlaubte, sich selbst als »Thätigen« und sie als »Duldende« zu sehen. Schließlich weinten sie beide.[25]

Dem Mann, der in der Litewka am Schreibtisch seine Arbeit verrichtete (die Poschi übrigens Winterpalais, das Tölzhaus Zarskoje Sselo nannte[26]) und sich auch wieder einmal einen Bart stehen ließ, mag das geholfen haben. Unsensible konnten ihn nämlich durchaus als Drückeberger bezeichnen. Weit entfernt von pazifistischen Ideen hatte er, unterstützt von einem gefälligen Arzt, der ihm Brustschmalheit und Herznervosität attestierte, vor Jahren eine zweimalige Zurückstellung vom Militärdienst erreicht. Am 1. Oktober 1900 fand er sich dann doch in der selbstbezahlten Uniform, blitzblau mit rotem Kragen und silbernen Gardelitzen, zum Dienst beim Leib-Infanterie-Regiment in der Türkenkaserne ein, um – nach derart glanzvollem Auftritt anlässlich der eine Woche später stattfindenden Hochzeit seiner Schwester Julia – nach einigem Hin und Her (und aufgrund der Beziehungen seiner Mutter) noch im gleichen Jahr für untauglich erklärt zu werden – letztlich seiner Plattfüße wegen. Bei Kriegsbeginn war Thomas Mann Reservist ohne Stellungsbefehl, und wieder war es ein von dem Literaten beeindruckter Arzt, der ihm Untauglichkeit bescheinigte, auf dass er seine Ruhe hätte. Eine Nachmusterung zwei Jahre später ergab, sicher begründet, Arbeitsverwendungsunfähigkeit wegen Nerven- und Magenschwäche. Sein Kampf fand – übrigens wie auch der seines Bruders – am Schreibtisch statt.

Und wohl auch am Tisch des Hauses. Golo registrierte Jähzorn samt Ursachen bei beiden Eltern: Auf Seiten des Vaters, weil dieser »der immer präsenten, der logisch-juristischen Intelligenz der Mutter nicht gewachsen [war]. ... Ihrerseits war die Mutter, so sehr sie ihn liebte und bewunderte, ihm diente, eine viel zu starke und naive[27] Persönlichkeit, als daß sie in dieser Beziehung sich hätte ändern können und wollen«[28], was Thomas nicht wenig reizte! Und auf Seiten Katias war der Jähzorn Erbe des alten Pringsheim.[29]

Das Ende der Tölzer Idylle hatte sich schon längst angebahnt. Das Landhaus, in dem man zwanglos auch Gäste wie den Verleger Fischer und Hans Reisiger[30] – den nach Katias Art (die ihn darum auch sehr mochte) »hochverschnurrten« »Lieblingsonkel« der Kinder – empfangen konnte, wollte man nunmehr aufgeben. Erste Verkaufsabsichten sind dokumentiert durch eine Anzeige in der Inseratenbeilage der *Neuen Rundschau* vom Juli 1914, also noch vor Kriegsbeginn, die das moderne »Landhaus Thomas Mann« offeriert: »Zehn Zimmer und zwei Mädchenzimmer, Bad, Waschküche, und reichliche Nebenräume, Balkone und große Wohn-Veranda, alles vollständig möbliert, ist zu verkaufen. Dazu gehört ein über fünf Morgen großer Garten, Tennisplatz, Gartenhäuschen. Absolut ruhige, staubfreie Lage, Blick auf Gebirge und Isartal. Wald und Schwimmbad in nächster Nähe.«[31]

Schon nach fünf Jahren waren Katia und Thomas Tölz also leid gewesen. Nach Bezug des Hauses in der Poschingerstraße, das einer ländlichen Dependance nicht so bedurfte wie noch die Wohnung zuvor, mögen für die klug rechnende Katia die Kosten gegenüber dem Nutzen nicht mehr akzeptabel erschienen sein. Jedenfalls fehlte Thomas erklärtermaßen das Wasser in Form eines Meeres oder wenigstens eines ordentlichen Sees.

Die Zeiten waren ungünstig für eine Transaktion, die der von den Manns angestrebten entsprach. Versuche, das Haus über die Münchner Makler Lion & Cie. loszuschlagen, 80 000 Mark war die Preisvorstellung der Anbieter, verliefen wenig erfolgreich.

Erst Anfang 1917 war ein Käufer gefunden: Willy Wiegand, der Buch- und Schriftkünstler, Mitbegründer und Leiter der Bremer Presse[32], erwarb das Tölzhaus für 65 000 Mark – ohne Mobiliar. Das, so schrieb Thomas an Katias Bruder im fernen Australien, komplettiere künftig die Poschi »inwendig« sehr nett. In die obere Diele, in der die Eltern frühstückten, seien die Tölzer Esszimmermöbel gekommen, der ursprünglich als Fremdenzimmer gedachte Raum im zweiten Stock sei mit den Tölzer Ahorn-Sachen zu einer Art »Pölchen« (so wurde Hedwig Pringsheims Salon in der Arcisstraße genannt, sie bewahrte dort ihre Napoleon-Devotionalien auf) für Katia gestaltet worden. Übrigens bezieht sich deren einzige eigenhändige Eintragung in Thomas' Notizbücher auf den nun verkauften Besitz. Sie steht in der Nr. 12 auf der letzten Seite und lautet: »Tölzhaus 1200 Kapitalrate ab Hypothekenzinsen 510 M.« Was den Erlös betrifft, so war er bald dahin. Die sonst so genaue Katia hatte nicht aufgepasst: Auf Kriegsanleihen zu setzen war unklug in jenen Zeiten und endete mit dem Totalausfall der erworbenen Forderungen.

Katias Eltern hatten auf diese Weise selbst gutes Geld verloren, doch übersteigerter Patriotismus ist auch ihnen nicht anzukreiden. Vor allem Hedwig Pringsheim konnte ihre liberale Erziehung nicht verleugnen, sie sympathisierte mit der Friedenspartei und schenkte zu Weihnachten 1917 dem elfjährigen Klaus Bertha von Suttners Roman *Die Waffen nieder!*. 1916 war der Sohn ihrer Schwester Else, der jüngste Cousin Katias, mit zwanzig Jahren gefallen. Als feststand, dass die Offensiven an der Westfront von März bis Juli 1918 den als entscheidend proklamierten Durchbruch nicht brachten, hatte Katia, im Gegensatz zu ihrem Mann, längst erklärt, dass sie an einen deutschen Sieg nicht mehr glaube.

Thomas Mann hatte sich gleich nach Fertigstellung der *Betrachtungen* einem Thema zugewandt, das andersartiger, unpolitischer nicht sein konnte. Mit *Herr und Hund* verfasste er »Ein Idyll«, ein »Bildchen«, will sagen: eine Beschreibung »friedlichen und einfachen Lebens in meist ländlicher Abgeschiedenheit« (so jedenfalls der Fremdwörterduden). Bevor die Familie sich von Tölz verabschiedete, hatte sie sich von Motz, dem Collie, trennen müssen. Das Vorbild Percys in *Königliche Hoheit* starb gnadenhalber unter den Kugeln des Tölzer Büchsenmachers und wurde auf dem Landhausgrundstück begraben.[33] Sein Nachfolger Bauschan war es, dem Thomas Mann in der Erzählung ein literarisches Denkmal setzte.

Nebenbei ist aus diesem Text in groben Zügen der Tagesablauf der Familie Mann herauszulesen, der über lange Zeit, auch an anderen Orten, fast unverändert beibehalten wurde. Etwa um acht Uhr morgens traf sich das Ehepaar auf der oberen Diele, um die erste Tasse Kaffee zu trinken. Dann frühstückten dort die Kinder, während die Eltern sich zur Morgentoilette zurückzogen. Durchaus nicht immer in ihre getrennten Bereiche: Katia ging nicht selten zu Thomas, um, während er sich ankleidete, ein bisschen mit ihm zu plaudern. Um 9 Uhr etwa begann Katia ihre tägliche Liste abzuarbeiten, während ihr Mann im Arbeitszimmer seine ein bis zwei Seiten Text produzierte. Noch vor dem Mittagessen ging er mit Bauschan etwa eine halbe Stunde spazieren, gern entlang der Isar die Föhringer Allee bis zum Fährhäuschen hinauf und zurück. Nach dem Familienessen hatten die Eltern Ruhezeit, wobei im Zweifelsfall Katia die ihres Mannes gegen Störungen energisch verteidigte. Danach erledigte dieser seine Korrespondenz, las, war grundsätzlich bereit, mit Katia Besucher zu empfangen – was häufig bedeutete, dass Hedwig Pringsheim am Teetisch saß (wenn nicht Katia in der Arcisstraße war)[34]. Und obwohl die Schwiegermutter Thomas oft erheblich auf die Nerven ging, bezog er sie doch bereitwillig in seine »Vorlesungen« ein, denn ihre Kommentare waren zumindest bedenkenswert, wenn auch eher Politisches denn Literarisches betreffend: Sie las die Zeitungen genau und, was viel besser war, sie hatte ihre Informanten, kannte die Akteure und hatte in ihren besten Zeiten einen ausgeprägten Machtinstinkt. Thomas Mann konnte in dieser Beziehung üben, was ihm später vielfach von Vorteil sein würde: sich aufgrund seiner Aversion gegen Frauen, die gescheit waren, Geld hatten und ihm durch ihren gesellschaftlichen Rang nützlich sein konnten (und dabei keine Spur von Selbstlosigkeit offenbarten!) nicht dazu hinreißen zu lassen, diese durch Ungezogenheiten zu verprellen. Fiel doch dem vornehmen Hanseaten zu solchen Exemplaren eine Menge Unerwartetes ein. Katia dagegen, nicht nur »hübsch und schön«[35], sondern auch noch gescheit und klug, ärgerte ihn nie auf diese Weise.

Das Bauschan-Idyll beendete Thomas Mann am 15. Oktober 1918. Das Sujet des folgenden Werks fand er ebenfalls im allernächsten Umfeld. Was nun entstand, war abermals eine »Idylle« (freilich ganz anderer Art), die er *Gesang vom Kindchen* nannte. In der Frauenklinik »unter Geheimrat Döderlein«[36] hatte Katia glatt und normal und nicht besonders strapaziös – die Wortwahl ist die des erfahrenen Vaters – am 24. April 1918 Elisabeth Veronika, genannt Lisa oder Medi oder eben das »Kindchen«, zur Welt gebracht, das seinen Vater wie kein anderes der später insgesamt sechs entzücken sollte, ein Produkt übrigens des letzten Tölzer Sommers. Dennoch legte er sich, als er sich mit seinem fünften Kind konfrontiert sah, zunächst mit einer fiebrigen Darmaffektion ins Bett.

Zunächst also: fünffache Mutter. Worauf sich Katias Aktivitäten während des Ersten Weltkriegs richteten, es war das Private, die Kinder, der Partner. Eine Wirkung in der Öffentlichkeit strebte sie nicht an. Wenn sie ihren scharfen Verstand zur Analyse dessen einsetzte, was sie politisch vorfand, so diente das nur dem Zweck, ihre Familie Betreffendes zu eruieren, um ihre Entscheidungen danach auszurichten. Sich für bedürftige »Fremde« einzusetzen, wie es viele, auch vergleichbar belastete Frauen in diesen Jahren taten, kam für Katia nicht in Frage. Frauenrechtlerin, Pazifistin wie beispielsweise ihre Nachbarin Constanze Hallgarten[37] zu sein, dafür hatte sie weder die Zeit noch die Energie (und hätte damit wohl auch nicht den Beifall des Gatten gefunden; er nannte die politischen Aktivitäten der »kleinen Frau Hallgarten«, sie würde 1919 zur Leiterin der Internationalen Frauenliga für Frieden und Freiheit aufsteigen, »albern«, nicht ohne noch »So ein elendes Köpfchen« hinterherzuschikken[37]).

Zum Glück lag das Ferienhaus der Familie 1918 tatsächlich am Wasser, im besonders Katia so gut bekannten Abwinkl am Tegernsee nämlich (genauer: dem Teil, der Ringsee heißt); ein Bootshaus mit Steg und ein Ruderboot gehörten dazu. Thomas Mann erfreuten »Lido-Eindrücke am Badestrand«[38]. Die Kinder fischten, vor allem Rotaugen brachten sie nach Hause. Oft mit im Boot: Katia, am Ruder! Was Furtwängler, der ebenfalls am Tegernsee wohnte und das beobachtete, unpassend fand, er war der Auffassung, sie gehöre ans Steuer. Die gefangenen Fische und selbst gesammelte Schnecken ergänzten den immer noch dürftigen Speiseplan. Zweimal in der Woche radelte sie nach Gmund, wo sie versuchte, Milch, Eier, Gemüse aufzutreiben. Das schreibt sich so leicht. »Erst mußte man samt Fahrrad mit dem Boot übersetzen ans andere Ufer vom Ringsee, dann ging es auf primitiver Chaussée mehrere Kilometer nach Gmund, ohne Radfahrweg und ohne Asphalt.« Und dann lag es an ihr, die örtlichen Bauern davon zu überzeugen, dass zehn Menschen von dem abhängig waren, was sie ihnen abschwatzen konnte – wenn nötig auch auf »boarisch«.[40]

Ganz im Gegensatz zur Versorgungslage war das Raumangebot in dem vom Sohn des österreichischen Landschafts- und Historienmalers Defregger gemieteten Haus jedoch üppig: jeder hatte ein eigenes Zimmer, sogar die Köchin, das Kindermädchen, das Zimmermädchen. Das bedeutete aber auch, dass die Verlagerung des Haushalts von München nach Abwinkl und zurück jedes Mal einem kleinen Umzug gleichkam. Vom 12. Juli bis zum 9. September 1918 blieben die Manns am Tegernsee. In dieser Zeit unternahmen Katia und Thomas auch einen einzigartigen Ausflug. Sie bestiegen den 1670 Meter hohen Hirschberg, übernachteten dort auf einer Hütte und bewunderten den »kolossalen Fernblick« bei Sonnenaufgang bis in die tiefsten Alpen hinein.[41]

In den folgenden Wintermonaten sah der Münchner Nachbar Bruno Walter Katia per Rad den Kufsteiner Platz überqueren, mit Paketen überschwer beladen. Doch was sonst konnte sie ergattert haben als Kartoffeln, Sägemehlbrot, Kohlrübenmarmelade, Dörrgemüse?[42] »Die Köchin kam heute ganz deprimiert vom Markt: es gäbe nur Eichhörnchen, Raben und Spatzen«, notierte Hedwig Pringsheim das schauderhafte Angebot.[43] Köstlichkeiten wie frische Eier zu bekommen, dazu brauchte man sehr viel Zeit (dafür ließ Katia dann die Kinder anstehen, mit dem Risiko, dass sie sie zerbrachen) – oder Wohltäter (wie den Lyriker und Dramatiker Ernst Toller, 1919 Oberbefehlshaber der Roten Truppen in München, der den Manns einmal welche schickte).[44]

Selbst Katias bereits erwähnter namenloser junger Lebensmittellieferant bezweifelte mittlerweile, dass er den weiter steigenden Bedarf der Familie Mann noch würde decken können, denn auch die Sommerfrische in Abwinkl war bekanntlich ja fruchtbar gewesen.

Katia und Thomas Mann hatten sich zu der bewussten Entscheidung gegen einen Abbruch dieser Schwangerschaft durchringen müssen, dem von ärztlicher Seite zunächst zumindest nichts entgegengesetzt wurde. Gleich nach der Rückkehr nach München, am 11. September 1918, trug Thomas in sein Tagebuch[45] ein: »Katja war bei Faltin [Dr. Hermann Faltin, Gynäkologe], ihres Zustandes wegen. Er leugnete trotz aller Merkmale. Geheimnisvoll.« Und am gleichen Tag: »Furchtbar meine bis zur Erschöpfung gehende Aufregung gestern Abend mit dem Kindchen: das ›Fräulein‹ auf Urlaub, Katja auf Besorgungen, ich allein mit dem geliebten Wesen, das naß und bloß war, u. dem ich die feucht-kalten Stücke abnahm, aber weiter nicht zu helfen wusste, u. das erschreckend schrie, wahrscheinlich unter dem Eindruck meiner Hilflosigkeit. Fürchtete, sein Vertrauen zu verlieren.« Die Vernarrtheit des Vaters in sein »Kindchen« konnte nicht ersetzen, was er vierfach versäumt hatte: beim Versorgen des fünften war er noch immer völlig unerfahren, und ihm mag eine Ahnung von dem gekommen sein, was die Anwesenheit des sechsten noch vor Ablauf eines Jahres bedeuten mochte. Aus den Tagebuchnotizen bis Ende September 1918 können die Befürchtungen, die Ängste und die Freude der künftigen Eltern Michael Thomas Manns, genannt Bibi, herausgelesen werden:

12. September 1918: »Katja's rätselhaftes Befinden unverändert«.

17. September 1918: »Katja große Übelkeit. Mitleid mit ihr. Geht morgen zu Ghrt. Müller. Ihre Überzeugung, sie sei in der Hoffnung, überzeugt auch mich trotz Faltins Leugnen. Es wäre fast bedenklicher, wenn sie sich irrte.«

18. September 1918: »Katja bei Ghrt. Müller. Resultat: Ungewissheit, Abwarten.«

Drei Tage später war Katia in der Arcisstraße – und Thomas: »Nervös, müde, deprimiert durch Zeitungslektüre über den Siegesrausch der Entente und wüste Pläne betreffend die Bestrafung Deutschlands … Katja, auf Grund ihrer Übelkeit, quälend pessimistisch.«

22. September 1918: »Katja früh etwas besser. Wir plauderten nach dem Abendessen in meinem Zimmer über politische Dinge.«

26. September 1918: »Katja's Zustand ist nun von Faltin anerkannt, aber viel Zeit ist verloren und viel Missgefühl unnötig erlitten, wenn die Entfernung der Frucht beschlossen wird. … K. in der Arcisstraße.«

28. September 1918: »… Katja bei Ghrt. Müller. Sie kehrt mit schriftlichem Zeugnis über die Notwendigkeit der Inhibierung zurück, doch stellt sich die Notwendigkeit einer Unterredung mit Müller heraus, für die ich mich Montag bei ihm anmelde. … Ein sechstes Kind? Zwischen 5 und 6 ist kein großer Unterschied, und auf wirtschaftliche Ausrüstung werden Kinder nach dem Kriege überhaupt kaum noch zu rechnen haben. Das Erbrecht wird bis zur Vernichtung beschnitten sein. Vermögen überhaupt illusorisch. Erziehung ist Atmosphäre, weiter nichts. Abgesehen von K.'s Gesundheit, habe ich eigentlich nichts dagegen einzuwenden, als daß das Erlebnis ›Lisa‹ (sie ist in gewissem Sinne mein *erstes* Kind) dadurch beeinträchtigt, verkleinert wird.«

30. September 1918: »… mit der Tram zu Ghrt. Müller, mit dem sympathische Unterredung hatte, deren Ergebnis freilich wenig positiv: Katja's entschiedenem Wunsch, wenn er bestehe, brauche und wolle er kein entschiedenes Verbot entgegensetzen. Die Verantwortung, die er nicht ganz von sich abwälzen will, fällt uns zu, immerhin; letzten Endes mir, der ich es allerdings in der Hand hätte, die Sache zu inhibieren. Heimgekehrt, Unterredung mit K. … Nach dem Abendessen Telephon-Gespräch in der

1 Ernst Dohm (1819–1883), der Großvater

2 Hedwig Dohm (1831–1919), die Großmutter

3 Alfred Pringsheim (1850–1941), der Vater

4 Hedwig Pringsheim, geb. Dohm (1855–1942), die Mutter, mit Katia, um 1900

5 Palais Pringsheim
in München,
Arcisstraße 12

6 Der Musiksaal
(mit dem berühmten
Thoma-Fries)
in Katias Elternhaus

7 Hedwig Pringsheim mit ihren fünf Kindern (Peter, Erik, Heinz, Katia, Klaus), um 1890

8 Katia Pringsheim, 1899, porträtiert von Friedrich August von Kaulbach

9 Als Abiturientin mit Zwillingsbruder Klaus, um 1900

10 Thomas Mann, um 1905

11 Mit Klaus und Erika, um 1907

12 Im Kinderzimmer in der Poschingerstraße: Monika, Erika, Golo und Klaus, um 1915

13 Katia und Thomas Mann mit Golo (auf dem Arm), Erika und Klaus vor ihrem Landhaus in Bad Tölz, um 1909

14 Mit den Kindern (v. l.) Monika, Golo, Michael, Klaus, Elisabeth und Erika

15/16 In der Poschingerstraße, 1916

Schwangerschaftsfrage mit Dr. Faltin, der die Unterbrechung bei Katja's physisch-moralischem Widerstreben nur ungern vornehmen zu wollen schien und uns in dem Gedanken bestärkte, der Sache ihren Lauf zu lassen. Ich bins zufrieden, freue mich auf das neue Leben und glaube, daß man so das für K. bessere Teil erwählt.«

Katia wollte es also wagen, trotz Indikation, mit sechsunddreißig ihr sechstes Kind zur Welt zu bringen. Und Thomas, dessen Für und Wider die Abtreibung den damaligen Gepflogenheiten entsprechend entscheidend war, ließ letztlich nur Katias Wohl als Kriterium gelten. Die Sätze zum »Kindchen-Erlebnis« sehen ihm natürlich ähnlich, genau wie seine pflichtgemäß durchgeführten Überlegungen zum finanziellen Schicksal der Kinder. Sie erlaubten ihm, seinerseits Gründe für den Schwangerschaftsabbruch beizusteuern und so ein eventuelles Urteil der Ärzte gegen das »neue Leben« zugunsten Katias physischer Gesundheit zu akzeptieren. Aber auch für Faltin und Müller schien der psychische Aspekt schwerwiegender.

Bibi wurde also geboren, die Eltern hatten es geschafft, objektiv gegebene Schwierigkeiten subjektiv zu beurteilen und ihrem Wunsch, dieses Kind zu bekommen, nachzugeben. Der Verlauf dieses drei Wochen währenden Entscheidungsprozesses dokumentiert perfekte Kommunikation zwischen den Ehepartnern.

Das Verhalten der beiden Ältesten, des dreizehnjährigen Klaus und der vierzehnjährigen Erika, in diesem so kritischen September 1918 verleitete die unaufmerksamen Eltern allerdings zu leichtfertigen Interpretationen und in ihrer Harmlosigkeit folgenreichen Rollenfestlegungen: Eines Abends, Thomas hatte Katia bei seiner Rückkehr wecken müssen, denn sie hatte ihn ausgesperrt, entdeckten die beiden Klaus »bei beleuchtetem Zimmer und phantastisch entblößt in seinem Bett« liegend. Er wusste auf Fragen keine Antwort zu geben. Die Eltern vermuteten übliche Pubertätsspiele oder eine Neigung zu schlafwandlerischen Handlungen, wie sie sie schon am Tegernsee wahrgenommen hatten.[46]

»Erika's Beruf scheint Häuslichkeit und Haustochterwesen.

Buk uns heute Eierkuchen zum Abendessen. Sympathisch in ihrer Wirtschaftsschürze und oft von aparter Schönheit. Die Mutter neckt sie insgeheim mit der jüngst zum ersten Mal eingetretenen Unpässlichkeit.«[47]

Im Verhalten der achtjährigen Moni und des neunjährigen Golo registrierten die Eltern so manch Amüsantes, aber kaum Spektakuläres.

Elisabeth war gerade ein halbes Jahr alt, als sie am 23. Oktober getauft wurde. Ein echtes Familienfest übrigens, die in Katias Zimmer stattfindende »Ceremonie«, zu deren Ausschmückung Tommy »für 12 M Blumen« beigesteuert hatte. Traditionsbewusst waren Kruzifix, Leuchter, Bibel und die alte Taufschale auf dem Tisch vorm Fenster aufgebaut worden. Kuno Fiedler, evangelischer Pastor und mit Thomas Mann seit etwa drei Jahren in intellektuell anspruchsvollem Briefwechsel stehend, taufte und sprach – überraschend? – unpersönlich über die Liebe, der Täufling revoltierte, Pate Ernst Bertram[48] konnte das Kind beruhigen, Bruno Walter (»überreizt«) wurde beim Tee laut, Lula gar hysterisch. Sie ging dann in »einfältiger Empörung«. Vom Verhalten der ebenfalls anwesenden Hedwig Pringsheim und dem der restlichen Mann-Kinder ist nichts überliefert. Sie scheinen sich benommen zu haben.

Nicht so in den folgenden, regnerischen Tagen. Da störten Eri und Aissi (Erika und Klaus im Familienjargon), Moni und Golo den geordneten häuslichen Ablauf, sie waren wegen Grippe-Ferien zu Hause. In das dicke, schwarz eingebundene Schulheft, das ihm als Tagebuch diente, notierte Thomas Mann immer wieder Beklagenswertes über diverse Poschi-Bewohner, auffallend oft in Kombination mit Schilderungen des Tumults draußen, der die Zeit der Novemberrevolution – und später der Wahlen zur Errichtung der Weimarer Republik und der noch kurzlebigeren Münchner Räterepublik – begleitete: »Schalt laut mit den Jungen, indem ich die Weiber Beleidigungen hören ließ. Starkes Schießen«[49] und »Brachte vor K.'s Mutter das Unwesen mit den Kindern und Dienstweibern wieder zornig zur Sprache. Kanonenschläge«, zum Beispiel.

Glücklicherweise hatte Katia im November 1918 die üblichen Beschwerden der Frühschwangerschaft überwunden. Abends war sie sogar in der Lage, den finanziellen Status der Familie festzustellen: zu ihrer Beruhigung hatte Thomas im ablaufenden Jahr etwa 90 000 Mark verdient.

Am 6. November musste Katia, die mit ihrer Mutter in der Stadt war, wegen Fliegeralarm fast eine Stunde angstvoll im Keller des Kaufhauses Oberpollinger verbringen. Schießereien, Volksversammlung auf der Theresienwiese, Massenumzug, rote Fahnen, kein Trambahnverkehr, Gasbomben in der Türkenkaserne ... die feinen Leute aus Bogenhausen trafen sich dennoch am nächsten Tag in der Tonhalle zum Pfitzner-Konzert (»nicht erschütternd, aber mit Schönheiten«). Danach in die Poschi zurückgekehrt, beurteilte Thomas Mann die Stimmung nach zwei Gläsern Punsch zum Abendessen: »Revolutionär, aber friedlich und festlich.« Am nächsten Morgen war klar, er hatte alles »zu harmlos genommen«. Ein Anruf von Hedwig Pringsheim, noch mehr aber die Zeitungen gaben Auskunft: die »demokratische und soziale Republik Bayern ist erklärt«.[50] Katias Brunonen mäkelten nicht, im Gegenteil: Bruno Walter dirigierte auf Wunsch Eisners (der im Hause Mann nicht sehr beliebt war und dessen Ermordung doch »Erschütterung, Entsetzen und Widerwille[n] gegen das Ganze« und Angst vor weiteren Gewalttaten auslöste[51]) zur Revolutionsfeier im Nationaltheater die Leonoren-Ouvertüre »vor schlichtestem Publikum«, wie Thomas verdrossen notierte.[52] Bruno Frank sprach vor dem »Politischen Rat geistiger Arbeiter«.[53] Und für Katias Ehemann war – da befand er sich ganz auf der Höhe der Zeit – die Messlatte für Politisches nur zu oft seines Bruders Heinrich veröffentlichte Denkungsart, die er mit Kommentaren versah, die eher seiner ständig wechselnden Gefühlslage als einer vorbehaltlosen Analyse entsprangen.

Für den Haushaltsvorstand Katia ergab sich als Konsequenz der Novemberereignisse, dass weder der Waffenstillstand, Ebert als Reichskanzler, die Hollandreise und der Thronverzicht Kaiser Wilhelms II. noch der des bayerischen Königs Ludwig III. die Versorgungssituation verbesserten. Zunächst gab es kein Brot, dann von der Bäckerin Vorrat für zwei Tage, Mehl zum Backen war vorhanden, aber Plünderungen allerorten ließen auch hier Verluste befürchten. Den Zeitungsmeldungen, wegen günstiger Witterung sei das Angebot auf dem Viktualienmarkt reichlich, ja auch das an Geflügel »erfreulich«, war bestimmt kein Glauben zu schenken, denn es hatte schon Meldungen über eine geplante Herabsetzung der Kartoffelmenge (derzeit pro Woche und Kopf fünf Pfund) und Knappheit an Holz und Kohle gegeben.[54] Daher räumte sie mit den Kindern die Speisekammer aus und versteckte einen Großteil der Vorräte in verschiedenen Zimmern des Hauses. Alfred Pringsheim wusste überdies von der Unterbrechung der Kollegien zu berichten. Nach dem Abendessen war es Katia mit einem Mal nicht mehr möglich, ihre Eltern telefonisch zu erreichen: »Privatgespräche sind verboten«, hatte ihr die Vermittlerin barsch erklärt.

Im Dezember wurden die Münchner auf einzigartige Feiertage eingestimmt: Die heimkehrenden Soldaten seien angemessen zu empfangen. Fahnen, auch Fähnchen aus Papier, weißblaue, schwarzgelbe, auch schwarzrotgoldene, ja auch rote seien zu hissen. Auch Lampions machten sich gut, allerdings fehle es an Kerzen. Dafür gebe es Schleifen und Schablonen für Willkommensschilder, auch Papiergirlanden von gestanzten Eichenblättern seien vorrätig, nicht jedoch das eigentlich »geschmackvollere echte Tannengrün«.[55]

Tannengrün, das verwendeten die Manns lieber anders. Die Vorbereitungen zum ersten Weihnachtsfest und Jahreswechsel in »Friedenszeiten« kamen Katia hart an – wie die Feiertage im engen Familienkreis dann auch: 24. Dezember mit Hedwig Pringsheim unterm lamettageschmückten Baum in der Poschi, 25. Dezember mit Löhrs und anderen in der Arcisstraße, 26. Dezember Familienessen in der Poschi mit Löhrs und Vikkos (»Gans und Chokoladentorte«), 31. Dezember bei Löhrs. Am Neujahrstag musste Katia die kleine Elisabeth alleine versorgen, aber glücklicherweise trat am 2. Januar 1919 eine neue »Kindermuhme« in die Dienste der Familie, »hässlich«, so das Verdikt des Hausherrn.[56] Nun fand Katia wieder Zeit zu ausführlicher Zeitungslektüre. Ein Ertrag: Sie konnte am 5. Januar Thomas auf die Nachricht vom Mord an einem Geldbriefträger im Hotel Adlon hinweisen, eine Begebenheit, die sich in dessen virtuellen Zettelkasten zum *Felix Krull* gut einfügte. Doch nicht nur Vermischtes las Katia, die der Politik gewidmeten Seiten studierte sie mindestens ebenso aufmerksam, sie »durfte« ja nun zur Wahl gehen. Sie besuchte auch eine »Damenversammlung«: Gastgeberin war eine »Professorengattin«, Frau »Prof. Bonn«, Rednerin eine ehemalige Studiendirektorin, jetzt bayerische Landtagsabgeordnete und Kandidatin zur bayerischen Nationalversammlung, Frau Dr. Rosa Kempf, eine Antipazifistin.

Herr und Frau Thomas Mann wählten am 12. Januar in der Bogenhausener Volksschule; Katia hatte die Eintragung in die bayerischen Wählerlisten veranlasst.[57] Beide stimmten für die Deutsche Volkspartei i. B.[58], er für den Kaufmann und Magistratsrat Herrn Karl Hübsch, sie für Frau Dr. Kempf. Am Abend besuchte Thomas mit seiner Schwiegermutter eine Wahlparty, in der Hoffnung, Ergebnisse zu erfahren, das aber sollte noch bis zum nächsten Tag dauern. (So ganz als Sieger würden sie sich nicht fühlen können: Die Bayerische Volkspartei und die SPD konnten jeweils mehr als doppelt so viele Abgeordnete in den Landtag entsenden wie die DVP.)

Am 19. Januar standen auf Katias Terminkalender die Reichstagswahl und eine Abendgesellschaft. Spät wurde es, Thomas hatte so »viel Wein« getrunken, dass er am nächsten Morgen nur wenige Hexameter des *Gesangs vom Kindchen* zustande brachte. Zwanzig Verse schaffte er durchschnittlich am Tag, als er um die vierhundert hatte, las er die neuesten Katia vor. Sie gefielen ihr sehr. Bedenken, wie bei der letzten Lesung zwei Wochen zuvor, hatte sie nicht anzumelden, damals »zeigte [sie] Widerstreben gegen die Darstellung des Intimsten«, worauf Thomas Mann mit »übrigens kenne ich solche Bedenken gar nicht« reagierte. Vielleicht war ein Grund für diese kleine Differenz ja die unterschiedliche Beschäftigung der beiden im Vorfeld der Lesung gewesen: Während er schlief, hatte sie das Ausladen von Kohlen überwacht. In wenigen Wochen, nach einem späten Kälteeinbruch, sollte diese Reserve erschöpft und nicht zu ersetzen sein. Bald würde Katia Thomas vorwerfen, dass er zu viel Butter verbrauche. Auch weiterhin rechnete sie mit Plünderungen. Von Löhr wusste sie, dass er an wechselnden Orten schlief, aus Angst, weshalb auch immer, als Geisel verhaftet zu werden. Sie erwog, zwei Freundinnen Erikas aufzunehmen oder Bertram als Hausbewohner anzugeben, um dem Wohnungsamt und seiner Absicht, Räume zu requirieren, ein Schnippchen zu schlagen. Mit Thomas fürchtete sie die »Enteignung« ihres Geldvermögens, sie traten die »Flucht in die Sachwerte« an, kauften Kunst. (Thomas Mann fand die Forderung von 250 000 Mark für ein französisches Pastellbild, ein männliches Porträt, direkt unsittlich, obwohl es mit »Kultur und Fleiß« gemalt und ein Ohr »mit 20 Farbtönen hergestellt worden war«[59].

»Schlaff und schwergesinnt« war Katia in diesem Januar »vielfach«. Sich mit ihrem Mann über die Modalitäten der bevorstehenden Geburt zu beraten (»in dem herzurichtenden Fremdenzimmer« im zweiten Stock) mag sie beruhigt, die von Tölz nach München verlegten theaterbezogenen Aktivitäten der Kinder mögen sie abgelenkt haben. Sie begleitete die beiden Kleinen ins Volkstheater und die beiden Großen ins Hoftheater. Erika, Aissi und Ricki Hallgarten führten danach in der Diele des Hauses Theodor Körners *Die Gouvernante* auf, zu dieser Inszenierung schrieb Thomas Mann wenige Tage später, für den Hausgebrauch sozusagen, eine hinreißende Kritik.

Hatte sich der Ehemann in der schwerwiegenden Frage einer weiteren Schwangerschaft auch rücksichtsvoll verhalten, fand er, trotz Bad und Baldrian schlaflos, nichts dabei, wiederholt gegen fünf in der Früh zu Katia zu gehen und mit ihr über die Lage und das Schicksal der *Betrachtungen* zu sprechen, was ihm »wohltat«, wie er sagte. Was ihn für den Rest der Nacht beruhigte? »Ein Telegramm an Fischer zum Zweck der vorläufigen Inhibierung des Erscheinens wurde beschlossen.«[60] Inhibierung in Bezug auf Bücher also statt in Bezug auf Kinder …

An Katia ein wenig herumzukritisieren und ihr Schwäche vorzuwerfen war ihm ebenfalls ein Bedürfnis: »Auch sie fängt nun an, auf das Buch [die *Betrachtungen*] stolz zu sein – auf ein paar achtungsvolle Stimmen hin. Schwaches Wesen! Aber bin ich stärker? Und wenn sie stürbe, würde ich vergehen vor Traurigkeit, was sie übrigens weiß und aussprach.«[61]

»Nachmittags beim Thee war ich leider aus Enervation heftig gegen K. wegen ihrer Schwäche gegen die Dienstboten, namentlich das vergnügungssüchtige und diebische ›Fräulein‹, dem sie nicht zu kündigen wagt.«[62] Josefa Kleinsgütl[63] hieß das betreffende Fräulein, für die Familie war es seit 1905 die Affa. Im Verlauf des Jahres 1919 kam es so weit, dass Katia sich zum Handeln gedrängt fühlte. Zu lange hatte sie die Hinweise der anderen Dienstboten, der Köchin besonders, ignoriert, denn Affa war eine Perle, wie Gäste neidvoll bemerkten. Die Kinder waren an sie gewöhnt, Klaus bewunderte sie gar: ihren energischen, wiegenden Gang, ihren üppigen Busen, die herausfordernd blitzenden grünen Augen, die so oft vor Erregung geröteten Wangen. Und doch wollte und musste Katia sich eines Tages Klarheit verschaffen, in Affas Abwesenheit ließ sie deren Zimmer öffnen. Wenn sie hoffte, auf diese Weise endlich die Zweifel beseitigen und Affa vertrauen zu können, so war die Aktion ein Fehlschlag. Es fand sich, so der nicht nur von Affas körperlichen Vorzügen, sondern auch von deren Stolz und Kühnheit beeindruckte Klaus, »ein *Warenlager* … Alle Gegenstände, die im Laufe der letzten Jahre verloren gegangen waren – und meine Mutter glaubte viel verloren zu haben, da sie eher zur Unordnung neigt –, fanden sich aufgeschichtet, gestapelt, übereinandergeworfen in Affas Schrank und Kommode, ja, noch unter dem Bett.«[64] Katias Überraschung, der Triumph der Köchin, was waren sie gegen Affas Reaktion. Gerade zurückgekommen, war sie sofort Herrin der Lage, rang in einem Rausch von Habgier und Wut um jeden einzelnen Gegenstand, bevorzugt mit dem ins Souterrain herabgestiegenen Dichter, der sich hilflos selbst mit seinem eigenen Monogramm gekennzeichnete Wäsche entwinden und als Dieb beschimpfen lassen musste – ein furioser Auftritt, der es schließlich erforderlich machte, die Polizei zu rufen. Das Bedürfnis der Köchin nach Satisfaktion lenkte die Gesellschaft in die Wohnung einer Verwandten Affas, wo sich nun unter polizeilicher

Aufsicht die vorherige Szene wiederholte: Öffnen der Wohnung, Auffindung Mannschen Eigentums, Ausflüchte Affas, der noch am selben Tag eine halbe Stunde eingeräumt wurde, um das ihr Zugestandene zu packen und das Haus zu verlassen, was sie unter fürchterlichen Racheschwüren auch tat. Zur Gerichtsverhandlung einige Monate später trug sie den Busen in einer zu ihren blitzenden Augen passenden giftgrünen Atlasbluse gebändigt; die Wangen wirkungsvoller gerötet denn je, gab sie die unschuldig Angeklagte. Die Zeiten waren ihr günstig. Selbstbewusstes Auftreten »Unterprivilegierter« wurde per se honoriert. Katia und Thomas sahen sich dagegen mit Vorwürfen konfrontiert, dass sie Verleumder, ja Ausbeuter seien, dass der (des Bayrischen unvorteilhafterweise nicht mächtige und sich deshalb zu überzeugender Verteidigung nicht in der Lage sehende) Hausherr Affa »gar nicht selten *geschlagen*« habe, dass Katias Haushalt eine Bohemewirtschaft sei, in der die Angestellten beinahe verhungern mussten – und was sonst noch dazu beitragen konnte, dass die zur Verhandlung gekommene »Öffentlichkeit« sie beide am liebsten gelyncht hätte. Muss noch erwähnt werden, dass Affa auf der ganzen Linie siegte?[65] Was diese im Mai 1920 noch einmal so richtig auskostete, indem sie ein zufälliges Zusammentreffen in der Straßenbahn nutzte, um vor ihrer ehemaligen Arbeitgeberin auszuspucken.

Für Katia brachte der Verlust dieser Perle so offenkundiges Ungemach, dass auch ihre Schwiegermutter glaubte, alles Mögliche und Unmögliche in Bewegung setzen zu müssen, um ihr zu helfen. Das eigentlich tatsächlich Unmögliche: Sie schrieb an Heinrich, trotz des Bruderzwists, der die literarisch orientierte Mitwelt und Nachwelt beschäftigte – um die Dienstbotenprobleme der Schwiegertochter zu lösen:

»Lieber Heinrich, sind bei den *Schwestern* da in der Leopoldstr. nicht auch solche, die als *bessere* Köchinnen gehen, denen man den Schlüssel anvertrauen kann? Könntest Du sie mir empfehlen? Ich will Dir offen sagen: es handelt sich um Katia, die ja früher ›sehr‹ lange ihre Leute hatte, jetzt seit 2 Jahren aber in ewigem Elend damit sitzt u. davon ganz krank ist. Sie hat viele ›Diebinnen‹ gehabt, u. eine hat die andere aufgewiegelt, so daß es da geht wie in einem Taubenschlag. Ich gebe mir alle Mühe, auch auswärts, u. K. sucht in München auch bisher vergeblich; da fällt mir eben das Institut Leopoldstr.[66] ein, u. wäre Dir sehr dankbar, wenn Du mir darüber bestimmte Antwort gäbest. Tue es für *mich.* Es müßte eine *Vertrauensperson* sein, die jedoch nicht beansprucht, mit der Familie am Tische zu sitzen.«[67]

Als Julia Mann im Oktober 1919 diesen Hilferuf an Heinrich schickte, lag Katias sechstes und letztes Kind noch in den Windeln: Michael war am 21. April 1919, am Ostermontag, geboren worden. Wie? Das sei aus Sicht des Vaters berichtet:

»Ich erwachte 6 Uhr von Schritten über mir und erkannte, daß die Geburt begonnen, K. im Bade. Schon nach Mitternacht hatte es angefangen. Seit frühem Morgen war die Köckenberg [Frau Dr. Köckenberger war die eleganteste Hebamme Münchens, sie pflegte ihre Kundinnen im Taxi aufzusuchen] da.[68] Ich legte mich noch einmal, stand 7 Uhr auf. Die Wehen, die schon sehr rasch aufeinander gefolgt waren, sodaß K. bis 8 Uhr das Kind erwartet hatte, waren seltener geworden. Ich telephonierte ihrer Mutter. Ging in die Allee, um Amann [Professor Dr. Ottmar Ammann, ihren Arzt] zu erwarten. Brachte dann Thee u. Zwieback hinauf. … Während ich frühstückte, kam Amann, der unterdessen eingetroffen, herunter, und ich bewirtete ihn. Wir plauderten bis ½ 10 … Dann ging er wieder hinauf. Langsame Fortschritte. Injektionen. – ½ 11 Uhr. Schrieb an Mama. Amann kam herunter und saß eine Weile bei mir. Es geht sehr langsam. Die Eröffnungswehen werden äußerst schmerzhaft, K. leidet sehr. Ihre Mutter kam erschüttert herunter u. A. sprach von Morphium, ist übrigens gelassen. – (Nach Tische) Es ist vorüber, ein gesunder Knabe zur Welt gebracht. Der Verlauf sehr schwer, schreckliche Stunden, entnervend besonders das Warten in der Allee auf die Droschke, die den Assistenten mit den Instrumenten bringen sollte; denn die völlige Fruchtlosigkeit der äußerst qualvollen

Eröffnungswehen seit 8 Uhr machte den Zangeneingriff notwendig, u. auch Amann schien ungeduldig. Die Operation war dann bald geschehen. Erika meldete mir den ›Buben‹. Starkes Weinen K.'s nach der Narkose erschreckend, aber nicht befremdend. Dann Beruhigung. Hübsch die Gratulation der Kinder, an deren Spitze Erika das Kleine ans Bett brachte. Es scheint vom Typus von K.'s Zwillingsbruder. Saß längere Zeit an K.'s Bett. Verabschiedung von den Ärzten. Mittagessen mit K.'s Mutter und der Köckenberg. Große Erleichterung. In K.'s Sinne sehr froh über das männliche Geschlecht, das für sie ohne Frage eine psychische Stärkung.«[69]

Die am nächsten Tag wiederholt werden musste, als Thomas zu »Besuch [war] bei K., die eben den Knaben an die Brust nahm. Er trinkt geschickt und energisch. K. besichtigte sein Geschlecht, da ihr der Gedanke gekommen war, ob man sie nicht gar belöge. Fand sich vollkommen überzeugt und offenbar glücklich.« Wie traulich das Ganze anmutet: Das schöne Haus an der Isar, in Schnee gehüllt nach einem späten Kälteeinbruch; drinnen Thomas bei einem seiner regelmäßigen Besuche im Wöchnerinnenzimmer, um Katia beim Stillen zuzuschauen, ihr vorzulesen. Aber: Medi bekam Zähne und war verdrießlich, Moni und Erika hatten verdorbene Mägen, Katia bekam am 24. April, Medis erstem Geburtstag, ihr Milchfieber. An ihrer Wochenbettdepression litt sie besonders am 27. April. Am 28. April stand sie mehrmals für kurze Zeit auf.

An diesem Tag erfuhren die in ihre eigenen Angelegenheiten so eingesponnenen Manns von Hedwig Pringsheim, dass in der vergangenen Nacht die Regierung gestürzt und ein Teil der Mitglieder verhaftet worden war.

Die politisch so unruhigen Zeiten, die Alltagsbelastung, die Kinder … doch wie war es in diesen Tagen um die Zweierbeziehung der Eltern bestellt? Katia war okkupiert von ihrer Mutterschaft, Thomas hingegen von seiner Leidenschaft (Anmerkungen über eine »geschlechtliche Nacht«, über »Hermesbeine« finden sich nun zunehmend in seinem Tagebuch). Als er am 23. April seinen Letztgeborenen auf dem Standesamt anmelden wollte, fielen ihm die Geburtsjahre der anderen Kinder nicht ein.

Keine drei Wochen nach der Geburt ging die Pflegerin vorzeitig, andere Verpflichtungen vorschützend, während Katia noch immer »reizbar, zu Thränen und äußerster Ungeduld geneigt«[70] war. Sie hatte wieder kleinere Pflichten übernommen, denen sie aber noch nicht recht gewachsen war. Sie verlegte den Schlüssel zum Wäscheschrank, in dem ein Korb mit weiteren Schlüsseln aufbewahrt wurde. Thomas musste auf Tee, Butter, Zucker verzichten, was seine Stimmung nicht eben verbesserte. Wenn es Krach mit den Dienstboten gab, konnte er ja durchaus laut werden. Noch vor Ablauf einer Woche kündigte nach der Pflegerin auch das Zimmermädchen.

Und Thomas Mann konstatierte wieder einmal einen »geschlechtlichen Anfall«[71]. Genug. Die Idee, mit Katia zur Erholung nach Mittenwald in die Kaufmann'sche Privat-Pension zu gehen, musste verworfen werden. Am Samstag, dem 17. Mai 1919, setzte er sich von der Familie ab und fuhr ins gut dreißig Kilometer entfernte Feldafing. Am dortigen Villino, dem Sommerhaus des Kunsthistorikers, Kunsthändlers, Verlegers und Paten des jüngsten Sohnes, Dr. Georg Martin Richter[72], hatten Katia und Thomas einen Anteil des Nutzens, genauer an zwei kleinen Zimmern im ersten Stock, erworben, indem sie »schwarz« 10 000 Mark zum Kaufpreis beisteuerten – nach dem Kauf von Kunst ein weiterer Versuch, jedwedem Geldwertverlust zu entgehen.[73] Richter hatte versprochen, über die Herkunft dieses Betrages Stillschweigen zu bewahren. Im November 1919 würde Katia »in größten Zorn« geraten, weil er dem Finanzamt doch korrekte Angaben gemacht hatte.

Thomas Mann suchte in Feldafing aber nicht nur Zuflucht wegen diverser häuslicher Turbulenzen. Kaum einen Monat zuvor hatte er den *Zauberberg* wieder in Angriff genommen. Doch das ersehnte ungestörte Schreiben fiel ihm offenbar unerwartet schwer. Schon am Morgen nach der Ankunft schickte er Katia eine Ansichtskarte. Bald marschierte er zur Post, um mit ihr zu telefonieren und die von ihr nachgesandten Briefe abzuholen. Statt seiner Frau musste er nun dem Tagebuch Darmgeschichten, Zahnschmerzen, Erkältungsbeschwerden, seine Überlegungen zur Wahl seiner Kleidung anvertrauen und, noch bevor eine Woche im Villino vorbei war, bekennen: »Es ist lange her, daß ich so lange alleine war« … »über Einsamkeit und ›Weib und Kinder‹ wäre manches zu sagen, d. i. ihre Würdigkeit, Ratsamkeit, Zuträglichkeit, ihre inneren Wirkungen. Die entscheidende Erwägung und Sicherheit bleibt mir, daß ich mich meiner Natur nach im Bürgerlichen bergen darf, ohne eigentlich zu verbürgerlichen. Hat man Tiefe, so ist der Unterschied zwischen Einsamkeit u. Nicht-Einsamkeit nicht groß, sondern nur äußerlich.«[74] Am Ende der Woche fuhr er bereits wieder nach Hause. Die Präsenz ihres Mannes sollte? durfte? Katia kurz danach auf besondere Weise genießen: In ihrem Zimmer wurde eine Büste von ihm aufgestellt.

Anfang Juni traten wieder einmal neue Zimmer- und Hausmädchen ihre Dienste an. Am 3. Juni erreichte Katia bei Tisch ein Anruf ihres Vaters: Großmutter Hedwig war gestorben und bereits eingeäschert. Doch wehmütige Gefühle sollten sie nicht von den Vorbereitungen für Thomas Manns vierundvierzigsten Geburtstag abhalten. Allen möglichen Widrigkeiten zum Trotz hatte sie Geschenke aufgetrieben – viele Süßigkeiten, ein kleines Feuerzeug, eine Geldtasche, eine Thermosflasche – und alles mit Erikas Hilfe auf dem bekränzten Ecktisch im Esszimmer arrangiert. Die ganze Familie trug Festtagskleider, das »Kindchen« dazu einen Gänseblümchenkranz auf dem Kopf. Nach Huhn, Reis, Sachertorte und Moselwein gab es Ratespiele in Thomas Manns Zimmer. Sein abschließender Kommentar zu diesem Tag? »Ich hatte gestern durch K., ihre Unordnung, ihr Verlegen und Suchen, neue Aufregung.«[75] Ein andermal konnte er wieder sehr gut mit dieser ihrer Schwäche umgehen: Ende Juni besuchten beide mit Erika eine *Lohengrin*-Aufführung. Auf dem Heimweg verlor Katia im Gedränge der Tram ihre goldene Armbanduhr, die sie von Thomas zu Elisabeths Geburt geschenkt bekommen hatte. »Kummer ihrerseits. Ich schenke ihr eine neue.«[76] Seine kurz zuvor von Katia mit 28 000 Mark fürs letzte Halbjahr errechneten Einnahmen mögen ihm die Entscheidung erleichtert haben.

Am 24. Juli 1919 trank Thomas Mann mit der Familie Samuel Fischer Moselwein auf das Wohl seiner Frau: An ihrem Geburtstag war er Gast des Verlegers in Glücksburg, hatte aber fürsorglich Ernst Bertram gebeten, sie in München zu besuchen. Die Reise nach Norddeutschland muss direkt ins Schlaraffenland geführt haben: gelbes, festes, norddeutsches Rührei, Bratkartoffeln, die von Butter glänzten, Himbeeren, Kirschen, Johannisbeeren, Lachsforelle, Steaks, Erbsen, schaumige Omeletts, Hecht, Kalbsbraten, Kompott, Gefrorenes, rote Grütze mit einem großen Glaskrug voll gelber Sahne … Wider Erwarten reagierte der Magen des Dichters weniger angegriffen als seine Nerven. Er kaufte Schokolade und Stiefelchen für Elisabeth, riss sich von dem jungen attraktiven Oswald Kirsten (auch ein hübsches Kinderfräulein fiel ihm an diesem Tag auf[77]) los und machte sich am 8. August auf die Heimreise. Um Mitternacht kam er in München an. Er saß noch etwas mit Katia zusammen, sie erzählte von den Kindern. »Um 2 Uhr zu Bette. K. beigewohnt (leichtsinnig, hoffentlich straflos).« Drei Tage später: »K. sehr müde und angegriffen. Besorgnis. Habe vor, mit Amann wegen des Beischlafs zu sprechen. Eine Empfängnis ist nicht auszudenken.«[78]

1919–1933
Kinderkalamitäten – und der Ehemann geht auf Reisen

Nach Michael bekam Katia keine weiteren Kinder mehr. Zwei Fehlgeburten habe sie gehabt, schrieb Sohn Golo in seinen Erinnerungen.[1] Daten dazu sind nicht überliefert und schwer mit einiger Sicherheit nachträglich festzulegen. Am 24. August 1919 jedenfalls bekam sie ihre Periode und war für dieses Mal die Sorge einer erneuten Schwangerschaft los.[2]

Im Spätsommer und Herbst schwankte Katias Stimmung auffallend. Während eines Abendspaziergangs im August zeigte sie sich offenbar so unerwartet »liebevoll«, dass Thomas ein Gefühl der Dankbarkeit beschlich. Im September schickte sie ihm einen Hilferuf von der Insel Herrenchiemsee, wohin sie mit den vier älteren Kindern gereist und fiebrig geworden war. Im Oktober konnte das nach dem Eindruck von Peter Pringsheim (der am 31. Juli aus Australien zurückgekehrt war) ideale Ehepaar Spannungen durch eine versöhnliche Aussprache beilegen, Katia konnte Thomas dann auch wieder »sehr liebevoll« begegnen, bevor er für zwei Wochen nach Feldafing reiste, um in Ruhe am *Zauberberg* zu arbeiten. Aber im November versagten ihre Nerven, »sie weinte und ›konnte nicht mehr leben‹, überwältigt für eine Stunde vom Hausfrauen- und sonstigen Elend der letzten Zeit. War voller Erbarmen.« Wieder bekam sie Fieber.[3]

Sie hatte es ja auch wirklich nicht leicht. Zu dem obligatorischen Dienstbotenärger kam nun auch der mit den Handwerkern: In allen Zimmern wurden Öfen installiert – in Tommys beispielsweise ein eiserner Ofen mit großem hässlichem Rohr, in

Katias Zimmer einer mit hässlichen Kacheln[4] – und längst nicht alle funktionierten. Die Aktion, die Heizmöglichkeiten unabhängig von der Zentralheizung schaffen sollte, zog sich bis zum Tag vor Heiligabend hin, an dem im Schlafzimmer ein weiterer Ofen gesetzt wurde.

Derweil genoss es der Hausherr, Briefpapier und Visitenkarten mit dem Aufdruck seines nagelneuen Doktortitels zu bestellen, den die Universität Bonn ihm im August ehrenhalber verliehen hatte. Auch das Bewusstsein, im laufenden Jahr 100 000 Mark eingenommen zu haben, bereitete ihm Vergnügen. Und nicht zuletzt war er nach wie vor gern mit seinem Lieblingskind Elisabeth zusammen. Durch die bevorstehenden Lesereisen nach Nürnberg und Wien fühlte er sich zwar belastet, sein Magen war schwächlich, er misstraute seinem Blinddarm und diagnostizierte sehr angegriffene Nerven – aber Katia besorgte die Fahrkarten und wechselte das Geld, also konnte er ruhig fahren. Und sich sogar in Wien etwas in das Gesicht einer Frau verlieben, was er ins Tagebuch eintrug, das er nach seiner Rückkehr mit Katia durchging, als Gedächtnisstütze für seine Erzählungen.

Was ist zum Jahresende zu bemerken? Feiertagsstress, zu Heiligabend ein harter Gänsebraten und Champagner. »Gesang der älteren Kinder im verdunkelten Arbeitszimmer. Eintritt in die Diele, alles wie immer.«[5] Ein brennender Tannenbaum und Geschenke. Und ein beängstigend kranker Bauschan, der am zweiten Weihnachtstag von Erika und Klaus in die Tierklinik geführt werden musste. Eine Form von Staupe wurde dort festgestellt. Am 16. Januar 1920 waren die Leiden des Hundes so groß geworden, dass Katia und Thomas dem Rat des Tierarztes zustimmten, ihn einschläfern zu lassen. Bauschan bekam ein ordentliches Grab, der Stein trug eine Inschrift, die sein Herrchen selbstbewusst gewählt hatte: »Zwar hat auch ihm das Glück sich hold erwiesen/Denn schöner stirbt ein Solcher, den im Leben/ein unvergänglicher Gesang gepriesen.«[6] Im Namen von Hallgartens Hund Rus war ein Kondolenzschreiben verfasst worden, und ein menschlicher Bauschan-Verehrer erwog allen Ernstes, Anzeigen in auswärtigen Blättern in Auftrag zu geben!

Auch 1920 machte sich Katias permanente Überlastung bemerkbar. Beispielhaft sei eine Szene geschildert, die Thomas wichtig genug fand, um sie in seinem Tagebuch zu notieren: »Nach dem Essen Verdruß mit K., die Glut aus dem Dielenofen in meinen trug, etwas auf den Teppich fallen ließ und unangenehm heftig gegen mich wurde, weil ich die Glut auszutreten suchte, statt sie aufzunehmen. Es fragt sich, ob der Brandfleck nicht auch ohne das Zertreten entstanden wäre.«[7] Die »Prinzessin« mit der Kohlenschaufel – ihrem »Prinzen« war wohl bewusst, was übrig geblieben war von dem Zukunftsbild, das er ihr vor fünfzehn Jahren so verlockend vorgestellt hatte. Er versuchte das ihm Mögliche, sie zu entschädigen, indem er sie noch mehr in seine Arbeit einbezog, was allerdings nicht nur in dieser Hinsicht eine kluge Entscheidung war. Katias Ideen flossen ein in seine Korrespondenz. Beim Frühstück erhielt er ihre Billigung seines nächtlichen Einfalls, die ersten beiden Kapitel des *Zauberbergs* umzustellen. Er erörterte mit ihr das Angebot, *Wälsungenblut* als Luxusdruck herauszugeben, ein auf den ersten Blick erstaunlicher Plan in wirtschaftlich so schlechter Zeit, der aber doch sinnvoll war, da die hohe Inflationsrate Menschen, die es sich leisten konnten, dazu bewog, statt es zu sparen, ihr Geld unverzüglich für teure Dinge auszugeben. Auch Manns gerieten in einen wahren Kaufrausch: für 450 Mark ein Paar Stiefel, für 2600 Mark eine Pelzjacke, für 375 Mark eine Armbanduhr, ein Taschenmesser für 95 Mark (für Katia!), für 1000 Mark Zigarren und Zigaretten, 5000 Mark an Julia Mann zum Kauf eines Pianinos … und noch immer war Geld vorhanden, dessen Wert von Tag zu Tag verfiel.

Zuwendung fordern – Zuwendung zeigen: was eignete sich dazu besser als Krankheiten. Katia und Thomas Mann nutzten dieses Mittel ausgiebig: Grippe, Stirnhöhlenkatarrh, Gesichtsgeschwülste, Fieber und derlei Gebrechen mehr; Bettruhe, mal für Thomas (der neuerdings Schwächezuständen durch den abendlichen Verzehr von rohen, mit Zucker verschlagenen Eiern zu begegnen suchte; er beeindruckte die Kinder durch die Fingerfertigkeit, mit der er selbst beide Zutaten miteinander zu einer luftigen Substanz verband), mal für Katia: »Nach dem Abendessen bei K., die mich mit der Hand ihren Körper, Rippen und Brust streicheln ließ, was meine Sinnlichkeit sehr erregte.«[8] Anscheinend verbrachten beide am liebsten die Zeit miteinander, sie redeten und gingen spazieren, absentierten sich für einige Tage ins Villino nach Feldafing, wo sie »beständig« die *Tannhäuser*-Ouvertüre, *La Bohème* und das *Aida*-Finale auf dem Grammophon hörten,[9] besuchten Feste bei Freunden, gingen ins Konzert und Theater, soupierten in der Odeon-Bar ...

Und doch – oder gerade deshalb? – war das, was Katia am meisten belastete, so nicht zu kompensieren: die Schwierigkeiten mit den Kindern, vor allem mit Klaus, aber auch mit Erika.

Noch vierzig Jahre später erinnerte sich ein Freund der Geschwister an eine Begegnung, die den damals Zweiundzwanzigjährigen erschütterte und ihm nie aus dem Kopf gehen sollte, nämlich

> »... wie ihm eine verstörte, flackeräugige Katja Mann auf der Münchner Residenzstraße begegnet und ihn, die sonst so Hochmütig-Sichere, halb anherrscht, halb anfleht, ihr zu sagen, in welcher Boîte der damaligen Jeunesse Dorée ihre beiden ältesten versackt sein mögen. Da sprach, da humpelte einfach eine verzweifelte, bis an den Rand ihrer Kräfte erschöpfte Mutter, und den damals solchen Erscheinungen noch ganz ahnungslos-grausam gegenüberstehenden jungen Fant durchzuckte es förmlich ehrfürchtig, daß diese oft so spöttische, den Widerspruch niederbügelnde, unnachsichtig rügende, selbst vom begünstigten Hausfreund gefürchtete Frau in ihrem tief verletzten Familiensinn die tragende Kraft ihres Hauses sei, die tragende Kraft vielleicht sogar für die Arbeit des Dichters.«[10]

Das war 1923. Da war Erika achtzehn, Klaus siebzehn Jahre alt.

Wie sehr können Eltern in ihrem Wunschdenken ihre Kinder verkennen! Die klassische Form der (selbst gewählten) Enttäuschung widerfuhr 1920 auch Katia. Sie las in Klaus' Tagebuch, das sie »offen liegend gefunden« hatte. »Ohne gerade Schlechtigkeit zu offenbaren, zeugt es von soviel ungesunder Kälte, Undankbarkeit, Lieblosigkeit, Verlogenheit …, daß das arme Mutterherzchen tief enttäuscht und verwundet war. K. weinte über den Jungen, wie sie es vor Jahren that, als er sterben sollte. Beruhigungs- und Tröstungsversuche, bewegten Herzens. Den tobenden Vater werde ich nie spielen.« Ob das in Katias Sinn gewesen wäre? Nicht zum ersten Mal hatte sie Klaus' Missetaten vor Thomas gebracht. Am nächsten Tag führte sie selbst eine Aussprache mit dem Sohn herbei, die sie tröstete und für ihn wohl auch nicht allzu schlimm verlief.[11]

Mit Erika verstand sie sich zu der Zeit noch besser. Schon 1918 schien das Mädchen ja den Weg des Hausmütterchens einzuschlagen, 1920 musste Katia Gebrauch von dieser vorausgesetzten Neigung machen. Denn ein gutes Jahr nach Michael-Bibis Geburt war sie – wieder einmal – so ausgebrannt von ihren Haushalts- und Familienpflichten, dass sie daheim nicht bleiben konnte. Zunächst fuhr sie nach Bad Kohlgrub, aber alles dort ging ihr auf die Nerven, die geringen Leistungen von Seiten des vorgeblich anspruchsvollen Kurhotels und die ihr unsympathischen Gäste (ihrer Einschätzung nach grässliche Philister, hochmütige Offiziersdamen und andere, die nun erhobenen Hauptes einherschritten und versuchten, den Juden die Schuld an allem Unheil zuzuschieben – Gäste, die sie künftig davon abhalten würden, die Deutsche Volkspartei zu wählen, im Gegensatz zu Thomas). Katia wechselte nach Oberammergau, wo sie schließlich die kurende Gesellschaft harmlos und gutmütig, nicht unsympathisch, aber sicher deutschnational einschätzte. Das Essen war wohl auch besser als am ersten Ort ihrer Wahl.[12] Ihre Vertretung in der Haushaltsführung hatte zunächst Greta Marcks übernommen, Tochter des Historikers Erich Marcks, Mauerkircherstraße, Nachbar und Freund der Familie. Sie ging an Katias Stelle auch mit Thomas in die Oper, ins Theater, zum Souper. Die älteren Mann-Kinder hatten zusammen mit dem gesamten (von ihnen selbst ins Leben gerufenen) »Laienbund Deutscher Mimiker« Fräulein Marcks zu ihrer »geliebten Regisseuse« ernannt.[13] Seit die Truppe von Herzogparkkindern am Tag der bayerischen Landesparlamentswahlen die *Gouvernante* aufgeführt hatte, waren noch sieben weitere Inszenierungen hinzugekommen, darunter Shakespeares *As You Like It*, Molières *Médecin malgré lui*, Lessings *Minna von Barnhelm*. Während Erika im Shakespeare-Stück sich, wie der Vater bemerkt, »sehr anmutig auszeichnete«[14], machte Golos durch einen senkrechten Kohlestrich im Ausschnitt markierte Weiblichkeit in der Rolle der trauernden Witwe in *Minna von Barnhelm* Furore.

An Erika hatte Katia auch die Inszenierung des nach Weihnachten zweitwichtigsten Familienfestes delegiert, das sie in jenem Jahr leider verpassen musste (und das dann auch nicht eben glorreich verlief: »Geheimrat Pringsheim spielte *Tristan* nicht sehr gut«[15], auch hielt er keine Rede, so dass Thomas seine vorbereitete Erwiderung vergessen konnte, und das Feuerzeug, das Geschenk der Schwiegereltern, funktionierte nicht). Am 4. Juni, zwei Tage bevor Thomas fünfundvierzig Jahre alt wurde, schrieb Katia aus Oberammergau: »Noch nie habe ich Dir schriftlich zum Geburtstag gratuliert ... Wünsche Dir also innig Glück, und daß Du noch recht viel Meisterhaftes schaffst und immer höher steigst im Ruhm, auf dessen Höhe Du freilich jetzt schon stehst. Und wir wollen auch immer gut zueinander sein, und ich will Dir auch noch ein feines Söhnlein schenken, weil ich doch mit dem Bibi Deinen Geschmack so gar nicht getroffen habe.«[16]

Ein sehr irritierender Brief! Katia, die »Hochmütig-Sichere«, die sich ihrem Mann fast unterwürfig mit einem Lorbeerkranz in Händen nähert, in den sie das Angebot hineingeflochten hat, ein verbessertes Modell des jüngsten Sohnes nachzuliefern?!

Wer von beiden brauchte das? Er? Sie? Welche Rolle spielte für Katia die Tatsache, dass sie Thomas Kinder »schenken« konnte, was lag ihr daran, ihn zu verführen, nahm sie vielleicht seine homoerotischen Neigungen doch nicht leicht, »kämpfte« sie so um ihn, um ein Bild, das sie von ihm hatte, zu retten? War sie eifersüchtig? Zumindest dafür finden sich Anzeichen auch in den Briefen aus Oberammergau, die die »Häsin« an »Lamm« (oder »Lämmlich«, auch »Reh« oder »Rehherz«) schrieb, wenn sie etwa trotz ihrer Dankbarkeit sehr kleine und sehr feine Spitzen gegen Greta Marcks in ihren Briefen unterbrachte. Und Pringsheimschen Familienstolz durchblicken ließ! So »brach« eine junge Studentin (»Hilus Drüsen und Temperatur«) zu Katias Freude, »da ich irgendwie erwähnte, mein Vater sei Mathematiker, in den Ausruf aus, ›Also doch! Dann ist es Pringsheim, dann sind Sie Frau Thomas Mann; diese Nachricht wird die ganze Pension in Aufruhr versetzen.‹«[17]

Katia war Anerkennung überaus wichtig. Das, was an ihrem Verhalten nach außen leicht arrogant wirken konnte, war wohl tatsächlich ein Kompensationsversuch des schon obligatorisch zu nennenden Unterlegenheitsgefühls der Partnerin eines auch nach ihren Kriterien bedeutenden Menschen, der es nicht schaffte, ihr Selbstbewusstsein zu stärken, ja dieses sogar untergrub. Da sie nicht nur ehrgeizig, sondern auch sehr intelligent war, würde sie es mit der Zeit schaffen, sich ein Feld abzustecken, auf dem sie Erfolge verbuchen konnte, die sie auch selbst als solche erkannte, auf das eigene Urteil vertrauend. Alles andere hatte dann außen vor zu bleiben.

Doch 1920 galt noch, was schon ihre Großmutter Hedwig Dohm belastet hatte: »Ich litt unter dieser Geringschätzung, aber noch mehr unter dem eigenen grenzenlosen Misstrauen gegen mich.«[18] Katia kämpfte darum, um ihrer selbst willen anerkannt zu werden, um eigene Unsicherheiten zu überwinden. Wenn Thomas »sie begriffsstutzig *und* ungebildet« nannte, bezeichnete sie das als »hart und ungerecht«, schaffte es aber einzulenken: »... entweder das eine oder das andere. Ich muß aber das letztere zugeben« – und danach ihren Tommy zu loben.[19]

Und ihm einige Häppchen Oberammergauer Pensionskolorit zuzuwerfen. Sie berichtete von einem jüdischen Paar, er russisch, sie chinesisch. »Eine Frau Katzenstein ist auch da, eine ... Ingenieursgattin aus Düsseldorf, die im Jahre 17 ein halbes Jahr bei Jessen war, und aus der ich, Reminiszenzen austauschend, dieses oder gar jenes brauchbare Detail herausgelockt habe.«[20]

Thomas Manns Tagebucheintragungen zeigen im Sommer 1920, wie wohlgefällig sein väterliches Auge auf den nun so direkt in seinen Blickwinkel geratenen beiden Ältesten ruhte. Am 23. Juni kommentierte er Katias Aussehen bei ihrer Rückkehr, die durch

Blumenschmuck im Haus, ja sogar auf dem Kopf der kleinen Lisa, und Tee unter der Kastanie festlich begangen wurde: »verbrannt aber nicht voller«. Am 14. Juli dann: »Rencontre mit K., … Bin mir über meine diesbezügliche Verfassung nicht recht klar. Von eigentlicher Impotenz wird kaum die Rede sein[21] können, sondern mehr von der gewohnten Verwirrung und Unzuverlässigkeit meines ›Geschlechtslebens‹. Zweifellos ist reizbare Schwäche infolge von Wünschen vorhanden, die nach der anderen Seite gehen. Wie wäre es, falls ein Junge ›vorläge‹? Es wäre jedenfalls unvernünftig, wenn ich mich durch einen Misserfolg, dessen Gründe mir nicht neu sind, deprimieren ließe. Leichtsinn, Laune, Gleichgültigkeit, Selbstbewusstsein sind schon deshalb das richtige Verhalten, weil sie das beste ›Heilmittel‹ sind.«[22] Dessen Wirkung zu prüfen war? Am nächsten Tag fuhren beide ins Villino, Thomas für acht Tage, Katia nur für vier. Dieses Mal hatte die Zweisamkeit nicht funktioniert.

Zu ihrem siebenunddreißigsten Geburtstag überraschte Thomas Katia mit einem neuen Fahrrad für 1525 Mark. Um sie zu animieren, mit ihm, der das Radfahren kürzlich wieder aufgenommen hatte, mitzutun? Doch sie bestand auf dem Umtausch in ein Herrenrad, mit der schwachen Begründung, sie dürfe nicht fahren. Zwei Wochen zögerte Thomas, dann folgte er ihrem Wunsch. Bald war sie wieder erkältet. Am 4. September reiste sie nach Oberstdorf, ins Stillachhaus, am 15. Oktober kehrte sie zurück. Die Briefe, die das nun fünfzehn Jahre verheiratete Paar in diesen Wochen wechselte, geben Zeugnis von lange zurückgestellten, mittlerweile aufgelaufenen Problemen, vor deren Lösung sich beide wohl drücken wollten.

Katia wand sich. Vor dem Krieg sei ein Kuraufenthalt angemessener gewesen, »aber jetzt nagt doch allzu viel an einem … und die Sorglosigkeit ist doch auch hier nur scheinbar«, ganz abgesehen davon, dass sie sich nun von sechs Kindern zu trennen hatte. Sich materieller »Sorglosigkeit« anzunähern, hatte sie allerdings Mittel, die nicht vielen zur Verfügung standen: »Aber wenn ich wieder zurück bin, wollen wir wirklich, wenn es einigermaßen günstig ist, den Brillanten verkaufen.« Nachdem sie Zeitläufte, Kinder und Geld abgehandelt hatte, testete sie wieder einmal Thomas' Reaktion auf Fragen, die sie am meisten bedrückten – und die sie doch nicht gleich offen zu stellen wagte. Lieber räsonierte sie zunächst über ihre ständigen Infektionen, wollte sie auf das unerklärlich hohe Fieber zurückführen, das sie mit acht Jahren gehabt hatte, wünschte wohl, dass ihre Schwäche aus einer Zeit vor der Ehe resultierte: »Aber dann bist Du doch beinah so hereingefallen, wie Pidoll mit seinem Rössl, und es ist ein Scheidungsgrund. Darfst auch, vielleicht blüht Dir noch einmal ein spätes Glück ... Aber jetzt sieh Dich nur vor.«[23] Und ein weiterer Test folgte zwölf Tage später, wahrlich attraktiv verpackt: Ein feiner Gast, Bruder der bereits anwesenden netten Gräfin, sei eingetroffen, der Seele ihres Lämmleins wäre er sicher ungemein gefährlich, der reizende Jüngling aus altem Hugenottengeschlecht, mit seinem feingeschnittenen Gesicht, dem ungemein schlanken edlen Wuchs, »ein echter Adelssproß«. Und als selbst ihre Behauptung, sie schreibe wohl zu oft, unwidersprochen blieb, als sie gar die Hoffnung äußerte, ihm nicht mehr allzu lange auf der Tasche liegen zu müssen, und auch darauf kein Echo folgte, war sie doch sehr irritiert.

Was erwartete die »Häsin«[24]? Sollte das »Reh« ihr versichern, dass es mit ihr nicht »hereingefallen« sei, dass der junge Graf es nicht interessiere und dass sie gar nicht oft genug schreiben könne und es selbstverständlich ihre Briefe genauestens lese? Mit Tommys Reaktion jedenfalls war Katia gar nicht zufrieden:

> »Um aber auf die erste Hälfte Deines Briefes zurückzukommen, so ist das doch alles gar nicht so. *Ich* erwarte alle Briefe von Zuhause mit Ungeduld und lese jeden mehrfach, sodaß ich den Inhalt ganz aufnehme (habe ja freilich auch Zeit dazu) und wenn ich dann schreibe, so stellt sich ganz selbstverständlich eine gewisse Anknüpfung an den empfangenen Brief ein. Eventuell kann man ja auch, wenn man ihn nur flüchtig gelesen, den Brief vorm Schreiben noch einmal überlesen, auch dann kommt ganz unwillkürlich ein gewisses Eingehen darauf. Ist einem auch dieses zu zeitraubend, dann fehlt

das eben, und ich bekomme den Eindruck, als ob meine Briefe, als Lebenszeichen natürlich notwendig und erwünscht, doch in Bezug auf ihren Inhalt, nachdem das wesentliche, da es mir gut geht, ja einmal feststeht, einigermaßen gleichgültig wäre, und als ob Deine Gedanken, nachdem Du einmal weißt, daß alles hier seinen ordnungsgemäßen Gang geht, sich nicht eben viel mit meiner augenblicklichen Daseinsform beschäftigen. ... Und ich bin doch nicht so albern zu wünschen, daß Du mir beständig oder überhaupt schreiben sollst, wie sehr ich Euch fehle. Es muß mich natürlich freuen und beruhigen, wenn ich sehe, daß es eine Weile auch ganz ordentlich ohne mich geht. Aber manchmal scheint es mir, als ob es genau so gut, oder vielleicht sogar ein bisschen besser ginge. Und das erschüttert mich natürlich einigermaßen. Ich habe hier soviel Zeit zum Nachdenken, und da denke ich doch manchmal, daß ich mein Leben nicht ganz richtig eingestellt habe, und daß es nicht gut war, es so ausschließlich auf Dich und die Kinder zu stellen.«[25]

»Fertigte langen Brief an K. ab. (Etwas Spannung zwischen uns.)« Thomas Manns Tagebucheintragung vom 5. Oktober zeigt, dass er endlich gemerkt hatte, was von ihm erwartet wurde.[26] Als Katia Mitte Oktober nach Hause kam, war sie gut erholt, fand sich dieses Mal gar »beleibt«, zum Empfang gab es, wie an allen besonderen Tagen, Champagner. Eine Thomas erregende Szene spielte sich damals ab – Klaus »völlig nackt vor Golo's Bett Unsinn machend« –, im Tagebuch die Privatestes kennzeichnende Eintragung »...«. Und unterm gleichen Datum der Vermerk: »Dankbarkeit gegen K., weil es sie in ihrer Liebe nicht im Geringsten beirrt oder verstimmt, wenn sie mir schließlich keine Lust einflößt und wenn das Liegen bei ihr mich nicht in den Stand setzt, ihr Lust, d. h. die letzte Geschlechtslust zu bereiten.«[27] Aber vielleicht war sie ja daran auch gar nicht (mehr) wirklich interessiert.

Doch nun zu einer weiteren Folge des Oberstdorf-Aufenthalts. Hatte es sich durch Erikas fiebrige Halsentzündung ergeben, dass sie, aus diesem Grund länger zu Hause, gleichsam zu Katias dortigem Brückenpfeiler wurde? Jedenfalls bediente sich die Mutter der Tochter, um alles, was ihr fehlte, ins Stillachhaus zu bekommen – seien es Würstchen, Füllfederhalter, Haarwasser, die weiße gepunktete Mullbluse, Servietten, Spirituskocher, frische Kragen oder kleine Windeln für spezielle Zwecke. Die Anweisung, Pfirsiche und Pflaumen einzuwecken, sollte die Delegierte Katias ans Personal weitergeben. Für »unschätzbare Dienste« erhielt sie am 5. August Mutters Dank. Am 13. September wurde sie pflichtschuldigst gebeten, auf ihre Gesundheit zu achten, und zudem in die Bedenken Katias hinsichtlich des um ein Jahr jüngeren Bruders eingeweiht. Auch die Arbeitgeberrolle wurde der Fünfzehnjährigen nach gut sechs Wochen Abwesenheit der Hausfrau übertragen, da sie ja noch immer der Töchterschule fernblieb. Ende Oktober erhielt Erika vorübergehend Privatunterricht und wurde von der inzwischen wieder zu ihren Pflichten zurückgekehrten Katia fürs Mädchen-Gymnasium angemeldet.[28]

Wie eh und je genügte wenig, um Thomas aus dem Gleichgewicht zu bringen. Ein banaler Streit vor seiner Abreise am 16. Januar 1921 beispielsweise, so dass er, gegen seinen Vorsatz, nie den tobenden Vater zu spielen, Klaus zum Abschied eine Ohrfeige verpasste. Und sich darüber so grämte, dass Katia ihn gleich brieflich ermahnte, sich das nicht so zu Herzen zu nehmen, denn dem Sohn habe das überhaupt nichts ausgemacht.[29]

Die Lesereise, zu der Thomas Mann ebenso nervös aufgebrochen war wie schon zu der im November[30] des Vorjahres oder zum dreitägigen Aufenthalt mit Katia in Berlin »in Sachen der Rechtschreibungsreform«,[31] ging in die Schweiz. Winterthur, Baden, Aarau, Bern, Zürich, Solothurn, St. Gallen, Luzern – und Davos! Ihren Mann dort zu wissen, beschäftigte Katia. »Nun bist Du also in meiner Heimat, und die gewaltigen Bergeswiesen und Firnen werden … doch wenigstens schneebedeckt sein.« Und: »Ich denke mir immer, Jessen, als Deutscher und persönlicher Bekannter obendrein wird doch bestimmt Deine Vorlesung besuchen und Dich nachher aufsuchen. Das wird doch sonderbar sein.« Und sonst? Wer in die Poschi zum Tee kam (Tante Else[32]), welche Vorträge sie hörte (einen über »Physio[g]nomik«), welche Oper sie besuchte *(Aida)* … aber auch, wie sie auf welche Anfragen wegen »Vor«lesungen in Thomas' Namen geantwortet hatte (wegen Überlastung des Schriftstellers abschlägig, aber Katia hatte immer auch das Budget im Blick). Überdies musste er wissen, dass es ihm nicht gelungen war, eine unbeliebte Haushaltshilfe zu verscheuchen: »hättest sie gar nicht so im Negligee zu überraschen brauchen«[33], wie überhaupt das Dienstbotenthema unerschöpflich war. Und erst die Kindergeschichten! Krankheiten und das Verhalten der kleinen Patienten (»Gölchen bescheiden und dankbar«), dass sie »stundenlang« »mit dem Aissi den mathematischen Studien« »oblag« – und er die so oft geübte Aufgabe in der Schule doch nicht lösen konnte, dass Klaus und Golo getrennt schlafen müssten … schrieb das »Katjulein«, die ihm »zärtlich zugetane Häsin«, die »treueste Häsin« (mit dem Zusatz »Bleib treu«).[34]

Die beiden waren häufig getrennt in diesen Jahren. Vor der Schweizreise war Thomas eine Woche in Feldafing und danach noch zwei Tage in Polling bei seiner Mutter gewesen, um einen Artikel über russische Literatur zu schreiben. Keine zwei Wochen nach der Rückkehr aus der Schweiz brach er nach Thüringen auf, mit Abstechern nach Halle und Berlin, um Pringsheim-Verwandtschaft zu sehen. Mit Puppen für die »kleinen Kinder« im Gepäck kam er nach elf Tagen Abwesenheit wieder in der Poschi an, das war am 22. Februar.[35] Theater- und Konzertbesuche, Einladungen zu Freunden – wenn Katia und Thomas gemeinsam in München waren, verständigten sie sich nicht nur über Kinder- und Dienstbotenprobleme, sondern nahmen gemeinsam angenehme Abendtermine wahr. Was sie außerdem teilten, war ihre Neigung zu Befindlichkeitsstörungen. Im März beschäftigte Thomas sein »recht schlechter Darm«, Katia litt unter starkem Schnupfen und Husten. Sie hätschelten sich gegenseitig: Katia besorgte Thomas ein Heizkissen, er saß, wenn er konnte, an ihrem Bett und las ihr vor. Hatte er eine der häufigen Zahnbehandlungen überstanden, gönnte sie ihm Schaumrollen oder Torte. Offenbar hatten sie sich nun auf diese Art der Zuwendung geeinigt.

Am 13. März 1921 wurden Erika und Klaus zusammen konfirmiert. Was die Eltern ihnen schenkten, war zwar wertvoll, hatte aber wohl nicht viel gekostet: Klaus erhielt die goldene Uhr, die schon ein Mann-Großvater getragen hatte, Erika die Fontane-Ausgabe des Fischer-Verlags. Am nächsten Abend war Katia mit Thomas wieder unterwegs: Klavierabend im Odeon, aber auch leider Verlust des Portemonnaies. Damit war, wieder einmal, auch der Verlust des wichtigen Wäscheschrankschlüssels zu beklagen. »Depression«, notierte er ins Tagebuch.[36] Am Ostersonntag revanchierte sich das Ehepaar Mann für viele private Einladungen mit einer Abendgesellschaft zu Hause.

Ein anspruchsvolles Programm. Da galt es, die Kräfte gut einzuteilen – und neben anderen Pflichten die Erziehung der Kinder nicht zu vernachlässigen: »Klaus von K. und mir hart gescholten wegen seiner Schlaffheit und Selbstzufriedenheit. Schließlich ist es Pflicht, sich nicht aus Selbstschonung der unangenehmen Emotion des Zorns zu entschlagen.«[37] Katia hatte es offenbar endlich geschafft, den widerstrebenden Thomas in die Erziehung einzubinden. (In ihrer Abwesenheit ließ er sich sogar überreden, mit den beiden Ältesten, die dazu allein noch nicht die Erlaubnis erhielten, ein abendliches Kostümfest zu besuchen. Die Verkleidung als Zauberer passte wohl so gut zu ihm, dass ihn die Familie neben Pielein, Tommy oder T. M. fortan auch Z. oder Zauberer nannte.[38])

Auch weiterhin pflegte er bezüglich seiner Arbeit ihr Urteil einzuholen, im April 1921 war es der Ablauf der »Walpurgisnacht« im *Zauberberg*, die ihn beschäftigte, er beriet sich mit ihr, ob »die Liebesvereinigung« »jetzt, später oder überhaupt nicht« stattfinden sollte.[39] In dieser Sache war ihr Rat ihm angenehm, am 2. Mai jedoch hatte er eine »Nervenkrise in der Auseinandersetzung mit K. über Wälsungenblut und eine darüber erschienene taktlose Notiz, die ihren Vater ärgert. Aussprache und Versöhnung. Bei mir explodierte allgemeiner Druck.«[40] Der in diesen Jahren auch finanzieller Art war. Zwar hatte Katia mehr und mehr die Kontrolle über Einnahmen und Ausgaben übernommen, aber Geld verdienen konnte nur er. Im Sommer 1921 stellte Katia fest, dass die jährlichen Haushaltskosten auf sechzig- bis siebzigtausend Mark angewachsen waren. Die erwünschte Reise nach Palermo mit Aufenthalt in der feudalen Villa Igea war wirklich nicht zu bezahlen. Da investierte man besser ins tägliche Umfeld, in den Garten. »Bekiesung, Verpflanzungen, Neupflanzungen« nahmen mehrere Gärtner unter Aufsicht des Hausherrn vor, dem »der eine, junge, unbärtige, mit braunen Armen und offener Brust« recht »zu schaffen machte«.[41]

Und da Feldafing gekostet hatte, nutzte man es auch. Thomas war im Mai da, er arbeitete mit Hilfe des Wörterbuchs am französischen Gespräch Hans Castorps mit »Klawdia«. Er fühlte sich wohl einsam (falls es nicht die Gesellschaft Katias war, die er suchte, sondern ihre Hilfe bei der französischen Passage des *Zauberbergs*, fand er in der Nachbarschaft Bruno Frank, der ihm den Text noch am gleichen Tag korrigierte; auch der Journalist Joseph Chapiro half gerne), denn noch vor Ablauf einer Woche im Villino versuchte er Katia »zum Kommen zu überreden, scheiterte aber an dem Dienstmädchen-Problem«.[42] Seine Heimkehr war gekennzeichnet durch »Umarmung mit K.« und das Fazit: »Meine Dankbarkeit für die Güte in ihrem Verhalten zu meiner sexuellen Problematik ist tief und warm.«[43] Das war keine neue Erkenntnis.

Im Juli schaffte sie zwar den Absprung nach Feldafing, allerdings mit drei Kindern und ohne den Ehemann (der für die neun Tage »willkommene Arbeitsruhe« konstatierte). Fünf Tage blieben ihr danach zum erneuten Packen, dann traten die beiden ihre gut vier Wochen dauernde Sommerreise an. Der Ersatz für Sizilien? Die Ostsee, die Nordsee, Timmendorf und Sylt, eingerahmt durch Tage in Lübeck und Berlin. Einen Monat später stellte Thomas Mann fest, dass sein Verhältnis zu Katia »einige Wochen lang sehr sinnlich« gewesen sei.[44]

Weitere Höhepunkte des Jahres 1921?

Katia dichtete zu Thomas' Geburtstag; die Verse, die sein Liebling Elisabeth vortrug, sind nicht erhalten. Aber die, mit denen sich Thomas zu Katias Geburtstag revanchierte:

»Welch ein Tag, so auserkoren
Ist es, den wir heut begehn?
Mielein ward zur Welt geboren
Daß auch wir die Sonne sehn.
Liebes Mielein! Liebe Sonne.
Leuchte unserm Leben stets
Daß wir blühn zu Deiner Wonne!
Dies der Wunsch Elisabeths.«[45]

Und was war noch? Thomas Mann hatte 300 000 Mark eingenommen![46]

Nicht nur Katia sah in diesem und den folgenden Jahren besorgt auf immer stärker steigende Preise. 1922 ging die Kaufkraft des Geldes drastisch zurück, 1923 war das Stadium der galoppierenden Inflation längst erreicht. Der Alleinverdiener Thomas Mann musste sich schon tummeln, um seinen großen Haushalt finanzieren zu können. Das hieß, es galt sein ohnehin ständig steigendes Ansehen so zu pflegen, dass es sich mehr und mehr in Nachfrage nach gutbezahlten Vorträgen umsetzen ließ.[47] Seit dem Erscheinen der *Betrachtungen* bezog sich das auch auf den politisch sich äußernden Schriftsteller, was (nicht zuletzt durch Weglassen einiger Passagen bei Neuauflagen des Buches) ein vorsichtiges, ja geschmeidiges Einstimmen auf die Rolle der außerparteilichen Instanz verlangte, nach der in diesen Jahren des kollektiven Verlusts und der Desorientierung ein erhöhter Bedarf bestand. Allen, außer den extrem rechts Stehenden, hatte er etwas zu sagen. Seine bürgerliche Hoheit Thomas Mann war sozusagen in der Republik angekommen, als er unter Anwesenheit des Reichspräsidenten Friedrich Ebert anlässlich der Goethe-Woche im Frankfurter Opernhaus sprach. Schwager Klaus, Katias Zwillingsbruder, drängte ihn in diesen Monaten regelrecht, dies auch öffentlich zu bekennen. Und tatsächlich war zwischen *Goethe und Tolstoi* (entstanden zwischen Juni und September 1921) und Berichten über die »okkultistischen Sitzungen« im »palaisartigen Haus« des Parapsychologen Albert von Schrenck-Notzing (nebenbei kleine Tests für die Verwendbarkeit des Themas im *Zauberberg*) immer mehr Platz für die »Erörterung« von »gesellschaftlichen Problemen«.[48] Und das Interesse an seinen Auftritten stieg weiter, Artikel wurden angefragt, auch aus dem Ausland: *The Dial*, die New Yorker literarische Zeitschrift, in der schon seine sehr frühe Novelle *Luischen* als *Loulou* erschienen war, wollte und bekam eine regelmäßige Kulturberichterstattung aus Deutschland.[49] Das Honorar wurde in Form von Schecks in Dollar ausgezahlt, dessen Kurswert im Verlauf des Jahres 1923 zwangsläufig ebenso gigantisch anstieg, wie der der Mark ins Bodenlose fiel: Bekam man im Januar für einen Dollar noch 1800 Mark, waren es im Dezember 4,2 Billionen! Traf ein solcher Scheck ein, beeilte sich Katia, ihr Rad aus dem Keller zu holen, zur Feuchtwanger-Bank[50] zu fahren, sich das Geld in Inflationsmark auszahlen zu lassen und unverzüglich Lebensmittel zu kaufen. Denn nicht nur der Außenwert der Mark schwand rapide, sondern eben auch ihre Kaufkraft im eigenen Land. Günstig war es allerdings, Kredite zu haben, deren Rückzahlung mit immer geringwertigerem Geld erfolgte. Überlegten Katia und Thomas deshalb noch 1922, sich ein neues Feriendomizil in Seeshaupt zu schaffen? Dort waren sie immer wieder Gäste auf der »schönen Besitzung«[51] des Malers und Illustrators Hermann E. Ebers, ein Schulkamerad von Peter und Heinz Pringsheim und auch ein Jugendfreund Katias. Am 15. Mai trugen sie dort ins Gästebuch ein: »Zu Gaste beim Herrn Nachbarn in spe. Vielen Dank! Auf häufiges Wiedersehen.«[52]

Trotz aller Beschaffungsprobleme war die Versorgung des Mann-Haushalts vergleichsweise gut. Gesundheitsbögen und andere amtliche Dokumente bescheinigten den Kindern regelmäßig guten Allgemeinzustand, Ernährungszustand, Kräftezustand. Doch den Einfluss der Zeitläufte auf deren nicht-körperliche Entwicklung erfasste die Umsicht der Eltern offensichtlich nur unzureichend – wenigstens nach Einschätzung der professionellen Pädagogen. Vom K. Wilhelms-Gymnasium München ist eine am Ende des ersten Schuljahres Klaus Manns erteilte »Besondere Schulzensur« erhalten, die in den folgenden Jahren berichtigt und ergänzt wurde. Darin formulierten die Lehrer auch Beurteilungen des »Verhaltens der Eltern gegenüber der Schule«.

Die erste derartige Eintragung betraf das Schuljahr 1916/17: »Der Vater, der Schriftsteller Thomas Mann, erkundigte sich nie nach seinem Sohn, dagegen wiederholt die Mutter, der anscheinend die ganze Erziehung der Kinder obliegt. Doch sollte sie, in voller Berücksichtigung der Eigenart des Jungen, diesen zu geregelter Tätigkeit anhalten.« Ähnlich 1918/19: »Die Eltern sind mit dem Klaßleiter nie in Verbindung getreten und scheinen der ... Schule keinen hohen Wert beizulegen.« 1920/21 stand im »Weihnachtszeugnis« die Bemerkung »Gefährdet«: »Wohl dadurch veranlaßt erschien die Mutter in der Sprechstunde Mitte Februar. Sie erklärt sich außerstande, ihm bei ihren 6 Kindern die gewünschte u. sehr notwendig von ihr selbst erkannte Überwachung widmen zu können, hat aber Interesse ... daß ihr Sohn das Gymnasium durchmacht und ist bereit für Nachhilfeunterricht und Überwachung s. häusl. Arbeiten zu sorgen.« 1921/22: »Die Mutter (Mißerfolge, Zeugnis!) war wiederholt in der Sprechstunde. Sie ist bei aller Ablehnung doch sehr sehr überzeugt von den literarischen Talenten ihres Klaus, was der Junge sich zu Nutze macht sich verwöhnen zu lassen. Er sollte Einzelunterricht haben u. viel körperl. Betätigung (Feldarbeit ...) u. unerbittlichen Zwang.« Arrogant, frühreif, altklug, ohne Pflichtgefühl, blasiert und unnahbar – so beschrieben die Lehrer den Schüler Klaus Mann (der ihnen wiederum »rückschrittliche Gesinnung und phrasenhaften Patriotismus« vorwarf[53]) und klagten mehr oder weniger offen über mangelnde Unterstützung durch das Elternhaus. Doch so wie erwünscht, war sie nicht zu bekommen, letztlich auch nicht von Katia. Das Abitur sollten die Kinder machen, ja, aber auf »K. Wilhelm« nivelliert werden nicht.

Auch der Schüler Angelus, Golo, Mann hatte sich in der Schule durchzuschlagen: »Durch List und Schwindel – er ist da sehr erfinderisch – sucht er seine Faulheit zu verstecken. Außerdem ist seine Unpünktlichkeit, seine Vergesslichkeit, seine Schlamperei, die schlechte und unsaubere Führung seiner Hefte, das Verschmieren seiner Lehrbücher auch nicht annähernd zu schildern.« Das bescheinigte man dem Zwölfjährigen. Zum Punkt »Verhalten der Eltern gegenüber der Schule« konstatierte das K. Wilhelms-Gymnasium in fünf Jahren nur ein »Nichts bekannt«. Michael Mann wurde am 22. Dezember 1931, noch vor Beendigung der dritten Klasse des Wilhelms-Gymnasiums (nun ohne das adelnde K.) abgemeldet, sein »Vorrücken« war »gefährdet«, auch er würde wahrscheinlich die Schule nicht glatt und erfolgreich durchlaufen. In dieser Zeit war Katia ein paar Mal in der Sprechstunde. Sie machte offenbar einen guten Eindruck, denn der »Klaßleiter« fand: »Der Schüler hat wohl eine vernünftige Mutter.«[54]

Doch alles in allem waren diese Schule, diese Schüler und dieses Elternhaus offenbar nicht kompatibel. Nach und nach verließen die Mann-Kinder vor dem Abitur die öffentlichen Gymnasien und wechselten auf Privatschulen. Mit einer Ausnahme, Elisabeth, die niemals Probleme machte. Ein Jahr bei einer Hauslehrerin, ein Privatinstitut in Bogenhausen genügten bis zum Übergang aufs Luisengymnasium, wo sie sofort eine Klasse überspringen durfte (ihr Latein war hervorragend), ein Kunststück, das ihr später noch einmal gelang. Alles in allem eine Schulkarriere, die jede Mutter, jeden Vater nur erfreuen konnte. Für Michael, mit ihr das jüngste Geschwisterpaar bildend, war das Landerziehungsheim Neubeuern die Lösung.

Golo wurde vom Erziehungsheim Salem aufgenommen, wie später auch Monika.[55] Für die beiden »Mittleren« schaffte Katia also, was sie schon für Klaus angestrebt, aber nicht erreicht hatte. Marina Ewald – der Salem-Mitbegründerin war der Fünfzehnjährige von Mutter Katia zur Beurteilung vorgestellt worden – fand ihn nach gewissenhafter Prüfung wohl lohnend, aber nicht passend, und erklärte das ausführlich:

> »Er hat sehr ernsthafte geistige Interessen, ist durch sehr vieles Lesen sehr früh an die meisten Probleme des menschlichen Denkbereiches herangeraten, und hat seine Kindlichkeit und Natürlichkeit bei dieser Art geistigen Tätigkeit eingebüsst. So macht er auf uns heute den Eindruck eines überaus manierierten, selbstgefälligen, frühzeitig gereiften und fähigen Jungen, dessen Lebenskraft angeknaxt ist und der das natürliche Interesse an seiner Umwelt verloren hat, und seine künstlich herangebildete Unfähigkeit in allen Dingen des praktischen

Lebens mit Eitelkeit kultiviert und unter einer Verachtung der Welt der Tat und Handelns bemäntelt.«[56]

Weiter schrieb sie, er habe im Landerziehungsheim[57] Hochwaldhausen, das er drei Monate nach Verlassen des Wilhelms-Gymnasiums besucht hatte, Gemeinschaft zu finden gehofft, aber seine Erfahrungen seien nur geeignet gewesen, seinen Hochmut und seine Tendenz, sich abzusondern, zu verstärken. Und noch immer habe er den starken Wunsch, seine Mängel, die er im Grunde klar erkenne, zu überwinden. Deshalb und weil Klaus nach Fräulein Ewalds Einschätzung »wohl sicher ein hervorragend begabter, differenzierter und fein empfindender junger Mensch«, vielleicht aber auch, weil er der Sohn des berühmten Schriftstellers war (oder schließlich, weil sie Katia als alte Berliner Bekannte des Salem-Leiters Kurt-Martin Hahn besonderer Mühe für wert befand), empfahl sie den Jungen Paul Geheeb, der 1910 die Odenwaldschule in Ober-Hambach gegründet hatte. Ein nicht ganz unwahrscheinlicher Misserfolg, wie es Klaus und auch Erika Manns Aufenthalt in Hochwaldhausen gewesen war, sollte wohl nicht mit dem Namen Salem verknüpft werden.[58]

Ein Vierteljahr lang, vom Frühjahr bis zum Sommer 1922, hatten die Geschwister gemeinsam das ebenfalls in hessischer Mittelgebirgslandschaft, im Vogelsberg, gelegene Internat von Georg Helmuth Neuendorff besucht. Dort war das ganze Programm radikaler Reformschulen aufgeboten worden: spartanische Lebensführung, Holzhacken und Kartoffelschälen (man denke an die vom Gymnasiallehrer in München empfohlene Feldarbeit), Luftbäder, Dauerläufe, Kurssystem statt Klassen, ein Hoch auf die Gemeinschaft, wenig Kontrolle, Koedukation, Tanz als Übersetzung von Gefühlen ins Körperliche ... Die Idee der Eltern war wohl (neben einer Lösung der Probleme des Sohnes natürlich), Erika, die ja so früh schon Katias Vertretung während der Kuren übernommen und die Schule völlig vernachlässigt hatte, einen Neuanfang unbelastet von häuslichen und anderen Ablenkungen zu ermöglichen. Doch auch in Hochwaldhausen war sie durchaus wieder bereit, Verantwortung zu übernehmen, dieses Mal, indem sie den schulischen Erziehern helfend zur Seite stand.[59] Was die anderen Ablenkungen betraf, den nun nicht mehr funktionierenden Mimikerbund oder die Raub- und Streifzüge durch München bei Tag und Nacht, so erreichten deren Nachwirkungen noch den Vogelsberg. Und wenn Katia geglaubt hatte, die Regelung, dass Erika ihre Briefe an die Walter-Schwestern in den Umschlag mit der Post in die Poschingerstraße stecken sollte – vorgeblich um Porto zu sparen –, würde ihr eine gewisse Kontrolle über diesen Kontakt verschaffen, dann musste sie erkennen, dass Erika diese Regelung sehr wohl ignorieren, also die Briefe auch direkt an Lotte oder Grete schicken konnte. Und dass der Einfluss neuer Mitschüler und Freunde nicht unterschätzt werden durfte. Schweren Herzen musste sie sich allzu bald eingestehen, dass Hochwaldhausen keine die restliche Schulzeit abdeckende Lösung für die beiden Ältesten war, und so schrieb sie am 10. Juni 1922 in einem Brief an die Tochter: »Der vorletzte [Brief] beunruhigte mich einigermaßen, ich meine, den mit dem Bericht von der Massenflucht von Hochwaldhausen. Es wäre mir lieb, wenn Du mir doch einigermaßen die Gründe angeben könntest, warum *sämtliche* mit Euch gleichzeitig eingetretenen Großen wieder austraten. Liegen Gründe gegen die Anstalt vor, so kann es natürlich nicht in unserem Sinn sein, Euch dort zu lassen.« Und Katia kannte Erika: »Und wenn Du einigermaßen verbittert fragst *was* Du nun schreiben solltest, kann ich nur mit der Zauberflöte antworten: ›Die Wahrheit …‹«[60] Den Exodus aus Hochwaldhausen hatten die Schüler selbst beschlossen, ohne (das war ihnen sehr wohl bewusst) Rücksicht darauf zu nehmen, dass sie das Lebenswerk des bedauernswerten Schulleiters dadurch zum Scheitern brachten.[61]

Erika ging wieder nach München, um sich erfolgreich einer Aufnahmeprüfung fürs Gymnasium zu unterziehen. Sie würde das Abitur (knapp) schaffen. Klaus landete tatsächlich da, wo er nach Hochwaldhausen hinwollte: an der Odenwaldschule Paul Geheebs, einem Ort, wo »jede Beschäftigung, auch die scheinbar harmlose, kultisch-sakralen Charakter bekommt«.[62] Schon nach fünf Monaten versuchte Klaus, sich dieser Atmosphäre zu entziehen, weigerte sich, nach den Osterferien wieder in die

»Oso« zurückzukehren. Thomas Mann versuchte, in einem Brief an Paul Geheeb zu erklären, was er selbst nicht verstehen konnte oder mochte. »Sie sehen, es ist die hellste Konfusion, die Thorheit selbst«, schrieb der Vater am 8. März 1923 nach Ober-Hambach, und: »Ich möchte ungern die väterliche Autorität anspannen und mit dem Sic jubeo dareinfahren; das macht nur böses Blut. Dagegen wäre ich Ihnen, sehr verehrter Herr Doktor, außerordentlich dankbar, wenn Sie Klaus ins Gebet nähmen, seinen wunderlichen Seelenzustand zu erforschen suchten und ihm auf gute Art den Kopf zurechtsetzten.«[63] Diese Haltung kannte Katia. Die Erforschung des Seelenzustandes ihres Sohnes mochte sie jedoch nicht delegieren; wenn es ihn zurück nach München zog, wollte sie ihn nicht daran hindern und hatte wohl auch das Gefühl, bei ihr sei er letztlich doch besser aufgehoben. Doch das Geheeb klar zu sagen, scheute sie sich. »Ich würde sehr glücklich sein, wenn mein Sohn, der sich, bei sicher guten Anlagen, augenblicklich in einem problematischen und gefährdeten Zustand befindet, in Ihrer Gemeinschaft die richtige Umgebung finden würde, und ich glaube bestimmt, dass Sie, wenn dies der Fall ist, Freude an ihm haben könnten«, hatte sie ja noch am 20. August 1922 geschrieben, und am 5. September hatte Klaus tatsächlich sein Zimmer in der Schule beziehen können. Am 14. März des folgenden Jahres schrieb sie wieder an Geheeb, dieses Mal, um Klaus herauszuholen:

> »Mein Mann schrieb Ihnen vor einigen Tagen und bat Sie, doch auf unseren Sohn Klaus einzuwirken, der aus uns unbekannten Gründen die Odenwaldschule verlassen möchte. Leider bin ich genötigt, diesen Brief gewissermaßen zu revozieren. Wir haben inzwischen die letzte Quartalsabrechnung bekommen, und mussten zu der Einsicht gelangen, dass wir absolut nicht in der Lage sind, unseren Sohn länger in der Odenwaldschule zu lassen. Ich muss ihn also hiermit definitiv abmelden.«[64]

Das war deutlich – ein Vorwand. Doch es scheint, als habe hier der Vater den Sohn richtiger eingeschätzt als die Mutter, da er dessen Stimmungswechsel voraussah. Und so konnte er bald erklären:

> »Vor allem bin ich froh, unseren Jungen wieder bei Ihnen zu wissen. Wahrhaftig, ich beneide seine Jugend um die Milde, Güte, Freiheit, Menschlichkeit, die sie erzieherisch umgibt ... Gleichwohl ... scheint mir, er habe es etwas gar zu gut, – d. h. es sei sein Fortkommen in den Wissenschaften allzu sehr seinem eigenen Ermessen und Belieben überlassen, in das ich, bei aller Schätzung des jungen Mannes, wenig Vertrauen setze. Seine Mutter und ich haben nicht auf die Hoffnung verzichtet, er möge in absehbarer Zeit das Gymnasium beenden. ... Wir fürchten nur, ohne eine feste Führung, ohne zur zielgerechten regelmäßigen Arbeit angehalten zu sein, wird der weiche, mit sich selbst äußerst zärtliche Junge es nie zum ›Abiturium‹ bringen.«[65]

Katias Ausflucht ins Finanzielle hatte der Schriftsteller ebenso geschmeidig entkräftet, wie er Geheeb auf das Ziel »Abiturium« für Klaus einzuschwören versuchte. Doch der Pädagoge war so nicht zu verpflichten. Klaus blieb »beinah vom ganzen Tagesablauf dispensiert«, er »brauchte weder an den Kursen noch an der praktischen Arbeit teilzunehmen, sondern durfte den ganzen Tag spazieren gehen, lesen, dichten und sinnen«, ganz wie es ihm beliebte.[66] München unter mütterlicher Aufsicht wäre ihn sicher härter angekommen.

Dem prüfenden Blick Katias ausweichend, bewegten sich Erika und Klaus schon längst hinter deren Rücken. Sei es, dass sie am Abend vor der Abreise in den Vogelsberg sich an der angelehnten Tür des Zimmers, in dem die Mutter die Koffer der Kinder packte, vorbeischlichen, um in »erwachsener« Maske und »wach« mit Hilfe selbst gebrauten Kaffees München bei Nacht zu erleben, sei es, dass sie statt zu einer Wanderung durch Thüringen 1923 heimlich nach Berlin fuhren. Katias Leiden unter den Exzessen der beiden Ältesten – vor allem 1923, als sie sich im lose gefügten »Inflationskreis« mit Süskind, den Walter-Schwestern und anderen in der Halbwelt Münchens tummelten[67] – sowie weiterer Kummer in diesen Jahren, für den es verschiedene Gründe gab (nicht zuletzt vermutlich die beiden »Fehlgeburten«, von denen Golo in seinen *Erinnerungen* spricht), machten erneute Kuraufenthalte dringend erforderlich. Schon Ende 1922 war dies ins Auge gefasst worden, doch hatte sie dann in jenem Jahr die Schwiegermutter für einige Wochen im Haus. Einquartiert im Zimmer von Enkel Klaus (es war dessen Zeit in der Odenwaldschule), war Julia Mann, zusehends verwirrt, der Auffassung, dass sie für ihr Essen mit altwertigem Geld zahlen könne. Als sie bald darauf, am 11. März 1923, in einem schlichten Gasthofzimmer in Weßling starb, war sie der Welt wohl längst schon abhanden gekommen. Ein gutes Jahr zuvor hatte sie ihre Rolle bei der Versöhnung der beiden Brüder Heinrich und Thomas noch spielen können. Katia hatte dazu das ihrige beigetragen: Nachdem die Schwiegermutter sie über den bedenklichen Zustand des Ältesten in Kenntnis gesetzt hatte – er lag mit Grippe, Blinddarm- und Bauchfellentzündung im Krankenhaus und musste operiert werden, obwohl ein Bronchialkatarrh hinzugekommen war; Lungen- und Herzkomplikationen waren zu befürchten – eilte sie zu Mimì, sprach von ihrer und Thomas' Teilnahme, überbrachte Blumen und schließlich einen Brief von ihm, der weit über den privaten Rahmen der Versöhnung zweier Brüder Bedeutung erlangen sollte, obwohl er gerade die überpersönlichen Probleme aussparte.[68]

Am 29. Januar 1924 aber war es soweit: Katia fuhr für etwa acht Wochen nach Davos ins Kurhaus Clavadel, mit dem Ziel, mindestens zehn Pfund zuzunehmen. Im Oktober war sie in Sestri Levante bei Genua[69], 1926 in Arosa mit Thomas, wovon noch die Rede sein wird. Im August des gleichen Jahres erneutes Kofferpacken: Familienurlaub in der Versilia, im Seebad Forte dei Marmi, ein ähnlicher Misserfolg wie Brioni viele Jahre zuvor. Dieses Mal war es eine Fürstin, die, aufgeschreckt vom (allerdings abklingenden) Keuchhusten der kleinen Kinder der Manns, aus Angst um ihren eigenen Nachwuchs auf dem Umzug der deutschen Gäste in eine Dependance des Hotels bestand.

Auf alles, was als Deklassierung empfunden werden konnte, reagierte Katia womöglich noch stärker als Thomas. Die Familie zog also schnellstmöglich in eine Pension, wo jedoch weitere Feindseligkeiten den Eindruck von Xenophobie aufkommen ließen. Und selbst am Strand gab es Ärger. Die achtjährige Elisabeth wurde am Meer gesichtet, wie sie ihren Badeanzug auswusch: nackt. Was für ein Skandal! Das war ein Fall für die Polizei, die ein Sühnegeld von fünfzig Lire verhängte.

Hoch ist den Eltern daher anzurechnen, dass sie nicht sofort abreisten, sondern den Kindern noch eine freundlichere Seite des Urlaubslandes präsentieren wollten. Die Vorstellung eines Zauberers schien dazu geeignet, enttäuschte aber durch ihren Verlauf, der, sinister, wie er war, Thomas Mann nicht mehr aus dem Kopf ging (und ihn 1930 zu einer Geschichte inspirieren würde, die wiederum nur wenig später vor dem Hintergrund des Faschismus in Europa eine zeittypische Interpretation erfuhr: *Mario und der Zauberer*[70]). Doch viel schwerwiegender als derlei Unbilden, für die die kleinen ja gar nichts konnten, sollten sich in den nächsten Jahren die Probleme mit den großen Kindern erweisen.

Bis 1933 war Katia weiterhin erheblichen Belastungen ausgesetzt. Sie hatte sich darauf einzustellen, dass Klaus selbst die Odenwaldschule verlassen, ja sich mit Geheeb dem Gutwilligen anlegen würde,[71] um nach einem Intermezzo beim Dichter, Alchimisten, Mäzen, Anthroposophen Karl Bernus auf dessen Besitz Stift Neuburg bei Heidelberg schließlich seine von jeder der bisher besuchten Schulen erkannten schriftstellerischen Ambitionen auszuleben. Und nicht nur diese, sondern auch andere, seine Neigung zu Schülern, zu Männern, aber auch zum Strichjungenmilieu betreffend, letztlich zu jedem Milieu, in dem er dekadente Prinzen vermutete und suchte.[72] Von dem Gedanken, dass Klaus Abitur machen würde, nötigenfalls mit Hilfe von Privatunterricht, hatte sich Katia ohnehin verabschieden müssen. Sie war schon froh, dass er seinen Plan, Tänzer zu werden, aufgab. Ihr Zwillingsbruder Klaus Pringsheim würde sich erfolgreich dafür verwenden, dass der erst Siebzehnjährige, der bereits Aufsätze, Lyrik und Dramen verfasste, als zweiter Theaterkritiker beim Berliner *12 Uhr Blatt* akzeptiert wurde.

Erika wollte ihr »Sau Sau Sau Sau-Kotz-Abitur«[73] nicht als Berechtigung zum Studium nutzen. Sie besann sich auf ihre Leidenschaft für die Schauspielerei, begann im September 1924 in Berlin eine Ausbildung an den Reinhardt-Bühnen.[74] Und ging, darin war sie ganz konservativ, mit zwanzig eine Ehe ein – mit dem sehr begabten, sympathischen, aber auch eitlen und ehrgeizigen Berufskollegen Gustaf Gründgens –, deren Struktur entfernt an die ihrer Eltern erinnert: Bei beiden Partnern waren weibliche und männliche Elemente nicht so eindeutig abgegrenzt, wie es in den zwanziger Jahren als Norm galt. Was Katia und Thomas nicht daran hinderte (und vom Brautpaar keineswegs abgelehnt wurde), die Hochzeit am 24. Juli 1926 nach traditionellem Muster auszurichten (Katias Zwillingsbruder und der Brautvater waren Trauzeugen, gefeiert wurde im Feldafinger Hotel Kaiserin Elisabeth), Aussteuer und Brautkranz inbegriffen. Die Hochzeitsreise entbehrte nicht einer gewissen Pikanterie, auf den zweiten Blick wenigstens. Sie ging an den Bodensee, nach Friedrichshafen, wo die Braut, in der Kurliste des Vormonats blätternd, entzückt den Eintrag »Schauspielerin Erika« und »Herr Wedekind« las, das war die von ihr und Klaus geliebte Pamela. Während Gustaf zurück nach Hamburg ging, nahm Erika ein Engagement in München an. Ihre Eltern glaubten noch eine ganze Weile an diese Ehe (der Schwiegersohn bekam Weihnachten 1926 von ihnen einen schönen Schlafrock geschenkt[75]), doch die Verbindung scheiterte, wie übrigens schon im Juli 1924 der Versuch Klaus Manns misslungen war, seine ähnlich unkonventionelle Beziehung zu ebenjener Pamela Wedekind – der höchst stilisierten, höchst leidenschaftlichen Tochter des Dramatikers, die er anlässlich eines Teebesuchs bei Mimì Mann kennen gelernt hatte – in die bürgerliche Verlobungsschablone zu pressen.[76] (Der Vormundschaftsrichter, den der heiratswillige Minderjährige wegen vorzeitiger Mündigkeitserklärung angesprochen hatte, war ihm kühl ins Wort gefallen, er möge erst einmal seine Hände aus den Hosentaschen nehmen.[77]) Katia kümmerte sich jedenfalls, nachdem sie ihre Älteste versorgt glaubte, um die

Zweitälteste: Mit Thomas und Hausfreund[78] Bertram (in noch ungetrübter Harmonie) fuhr sie nach Lausanne zu Moni, die sich dort zur Pianistin ausbilden ließ.

Katia, die Ehefrau: Das bezeichnet auch ihre Stellung im Familienverband. Ihre Erziehung garantierte Gewandtheit im Verfahren der Beendigung des alten Bruderzwists. Auch werden Heinrichs Trennung von Mimì 1928 (die Scheidung erfolgte 1930) und seine 1929 beginnende Beziehung zu Nelly Kröger sie in keine größeren Konflikte gestürzt haben – zunächst.[79] Mit Trauerfällen in der Familie, wie dem Tod der Schwiegermutter und auch dem Freitod ihrer Schwägerin Julia im Jahr 1927[80] wusste sie ebenso angemessen umzugehen, wie sie stilsicher in der Organisation der Familienfeiern war, die in den zwanziger Jahren anfielen: Thomas' 50. Geburtstag, ihr silbernes Ehejubiläum oder die Heirat der Tochter. Katia hatte auch Einfluss darauf, dass die erwachsenen Kinder ihres Vaters Neigung zu jungen Männern wohlwollend-belustigt ansprechen konnten. Und sie mag sich nicht selten zu ihrem guten Instinkt beglückwünscht haben, der sie in die Ehe mit einem Mann geführt hatte, dessen Karriere in den zwanziger Jahren selbst ihre schon nicht geringen Erwartungen übertraf. Die Zeiten, in denen er um des Geldes willen mit seinen Vorträgen durch die Lande tingelte, waren nur kurz gewesen. Zu äußerst ehren- und vorteilhaften Auftritten wurde er nun gebeten – und nahm seine Frau gerne mit. Beispiele?

1923 etwa nach Spanien. »Rückkehr«, so Thomas, »mit einem Schiff der Hapag – unter Ehrenbezeigungen übrigens, die mich immer wieder völlig überraschen und erstaunen, meine Frau aber nicht.«[81]

1924 ging es nach London, man dinierte mit Galsworthy, Wells und Shaw.

1925 folgte Italien: ein Auftritt anlässlich der Internationalen Kulturwoche in Florenz, anschließend eine Woche Lido, Venedig. Wenig später dann eine Reise nach Wien.

Und 1926 war man in Frankreich, genauer: neun Tage in Paris. Der Anlass: ein Vortrag in den Räumen der amerikanischen Carnegie-Stiftung. Thomas Mann sprach vor kleinem Publikum über die Notwendigkeit deutsch-französischer Verständigung, und das zu einer Zeit, in der das Rheinland noch besetzt war und Frankreich sich dem Eintritt Deutschlands in den Völkerbund entgegenstellte. Auf dem Hinweg hatte er Ernst Bertram in Köln besucht[82], um dann Katia in Mainz zu treffen. Von hier aus waren sie gemeinsam mit dem Zug nach Paris gereist, wo sie am 20. Januar um 6 Uhr früh am Gare de l'Est ankamen.[83] Sie stiegen im von der Botschaft gebuchten Hotel Palais d'Orsay ab und genossen Paris wie gewöhnliche Touristen und noch ein wenig darüber hinaus. Katia begleitete ihren Mann zu den Gesellschaften des Botschafters, sie traf dort Schriftsteller wie François Mauriac und Jules Romain, besuchte mit ihm aber auch Emigranten in einfachsten Unterkünften und ließ sich vom Terror in Russland berichten. Die Reise war für beide wohl anstrengend gewesen, denn bei der Rückkehr nach München waren sie gesundheitlich angeschlagen. Thomas nannte die Krankheit Grippe, legte sich ins Bett, stellte die Platte seines Spezialtisches schräg und arbeitete weiter. Wollte er essen, klappte er sie herunter und kam so verhältnismäßig gut durch den Tag. Auch Katia war krank, eine Lungenentzündung, hartnäckiger als seine Unpässlichkeit.

Um sich auszukurieren, fuhren beide am 6. Mai nach Arosa. Thomas blieb drei Wochen – er arbeitete dort weiter am Vortrag zur 700-Jahr-Feier seiner Geburtsstadt –, Katia länger. Sie schrieb ihm am 1. Juni aus dem Waldsanatorium nach Lübeck, erkundigte sich nach seinem Befinden: »Schreibst gar nicht, wie Du dich unten fühlst. Und was machen die Zähne?«[84] Und rügte, dass er es unternahm, »öffentlich die aufgeblasene Null[85] zu besingen, Du bist zu gutmütig und vergisst immer das *ungeheure* Gewicht Deines Namens«. Die Honorarzahlung von 1000 Mark für den Vortrag, den er am 5. Juni hielt, musste Katia zwar später anmahnen, aber das öffentliche Besingen hatte sich dennoch gelohnt: Der Senat machte ihren Mann, der es bekanntlich nicht einmal zum Abitur gebracht hatte, zum Professor! Und während Thomas weiterreiste, nach Hamburg, wo 1600 Menschen ihn reden hören wollten und Erika auf ihn wartete, sorgte sie sich um deren nahe Zukunft: »Wegen Eris Aussteuer soll sie nur mit

Offi [Hedwig Pringsheim] alles besprechen, ich werde auch noch an die Offi deßwegen schreiben; es geht natürlich nicht an, daß die Tochter eines so reichen und berühmten Professors im Bettelkleid das Haus verlässt.« Und sonst? »Ich lebe immer so weiter, lese, übersetze und schreibe Briefe.«[86] Im Oktober des gleichen Jahres begab sich Thomas Mann erneut auf Vortragsreise, wieder war er in Hamburg, wo er seine erste Rundfunksendung zusammen mit Erika Gründgens bestritt. »Die Eri wird es am Ende noch ganz weit bringen, und die Ehe scheint doch, zunächst jedenfalls, auch das Richtige: und auf Enkel legen wir ja nicht solchen Wert«,[87] so Katias Kommentar an den schon weitergereisten Thomas zu einem Brief Erikas. Es scheint, als habe sie nach der Parisreise vorläufig weder die Zeit noch die Kraft gehabt, ihren Mann bei offiziellen Reisen zu begleiten.[88] Bis 1929 aus der Stadt an der Seine erneut eine Einladung kam: Die Librairie Arthème Fayard hob die französische Ausgabe des *Zauberbergs* aus der Taufe, und Katia traf aus diesem Anlass Felix Bertaud und André Gide – den Klaus im Juni 1925 in Paris aufgesucht hatte und dessen gar nicht so heimlich praktizierte Homosexualität (was allerdings Mme Madeleine Gide einiges abverlangte) den Vergleich mit Katias Ehemann und Sohn geradezu herausforderte.

In jenem Jahr 1929 unternahm man jedoch noch zwei, jede auf ihre Weise ganz besondere Reisen. Im Sommer hatten ostpreußische Bewunderer Thomas Mann nach Königsberg geladen. Bevor er dort am 29. August im Goethebund aus dem *Joseph*-Roman las, hatte er mit Katia und den jüngsten Kindern fast vier Wochen im Kurhaus von Rauschen im Samland verbracht, für eine knappe Woche waren sie in den Gasthof Hermann Blodes in Nidden (Nidoje auf Litauisch) auf der Kurischen Nehrung gezogen. »Ein schmaler Strich toten Sandes, an dem das Meer unaufhörlich auf einer Seite anwütet, [und einmal beim Baden Katia und Michael in Bedrängnis brachte] und den in der anderen eine ruhige große Wasserfläche, das Haff, bespült.«[89] Sand, so weit das Auge reichte, bis zu fünfzig Metern aufgetürmte Wanderdünen mit rauchenden Kämmen, Stille, die Angst machte.

Katia erlebte, dass Thomas einmal fürchtete, sich in dieser Leere, die ihn beklommen machte, zu verlieren, und von einem Spaziergang vorzeitig nach Hause floh.

Das Haus in Nidden war da schon gebaut. Der Entschluss dazu war also schnell gefasst worden, der Reiz der von Elchen bewohnten Kiefern- und Birkenwälder, die Strände zur bewegten Ostsee hin, das ruhige tiefe Blau des Haffs, das Farbenspiel des nördlichen Himmels und des Meeres, bei Sonnenuntergang »gold, rot, grün in wildem Durcheinander«[90], das pittoreske Dorf, in dem schon Max Pechstein, Karl Schmidt-Rottluff, Ernst Ludwig Kirchner, Lovis Corinth und andere Motive gefunden hatten[91], dies alles hatte Katia und Thomas Mann sofort sehr eingenommen. »Wir gingen spazieren. Und da war ein erhöhtes Plateau, das an einen Wald grenzte. Man hatte von dort einen sehr schönen Blick auf das Haff. ... Wir sagten: Hier müssten wir eigentlich ein Haus haben. Dieser erste Besuch sollte nicht der letzte sein, das fühlten wir und suchten uns den schönsten Platz auf der Halbinsel für ein künftiges Landhaus aus, das wir uns träumten.«[92] Der Traum war zu realisieren: Die Forstverwaltung verpachtete das Grundstück für neunundneunzig Jahre, eine Baufirma wurde gefunden und der Lokalpoet, der auch Architekt war, wechselte in den nächsten Monaten mit Katia viele Briefe mit Grundrissen, Skizzen zum Wohnzimmer und den anderen Zimmern, Entwurfszeichnungen für einen Lehnstuhl und andere Möbelstücke. Auf den Plänen stand »Sommerhaus Thomas Mann«, es wurde so zum Nachfolger des Tölzer Landhauses Thomas Mann. »Ich habe genau dem Architekten mitgeteilt, was für Räume wir brauchen und wie viel. Und natürlich Wasserleitung, warmes Wasser. Überhaupt ein bisschen Komfort.«[93] Mit den Entwürfen kamen Material- und Farbproben, und unter strenger Ägide Katias geschah »ein wirkliches Wunder: fertig, sauber, ohne Spuren von Bauarbeiten« stand im Sommer 1930 das »brieflich gebaute Haus« wie hingezaubert an seinem Platz.[94]

Ein Platz, der immerhin etwa tausend Kilometer von München entfernt lag! Eine Reisebeschreibung: Nachtzug nach Berlin, dort Verwandtenbesuche, Nachtzug nach Königsberg, Taxi nach Cranz, dann Fahrt mit dem Salondampfer (während der dreistündigen Fahrt bekam man das Visum ausgestellt) nach Nidden. Dort schon beim ersten Eintreffen (nebenbei: mit Poschi-Köchin Maria und deren Sohn Alex, ein einheimisches Fischermädchen würde sie unterstützen) am 16. Juli 1930 großer Empfang: »Jedenfalls«, so Katia, »hatte sich fast die gesamte Bevölkerung am Landungssteg versammelt und begrüsste uns aufs herzlichste. Unter freundlichen Zurufen fuhren wir dann in der von Herrn Blode bereitgestellten Kutsche zu unserem neuen Heim.«[95]

Thomas, der im Jahr zuvor den Nobelpreis für Literatur erhalten hatte, fand es »grotesk«, wenn sein Auftauchen so weit ab von literarischen Zentren »ein wahres Volksfest« auslöste. Aber er genoss seine Popularität wohl auch, sonst hätte er nicht für Ansichtskarten posiert, die man im örtlichen Kramladen kaufen konnte. Es gab dort bald nicht nur Bilder vom Strand mit Fischerhäuschen und typischen Keitelkähnen, vom bisher so genannten »Italienblick«, der nun »Thomas-Mann-Blick« hieß (als »großidyllische Umschau« hatte der Dichterfürst die Sicht von seinem Grundstück bezeichnet, das im Übrigen ganz profan der »Schwiegermutterhügel« war). Auch Bilder einzelner oder mehrerer Mann-Familienmitglieder waren in Umlauf, wie es sich, so Marcel Reich-Ranicki treffend, für die »deutschen Windsors«[96] gehörte: Thomas Mann selbst im dunklen Blazer mit Metallknöpfen, Krawatte, Einstecktuch, heller Hose, weißen Schuhen, Zigarre in der Hand und ein winziges Gläschen auf dem Kaminsims neben einem etwas wackeligen Hortensienstock. Auf dem Foto, das ihn am Schreibtisch sitzend zeigt, fehlt das Glas, er raucht eine Zigarette, trägt die gleiche Kleidung und blickt leicht blasiert-verwegen. Ein drittes Motiv: Sand, Kiefern, rechts im Hintergrund das Sommerhaus, links im Vordergrund Thomas mit seemännischer Mütze zu vorheriger Kleidung, Katia im ärmellosen Sommerkleid im Sand lagernd, Elisabeth und Michael sind neben den Eltern, im Hintergrund ist auch Monika zu erkennen.

Für die beiden Jüngsten wurde Nidden, was für die Ältesten Tölz war. Erika und Klaus würden es erst ein Jahr später kennen lernen, es würde ihr Herz nicht berühren. Von den Mittleren war nicht nur Monika auf der Kurischen Nehrung. Golo[97] verbrachte 1930 fast seine ganzen Ferien dort und arbeitete an seiner Dissertation. Auch ohne dass es ihr so viel wie Thomas bedeutete, Ereignisse ins »Kanonische« einordnen zu können, hatte Katia sicher ihren Spaß daran: Zwanzig Jahre nach der Feier seines Sechzigsten in Tölz, im Landhaus Thomas Mann, beging nun am 2. September ihr Vater den Achtzigsten hier in Nidden, im Sommerhaus Thomas Mann – mit einem Feuerwerk, wie es in jener Gegend wohl noch nie zu sehen war.[98] Wenig später mag Katia sich an das Ende vom Tölzhaus erinnert haben, denn nur zwei Sommer lang würde die Familie ihr Haus noch genießen können. In seinem Arbeitszimmer zwischen orangefarbenen Wänden und rosa Schleiflackmöbeln oder im einzigen Niddener Strandkorb sollte ihr tüchtiger Ehemann nur etwa zweiundzwanzig Wochen daran arbeiten können, der Liste seiner Werke nicht nur einige Aufsätze, Briefe und Reden hinzuzufügen, sondern vor allem *Mario und der Zauberer* sowie Teile des *Joseph*-Romans, des zweiten und dritten Bandes, um ganz genau zu sein. 1932 fuhr Thomas ohne Katia voraus, um in Ruhe zu arbeiten. Sie schrieb ihm Briefe über ihr »ausgelassenes Strohwitwendasein«, kündigte ihre Ankunft mit dem »üblichen Schiff« an und fügte hinzu: »Freust Dich gewiß nur mäßig, aber wirst Dich schon wieder gewöhnen.«[99]

Thomas Mann arbeitete nun also im befreienden und belastenden Bewusstsein, sich Träger des Nobelpreises für Literatur nennen zu können. Am 12. November 1929 nämlich war, nicht ganz überraschend, das Telegramm aus Stockholm gekommen. Katia hätte es ihm selbst aushändigen können. Wollte sie ihre Genugtuung vor ihrem Mann verbergen? Oder, ganz anders, wollte sie ihm signalisieren, dass das ganze Familienteam einen Anteil am Ruhm beanspruchen konnte? Jedenfalls schickte sie Elisabeth und Michael vor, ihm die Nachricht zu überbringen.

Siebzehn Jahre war es her, seit der letzte Deutsche den Preis erhalten hatte, damals war es Gerhart Hauptmann gewesen. In einer stillen Stunde mögen Katia und Thomas ihre Einstellung zu ihm neu definiert haben.

Die Deklassierung von Hiddensee, wo sie im Juli 1924 den

Fehler begangen hatten, im gleichen Hotel wie er, im Haus am Meer, Urlaub zu machen, und wo sie mit ansehen mussten, dass ihm »köstliche Speisen auf die Zimmer hinaufgetragen wurden«, während man ihnen im Speisesaal »sehr mäßiges Essen«[100] servierte, galt nun endgültig nichts mehr. Erika Mann hatte übrigens ihre eigenen Erinnerungen an einen Abend auf Hiddensee: »... dann ging man in die werte Privatwohnung und dort gab es so toll und voll Bowle, daß alle, aber auch alle (mit Ausnahme des Zauberers, versteht sich) recht sehr betrunken waren. ... Unausdenkbar! Ich fuhr Hauptmann durchs schön weiße Häärle und er küßte mich.«[101] Klaus hielt es dort kaum aus, er kehrte ganz allein in die Poschi zurück.

Die Verärgerung Hauptmanns, als er entdeckte, dass Thomas Mann ihn während eines Urlaubs im Herbst 1923[102] in Bozen, im Hotel Austria, so genau studiert hatte, dass er in der Figur Mynheer Peeperkorn im *Zauberberg* ohne weiteres zu erkennen war, mag Katia und Thomas zu diesem Zeitpunkt auch nicht mehr so sehr irritiert haben, hatte sich dieser »Missbrauch« doch zwischen nun Gleichrangigen abgespielt. Übrigens hatte Hauptmann es auch in Bozen nicht lassen können, einem weiblichen Mitglied der Mann-Familie unsensibel zu begegnen. Daran erinnerte sich Katia: »Wir gingen einmal paarweise zusammen nach Hause. Mein Mann ging mit Margarete, Hauptmann mit mir, und war da etwas zudringlich, sagte aber nachher zu meinem Mann: Wissen Sie, wenn ich mit Ihrer Frau gehe – das hat mich so aufgeregt.«[103] Zuvor hatte Thomas Mann allerdings den »Festaktus« Hauptmanns (wie ärgerlich, dass dieser Name immer wie eine Steigerung des vorgenannten erscheint ...) schon als eine »zu Herzen gehende Quasselei« loben können. Und Hauptmann nun als Preisträgerkollege eine Postkarte aus seinem »bescheidenen« Niddener Sommerhaus schicken zu können mag ihn auch gefreut haben.

Als die Vergabe des Nobelpreises an Thomas Mann bekannt wurde, setzte ein unbeschreiblicher Rummel um seine Person ein. Um sich auf seine anstehende Vortragsreise ins Rheinland vorbereiten zu können (sie wurde dann zum Triumphzug), floh er mit dem alten und sehr geschätzten Familienfreund Hans Reisiger nach Oberammergau.

Derweil ließ Katia sich ein Abendkleid arbeiten, das ihr passend fürs Stockholmer Bankett erschien. Dass es ein großes Dekolleté hatte, lag sicher nicht daran, dass sie ihre Weiblichkeit hätte betonen wollen. Fotos dokumentieren, Zeitzeugenberichte belegen »das Maskuline in der Erscheinung Katias«.[104] Zu diesem Anlass lehnte sie sich vielmehr, so erinnerte sich Sohn Klaus, lediglich an die Gepflogenheiten am Hof des letzten deutschen Kaisers an – wohl der Maßstab, der ihr passend erschien. Es wird nicht die einzige Vorbereitung gewesen sein, die sie im Vorfeld dieser großen und wichtigen Reise zu treffen hatte.

Am 6. Dezember war es so weit. Beim Zwischenstopp in Berlin jagte am folgenden Tag bereits ein Programmpunkt den nächsten: Am Vormittag war ein Termin für die internationale Presse vorgesehen, am Nachmittag ein Empfang der internationalen Studentenvereinigung und abends eine Lesung, danach aß man mit Heinrich. Dann ging es nach Stockholm, wo für den Abend des 9. Dezember ein Empfang beim deutschen Gesandten sowie eine Lesung bei der Deutsch-Schwedischen Vereinigung auf der Agenda standen. Der große Tag war dann der 10.: Zum Festakt am Nachmittag trug Katia besagte Robe (auch sie also, wie Thomas, ganz bürgerliche Hoheit):

> »Bei der eigentlichen Feier war es natürlich sehr festlich, aber auch sehr komisch. Da saß der König in seinem Stuhl, Thronstuhl. Die Preisträger waren alle im Frack und sprachen ein paar Worte. Dann wurden sie, einer nach dem anderen, aufgerufen, mußten sich dem Thronstuhl nähern, und König Gustav übergab ihnen das Diplom. Als aber dann der französische Duc [de Broglie, Physiker] das Diplom bekam, stand der König auf und ging ihm ein paar Schritte entgegen. Das fand ich falsch. Dann war das Diner, das Festdiner. Da war es so, daß der König nur neben Personen von Geblüt sitzen konnte; nicht etwa neben der Gattin eines Preisträgers oder irgendeinem der sonstigen Ehrengäste, sondern es mußten hochadlige

Damen sein, denn es war ein großes Diner. Da saß er also zwischen zwei ollen Morcheln, zwei Prinzessinnen. Der Tisch war sehr festlich gedeckt, ein prachtvolles Damasttischtuch lag auf, und wir aßen alle von silbernen Tellern. Der König hatte jedoch auf diesem Damast ein extra Spitzendeckchen, und er speiste ganz allein von Gold. Viele Diener reichten die Speisen herum, aber hinter dem König stand sein Leibjäger, der ihn persönlich bediente. Das waren also die Sitten. Allen anderen wurde von verschiedenen Dienern serviert, aber der König mußte von seinem Leibjäger bedient werden und vor seinem goldenen Teller zwischen seinen Morcheln sitzen. Es war komisch, aber es war auch alles sehr schön und festlich, und wir waren natürlich in gehobener Stimmung.«[105]

Zu Hause waren außer Glückwünschen auch stapelweise Bitt- und Bettelbriefe eingetroffen, da natürlich die Höhe des Preisgelds (ungefähr 200 000 Mark, heute wohl das Fünffache an Wert) allgemein bekannt war. Thomas konnte damit nur schlecht umgehen. Katia fiel es leichter, eine Auswahl zu treffen, an wen und in welcher Höhe Zuwendungen gehen sollten. Auch den Niddener Bauplänen tat der Stockholmer Geldsegen natürlich gut. Ein neues Grammophon, neue Platten dienten dem Behagen des Schriftstellers[106], und voller Stolz konnte er nun seinen Fuhrpark betrachten: Schon Ende 1923 war eine Garage gebaut und ein Fiat-Cabriolet, in dem sechs Personen Platz hatten, angeschafft worden. (Damals wohl von Bedeutung: Heinrich Mann war früher als sein Bruder Autobesitzer geworden!) In Fahrbereitschaft gehalten und gesteuert wurde das luxuriöse Gefährt zunächst von Ludwig; er stand für alles Mögliche in den Diensten der Familie. Doch da der junge Mann (der als Xaver in *Unordnung und frühes Leid* in die Literaturgeschichte eingehen würde) mit dieser Aufgabe überfordert war, musste ein Chauffeur eingestellt werden: Joseph, krummbeinig, langnasig, gewitzt, mit Kenntnissen als Schlosser und Elektriker. Und nun, nach Erhalt des Preises, kamen zum Fiat ein offener Buick und eine Horch-Limousine hinzu. Doch damit nicht genug der Investitionen in Mobilität. Erika und Klaus Mann hatten eine

Weltreise (vom 24. Mai 1930 bis zum 6. Juni 1931 waren sie ab Rotterdam nach Amerika, Honolulu, Japan, Korea, China, Russland gefahren) und darum Schulden gemacht, die von dem Preisgeld großzügig beglichen werden konnten. Katia und Thomas würden sich eine Studienfahrt nach Ägypten gönnen. Und das war noch immer nicht alles. Zwar erinnerte sich Katia später nicht mehr daran, aber ihr Mann hinterließ Notizen, nach denen die Hälfte des Geldes auf nichtdeutsche Konten geflossen war.[107]

Katia fuhr also mit Thomas in den Orient. Für sie neu, für ihn eine Wiederholung: im Frühjahr 1925 hatte er die Einladung der zum großen Stahl- und Kohlekonzern gehörenden Stinnes-Linien angenommen, an einer Mittelmeerkreuzfahrt teilzunehmen und darüber in der *Vossischen Zeitung* zu berichten. Dadurch und auch durch seine Briefe hatte Katia eine Vorstellung vom Verlauf der Reise bekommen, von der Unterbringung, dem Tagesablauf, dem Zusammenleben an Bord mit hundertsechzig Passagieren, den Stationen nach dem Auslaufen in Venedig am 23. März 1925 auf der Route Kotor, Port Said, Kairo, mit Abstecher im Schlafwagen nach Luxor und Karnak, dann weiter nach Konstantinopel, Athen (wo Thomas sich im Auto zur Akropolis – von dort Gruß an Heinrich – chauffieren ließ), Messina …[108] »Die Gesellschaft teils uninteressant, teils minderwertig, das Schiff schrecklich voll, er fühlt sich einsam … denkt sogar daran am 23. in Neapel auszusteigen, ich denke aber bestimmt, er tut es doch nicht«[109], so Katia damals an Erika. Sie hatte sich geirrt, er verzichtete auf die Weiterreise nach Barcelona, brach tatsächlich die Reise in Neapel ab. »Die Gesellschaftsreise allein hat ihm nun mal nicht gefallen«[110], und so war er schnellstens zurück nach Hause gefahren, zu Katia und den Kindern, wo er sich geborgen fühlte. Seine Wahrnehmung war wohl geschärft, denn in nur zwei Wochen schrieb er dann *Unordnung und frühes Leid* herunter, die Erzählung, als deren Vorbilder Katia unschwer die Mitglieder seiner Familie und die Poschi als Kulisse ausmachen konnte. Doch war das literarische Tableau natürlich nicht vollständig. Es ließ aus, was den Lesern nur zu banal vorkommen musste, Katia allerdings einige Zeilen an Erika wert war: »Leider gab es ein fürchterliches malentendu mit dem Zauberer«, alberner Anlass, Sichverfehlen in der Stadt »übrigens offensichtlich durch seine Schuld«, die beiden warteten eine halbe Stunde aufeinander. »Ich ärgerte mich recht, er aber tobte bei seiner Heimkehr dann doch so, in Gegenwart … der schreckerstarrten Kinder, dass ich wohl leider nie mehr mit ihm reden kann. Traurig!«[111] Traurig, wenn es tatsächlich so gekommen wäre.

Nun, fünf Jahre später, kurz nach ihrer Silbernen Hochzeit, fand Katias erste und Thomas' zweite Orientreise statt. Wissenschaftlich begleitet wurde sie von dem Münchner Ägyptologen Professor Wilhelm Spiegelberg, der das Unternehmen auch vorbereitet hatte. Denn war es bei der Alleinreise Thomas Manns noch um erste Eindrücke von möglichen Schauplätzen für den *Joseph*-Roman gegangen, wollte er nun genauer hinschauen. Erstes Etappenziel war Genua, von dort liefen sie aus zu einer stürmischen Überfahrt nach Alexandria. Was Thomas einst berichtet hatte, Katia konnte es nun mit eigenen Eindrücken vergleichen: von den »vielen geräumigen Schubladen unter dem Bett und in der Kommode« bis zur »üppigen« Verpflegung an Bord (die man sich, »bedient von einem Heer weißer Jacken«, »nicht ohne Förmlichkeit« einverleibte, will sagen, zum Sieben-Uhr-Diner trug man Gesellschaftskleidung) und zum »Tanz auf fahnengeschmücktem, mit Talkum bestreutem Deck«. Kairo und Umgebung zu sehen, von Spiegelberg geführt, war Ziel der nächsten Etappe. Dann trennten sie sich von ihm und fuhren auf dem Nil bis nach Assuan. Vieles Fremdartige mag Katia auf diesem Reiseabschnitt beeindruckt haben – worüber man allerdings am besten Bescheid weiß, ist, dass sie an Amöbenruhr leidend nach Kairo zurückkam und sofort ins Krankenhaus musste; dass Thomas allein nach Jerusalem fuhr, um dort einen Vortrag zu halten; dass Katia nachkam und, da auch er krank geworden war und sie einen Rückfall erlitten hatte, beide das deutsche Hospital dort aufsuchten, wo Katia erneut liegen musste und die Heimreise sich verschob.[110] Ein Brief ist erhalten, den sie ihm aus dem Hotel Semiramis in Kairo schrieb:

»Liebster Lämmlein,
So ein Ärgernis! Dr. Schlesinger war da, und sagt, es sei zweifellos Ruhr, ganz leicht, aber es muß gleich energisch behandelt werden, sonst können wir am Freitag nicht weiter reisen, und das ist nur in der Klinik zu machen. Um keine Zeit zu verlieren und so ruhig wie möglich mit der Behandlung anzufangen, habe ich unter heftigem Pusten[?] gleich meine Sachen gepackt und fahre nun hin. Habe eben auch mit dem guten Dr. Meinhof telefoniert, der sagt auch, am besten sei es, gleich in die Klinik zu gehen, dann sei so ein leichter Anfall in zwei bis drei Tagen vorüber. Ich wollte erst auf Dich warten, aber dann dachte ich, es ist doch besser, keine Zeit zu versäumen, und ich dürfte im Hotel auch gar nicht essen, da eine ganz genaue Diät die Hauptsache sein soll nebst widerlichen Spülungen. Gott hat uns etwas geschlagen, doch … in wenigen Tagen ist es wieder vorbei. Nimm nur gleich ein Taxi und komm in die Klinik (es ist nur einige Minuten entfernt), damit wir dies und das besprechen. Es ist die *Diakonissen*klinik.
Häsin«[113]

Ein netter Brief, ein netter, entspannter Umgangston zwischen »Lämmlein« und »Häsin«. »Manuskript habe ich mitgenommen«, Katias mit Rotstift geschriebener Vermerk auf dem Umschlag zeugt von der für sie typischen Umsicht. Ganz sicher war sie ihrem Mann eine tüchtige und zuverlässige Hilfe – Musen allerdings wurden ihm mehr und mehr junge Männer. Dass sie mit der Zeit einen immer selbstverständlicheren Umgang mit Homo- und Bisexuellen pflegte, kam nicht von ungefähr: nach ihrem Zwillingsbruder, nach den Söhnen Klaus und Golo, der Bekanntschaft mit Bertram, mit Gide, nachdem sie mitbekommen hatte, wie ihr Mann 1919 in Glücksburg auf Oswald Kirsten, im Sylter Urlaub 1927 auf Klaus Heuser reagierte (Thomas wird ihr Einverständnis eingeholt haben, bevor er den Siebzehnjährigen für Oktober nach München einlud). Oder auch wenn sie beispielsweise an den *Tod in Venedig* dachte und an die so merkwürdig unter seiner sonstigen »rednerischen Fertigkeit«[114] gehaltene Stockholmer Nobelpreisansprache, in der er als Protestant seltsamerweise auf Sankt Sebastian, den »Schutzheiligen« der Schwulen, als seinen Lieblingsheiligen zu sprechen kam, konnte sie auch seinen Aufsatz *Über die Ehe* ohne Überraschung lesen. »Es ist ein ziemlich umfangreiches Dokument geworden, hochmoralisch, und enthält auch eine prinzipielle Auseinandersetzung mit der Homoerotik, ei, ei. Es hat Mielein sehr gefallen«, hatte Thomas Mann am 16. August 1925 erklärt.[115]

Eros, so verstand er ihn auch, zwinge dazu, »einen Menschen, der vielleicht nichts bedeutet außer dem, was er dem anderen ist, bedingungslos bejahen zu müssen«.[116] So erklärt, so verstanden, konnte Katia sicher gut auf diese Art der Zuwendung verzichten. Mit welchen Gefühlen sie ihres Tommys Widmung in ihrem Exemplar von *Mario und der Zauberer* las, wissen wir nicht. Sie lautete: »Dem Schwesterherzen von Herzen«[117] …

Was an Deutungen des Verhältnisses der beiden untereinander plausibel erscheint, kann vom 2. Dezember 1921 bis zum 14. März 1933 nicht anhand täglicher Aufzeichnungen Thomas Manns überprüft werden, er hat sie selbst vernichtet. Nachdem er sie noch zwölf Jahre lang mit sich herumgeschleppt, auf ihren vorübergehenden Verlust mit Panik reagiert, sie mit nach Frankreich, in die Schweiz und nach Amerika genommen hatte, vernichtete er sie am 20. Juni 1944 oder am 21. Mai 1945 im Garten seines Hauses in Pacific Palisades. Erstaunlich ist das nicht zuletzt auch, weil sie Jahre umfassen, die er als außerordentlich erfolgreich ansehen konnte. Hatte er das wirklich allein so beschlossen? Hatte er sich mit Katia besprochen? Hatte sie etwa den Anstoß dazu gegeben? Weil etwas darin enthalten war, was sie betraf oder den Kindern schaden konnte?

1930 schien es jedenfalls, als wäre ihre Welt noch in Ordnung zu halten. Katias Aufmerksamkeit entgingen natürlich die vielfältigen Alarmzeichen nicht: 1929 in Stockholm die Warnung des jüdischen Journalisten vom *Berliner Tageblatt*, das Preisgeld nicht mit nach Deutschland zu nehmen.[118] Im Sommer 1932 die anonyme Sendung eines verkohlten, gerade noch identifizierbaren *Buddenbrooks*-Exemplars.[119] Im Januar des gleichen Jahres hatte Erika vor der Internationalen Frauenliga gesprochen und musste Beschimpfungen wie »bolschewistische Furie«, »plattfüßige Friedenshyäne« und »blasierter Lebejüngling« dafür hinnehmen, wie auch die Stornierung vertraglich zugesicherter Auftritte als Schauspielerin.[120] Selbst Elisabeth hatte sich bereits positioniert, indem sie Mitglied der antinationalsozialistischen Paneuropa-Vereinigung Sektion München wurde, deren Ehrenvorsitzender ihr Vater war – der sich auch durch Reden einmischte, wie im Monat nach der Reichstagswahl, am 17. Oktober 1930, mit seinem *Appell an die Vernunft* im Beethovensaal der Berliner Singakademie, bei dem zwar der Beifall die Störversuche der Hakenkreuzler zu übertönen vermochte, der alte Freund Bruno Walter ihn aber dann schnell über die Hintertreppe und durch die benachbarte Philharmonie zu seinem im Hof wartenden Wagen retten musste. Worüber Thomas Mann sich an diesem Tag unter anderem kritisch geäußert hatte: die neuerdings erkennbare Hinwendung zur »Naturreligiosität«, die aus der »heilig gebärerischen Unterwelt« des »mütterlich-chtonischen« komme. Seine Erfahrungen mit sich selbst und Katia hatten ihn gegen Anfälligkeiten auch in dieser Richtung gefeit.

Aber auch mit den Münchnern vertrug er sich nicht mehr gut, er sah Anzeichen dafür, dass das Kulturzentrum zur patriotischen Provinzstadt zu verkommen drohte, und sagte das auch öffentlich. Und Münchens oft überkritische, gehässige Presse posaunte jede Vergesslichkeit beim Umzug der Mannschen Bürgerwelt in die Republik hinaus. Andererseits war die Achtung der Bechers und Tucholskys für ihn auch nicht zu gewinnen. Diese Kollegen aus der Preußischen Akademie der Künste, Sektion für Dichtkunst, waren durch den Einsatz eines Nobelpreisträgers gegen Schmutz- und Schundgesetze nicht zu beeindrucken, auch nicht durch solide Arbeit, wie beispielsweise auf Anfrage die zehn besten Bücher der zwanziger Jahre zu empfehlen.

Mit mindestens gleicher Aufmerksamkeit wie die politische Entwicklung verfolgte die kaufmännisch denkende Katia Ende der zwanziger Jahre eine Auseinandersetzung anderer Art: Im Sommer 1929 hatte der Geschäftsführer des Knaur Verlags, Adalbert Droemer (mit ihm war Thomas Mann verbunden, seit er zwei Jahre zuvor Mitherausgeber der Reihe »Romane der Welt« geworden war), 100 000 Mark auf die Hand geboten für die Rechte, die *Buddenbrooks* in einer Auflage von einer Million Exemplaren, das Stück für 2,50 Mark, herauszubringen. Über diese Rechte[121] verfügte Thomas Mann allerdings nicht allein, Samuel Fischer musste der Übertragung zustimmen – und weigerte sich. Sein Schwiegersohn, Gottfried Bermann, suchte und fand die Lösung dieses Konflikts, indem er Buchhändler wegen der Absatzchancen befragte, seinerseits kalkulierte und feststellte, dass man auch 2,85 Mark pro Buch verlangen konnte, was dazu führte, dass er Droemer um 25 000 Mark überbot. »Ein Riesenerfolg« sei die Sache gewesen, erinnerte Katia sich später – und überaus lukrativ obendrein, für den Verlag wie das Ehepaar Mann.[122] Doch auch für sie waren die wenigen fetten Jahre bald vorbei, und Katia hatte zunehmend mit Schwierigkeiten zu kämpfen: auf Grund der politischen Orientierung ihres Mannes sank die Akzeptanz seiner Arbeit, was sich, sobald die Nationalsozialisten in Deutschland an die Macht kamen, unweigerlich auch auf die Einnahmen auswirkte. Und schließlich war Thomas Mann mit einer Jüdin verheiratet – was Katia nie sonderlich wichtig genommen hatte, würde sie bald interessieren müssen. Dafür sorgten schon Presseerzeugnisse wie der *Völkische Beobachter*, der »schwerreiche Jüdinnen in Pazifismus und Salon-Bolschewismus – Bayerische Prinzessinnen auf dem Aushängeschild des Ghettos von Bogenhausen« anprangerte. Andere spannten zum bedrohlich stilisierten »Walkürenritt« der »Holdesten der Holden … Vicky Baum, Frau Gerhart Hauptmann, Frau Thomas Mann« zusammen.[123]

1930 hatte mit dem Einzug ins Niddener Sommerhaus einen Höhepunkt in der privaten Erfolgsgeschichte gebracht, aber die *Deutsche Ansprache, Appell an die Vernunft*, hatte im gleichen Jahr auf das Gefahrenpotenzial der Entwicklung hingewiesen, die im Land zu beobachten war. Auch Erikas Drang nach Eskapaden wurzelte wohl in der Vorausahnung kommender Katastrophen. Fluchtgedanken wandelte sie um in Energie: Vom 24. Mai bis zum 6. Juni 1931 nahm die leidenschaftliche Autofahrerin mit Ricki Hallgarten an einer Europa-Ralley teil – und gewann. Im Jahr darauf plante sie mit Annemarie Schwarzenbach[124], Klaus und Ricki wieder eine Reise, sie sollte nach Persien gehen und würde tragisch enden, bevor sie begann. Das Thema »Mann-Familie« hatte inzwischen seinen festen Platz in den Klatschspalten der Nazi-Presse. Sie sei, so las man immer öfter, ein »Münchner Skandal«[125], »der auch zu gegebener Zeit seine Liquidierung finden muß«.[126] Der offenbar unbeeindruckte Vater schrieb und redete weiter, wie er es für nötig hielt, sei es vor Ottakringer Arbeitern[127], sei es auf seiner Goethe-Reise, die ihn durch drei europäische Länder führte[128], bevor er (nach Berlin und vor Nürnberg, Frankfurt am Main und schließlich München) 1932 in Weimar über den Dichter sprach, dessen Todesdatum sich zum hundertsten Male jährte. Die Redemanuskripte, *Goethes Laufbahn als Schriftsteller* und *Goethe als Repräsentant des bürgerlichen Zeitalters*, waren von Erika überarbeitet und gekürzt worden, Katia hatte die Rolle der Reisebegleiterin des Nobelpreisträgers übernommen – und durfte verblüfft feststellen, dass sie in Weimar eine Eintrittskarte kaufen musste, um seine Ansprache hören zu können. In Arbeitsteilung würden Mutter und Tochter auf Jahre hinaus Thomas Mann mit Komfort umgeben, was nicht ohne Eifersüchteleien abging.

Auf Goethe folgte Wagner, dessen fünfzigsten Todestag man 1933 beging. Wieder war eine Vortragsreise geplant, nach dem Auftakt in München standen Amsterdam, Brüssel und Paris auf Katias Fahrplan.

Ihm wehe der schauerliche Hauch des Nichts entgegen, so tönte es von München nach Berlin, nachdem die letzte Quartalsabrechnung vom Fischer-Verlag für das abgelaufene Jahr eingetroffen war. Also musste das Reden Ertragsrückgänge des Schreibens ausgleichen, 1932 mussten Verträge für eine neue Tournee abgeschlossen werden. Anfang Februar 1933 fuhren Katia und Thomas ein paar Tage nach Garmisch, um sich auf die bevorstehenden strapaziösen Wochen einzustellen. Am 10. Februar urteilte Klaus Mann über den ersten Vortrag in München in seinem Tagebuch: »Besonders schön, vielschichtig: persönlich gewendet. Einige grosse stilistische Höhepunkte … Nicht sehr voll, aber gutes Publikum.«[129] Die Worte des Vaters hatten den Sohn tief berührt. Sie klangen nach Verführung, Sympathie mit dem Abgrund und letztlich Überwindung der Verführung durch Verdrängung. Todesverbundenheit als Teil des Lebensgefühls, das war auch Klaus Mann vertraut, aber er ging anders damit um: »Rausch (sogar Todesrausch) immer als Steigerung des Lebens, dankbar akzeptiert«.[130]

Die Drogenerfahrungen des Sechsundzwanzigjährigen und auch das reale Leben verbanden sich wohl zu dieser Bewertung, die Katia schaudern lassen musste, wie auch der Schock des 5. Mai 1932 ihre Welt einmal mehr ins Wanken gebracht hatte. An diesem Tag hatte in der Poschi das Telefon geklingelt, und selbstverständlich war Katia es, die die Nachricht entgegennahm: Ricki Hallgarten war tot in seinem Sommerhaus aufgefunden worden. Er hatte sich erschossen, einen Zettel hinterlassend, man möge sie benachrichtigen – und damit Klaus und Erika, mit denen er am nächsten Tag zu der großen Persienreise hatte aufbrechen wollen, von der schon die Rede war. Mit der Möglichkeit der Selbsttötung junger Menschen war Katia schon vor diesem Datum in schrecklicher Weise vertraut: 1928 hatte Arthur Schnitzlers Tochter Lili in Venedig Suizid begangen. 1929 hatte Hugo von Hofmannsthals ältester Sohn Franz sich während eines Gewitters durch einen Schuss in die Schläfe getötet, der Vater starb wenige Stunden vor dem Begräbnis an einem Schlaganfall.

Die von Klaus Mann hervorgehobene »persönliche Wendung« der Behandlung des Wagner-Themas durch seinen Vater blieb in Zeiten Hitlers, der seine Begeisterung für den Komponisten alles andere als persönlich wenden wollte, unerheblich. Vieles, was am Wagner-Thema Thomas Mann berühren musste, der Antisemitismus etwa, blieb unausgesprochen. Aber der Vorwurf des »ästhetisierenden Snobismus« wurde dem so vorsichtigen Redner nicht wegen seines Schweigens in Bezug auf Anstößiges zuteil, sondern weil man nichts als Lob hatte hören wollen. Als die *Neue Rundschau* im April eine gedruckte Fassung der Rede veröffentlichte, gab deren Inhalt »den Gralshütern des nationalistischen Wagner-Kultes« Anlass, einen »Protest der Richard-Wagner-Stadt München« gegen die »Herabsetzung unseres großen deutschen Meisters« zu formulieren, der am 16. April in den *Münchner Neuesten Nachrichten* erschien. Die Nähe der Unterzeichnenden zur Familie Mann (an der Spitze der Initiator Hans Knappertsbusch, Dirigent, der noch 1932 für Medi und Bibi – die einen Taktstock von ihm besaßen, der ihm während eines Konzerts aus der Hand geflogen und zwischen ihnen gelandet war – Porträtfotos signiert hatte; Olaf Gulbransson, Zeichner, mit Katia eng befreundet; Hans Pfitzner, dessen *Palestrina* Thomas Mann in den *Betrachtungen eines Unpolitischen* ein eigenes Kapitel gewidmet hatte; Richard Strauss und viele mehr) und die Uneindeutigkeit ihrer Motive machten ihr Vorgehen nicht besser.

Als der »Protest der Richard-Wagner-Stadt München« erschien, waren Katia und Thomas schon im Ausland, am 11. Februar hatten beide München verlassen, am 13. hielt er seinen Vortrag im Conzertgebouw in Amsterdam, am 14. waren sie in Brüssel, in Paris vom 22. bis 26. Februar, danach in Arosa für zwei Erholungswochen vor der geplanten Rückkehr nach München. Doch immer wieder erreichten die Eltern Appelle ihrer beiden Ältesten, die erst unbestimmt, dann unmissverständlich klar machten, dass eine Rückkehr nach Deutschland unterbleiben musste. Katia war durchaus bereit, dies in Betracht zu ziehen: Am 5. März 1933 verfolgte sie in Arosa am Radio den Ausgang der Reichstagswahlen und kommentierte hotelöffentlich: »Es ist doch überhaupt lächerlich! Das sind doch gar keine freien Wahlen. Die Opposition haben sie ja zum größten Teil eingesperrt.«[131]

Erika hatte ja schon seit vielen Monaten nicht umhin gekonnt, die politische Stimmung genau zu registrieren. Ihre Schwierigkeiten, ein Engagement zu finden, hatten sie für ein neues Projekt frei gemacht: die Gründung des Kabaretts Pfeffermühle. Zehn Wochen hatte sie nur gebraucht, um Programm und Ensemble zusammenzustellen, am 1. Januar 1933 konnte die erste Vorstellung stattfinden. Katia war mit ihrer Mutter dabei gewesen[132] und hatte später in der Poschi so etwas wie eine Premierenparty ausgerichtet.

Die Pfeffermühle: Das war zweifellos ein Projekt, an dem Erika sich mit bestem Gewissen austoben konnte, in diesen Zeiten jeder Mühe wert. Die Rettung des Manuskripts und der Materialien zu Thomas Manns drittem *Joseph*-Band aus München wäre das allerdings auch gewesen. Mit Klaus sei sie, so wurde später erzählt, nach der Machtübernahme für zwei Tage in München gewesen. Vom nazitreuen, aber in dieser Sache familienloyalen Chauffeur Hans Holzner über ihre Gefährdung aufgeklärt, habe sie geistesgegenwärtig die Papiere an sich genommen und sie unverzüglich in die Schweiz gebracht, um sie in die Hände ihres Vaters zu legen. Eine schöne Geschichte – die der näheren Überprüfung nicht standhielt.[133]

1933–1938
Die Familie im europäischen Exil – und nichts geht ohne Katia

Arosa. Momentaufnahmen.

»Mittwoch den 15. März 33
... Heute Morgen bin ich ... frei von dem krankhaften Grauen, das mich seit zehn Tagen stundenweise, bei überreizten und ermüdeten Nerven beherrscht. Es ist eine Art von angsthaft gesteigerter Wehmut, die mir in gelinderem Grade von vielen Abschiedserlebnissen her vertraut ist. Der Charakter dieser Erregung, die neulich nachts, als ich zu K. meine Zuflucht nahm, zu einer heftigen Krisis führte, beweist, daß es sich dabei um Schmerzen der Trennung von einem altgewohnten Zustand handelt, um die Erkenntnis, daß eine Lebensepoche abgeschlossen ist ...
Was K. und mich betrifft, so erhält sich, in Erwartung von Reisigers Antwort, der Plan, daß ich morgen oder übermorgen zu ihm nach Seefeld fahre, während K. mit Medi vorläufig in die Poschingerstraße zurückkehrt, um die dort fälligen Vorkehrungen und Standard-Änderungen durchzuführen. Während ich schreibe, überbringt sie mir die neue Idee, auf die Einladung der Werfels zurückzukommen und für einige Zeit zusammen in ihrem Hause in Venedig Wohnung zu nehmen. Ein stimulierender Gedanke, obgleich die Freundschaft zwischen der italienischen und deutschen Obrigkeit und der ›Mario‹ dagegen sprechen. ...
Ich holte nach dem Ankleiden K. vom Ski-Platz ab, und wir gingen bei reinster Himmelsbläue spazieren. ...

Die Ratsamkeit von K.'s Rückkehr neuerdings in Frage gestellt, während doch ihre Gegenwart in der Poschingerstraße aus vielen Gründen notwendig …«

»Donnerstag den 16. III
… Die Trennung von den Meinen flößt mir Furcht ein, obgleich ich mich dessen schäme. Verzweiflung an meiner Lebensfähigkeit nach der Zerstörung der ohnehin knappen Angepaßtheitssituation.
»Nervöse Krisis im Gespräch mit K., die zu einer gewissen Beruhigung führte. Beschluß, uns vorläufig nicht zu trennen, sondern morgen nach Lenzerheide zu fahren und K.'s Reise nach München zu verschieben, zumal auch ihre Sicherheit dort nicht unbedingt gewährleistet wäre. …«

»Lenzerheide, Sonntag den 19. III. 33
Ich nahm gestern abend ein Adaline und beim Schlafengehen noch eine Phanodorn-Tablette…
K. telephonierte gestern Abend mit Medi. Sie ist in der Schule von Lehrern u. Mitschülerinnen aufs herzlichste aufgenommen worden. Im Hause kein Zwischenfall, keine Nachfrage. Golo trifft heute aus Göttingen dort ein. Wegen meiner alten Tagebücher u. Papiere, die anfangs charakteristischer Weise meine Hauptsorgen bildeten, bin ich jetzt ziemlich beruhigt. …«

»Lenzerheide, Montag den 20. III.
… Sehr müde, wie auch Katia. Wir nehmen Adaline zum Pfefferminzthee.
K. sorgte sich um die Kinder, über deren Unberührtheit von den Ereignissen ich sie aus Überzeugung beruhigte. …«[1]

Katia mit Thomas allein im Chalet Canols[2] in Lenzerheide. Wenn er vor dem Morgengrauen erwachte, wenn »Exitation, Ratlosigkeit, Muskelzittern«[3] sich so steigerten, dass er fürchtete, die Besinnung zu verlieren, stand sie ihm bei, redete ihm gut zu, versorgte ihn mit Luminaletten und Kompressen. War er ruhig, versuchte Katia beim Skifahren ihre Anspannung loszuwerden. Allerdings: Als Standort für die nächste Zeit war das Wintersportdorf ungeeignet. Sie mussten die Nähe von ihresgleichen suchen. Das Parkhotel in Lugano, von Franks, Hauptmanns, Fischers besucht, wurde in Erwägung gezogen, doch zunächst entschieden Katia und Thomas sich für das nicht weit davon entfernte Montagnola, den Wohnort Hesses. Dort bezogen sie Zimmer im Hotel Bellevue, »durchaus sympathisch, mit schönem Blick ... beklemmend durch Abgelegenheit, Primitivität, Kümmerlichkeit«.[4] Was auch durch eine von Hesses geliehene Gummibadewanne nicht beseitigt werden konnte, so dass Katia den durch solches Ungemach leicht auszulösenden Panikattacken ihres Mannes standzuhalten hatte. Sie organisierte also den Umzug nach Lugano ins Hotel Villa Castagnola, das ihn durch vertrautes Niveau beruhigte. Dabei waren auch ihre Ängste erheblich. Es zog sie nach München zu den Kindern und zu ihren Eltern, doch Hedwig Pringsheim warnte: Man habe schon den Frauen die Pässe abgenommen, um die Männer zur Rückkehr nach Deutschland zu nötigen. Außerdem war Katia zu Ohren gekommen, sie sei wegen ihrer bekannt aufsässigen Reden in München besonders gefährdet. Auch Klaus und besonders Erika versuchten durch mehr oder weniger verschlüsselte telefonische Botschaften den Eltern klarzumachen, dass sie keinesfalls zurückkommen durften.[5] Es galt also, den Gedanken an ein längeres Exil aufzunehmen und einen Ort zu suchen, wo so etwas wie ein neues Zuhause zu schaffen war.

Dazu brauchten sie Geld und Papiere. Wegen der Vermögenstransaktionen und in der Angelegenheit des inzwischen abgelaufenen Passes von Thomas berieten er und Katia sich mit mehreren Anwälten[6] und dem Konsulat. Von Golo kam aus München die alarmierende Nachricht, dass alle drei Autos von der Politischen Polizei abgeholt und »sichergestellt« worden waren. »Abscheulicher Choc und schwere Depression ... lag dann auf der Chaiselongue, während K. bei mir saß.«[7] Thomas Mann grübelte darüber nach, ob er zur Expatriierung gezwungen, ob sein ganzer Besitz beschlagnahmt werden sollte – und wollte doch glauben, dass sich der bayerische Volkscharakter, die katholische Natur in absehbarer Zeit durchsetzen würden und ein Leben in München wieder möglich sein könnte.[8] Sicherheitshalber erwog er sogar, einen »ernsten«, seine »Verbundenheit mit Deutschland aussprechenden Brief« an den Reichskommissar für Bayern zu schreiben.[9]

Katia reagierte anders, sie riet ihrem Mann, »auf das Münchener Haus und Vermögen innerlich zu verzichten«[10], und besichtigte mit ihm Immobilien: eine »hoch und schön gelegene Villa«[11], die in Lugano zum Verkauf stand, und später, als sie in Basel waren, ein »Haus am Rhein … außerordentlich ansprechend und stimmungsvoll«[12].

Aus München trafen Kleiderpakete ein, Katia hatte Marie Kurz, der Hausdame in der Poschi, telefonisch durchgegeben, was sie an Sommersachen und Wäschevorräten brauchen würden. Den Auftrag zum Nachschicken der Tagebücher hatte Thomas Mann Golo schriftlich erteilt und den Schlüssel zum so genannten Schließschrank in der Diele mitgeschickt, in dem die Tagebücher gestapelt waren, jedes rund zweihundert fortlaufend beschriebene Seiten stark. »Ich rechne auf Deine Diskretion, daß Du selber diese Hefte nicht liest.«[13] Ein Gebot, das Golo, nichts spricht dagegen, ernst nahm. Er schloss sich ein, um die rund fünfzig in Wachstuch oder Pappe gebundenen Hefte in einen Koffer zu packen. Mag sein, dass er sich für den Geschmack des Chauffeurs zu lange zurückgezogen hatte, mag sein, dass das Einschließen dessen Aufmerksamkeit erregte: Holzner bot jedenfalls an, das Gepäckstück zum Bahnhof zu bringen und dort als Eilfrachtgut aufzugeben. Wollte er Golo damit wirklich gefällig sein? Katia und Thomas vermuteten: nein. Am 10. April war der Koffer in Holzners Hände gelangt, der ihn, so die für die Manns gültige Version der Geschichte, direkt ins Braune Haus zur Politischen Polizei brachte. Als man ihn dort geöffnet hatte, konnte man wohl mit dem Inhalt auf den ersten Blick nichts anfangen, lediglich die obenauf liegenden Verlagsverträge weckten Interesse, für den zweiten, längeren Blick war man zu bequem. Die unverhohlene Nazianhängerschaft des Chauffeurs ließ das alles plausibel erscheinen.[14] Als der inzwischen von Katia und Thomas beauftragte Münchner Anwalt Valentin Heins die Herausgabe des entwendeten Koffers verlangte, erhielt er ihn tatsächlich.

Heins brachte ihn selbst nach Lugano zu Bruno Frank, der ihn nach Bandol schickte. Am 19. Mai traf das Gepäckstück dort ein, womit der Spuk, der Thomas Mann zu wirklicher Verzweiflung bis hin zu »Selbstabschaffungsplänen« gebracht hatte, endlich ein Ende fand. »K. u. ich saßen viel Hand in Hand. Sie versteht halb und halb meine Furcht wegen des Kofferinhalts.«[15]

Manns waren also nicht mehr in Lugano, sie waren in Bandol. Mitte April war erstmals der Gedanke aufgekommen, nach Südfrankreich zu gehen. (Nebenbei: Golo hatte mit Medi am 3. April München verlassen und sie über Zürich nach Lugano gebracht. Drei Tage später kehrte er in die Poschi zurück, wo ihn die briefliche Bitte seines Vaters zur Expedition der Tagebücher erreichte. Monika war zu der Zeit Musikstudentin in Florenz und Michael Schüler im Landerziehungsheim Schloss Neubeuern. Ostern verbrachten beide in Lugano).

Vielen Menschen, darunter längst vertrauten, waren Katia und Thomas während der ersten Zeit ihrer Emigration begegnet, das gemeinsame Durchsprechen der Nachrichten aus Deutschland tat ihnen gut und belastete sie zugleich. Katia musste erkennen, dass ihre Eltern – samt der einzigartigen Majolika-Sammlung – in Deutschland alles andere als sicher waren und dass sie nicht einfach hinfahren und alle und alles herausholen konnte. Schlimmer: Die Tatkräftige hatte zu akzeptieren, dass ihr vierundzwanzigjähriger Sohn mit der Erledigung von Familienangelegenheiten betraut werden und in dem Punkt der Tagebücher einen Misserfolg verarbeiten musste, der ihr ein weiteres Mal die Risiken des Standorts Deutschland vor Augen führte. Auch Golo würde München letztlich verlassen müssen, das schien unumgänglich, Rechtsanwalt Heins würde ihn dabei unterstützen, bei Rohrschach die deutsch-schweizerische Grenze zu überschreiten, um sich mit den Eltern zu treffen und weiteres zu beraten. Die beiden Jüngsten wurden am 23. April von Erika und Klaus, die auf »vollständige Liquidierung der Münchner Verhältnisse«[16] drängten, von Lugano nach Le Lavandou gebracht. Monika kam später über Berlin und Paris, wie im Übrigen auch Golo. Er hatte noch einmal nach Deutschland zurückkehren müssen, um eigene Angelegenheiten zu ordnen und 60 000 Mark in bar, teilweise abgehoben von der Feuchtwanger-Bank, unter Nutzung französischer Beziehungen in einer Kuriertasche der Botschaft nach Paris schaffen zu lassen – deklariert übrigens als fiktive Mitgift für Monika, die sich keineswegs mit Heiratsplänen trug und über diesen Trick herzlich lachte.

Am 6. Mai waren Katia und Thomas vorläufig angekommen: in Les Roches Fleuries bei Le Lavandou, direkt an der Côte d'Azur, Katia müde vom Organisieren, Packen und Briefe schreiben, Thomas immerhin noch im Stande, den Gepäckträger in Mühlhausen, der Umsteigestation, als sympathisch, jung, deutsch sprechend im Tagebuch zu würdigen. Die beiden ältesten und die beiden jüngsten Kinder erwarteten sie, auch Annemarie Schwarzenbach und Therese Giehse waren da. Und wieder wurden neue Wohnorte erörtert: Basel verwarf man als zu nahe der Grenze, Bern war noch im Gespräch. Doch erst einmal ging es nach Bandol und dort ins Grand Hotel, wo am 12. Mai auch Katias Eltern zu einem zweiwöchigen Aufenthalt eintrafen. Einen Tag später meldete Heinrich sein Kommen an, Feuchtwangers waren da, auch Schickeles und Meier-Graefes, Ilse Dernburg und Käte Rosenberg[17], Katias Cousinen. Am 31. Mai kam Monika, am nächsten Tag Golo an. »Sehr gemütlich ist es hier nicht«, schrieb dieser am 3. Juni in sein Tagebuch und meinte: »Jetzt ist die Familie das Einzige, was mir geblieben ist; das kann nicht gut gehen.«[18] Eine Woche später reiste er ab, nach Paris, den beiden Ältesten folgend.

Ungemütlich, freilich aus anderen Gründen, fand es auch Thomas Mann, er hatte das Hotelleben satt. Nachdem er lange gezögert hatte sich festzulegen, wünschte er sich nun dringend ein eigenes Haus und ein kleines Auto. Mit Katia, die nicht nur dieses Objekt begutachtet hatte, entschied er sich für La Tranquille in Sanary-sur-Mer: »Freie und reizvolle Lage, geschmackvoll persönliche Einrichtung, leichte Verbindung mit dem Ort, ein eingeborenes Mädchen in Aussicht, das schon bisher im Hause diente, ein billiger Preis.«[19] Und weil Katia wirklich »nicht auf der Höhe ihrer gewohnten Energie«[20] war (wie Thomas brauchte sie Medikamente, um schlafen zu können, und auch sie suchte ihn auf in der Nacht, war auf seinen Zuspruch und seine Nähe angewiesen, elf Pfund hatte sie abgenommen[21]), sollte zu ihrer Unterstützung auch noch Maria aus München kommen. La Tranquille, 442, Chemin de la Colline, wurde am 12. Juni bezogen. Drei Tage später stand ein Peugeot-Cabriolet vor der Tür.

Und ein Weiteres konnte geregelt werden: Es gelang Katia auf dem deutschen Konsulat in Marseille zu erwirken, dass die Kinder in ihren Pass eingetragen wurden. Der Verlauf der finanziellen Transaktionen blieb allerdings unbefriedigend, sechzig Prozent Verlust beim Verkauf der in der Schweiz liegenden Goldpfandbriefe waren in Kauf zu nehmen, da weitere Geldentwertung drohte. Wenigstens hatte Hedwig Pringsheim Ende Juni Mieter für die Poschi gefunden. Doch bald mussten auch sie und ihr »Kleiner Mann« das prächtige Haus in der Arcisstraße, in dem sie fast vierzig Jahre, ja, residiert hatten, freigeben. Bindungen, die Thomas Mann einmal wichtig waren, die Zugehörigkeit zur Akademie in Berlin und zu den Rotariern etwa, wurden gelöst, ohne dass er sich lange hätte darüber grämen können. Das wog leicht gegen die Tatsache, dass es im Juni 1933 in Deutschland einen Schutzhaftbefehl gegen ihn gab und er bei seiner Einreise wohl verhaftet worden wäre.

Nun galt es, sich einzurichten in der Gesellschaft der Emigranten – Heinrich Mann (besuchsweise aus Nizza kommend, wo er bis 1940 in verschiedenen Hotels und Wohnungen logierte), Goll, Herzog, Huxley, Kesten, Kolb, Marcuse, Piscator, Schickele, Toller, Werfel waren kurz oder länger in Südfrankreich. Mit geliehener Wäsche und Silberzeug suchte Katia schnellstmöglich ihren Haushalt auszustatten. Es galt Gäste zu empfangen, im der Situation angemessenen Rahmen kultiviert zu repräsentieren. Teegesellschaften waren hier passend, die musikalische Ausbildung Medis und Bibis eine wunderbare Chance, Akzente zu setzen (bald gesellte sich Fritz Landshoff[22], Cello, hinzu, in den Medi sich schwer verliebte). Aber auch Gegeneinladungen gab es, wie die von René Schickele zu seinem fünfzigsten Geburtstag am 4. August 1933. Katia hatte tagsüber schon einen Geschenkkorb mit Leckereien hingebracht, eine freundliche Geste, die Schickele jedoch nicht von ein paar boshaften Bemerkungen in seinem Tagebuch abhielt. Abends hatte Heinrich seinen Auftritt mit Nelly Kröger, »in großer Sommertoilette«, so notierte der Gastgeber, »... schwebt[e sie] prall und luftig heran«. Und zu Thomas Mann mit Katia: »*Er* ganz Senator, der Millionen umschlungen sein lässt. Katia, die nicht zu Wort kommt, schiebt nervös den Unterkiefer vor. TM: Vor einem Jahr hätte man Ihnen in Deutschland ein Bankett gegeben, worauf Katia herausplatzt: Na, der Ehrentisch ist ohnehin hier versammelt, und damit wollen wir uns begnügen.«[23]

»Zu deinem Vergnügen kann ich dir sagen, dass er [»der Zauberer«], gerade in solchen Kreisen [in denen der »radikalen Linksleute«], ja jetzt ungleich verehrter ist, als der Heinrich. Nun will man ihm ja auch vorschlagen, nach China zu reisen ...«[24] Klaus kannte die Mutter gut genug, um zu wissen, was sie lesen wollte, was ihr helfen würde, das Ausgestoßensein aus dem Deutschland von 1933 zu verkraften.

Keine zwei Wochen vor Schickele hatte Katia ihren Fünfzigsten gefeiert – noch vor Jahresfrist hatte sie geglaubt, ihn in Nidden begehen zu können. Doch es sollte eine südlichere Küste werden: In Sanary-sur-Mer stöhnte man am 24. Juli unter großer Hitze, die Blumen für Katia dürften bald welk geworden sein, die Schokolade weich, und die Parfümerien mussten wohl für kühlere Tage aufbewahrt werden. Aber das hübsche blaue Strandkleid »nebst« Jacke war sicher überaus passend und die Ledertaschen ein guter Grundstock für eine neue Sammlung der von ihr so begehrten Objekte. Und Klaus würdigte die Mutter respektvoll als Pedantin, die sich alles recht ordentlich ausrechnen und vorstellen möchte:

> »Bei vielen enden solche Berechnungen immer etwas beunruhigend; nur bei Frau Katia bleibe ich immer ganz befriedigt. Die sehr reizvolle und berühmte Kindheit, die schöne Ehe, die breite Sackgasse[25]; Krieg, Pestilenz und abwechslungsreiches Ungemach, aufs umsichtigste überstanden; ...; sehr gut

> Französisch und ein wenig Autofahren gelernt; höchste Mathematik, Homer, alle Opern von Wagner und alle Novellen von Maupassant am kleinen Finger beherrscht; viele Villen eingerichtet, Kochtöpfchen installiert, Schlafröcke verschenkt[26], in vielen Büchern erwähnt worden ...; zahlreiche Köchinnen gehasst ...: ich komme zu sehr guten Ergebnissen, und dabei verschweige ich noch die wichtigsten Dinge.«[27]

Zu den wichtigsten Dingen gehörte für Katia längst die Zusammenarbeit mit Tommy. Beim Beantworten der Briefe (unter denen viele finanzielle oder juristische Probleme betrafen, Katias Spezialität) war sie für ihn unverzichtbar. »Ich weiß nicht, ob ich Dir von meinem Ehrenamt erzählt habe, nämlich demjenigen einer Privatsekretärin bei Pielein. Täglich werfe ich mit affenartiger Geschwindigkeit zahllose Briefchen unter seinem Diktat aufs Papier und schreibe sie dann mit der Maschine ab.«[28] So hatte es angefangen vor etwa acht Jahren, und Katia mag wohl bedacht haben, im Brief an Erika ihre neue Beschäftigung als Ehrenamt zu bezeichnen. Inzwischen war sie auf Diktate nicht immer angewiesen, auch nicht darauf, dass Thomas jeden »seiner« Briefe eigenhändig unterschrieb. Wer glaubte, es mit ihm zu tun zu haben, irrte sich nicht selten. So klagte Katia zum Beispiel: »Habe schon wieder einen langen Roman gelesen, den ich ganz gut zu zensieren gedenke. Aber es werden und werden nicht weniger.«[29] »Ach der Zeitmangel, ... vor allem das verdammte Preisausschreiben! In den nächsten Tagen bin ich G. s. D.[30] fertig.« Und dann kam auch noch einer der Initiatoren »um mit Pielein darüber zu sprechen, und es war nur ein Glück, dass ich dazu kam und einigermaßen kaschieren konnte, dass Pielein keinen einzigen Roman gelesen hatte«[31].

Thomas Mann den Freiraum zum Schreiben zu schaffen hatte auch hier Priorität. Es ging um den *Joseph*, der aber nicht herauszulösen war aus dem Geflecht von Vernunft und Gefühl. Alles musste abgearbeitet werden: »Nach Tische die Korrektur des 1. Bandes beendet, zu Tränen gerührt wieder von Rahels Tod, wie es beim Schreiben war und bei jedem Wiederlesen unfehlbar sich wiederholt. Hier spielt die Herkunft der Figur aus meinem Verhältnis zu K. eine Rolle. Nicht umsonst liebt auch sie die Geschichte Jakobs und Rahels so sehr. Sie erkennt sie als die idealisierte, die mythische Darstellung unserer Lebensgemeinschaft.«[32] »Zuweilen scheint mein Kopf mir etwas überlastet: Der politische Komplex, mit meinen persönlichen Lebensfragen eng verquickt. Dann das Problem des ›Joseph‹ in seiner Zusammengesetztheit aus künstlerischen und praktisch-technischen Sorgen.«[33]

Die persönliche Lebensfrage des künftigen Wohnortes wurde in den folgenden Wochen zu Gunsten der Schweiz entschieden. Am 27. September würden die Manns ein Haus am Zürichsee in der Schiedhaldenstraße 33 in Küsnacht beziehen; sie sollten dort fast fünf Jahre bleiben. Ein »Brief von Dr. Heins, der auffallend schikanöse, offenbar politisch inspirierte Fragen des Finanzamtes übermittelt hatte«, war nicht der erste Anlass für das Eingeständnis, dass an eine Rückkehr nach Deutschland nicht zu denken war, nun wurde »Zürich … allseitig als das Natürlichste empfunden, auch für die Kinder«.[34] Die Alternative, ein elegantes Anwesen in Nizza, das Katia mit Erika besichtigte, wurde trotz der Nähe zu Heinrich verworfen. (Im Übrigen sagte die Hausbesitzerin selbst ab, einen Tag, nachdem die Entscheidung für Küsnacht gefallen war.)

Am 30. Juli hatte Erika Sanary verlassen, um in Zürich die Wiedereröffnung der Pfeffermühle zu betreiben, sie tat es mit dem Versprechen, dort ein Wohnhaus für die Familie zu suchen und dazu beizutragen, dass das restliche Umzugsgut aus München herausgeschafft werden konnte. Am 15. August schien es, als sollte dies gelingen. »47 Kisten sind eingetroffen, alles Silber, Porzellan, Platten, Wäsche, unbeschreiblich viele Bücher; Schreibtisch und Kandelaber, die nach Badenweiler gehen [um später von dort als vorgebliches Umzugsgut von Schickeles[35] abgerufen zu werden]; auch Schmuck: ›Gistchen Edel-Tineff …, Kettchen, Uehrchen … Deinen Ehering …« Erika hatte in Zürich die Sendung aus München entgegengenommen.[36]

Doch acht Tage später erreichte Katia, die stark erkältet im Bett lag, die Nachricht ihrer Mutter, nach der die Poschi ohne Rechtsgrundlage beschlagnahmt worden war. Als sie es Thomas sagte, wurde er blass: »Wir haben 18 Jahre dort gelebt. Die Dinge, die wir noch zu entfernen hofften, Flügel, Frigidaire, Tischwäsche, tägliches Silber etc. sind verloren. Es ist ein Kummer um alles Gute, womit wir es noch neuerdings ausgestattet, die Lüster, Borden und Wandbespannungen, die Samtsessel der Diele, die Teppiche. Aber der Gedanke all dieses Verlustes ist ja nicht neu, und andere verlieren mehr. Dennoch geht die Bewegung tief.«[37] Was Thomas Mann an diesem 25. August 1933 in sein Tagebuch schrieb, mag auch Katia empfunden haben. Nur kurz diskutierten beide die Ungeheuerlichkeit, nur durch Hinterlegung der »Reichsfluchtsteuer« von 97 000 Mark ihr Haus und Inventar frei zu bekommen. Sie hatten sich schon zu weit von Deutschland entfernt.[38] Doch auch Südfrankreich ging ihnen bald auf die Nerven, die feuchte Schwüle dort, die Fliegenplage – die Meerbäder konnten das nicht aufwiegen.

Auf die Poschi folgte also nach Erikas Empfehlung die »Schiedhaldi« – nicht reibungslos, denn sie war der Ersatz für ein anderes von Erika ausgewähltes Objekt in Küsnacht, das aber plötzlich Käufer fand: Schwerreiche Holländerinnen hatten den Manns das Haus weggeschnappt.[39] Golo und Moni, Medi und Bibi würden also mit den Eltern dorthin ziehen, wo Erika sich etabliert hatte und mit Radiosendungen und der Moderation von Modenschauen für das Kaufhaus Globus ihr Geld verdiente. Klaus war mit seiner Zeitschriftengründung *Die Sammlung* in Amsterdam beschäftigt. Der Vater hatte ursprünglich seine Mitarbeit zugesagt, doch nach Erscheinen der ersten Nummer war klar, dass er die erhoffte unpolitische Publikationsmöglichkeit nicht vorfinden würde, er zog sich also zurück. Allerdings war dies nur eine der Ursachen für das zunehmende Auseinanderdriften von Thomas einerseits und Klaus, Erika und Golo andererseits, die immer stärker darauf drangen, der Vater, der sich als Emigrant auf eine konfliktvermeidende Position zurückgezogen hatte, möge sich, koste es, was es wolle, eindeutig gegen Hitler-Deutschland erklären. Dazu war er nicht, noch nicht, bereit. Katia stimmte – allerdings nachdem sie am Vorabend seinen Unmut erregt hatte, als sie das Gespräch darauf brachte – zu seiner Beruhigung mit ihm darin »überein, daß man wissen müsse, was man will«. Und das war, dem Verlag, der im nächsten Monat *Die Geschichten Jaakobs* herausbringen würde, den ersten Band der *Joseph*-Tetralogie, nicht in die Quere zu kommen.[40] Bermann Fischer konnte die Erzählwerke des Nobelpreisträgers nach wie vor auf dem deutschen Buchmarkt verkaufen – die politischen Schriften waren bereits am 10. Mai in Berlin den Flammen zum Opfer gefallen.[41] Thomas Mann hatte sich also zurechtgelegt, dass es schlecht sei, die Machthaber weiter zu reizen, dem deutschen Lesepublikum könne der Zugang zu seinen Werken nur dann erhalten bleiben, wenn er Vorsicht walten ließe – was die älteren Kinder durchaus auch als Ängstlichkeit und Opportunismus kritisieren konnten.[42] Und Katia, ihrem Gefühl nach zuständig für die familiäre Harmonie, stimmte erst ihm zu, um ihn zu beruhigen, und danach den Kindern. Wieder einmal ging das über ihre Kräfte, sie flüchtete sich in Krankheit. Was sie so schlecht aushalten konnte, war, dass ihre Beschwichtigungsversuche immer weniger funktionierten. Zunehmend enerviert reagierte der gewesene Meinungsführer im Deutschland der Weimarer Republik auf Irritationen aus seinem engsten Umfeld, nachdem er noch vor wenigen Wochen so tapfer versucht hatte, sich an die Sanary-Verhältnisse zu gewöhnen. »Heinrich [der sich übrigens über die Zürich-Pläne des Bruders sehr grämte] mit seiner ordinären Freundin« konnte er nicht ertragen, und als Ernst Bertram, nun Sympathisant des Nationalsozialismus, sein Kommen ankündigte, wurde er ebenfalls ungnädig: »diese Naivität geht weit«[43].

Katia hatte sich darauf einzustellen, einen weiteren Umzug zu meistern, wenn diesmal auch in Etappen: Am 22. September brachen Golo, Medi und Bibi mit Marie Kurz im Wagen nach Zürich auf. Einen Tag später folgten Katia und Thomas, sie reisten im Schlafwagen, Monika (bald würde sie nach Paris reisen) brachte die Eltern nach Toulon zum Bahnhof. In Zürich warteten Erika und Klaus (der plante, bald nach Paris oder Amsterdam zu gehen), um sie ins Hotel St. Peter zu bringen. Das Haus, das für die nächsten fünf Jahre ihr Heim werden würde, sahen sie erstmals am 24. September – allerdings nur von außen, denn die

Vermieterin war nicht zu finden, der Schlüssel nicht aufzutreiben. Am 28. zogen sie ein.

Nicht nur Thomas, auch Katia, die ihre jüdische Herkunft immer herunterspielte, wusste sich und die Kinder durch den Entschluss, die Schiedhaldenstraße 33 in Küsnacht als neues Zuhause zu betrachten, erst einmal in Sicherheit. Ida Herz, die es fertig brachte, sowohl von Thomas Mann geschätzt zu werden als auch von seiner Frau, erging es nicht so gut: »Ergreifender Brief von I. Herz über ihr Leben in dem extrem antisemitischen Nürnberg.«[44] Im Februar 1924 hatte die Buchhändlerin den Schriftsteller auf Lesereise in der Straßenbahn zwischen Nürnberg und Fürth angesprochen. Die Art, in der sie es tat, schmeichelte ihm wohl, er lud sie nach München ein, und sie kam tatsächlich noch im selben Jahr; im folgenden wiederholte sie ihren Besuch ein zweites und drittes Mal, da blieb sie gut sieben Wochen und brachte die Bibliothek des Verehrten in Ordnung. Mit der Zeit bekam sie auch ihre Gefühle in den Griff, schaffte es, ihre Ansprüche umzulenken von dem vergeblichen Wunsch nach Beachtung als Frau hin zur Beachtung als Fachfrau, die die Kompetenz und das Wissen besaß, mit Aufbau und Verwaltung eines Archivs betraut werden zu können. In dieser Funktion erhielt sie Zeitungsartikel, Manuskripte, Erstausgaben zur Verwahrung – und die Aufmerksamkeit des Verehrten, die allerdings bei zu viel Nähe leicht umschlug ins leicht Enervierte, wenn er im Tagebuch festhielt: »Zum Essen leider die Herz …«

Doch nun war er sehr wohl im Stande, die verzweifelte Situation der als Jüdin und seine Kontaktperson besonders belasteten Frau zu erkennen. »Ich fühle mit, wie entsetzlich, wie grausam das Schicksal eines Exils ist … Ich bitte Sie, hochverehrter Herr T., nehmen Sie mich in Anspruch, wofür es auch sein soll, ich will alles was ich kann für Sie tun! Ich bin ein Niemand, ein Name aus der Masse, ich kann leichter als ein anderer Ihrer Freunde etwas für Sie unternehmen.«[45] Der schwärmerische Ton des Briefes vom 13. März 1933 war im Hause Mann bekannt, aber auch die Klugheit und Unerschrockenheit, mit der die Schreiberin handeln konnte. Gut zwei Wochen später erhielt Ida Herz einen

Brief von Katia mit der Bitte, konkret beschriebene Bücherpakete an eine Deckadresse – Dr. Christoph Bernoulli in Basel – zu schicken, ein Scheck über vierzig Mark für die Fahrtkosten von Nürnberg nach München war beigefügt.[46] Was da so aus der Poschi geholt wurde, war nichts Geringeres als die Arbeitsmaterialien für die Fortsetzung der *Joseph*-Romane. Übrigens war das keineswegs die einzige Kooperation der beiden um Thomas' Wohl besorgten Frauen. So delegierte Katia die Verantwortung für seine Diät anlässlich einer Lesereise nach Nürnberg an Ida Herz und empfahl »... Suppenhenne mit Reis, vorher Schleimsuppe (nicht mit Bouillon bereitet) und eventuell noch ein leichter Nachtisch (Citronenauflauf, Omelette Soufflé oder ein leichter Pudding), als Getränk Fachinger«[47].

Exil am Zürichsee, in bevorzugter Lage sozusagen. Thomas-Mann-Biografen behandeln nun ausführlich seine unter Krisen bewältigte Anpassung an die neue Situation, die mühsame Arbeit an *Der junge Joseph* und an *Joseph in Ägypten*, den endgültigen Verlust von Haus und Vermögen, später dann die Aberkennung der deutschen Staatsangehörigkeit, seine Streichung aus der Liste der Ehrendoktoren der Universität Bonn, seine zunehmende Isolation auch in der Familie, die noch immer auf eine deutliche Distanzierung von Nazi-Deutschland wartete ...

An Katia stellten diese Ereignisse ebenfalls Anforderungen, die sich allerdings von denen an ihren Mann ein wenig unterschieden.

Da war das Haus in der Schiedhaldenstraße. Die Architektin Lux Guyer, maßvoll modernisierte Bürgerlichkeit im Sinn, spielte mit versetzten Ebenen, abgehängten Decken, Farben, Licht. Sehr bemerkenswert war der Blick auf den Zürichsee. Und die üppigen sanitären Einrichtungen. »... elegant, aber lächerlich hellhörig und unzulänglich eingerichtet und dilettantisch gebaut«[48], mäkelte Thomas Mann, aber den sechs Toiletten und den vier Badezimmern mit funktionierender Warmwasserversorgung konnte er seine Bewunderung nicht versagen. Katia fühlte sich aufgefordert, die unzulängliche Einrichtung zu verbessern. Das unter der Deckadresse in Badenweiler lagernde »Umzugsgut« ließ sie nun zum Transport in die Schweiz abrufen. Als die Sendung vom Freizolllager abgeholt werden konnte, war Thomas ganz aufgeregt: auspacken, aufstellen, einräumen, die Empire-Schränke, die Kandelaber, der Musik-Apparat, der Schreibtisch! Er ordnete die »Sächelchen« darauf, vom Kalender riss er die Blätter seit dem 11. Februar, dem Tag der Abreise aus München, dem achtundzwanzigsten Hochzeitstag, ab: »mit sonderbaren Empfindungen«.[49] Siebenundvierzig Kisten mit Hausrat hatte Katia nun auszupacken, darunter das »gute Silber« samt der kostbaren Taufschale von 1654. Auch ihr Porträt von Kaulbach war in Küsnacht eingetroffen. Und künftig konnte ihr Thomas wieder unter seiner gewohnten Seiden-Steppdecke schlafen. Trotzdem mochte er sich an den Status als Mieter zunächst nicht gewöhnen, bauen wollte er noch eine ganze Weile, obwohl er die Schweizer kompliziert, verkniffen, neurotisch fand. Doch dann wurde nicht einmal das Angebot erwogen, die Schiedhaldi zu kaufen.

Im Haus galt es Abläufe möglich zu machen, die den in München bewährten glichen. Katia musste wieder Zeit haben, regelmäßig Sekretariatsarbeiten für ihren Mann zu verrichten. Also holte sie die vertrauten Stubenmädchen Marie Treffler und Maria Ferber in die Schweiz, bei Bedarf kam auch Marie Kurz und komplettierte die drei Marien.

Und waren nicht auch Spaziergänge mit Hund für des Dichters Befinden wichtig gewesen? Weihnachten 1934 trat der Schäferhund Bill in die Dienste von Herrn Thomas Mann, 1935 kam der Airdale-Terrier Tobby hinzu.[50] 1936 lebten in der Schiedhaldenstraße überdies noch zwei Kater: Pizzi und Cato.[51]

Und schließlich war es auch an Katia, im April 1934 eine von ihr als »sehr chikanös und anstrengend«[52] empfundene »Chauffier-Prüfung« zu machen (ihren ersten Fahrunterricht hatte sie bereits 1925 genommen[53]), um die Fiat-Limousine zu steuern, die nach Erwägung eines Fiat-Cabriolets und eines Fords nun erworben worden war. Schon 1936 wurde dieses Gefährt durch einen dunkelroten Chevrolet ersetzt.

Das Unternehmen Thomas Mann & Co. war also installiert;

die Lesereisen, eine wichtige Aktivität zur Verbesserung der Ertragslage, wurden wieder aufgenommen.

Zum Tableau der sehr gut situierten Schriftstellerfamilie gehörte jedoch mehr. Und das war schwerer zu haben. Die jüngsten Kinder waren bestmöglich zu fördern, vor allem Michaels Ausbildung zum Geiger (und später zum Bratschisten) musste fortgeführt werden. Katia sprach mit Adolf Busch (der mit Hermann Busch und Rudolf Serkin das berühmte Busch-Serkin-Trio bildete) und mit dem Dirigenten, Komponisten und Leiter des Zürcher Tonhalle-Orchesters sowie Direktor des Zürcher Konservatoriums, Andreae. Sie erreichte, dass dieser ihn seinem Konzertmeister de Boer zuwies. Leider legte Bibi sich im Oktober mit dem zweiten Direktor des Konservatoriums an, es kam zu Handgreiflichkeiten, bei denen sich Michael zu einer Ohrfeige hinreißen ließ; er wurde sofort relegiert.[54] Für Elisabeth musste zunächst der schnell arrangierte Klavierunterricht genügen. Das Freie Gymnasium in Zürich besuchten beide, Elisabeth bis zum Abitur.

Golo absolvierte seine drei Lehrjahre in Frankreich: zunächst als Lehrer an der École Normale Supérieure in Saint-Cloud, dann als Lektor für deutsche Sprache und Literatur an der Universität Rennes. Ab 1936 war er meist in Zürich, schrieb, neben anderem, Beiträge für die antifaschistische Kulturzeitschrift *Mass und Wert*, die sein Vater im Jahr darauf gründete.[55]

Die Pfeffermühlen-Premiere am 30. September 1933 in Zürich (im Hotel Hirschen, einer im Vergleich zur Münchner Bonbonnière volkstümlichen Lokalität) besuchte er gemeinsam mit den Eltern. Dem gerührten Vater waren angesichts der Vorträge Erikas mehrfach die Augen nass geworden. Die Sorge der Mutter um die Gesundheit der Tochter wuchs, wenn sie bedachte, mit welchen Anstrengungen diese sich den Erfolg erkämpft hatte und weiter auf Tourneen darum würde kämpfen müssen. Katia kannte die Gefährdung ihrer beiden Ältesten. Seit Anfang der dreißiger Jahre musste sie mit brieflichen Bekenntnissen Erikas über Alkoholorgien und Drogenkonsum fertig werden. »Goldenmucke«, »Frau Obersüss«, »Frau Goldi«, »Frau Liebling-Morchel«, »Liebste«, »allerzierlichste Frau Tschutschu«,

»mein Güldenkraut« – was nützten diese zärtlichen Anreden der Tochter, wenn der Inhalt ihrer Briefe so bitter für die Mutter war.[56] Mehr noch: Katia wusste, dass Klaus von Paris oder Amsterdam, wo er in Hotels wohnte, nach Zürich kam, um sich Opiate zu beschaffen. Er kaufte sie in Apotheken auf Pump, und Dr. Katzenstein, der Vertraute der Familie, sah sich dann gezwungen, die Rezepte nachzuliefern. »Hüte Dich, bitte, vor dem ungesunden Pflaster.« »Ach man hat viel Sorgen. Du aber mach mir bitte … keine mehr.« »Bitte mach alles gut.« »Halte Dich mein Sohn. Treu und zärtlich Das Mielein.« »Alles Gute, mein lieber Sohn, sei gesegnet.« In vorsichtig beschwörenden Formeln wird die Angst um den Sohn überdeutlich.[57] Im November 1935 war er wieder in Küsnacht, und Katia erlebte, wie er litt – und wie wenig sie ihm doch wirklich helfen konnte: Sein Schreien, das in einen lang anhaltenden Weinkrampf überging, seine Beruhigung nach der Morphiumspritze, sein Festhalten an der Illusion, er könne seinen Drogenkonsum noch steuern … Doch den Eltern war klar, dass er noch immer nicht bereit war, sich von seiner Sucht zu trennen.[58] 1938 kam Klaus zur Entziehungskur nach Zürich, nachdem er schon 1937 in Budapest und in New York mit professioneller Hilfe versucht hatte, vom Heroin loszukommen. Es würde nicht seine letzte sein.

Doch das war noch nicht alles. Am 15. April 1936 hatte der jüngste Sohn sich aus dem gutbestückten Vorrat der Eltern bedient: »Bubenstreich Bibi's mit Phanodorm und anderen Mitteln«[59] nannte der Vater das in seinem Tagebuch. Auch hier kam Dr. Katzenstein zum Einsatz, und wem immer das auch zu verdanken war, Michael Mann bestand einen Monat später sein Lehrexamen »geigerisch« mit Auszeichnung. In den theoretischen Fächern schnitt er jedoch schlecht ab. Was vielleicht noch wichtiger war: Er hatte in diesen Wochen Gret Moser kennen gelernt, Schwester seines Freundes und Freundin Elisabeth Manns, ein, so Thomas Mann, schönes Mädchen, das »Bibi sehr zugetan und ihn eines Tages heiraten will«[60]. Die Familie mag auf die junge Frau einige Hoffnung gesetzt haben. Wie schon die beiden Ältesten verlangte Michael seiner Mutter einiges ab; der Vater beschrieb das so: »Da ich gestern sah, daß die arme K. doch nicht würde schlafen können, riet ich ihr, mit Medi im Wagen die Suche nach dem törichten Jungen aufzunehmen. Sie taten es ohne Erfolg ... K. die Nacht schlaflos verbracht. Brach beim Frühstück zu meinem Herzweh in Tränen aus vor nervöser Erschöpfung. Während ich meine Arbeit machte, fuhr K. wieder aus, wobei auf meinen Wunsch Medi sie wieder begleitete.« Er wurde gefunden – in dem Zimmer, das die Eltern für den Sohn, der »Anlaß zur Betrübnis durch dumme Lasterhaftigkeit gab«[61], in Zürich gemietet hatten. Lasterhaftigkeit? Er hatte sich schon früh der Droge Alkohol zugewandt. Doch erschreckte er die Eltern auch anders: mit der Tötung seines Hündchens nach einem Champagner-Exzess. Vergleichsweise kleinere Turbulenzen gab es, als der Achtzehnjährige mit der einundzwanzigjährigen Gret schlief und seine Besorgnis der Folgen wegen Katia beichtete. Katzensteins Moderation war wieder gefragt, bis sich die Befürchtungen als unbegründet erwiesen.

In jenem Jahr wohnte übrigens auch Monika in Zürich, in der Pension Fortuna, mit ihrem künftigen Mann, dem ungarischen Kunsthistoriker Jenö Lányi, den sie in Florenz kennen gelernt hatte. Doch auch sie fügte sich nicht gut ins Tableau, schon gar nicht ins weihnachtliche: Moni verweigerte die Teilnahme an der Bescherung wegen nervöser Depression.[62] Und schrieb »fatale« Briefe an Katia.[63]

Selbst Medi (das Konzert-Examen bereitete ihr keinerlei Schwierigkeiten) war weiterhin ohne Aussicht auf Erfolg nachgerade darauf versessen, Fritz Landshoff zu ehelichen. Und erneut baten die überforderten Eltern den Doktor um Einflussnahme. Die Lösung gesundheitlicher Probleme, physischer genauso wie psychischer, war ihrer Meinung nach Sache der Spezialisten, die sie ohne Scheu hinzuzogen.[64]

Das Wohlbefinden des Mannes, das Wohlbefinden der Kinder – und das eigene Wohlbefinden? Blicken wir zurück:

Am 2. Oktober 1933 schrieb Thomas Mann besorgt in sein Tagebuch, dass Katia sich zu seinem Kummer enerviert und unwohl fühle. Am 14. November: »K. krank. Rief den Küsnachter Arzt, der eine Geschwulst an der Gebärmutter feststellte.« Am

17. November: »K's Zustand leider verschlimmert, da sie sich gestern nicht ruhig genug gehalten. … K's Krankheit, die das Signal für eine zukünftig eingeschränkte Aktivität ist beunruhigt mich sehr; denn auf ihrer Spannkraft ist alles aufgebaut.«[65] Es war wohl nicht so sehr die Gebärmuttergeschwulst, wohl auch keine Krankheit, die der Fünfzigjährigen zu schaffen machte. »K. recht leidend und nervös, klimakterische Verfassung zusammen mit augenblicklichem Unwohlsein. Es ist Zartheit und Duldsamkeit vorzusetzen.«[66]

Das sah der Ehemann sicher richtig. Und außerdem hatte Katia eben das erste Weihnachtsfest in Küsnacht vorzubereiten. Alle Kinder würden im Haus sein. Dazu Landshoff, Klaus' Amsterdamer Verlagskollege, in den Elisabeth bekanntlich verliebt war, der wiederum in Erika verliebt war, die ihrerseits in die Giehse verliebt war (die war mit ihrer Schwester da), weshalb Landshoff sich umbringen wollte; auch Reisiger sollte kommen, an den Monika nach den Feiertagen einen »wunderlichen Stimmungsbrief«[67] schrieb. In diesen Tagen träumte Katia einen verstörenden Traum, in dem sie auf einen Grabstein geschrieben die Worte ›Vergebens, nicht vergeben‹ sah.[68] Beim Frühstück erzählte sie davon, wohl eine akzeptable Deutung erwartend.

Thomas Mann reagierte laut seinem Tagebuch auf den Tumult der Emotionen mit »Unwohlsein, Übelkeit, Zittern, Erbleichen, Erregung und Angst«.[69] Er verzichtete überhaupt ungern darauf, seine Gefühle zu beschreiben: »K. berichtete gestern, der Küsnachter Doktor habe neulich bei der Untersuchung ihrer weiblichen Organe, mit Bezug auf die zu lange dauernde Regel geäußert: es sei Zeit für sie, daß es mit dem ›Frühlingszauber‹ ein Ende habe. Das rührte und ergriff mich unbeschreiblich. Gefühle dieser Art, wie der Ablauf des Lebens, meines eigenen und der mir Verbundenen, sie mir erregt, umfassen die ganze Skala von leichter und weicher Rührung bis zum tiefsten Todesgrauen und panischem Entsetzen.«[70] Männliches Einfühlungsvermögen sollte nicht unterschätzt werden, doch es ist sehr fraglich, ob Katia ihre Empfindungen in Bezug auf ihre Menopause ähnlich beschrieben hätte. Aber Thomas Mann war es hier wohl in erster Linie um Thomas Mann gegangen.

1934 waren Herr und Frau Mann übrigens in Amerika, und das zum ersten Mal. Der Einfall, die *Geschichten Jaakobs* vom Autor anlässlich eines Festdinners in New York dem Publikum zu präsentieren, war dessen zuständigem Verleger Alfred Knopf gekommen. Frau Blanche Knopf hatte mit der Einladung in Küsnacht vorgesprochen – der Dichter sollte seine Kosten ganz, Katia zur Hälfte erstattet bekommen. Am 18. Mai 1934 gingen beide auf die große Reise. Sie begann mit einer viele Stunden dauernden Eisenbahnfahrt in bemerkenswerter Atmosphäre: In Thomas' Handgepäck war eine Flasche Haarwasser ausgelaufen und hatte seinen Pyjama durchtränkt, der dann »duftend zum Trocknen in dem Coupé« hing, in dem die beiden glücklicherweise alleine waren.[71] Während der Überfahrt mit dem Dampfer Volendam schrieb Katia an ihre »Lieben Großen« Bordimpressionen: »... ein gepflegtes kleines Orchester spielt bei jeder Gelegenheit ... schmachtende Weisen ... bei den Mahlzeiten ... à la carte ... jeder der 20 Gäste darf sich etwas anderes bestellen ...« Diese Gäste! Es waren »fast durchweg Amerikaner ... alle gutmütig, und von geringer Bildung ... und wollen von den Nazis gar nichts wissen.« Vor allem mangelte es an dem angemessenen Umgang mit einem deutschen Literatur-Nobelpreisträger nebst Gattin. Doch dagegen standen Verständigungsprobleme schon der einfachsten Art. Leider, so musste Katia verzagt eingestehen, »verstehe ich sie gar nicht, und sie mich nicht ... Wie soll das in New York werden?«[72]

Es wurde gut in New York. In ihrem Zimmer im 24. Stock des Savoy Plaza wurden Blumen, Obst, Zigarren und Einladungen abgegeben. Der Glanz des feierlichen Banketts zu Ehren des *Joseph*-Autors, der 59 Jahre alt wurde (Ausblasen von Kerzen auf dem Geburtstagskuchen!), wurde durch die Unbehaglichkeit, sich in der fremden Sprache nur schlecht ausdrücken zu können, nicht wirklich getrübt. Auf der Rückfahrt (der Dampfer hieß nun Rotterdam) gab es gar noch einen bildungsbürgerlichen Triumph: Ein Reisegenosse, der »Mens sana in corpore sano« für einen griechischen Ausdruck gehalten hatte, konnte vom Ehepaar Mann korrigiert werden. Am 19. Juni 1934 waren die beiden zurück in der Schiedhaldenstraße. Neben der Abwicklung der Reisenachbereitungen hatte Katia so manche Diskussion am Teetisch, am Schreibtisch (wenn sie Thomas' Diktate aufnahm) oder während gemeinsamer Spaziergänge zu bestehen. Es ging um eine *Politicum* genannte Bekenntnisschrift ihres Mannes, der nach wie vor leicht reizbar war; das Ganze musste sie fatal an die Zeiten der *Betrachtungen* erinnern. Wohl wünschte sie »eine befreiende Äußerung ... gegen die deutschen Greuel«, doch sollte die Motivation zu dieser Arbeit bitte nicht aus der »Desertion von der künstlerischen Aufgabe« kommen, deren er möglicherweise überdrüssig, die ihm vielleicht auch zu schwer geworden war.[73] Auch zum Nachruf für Samuel Fischer, den Thomas Mann verfasste, äußerte sie ihre Meinung: »K. bestand auf Milderungen charakteristischer Einzelheiten im Fischer-Nachruf im Interesse wohltuender Wirkung. Ich nahm sie in Gottes Namen vor«, schrieb ein ergebener Thomas am 20. Oktober 1934 in sein Tagebuch.[74]

Vom 10. Juni bis zum 13. Juli des darauf folgenden Jahres fand die zweite Amerikareise statt. Der Anlass war, kurz nach dem sechzigsten Geburtstag des Autors, weit würdiger als der im Vorjahr: Zusammen mit Albert Einstein – Fotos zeigen beide mit Katia – konnte er den Titel eines Ehrendoktors der Literaturwissenschaften an der Harvard University entgegennehmen. »Gewaltige Akklamationen für Einstein und mich.«[75] Was sonst noch bemerkenswert war? Der erste Flug der Manns (»Das Abenteuer bedeutend aber nicht gerade angenehm«, so er, »ein grässlicher Flug«, so sie), Mentholzigaretten für Thomas und eine »Verstimmung gegen K. wegen ihres Egoismus in Dingen der englischen Unterhaltung«[76]. Und der Termin, für den einige andere leichten Herzens abgesagt wurden: »Einladung von Roosevelt ins Weiße Haus zum Dinner am Samstag, en famille, entschieden wichtig.«[77] Es war dann so, wie dergleichen »en famille« wohl des Öfteren ist: mäßiges Essen, langweilige Filmvorführungen, Bewundern von Bildern (hier: Marinebilder im Arbeitszimmer des Hausherrn[78]), schließlich Zeichen zum Aufbruch durch die Dame des Hauses, nach kleiner Führung durch Säle und Salons. Dann standen Katia und Thomas vor der Tür. Zu Fuß gingen sie zu einem

Café, wo sie »mit großem Genuß Bier tranken« – und mit Sicherheit das gerade Erlebte durchhechelten.[79]

Vom 6. April bis zum 2. Mai 1937 dann Amerika zum dritten Mal. In sprachlicher Hinsicht hatte Thomas sich vorbereitet und bei einer in Zürich ansässigen Schottin Unterricht genommen. Nun verstellte kein Großereignis den Blick auf das amerikanische Lesepublikum, und das Ehepaar registrierte entzückt das Interesse der Medien an dem deutschen Nobelpreisträger. Elf Tage New York brachten die Eröffnung neuer Lebensperspektiven. Zunächst ging es um Verdienstmöglichkeiten, insbesondere um eine Vortragstournee quer durch Amerika.

Während dieses Aufenthalts war eine neue hilfreiche Frau in das Leben des Autors getreten, es würde der Tag kommen, an dem sie ihm ebenso lästig sein würde wie »die Herz«, das konnte Katia beruhigen, aber auch sie würde »der Meyer« viel zu verdanken haben. Agnes Elizabeth Meyer, in Amerika geborene Tochter deutscher Einwanderer, verheiratet mit Eugene Meyer, republikanischer Politiker, ehemals Weltbankpräsident, Philanthrop, Eigentümer und Herausgeber der *Washington Post*. Das sehr vermögende Paar, dem zur Pflege seiner erstklassigen, bis ins Weiße Haus reichenden Beziehungen unter anderen ein Stadthaus in Washington und ein Landsitz in Mount Kisco zur Verfügung standen, würde der Familie Mann zu Einwanderungspapieren und einer wirtschaftlichen Grundlage verhelfen können. Nur zu gut fügten sich diese selbst gewählten Aufgaben in die politischen, sozialen, schriftstellerischen und gesellschaftlichen Aktivitäten Mrs. Meyers, auch später noch würde sie daran festhalten wollen.

Am 15. Februar 1938 gingen Katia und Thomas mit Michael, der unter der Kontrolle der Eltern bleiben sollte, auf ihre vierte Amerikareise. An Bord der Queen Mary, am 19. Februar: »Bei Tische stellten wir die 33 Jahre unseres Verheiratetseins fest. Das Erschrecken, der Schwindel dabei: Das Leben – ich sagte, ich möchte es nicht wiederholen, das Peinliche habe überwogen. Fürchte K. weh getan zu haben. Solche Urteile über das Leben, das eigene, das ja doch identisch mit einem ist (denn ich bin mein Leben) haben keinen Sinn.« Am 20. Februar: »K.'s Augenschwellung scheint auf Windreizung zu beruhen.«[80] Oder auf der unangebrachten Ehrlichkeit ihres Ehemannes? Doch ein amüsantes Indiz für die Nähe der beiden kann auch geliefert werden: »K. ihre Brustnadel suchend, die sich dann im Hotel [das von der ganzen Familie Mann präferierte Bedford in New York] in meinem Hosenaufschlag fand.«[81]

Die vier Monate in den USA waren eine unglaubliche Strapaze für Vater, Mutter und Tochter Erika, die in New York gleich ihren Posten als Lotsin durch alle auf der Reise zu erwartenden Turbulenzen angetreten hatte. Tausende wollten den Schriftsteller aus Deutschland hören, Abertausende seine Bücher erwerben. Immer wieder wurde er zu Kommentaren zu den Ereignissen auf dem alten Kontinent gedrängt, hier musste Erika einspringen, die die »Question Period« für den noch längst nicht im Amerikanischen sicheren Vater bestritt. Im Publikum sitzend, beobachtete eine äußerst aufmerksame Katia Signale der körperlichen Schwäche ihres Thomas. Er hatte ordentlich zu kämpfen, mit seinem neuen Gebiss, mit der Höhenluft in Salt Lake City, aber auch mit den Folgen des verstärkten Medikamentenkonsums: Optalidon, Phanodorm, Adaline, Luminaletten ... so hießen die kleinen Helferlein, deren unerwünschte Nebenwirkungen zu überwinden Energie kostete.

Ein Monat in Jamestown, Rhode Island, im Landhaus Cabin von Miss Caroline Newton brachte keine wirkliche Entspannung, allerdings eine Annäherung zwischen Katia und Thomas – vielleicht, weil sie ohne Erika dort waren (aber mit Michael, dem es recht gut gefiel), die in der Aufmerksamkeit ihres Vaters vor der Mutter rangierte, zumindest wenn man die Häufigkeit ihrer Erwähnung im Tagebuch als Indikator nimmt.

Miss Newton, die Hausbesitzerin, war ebenfalls eine Verehrerin Thomas Manns, wie schon die Herz[82] und die Meyer. Sie war fünfundvierzig, die Herz vierundvierzig, die Meyer einundfünfzig. Sie war sehr wohlhabend, ähnlich der Meyer, ganz anders als die Herz. Wie Letztere war sie nicht verheiratet und hatte einen Beruf (Psychoanalytikerin). Wie die Meyer wollte sie ein Buch über

17 Diese Aufnahme von Katia aus dem Jahre 1920 stand auf Thomas Manns Schreibtisch

18 Der Speisesaal im Waldhotel Bellevue, Davos, um 1912

19 Das 1914 bezogene Haus in der Poschingerstraße 1

20 Familie Mann auf Hiddensee, Juli 1924 (Katia, Monika, Michael, Elisabeth, Thomas, Klaus, Erika)

21 Thomas und Katia mit den beiden jüngsten Kindern, Elisabeth und Michael, am Strand von Kampen auf Sylt, 1927

22 Mit Thomas, Erika und Klaus, 1927

23 In Stockholm, 1929

24 In Berlin, 1929

25 Im ostpreußischen Nidden, Juli 1930

26 Die Ehepaare Pringsheim und Mann mit Elisabeth (links) vor dem Sommerhaus der Manns in Nidden, 1930

27 Monika Mann, Hedwig Pringsheim, Thomas und Katia anlässlich des 80. Geburtstags von Alfred Pringsheim (rechts) in Nidden, 1930

28 Mit Thomas und Elisabeth in St. Moritz, Januar 1931

29 Das Haus in der Schiedhaldenstraße 33 in Küsnacht, in dem die Manns von 1934 bis 1938 wohnten

30 Thomas und Katia mit ihrer Fiat-Limousine in der Schweiz, August 1936

den Schriftsteller schreiben;[83] sie sammelte Manuskripte, Briefe, Fotografien und signierte Erstausgaben seiner Werke. Bei ihrer Niederlassung in Amerika war sie den Manns sehr nützlich – wie es auch die Meyer gewesen war. Und auch sie ging dem Dichter alsbald auf die Nerven. Keine dieser Frauen hätte je eine Chance gehabt, sich zwischen Katia und Thomas zu drängen.

Am 8. Mai 1938 hatten Herr und Frau Thomas Mann eine Einladung zum Dinner in Princeton angenommen. Nach dem Essen hatte es eine wichtige Unterhaltung mit dem Präsidenten und einem Professor der Universität gegeben. Am nächsten Tag: Besichtigung der Universitätseinrichtungen, anschließend Fahrt durch die Wohnviertel Princetons, »recht hoffnungsvolle Eindrücke«[84].

Am 17. Juni 1938 fuhr Katia von Jamestown nach Princeton, allein. Sie wollte sich Häuser ansehen, Angebote vorsortieren. Eine Woche später ging Thomas mit auf die Suche, eine Agentin war auch dabei, mit weiteren Vorschlägen, darunter: Library Place, 65 Stockton Street. Mrs. und Mr. Mitford, die Eigentümer, gingen nach England und waren interessiert daran, dass die Berühmtheit einzog, denn sie hofften, das würde die Nachfrage und damit den Preis in die Höhe treiben. Die Manns zeigten sich beeindruckt: »Das Heim [ist] gegen Küsnacht zweifellos eine Erhöhung des Lebensniveaus.« Sie konnten sich die pro Monat verlangten 250 Dollar leisten, denn sie waren mit der Gewissheit auf Haussuche gegangen, dass es keine Geldsorgen in Amerika geben würde: Princeton hatte 6000 Dollar geboten für ein Jahr »Zugehörigkeit zur Universität und 4 Vorlesungen, von denen 3 mit Goethe u. Schopenhauer bestritten werden können – die 4. über Faust«.[85]

Doch alles war auch hier nicht zu haben: »Es gibt wenig amerikanischen Jünglingsreiz.«[86]

Als das Ehepaar – Michael kehrte schon früher zurück[87] – am 7. Juli wieder in Küsnacht eintraf, war es nur zu Besuch. Die Nachrichten vom deutschen Einmarsch in Österreich im März hatte aus den bisherigen Gedankenspielereien ernste Überlegungen werden lassen, die zu dem Entschluss führten, den alten

Kontinent ganz zu verlassen. Erika war schon seit Ende Mai tätig, um den in der Schweiz gerade erst etablierten Haushalt wieder aufzulösen. In Amerika prüften derweil die Eltern die Möglichkeiten, den Wohnsitz (bei ungeschmälertem Lebensstandard) abermals zu verlegen. Doch konnten die Aussichten noch so gut sein, vor Heimweh bewahrten sie nicht. Katia dachte mit Wehmut an die vertrauten Spazierwege um Küsnacht herum, an die Fahrten nach Zürich, die Besuche von Tonhalle, Schauspielhaus, Stadttheater, der verschiedenen Kinos, des Varietétheaters Corso, an genüssliche Einkaufstouren in der Bahnhofstraße, an die Notwendigkeit, die mittlerweile vertrauten Friseure, Ärzte, Zahnärzte vor allem, durch neue zu ersetzen und für die jüngsten Kinder – die so besessen für ihre Musikerkarrieren geübt hatten, dass es dem Vater aus mehreren Gründen schädlich erschien – Entfaltungsmöglichkeiten zu finden. Das alles galt es jedoch abzuwägen gegen die Berichte von Rundfunk und Zeitungen, von den alten Pringsheims, der Herz und anderen Besuchern. Auch gegen die erklärte Präferenz der älteren Kinder für jeden Ort, der weit weg war von Deutschland. »[Es ist] schier unvernünftig, dass Du Dich so nach dem verrotteten kleinen Erdteil sehnst …« Erstens sprächen die Schweizer doch einen sehr hässlichen Dialekt, seien furchtbar aufs Geld aus, es habe Schwierigkeiten mit den Freikarten fürs Schauspielhaus gegeben, in den Geschäften sei man langsam bedient worden, wegen des Airdale-Terriers Tobby unbeliebt gewesen, zu viele Menschen seien homosexuell (!) … Klaus zog alle Register, um der Mutter den neuerlichen Aufbruch schmackhaft zu machen.[88] Er hatte, wie Erika, genug erfahren, um sich nun von Europa trennen zu wollen. Und auch Thomas Mann hatte den längst erwarteten Schnitt gemacht, er hatte sich endlich erklärt!

Der immer schwerer wiegende Konflikt zwischen dem Vater und den älteren Kindern war 1936 eskaliert. Eine Weile hatte Katia noch versucht, Erika und Klaus zu beschwichtigen, aber die beiden waren nicht davon abzubringen, den Vater weiterhin mit Nachdruck von der Notwendigkeit seines öffentlichen Eintretens gegen das Nazi-Regime zu überzeugen. Nun reagierte er auf die anzügliche Frage des Herausgebers der bedeutenden in

Paris erscheinenden Exilzeitschrift *Das Neue Tage-Buch*, Leopold Schwarzschild, warum wohl Gottfried Bermann Fischer noch in Deutschland Geschäfte machen könne, mit einer Ehrenerklärung für seinen Verleger. So lange hatte Erika auf ein deutliches Wort ihres Vaters gewartet, und nun war es erstmals gefallen: nicht für die Exilliteratur allerdings, sondern ausgerechnet für Bermann gegen Schwarzschild. Das hatte sie sich anders vorgestellt. Es kam ihr so traurig und schrecklich vor, dass es ihr schwierig erschien, ihrem Zauberer in naher Zukunft überhaupt unter die Augen zu treten. »Deine Beziehung zu Doktor Bermann und seinem Haus ist unverwüstlich, Du scheinst bereit ihr alle Opfer zu bringen. Falls es ein Opfer für Dich bedeutet, daß ich Dir, mählich, aber sicher, abhanden komme, – leg es zu dem übrigen.«[89] Auf diesen Brief vermochte Thomas Mann zunächst nicht zu antworten. Katia war es, die an Erika schrieb. Sie versuchte, bei allem Verständnis für die Tochter, des Vaters Beweggründe zu erklären, nannte den Schwarzschild-Beitrag »perfide und niederträchtig«, denn er mindere Fischers Chancen, den Verlag nach Österreich oder in die Schweiz zu verlegen, und erwähnte, dass andere jüdische Verlage ebenfalls noch in Deutschland existierten.[90] »Du bist, außer mir und Medi, der einzige Mensch, an dem Z.'s Herz ganz wirklich hängt, und Dein Brief hat ihn sehr gekränkt und geschmerzt. ... Daß aber Deine mir selbstverständliche Mißbilligung so weit gehen würde, quasi mit ihm zu brechen, hätte ich wirklich nicht erwartet.«[91] Erika antwortete sofort und deutlich – ihre Meinung hatte sie nicht geändert. Auch Leopold Schwarzschild reagierte auf Thomas Manns Ehrenerklärung für Bermann Fischer, dann schaltete sich der Feuilletonchef der *Neuen Zürcher Zeitung*, Eduard Korrodi, in den öffentlich geführten Teil der Debatte ein und machte seinen bisher nur mühsam zurückgehaltenen Ressentiments gegen die deutschen Exilautoren Luft.[92] »bitten inständigst auf Korrodis verhängnisvollen Artikel wie und wo auch immer zu erwidern«, hatte Klaus daraufhin telegrafiert und damit den Druck der Familie auf Thomas Mann verstärkt. Der mag wohl Katia, die ebenfalls eine Reaktion forderte, gesagt haben, dann solle sie eben etwas schreiben – jedenfalls war sie es, die den »Offenen

Brief an Korrodi« entwarf. Ihr Anteil an den endgültigen Formulierungen ihres Mannes ist allerdings nicht mehr zu rekonstruieren. Vier Tage arbeitete er daran, dann fuhr er mit Katia und Elisabeth zur *Neuen Zürcher Zeitung* und gab den Brief dort ab, direkt in der Redaktion. »Ich bin mir der Tragweite des heute getanen Schrittes bewusst. Ich habe nach 3 Jahren des Zögerns mein Gewissen und meine feste Überzeugung sprechen lassen. Mein Wort wird nicht ohne Eindruck bleiben.«[93] So spektakulär, wie er wohl befürchtet hatte, fielen die Reaktionen dann doch nicht aus. Korrodi meldete sich noch einmal zu Wort, aber Thomas Mann schenkte dem keine große Aufmerksamkeit mehr. Der Feuilletonredakteur war nur Auslöser gewesen, seine eigentlichen Adressaten waren die Mitglieder seiner Familie. Und die waren sehr zufrieden.[94]

Beäugte man sich in diesen außergewöhnlichen Zeiten besonders innerhalb der Familie sehr stark, so gab es darüber hinaus auch noch den Von-außen-Blick, den der Küsnachter, auf den Klan. Am auffälligsten war Katia, ob mit oder ohne Anhang:

> »So stürmte einmal eine aus einer älteren Frau und zwei oder drei jungen Personen zusammengesetzte Gruppe aus der Thomas Mann-Villa heraus auf die Strasse und rannte, zu einem Knäuel vereinigt, auf den an der Haltestelle wartenden *Bus* zu, der eben abfahren wollte. Durch Gesten und Zurufe, die einen Zug zum Stehen gebracht hätten, gelang es ihr, den Chauffeur zu weiterer Rast zu bewegen und so lange zu warten, bis das unförmige und damals für Küsnacht noch ziemlich neue Gefährt die ganze Gruppe verschluckt hatte. Einer der Mann-Söhne trug einen Violinkasten bei sich.
> Ebenso tumultuös verliefen die Besuche der Familie im *Strandbad* … Frau Mann mit ihren Kindern kam oft ins Bad, während sich der Vater auch da nie zeigte … [Sie] rannte jeweils, umgeben von ihren Kindern, laut lachend, rufend, überschäumend vor Lebenslust ins aufspritzende Wasser. Man war damals in Küsnacht nicht daran gewöhnt, dass eine ganze Familie dermassen unbekümmert und weithin hörbar sich austobte …

> Dass dabei ein Stück *Unverfrorenheit* mit im Spiel war, zeigt eine kleine Szene … Frau Mann hatte in einem bekannten Zürcher Modehaus eingekauft und wollte bezahlen. Da aber ein paar Kunden vor der Kasse eine Schlange bildeten, riss ihr plötzlich die Geduld, sie drängte sich ungestüm vor, und mit unüberhörbarem Ärger in ihrer … vom Strandbad her bekannten Stimme rief sie: ›Ich möchte bezahlen, ich bin Frau Thomas Mann!‹«

Um die Mann-Familie zur Raison zu bringen, war sogar behördliches Eingreifen nötig: wegen wiederholten sonntäglichen Trocknens großer weißer Wäschestücke im Garten; wegen Beschäftigung zweier fremdenpolizeilich nicht gemeldeter Dienstmädchen; wegen lauten Musizierens bei geöffneten Fenstern; wegen zu forschen Autofahrens (hier waren Katia und Erika gemeint[95]) und Falschparkens. Den Hund traf es besonders hart, er durfte sich in der Küsnachter Öffentlichkeit nur angeleint und mit Maulkorb bewegen – die korrekte Strafe fürs Beißen zweier junger Einwohner. Aber auch Katia war ja nicht zimperlich. Sie hatte es auf die Fahnenstange in Nachbars Garten abgesehen. Der bekennende Patriot war über seine Rückkehr nach langer Abwesenheit in die Schweiz so beglückt, dass er den Sommer über die Landesfahne über seinem Grundstück wehen ließ. In stürmischen Winternächten schepperte allerdings das Drahtseil an die Stange und störte Katias Schlaf. Sie teilte das Herrn Koller (so hieß der Nachbar, der aber wegen seines langen Aufenthalts in den Tropen nur Tropen-Koller genannt wurde) in einem deutlichen Brief mit. Seinen persönlichen Entschuldigungsversuch wies sie sehr ungnädig ab, worauf er es schriftlich probierte: Ihre Beschwerde könne er nicht verstehen, seien doch Drahtseil und Fahnenstange aus Thomasstahl bzw. von Mannesmann! »Man hat sich dort über Verschiedenes aufgeregt«, resümierte Katia viel später, »aber sonst ging es uns ganz gut dort.«[96]

Das stimmte sicher, vor allem im Vergleich mit der Exilantin Constanze Hallgarten, der ehemaligen Nachbarin aus Bogenhausen, deren schlichte Bleibe (»billigste Pension« in Küsnacht[97]) Katia bei Teebesuchen zu sehen bekam. Und das stimmte aus weniger materialistischen Gründen vor allem im Vergleich mit den Zuständen im Heimatland. Wohl deshalb hatten Katia und Thomas Mann sich lange gewünscht, Schweizer zu werden. Aber auf ein beschleunigtes Verfahren konnten sie nicht hoffen. Die Aberkennung der deutschen Staatsbürgerschaft traf sie im Dezember 1936, Golo, Monika, Elisabeth und Michael eingeschlossen. Erika war 1935, Klaus schon 1934 ausgebürgert worden.[98] Dass die Ausbürgerung letztlich nicht zur Staatenlosigkeit führte, hatte die Familie ihren guten Beziehungen zu Prag (zu denen auch Heinrich Mann beigetragen) zu verdanken,[99] deren Tragfähigkeit Katia und Thomas während eines Aufenthalts dort im Januar 1935 überprüften. Bis zum März 1937 hatte die tschechische Gemeinde Proseč allen Manns Heimatrecht zugesprochen[100] – mit Ausnahme Erikas, die am 15. Juni 1935 den ihr als homosexuell bekannt gemachten englischen Lyriker Wystan Auden geheiratet hatte. Ein gutes Jahr war sie auf der Suche nach einem Mann wie diesem gewesen. Als sie zur Eheschließung nach England fuhr, hatte sie Auden noch nie gesehen, und auch er wusste kaum etwas von ihr, er musste die Antwort auf die Fragen des Standesbeamten nach ihrem korrekten Namen, nach ihrem Alter schuldig bleiben. Ihre ins Maskuline spielende Erscheinung, ihr temperamentvolles Auftreten, das Autofahren besonders, überraschten ihn angenehm.[101] Und auch Erika war animiert: »Mein Mann ist äußerst eigensinnig und hartköpfig und es macht ihm große Freude, to introduce his wife, – Ehe ist Ehe, was kann man da machen, obwohl ich ja bekanntlich keine Kinder will«,[102] wie dieser Brief aus London zu werten war, Katia wird es gewusst haben. So wie die hellsichtige Tochter die Mutter necken konnte: »Bis zum Überdruß ist hier gewesen ei, wer denn? Dein Schwarm, Dein Flirt, Dein Gspusi, der Leonhard Frank, von dem Du nicht weißt, daß er im Grunde restlos SPINNT ...«[103] Und Erikas frühere Interessenten? Einer war »dick und kahl geworden, so dass ich ihn als Freier für Dich dann doch wirklich unter *keinen* Umständen in Betracht ziehen könnte. Aber wie wäre es mit Graf York, dem güterreichen? Eine gräfliche Tochter, das könnte mir so passen, und wenn es auch solch hübscher Bursch ist«, so hatte Katia mehr als zehn Jahre vorher das Terrain brieflich sondiert.[104] Das war lange her. Eine »gräfliche Tochter« hatte Katia nicht bekommen. Auch der Verlauf der Schauspielerehe Gründgens war schon jenseits des Erwarteten gewesen. Dass Erika Frau Auden wurde, hatte mit ihren Plänen zu tun, mit der Pfeffermühle nach Amerika zu emigrieren, wo dann das Kabarett allerdings nie Fuß fassen konnte.

Am 1. September 1938 saß ein elender Thomas Mann in der Schiedhaldi auf der Steinstufe der Gartenplattform und sah zu, wie die Requisiten der letzten Lebensepoche abtransportiert wurden – von Katia, die sich keinen Gefühlsluxus leistete, beaufsichtigt. Es mag beiden geholfen haben, sich schon nach Grundstücken am Zürichsee umzuschauen, ein Haus für regelmäßige Sommeraufenthalte sollte gebaut werden. Noch beruhigender war aber, dass in Princeton ein Lehrauftrag wartete sowie ein Heim, das den bisherigen Standard übertraf.

14. September 1938: Endgültiger Abschied von Küsnacht. Zwei Wochen lang hatte Katia einen reduzierten Haushalt zu führen, Besucher zu empfangen, selbst Besuche zu machen, Koffer für Paris gesondert von denen fürs Schiff zu packen. »K. überaus belastet.«[105] Wen wundert das. Paris (mit Heinrich Mann, Erika, Golo, Medi und Bibi), das war die Zwischenstation auf der Zugfahrt nach Boulogne-sur-Mer. Von dort aus ging es auf der Nieuwe Amsterdam mit Medi nach New York. Doch halt, es gab noch eine letzte Besucherin in Europa: Ida Herz kam überraschend in Southampton an Bord, um Lebewohl zu sagen. Katias Niedergeschlagenheit war tief. Sie dachte an die ihr Nahestehenden. Alles, was für ihr eigenes Weggehen sprach, war ein Argument gegen deren Bleiben.

Am 24. September 1938 war das Ziel der Überfahrt erreicht. Agnes E. Meyer wartete mit Wagen und Chauffeur am Hafen. Sie organisierte den Gepäcktransport und brachte Katia mit Thomas und Medi ins Hotel Bedford. Am 25. September schrieb Katia an Ida Herz, sie habe mit Thomas an einer Massenversammlung – von über 30 000 Menschen – teilgenommen. »Es war eine überaus eindrucksvolle Kundgebung, der Riesenraum, der über 20 000 Menschen fasst, bis auf den letzten Platz besetzt, und draussen noch zehntausend, die keinen Platz gefunden hatten. Erschütternd war der Empfang, der meinem Mann bereitet wurde, wie die zwanzigtausend Menschen sich bei seinem Auftreten wie ein Man [sic!] erhoben und ihn stürmisch begrüssten, wir haben so etwas noch nie erlebt.« Und sie fügte hinzu: »Es ist ja gewissermassen ein Glück hier in Sicherheit zu sein, aber ich persönlich wäre den Ereignissen doch lieber näher.«[106] Am 27. September hörte sie Chamberlains Rede im Radio, die wenig Hoffnung auf Frieden verhieß.

Der Meyersche Wagen brachte die drei Manns auch von New York nach Princeton. Am 29. September standen sie dort vor der Backsteinvilla 65 Stockton Street, es war klar, sie würde »Stocki« genannt werden. Begrüßt wurden sie von Lucy und John, »ein schwarzes *couple*, damals konnte man das immerhin haben«[107] – dienstbereit wie auch ein »Caretaker« für Heizung und Garten und eine Waschfrau. Tommy war sehr müde und ergriffen. Die Mischung aus repräsentativen Räumen und nicht funktionierenden Lampen hatte ihn mitgenommen. »Die Nacht bei K. verbracht« war die Konsequenz.[108]

Sie ahnte wohl, was da an Belastungen auf sie zukam, und sorgte schleunigst für ein Auto (einen Buick) und eine Sekretärin.

»Auspacken … Einräumen. Schlepperei, die Möbel, Bilder, Bücher- und Porzellankisten. Die Diele voll verstellt und mit Holzwolle bedeckt. … Mein Schreibtisch … Mein Münchener Lesestuhl … Höchste Phantastik, die Dinge hier wieder um mich zu haben. Genaue Wiederherstellung des Schreibtisches, jedes Stück, Medaillen, ägyptischer Diener, genau an seinem Platz wie in Küsnacht u. schon in München.«[109] Das war nach einer Woche Princeton. Auch dafür hatte Katia gesorgt.

1938–1945
Gefragt: Die Manns in Amerika – und Katia als Tommys »Schwesterherz«

Weihnachten 1938: Unterm Tannenbaum versammelten sich Klaus (zu jener Zeit verbandelt mit Thomas Quinn Curtiss), Eri (mit ihrem Verehrer Martin Gumpert, von dem sie schon einmal schwanger zu sein glaubte, mit dem sie aber nicht zusammenleben wollte, weshalb er »mit Erschießen gedroht«[1] hatte), Golo,[2] Medi und Bibi (nun gemeinsam mit Braut Gret in New York wohnhaft). Es gab Gesang, Geschenktische, Champagner … Und auch amerikanischen Bräuchen war Tribut gezollt worden: John hatte die Außentreppe farbig illuminiert. Was wollte man mehr?

Mit Alexandra Tolstoi, der einzigen noch lebenden Tochter des Schriftstellers, saß man in einer Loge in der Carnegie Hall mit Stefan Zweig »zu Tische«. Katias Cousine Hedda Korsch[3] kam mit Tochter vorbei, auch Hans Jaffé[4] sprach vor. Und nicht zu vergessen Fritz Landshoff. Dass Medi sich von ihren Hoffnungen auf ihn endlich verabschieden musste, war im vergangenen Oktober deutlich geworden, als er der Familie Mann seine Liebe, die holländische Schauspielerin Rini Otte, präsentierte. Auch Guiseppe Antonio Borgese – Katia hatte, wie Thomas, den 1931 aus Italien emigrierten Antifaschisten, Historiker und Literaturwissenschaftler im Jahr zuvor persönlich kennen gelernt – war in diesen Tagen Gast in der Stockton Street. Die nun zwanzigjährige Elisabeth hatte den Mann, der sechsunddreißig Jahre älter war als sie selbst, schon interessant gefunden, als sie ihn nur von seinen Veröffentlichungen her kannte. Im November war Borgese erstmals in die Stocki gekommen, wenige Wochen nachdem Elisabeth mit Landshoffs Beziehung konfrontiert worden war. Sie musste und wollte sich umorientieren. Mit Unterstützung von Erika und Klaus kam es zu ersten Begegnungen mit Borgese. Bald nutzte Medi die wöchentlichen Klavierstunden in New York zu regelmäßigen Treffen, und ihr Auserwählter war schnell animiert, sich scheiden zu lassen (er lebte seit neun Jahren von seiner Frau getrennt) und die Mann-Tochter zu heiraten. Das wusste Katia früher als Thomas, der doch so ausführlich mit dem Schwiegersohn in spe gesprochen hatte – »über Italien u. Deutschland und über seine Idee einer Corporation freier Geister als Weltautorität«[5]. Medis Eltern schwankten zwischen Besorgnis und der Bereitschaft, dem »Lebensinstinkt« der Tochter nachzugeben. Katia quälte sich ein wenig, war aber dann doch bereit, nach einer Ehezeit auf Probe der Heirat zuzustimmen, die am 23. November 1939 (Thanksgiving!) in Princeton stattfand. Der Brautvater weinte vor Nervenschwäche. Das Vorbild der sehr jungen Ehefrau, die einen Mann heiratete, der ihr Vater hätte sein können? Sie unterschrieb ihre Briefe an Borgese mit: »Deine Sekretärin, Chauffeur, Köchin, Pianistin und Ehefrau E.« Vielleicht hatte sie dabei an ihre Mutter gedacht.[6]

Medis Hochzeit war in jenem Jahr schon die dritte eines Mann-Kindes. Im März hatte Monika Jenö Lányi geheiratet, und beide waren, mit Zwischenstation in Wien, von Florenz nach London gezogen. Und im selben Monat, am 6., waren Michael und Gret in New York vor den Traualtar getreten.[7] Auch sie brachen auf nach Europa, über Belgien ging es gleichfalls nach England; die von Katia empfohlene Emigration in die Staaten lehnten sie ab.

Die Eltern, die durch Elisabeth erst zwei Tage vorher von der Hochzeit des Jüngsten erfahren hatten, waren nicht erschienen. Sie trafen in Princeton letzte Vorbereitungen für eine etwa vierwöchige Vortragsreise, zu der sie dann am 7. März gemeinsam mit Erika aufbrachen: Die Stationen? Boston, New York, Detroit, Cincinnati, Chicago, St. Louis, Fort Worth, Kansas City, Omaha, Seattle, Los Angeles, Beverly Hills, dann zurück über Chicago und Washington – ein Agent hatte dies ausgehandelt. Die Themen, über die »Mr. Mann« diesmal zu sprechen gedachte? *The*

Problem of Freedom, War and Democracy, How to Win the Peace. Der übliche Ablauf? Am Ankunftstag gab es vormittags im Hotel (in Anwesenheit von Frau und Tochter) jeweils einen Empfang für die Presse. Am Abend, nach dem Dinner im handverlesenen Kreis (wobei »E. u. K.« auch mal am Damentisch saßen), fand der Vortrag statt (»E. u. K. mit auf der Platform«), nach der Einleitung durch irgendeine Zelebrität folgten »Questions mit Erika«. Zu guter Letzt Autogramme und eine Nachfeier in kleinem Kreis. Dazwischen Spaziergänge mit Katia, Einkäufe mit Katia. Maßnahmen gegen Befindlichkeitsstörungen durch Katia. Erika arbeitete derweil an möglichst besseren Varianten der Vorträge ihres Vaters. Gelegentlich gingen alle zusammen ins Kino, täglich wurden die Nachrichten aus Europa diskutiert. Und nicht zu vergessen: das Einpacken, das Räumen der Hotelzimmer, das Auschecken, die Reisen (oft im Schlafwagen, bewährt: Katia im oberen, Thomas im unteren Bett), Transfer ins Hotel, erneutes Einchecken und Auspacken, das war für alle Beteiligten, besonders aber für den vierundsechzigjährigen Thomas und seine sechsundfünfzigjährige Frau, ein anstrengendes Programm – Katias Konzentrationsfähigkeit hatte bis Beverly Hills so gelitten, dass sie statt Borwasser Salmiak zum Spülen der Augen benutzte. Vier Tage später war sie aber so weit wiederhergestellt, dass sie die »Auslese Hollywoods« genauestens beobachten konnte: Ernst Lubitsch, die Massary, Max Reinhardt, Fritz Lang, Erich Maria Remarque und die Dietrich … Katia konnte zufrieden feststellen, dass ihr Tommy von dreihundert Bankettgästen überschwänglich gefeiert wurde. Hatten nicht Bruno und Liesl Frank recht daran getan, sich an der Westküste niederzulassen? Der zweite Höhepunkt dieser Reise war zweifellos Washington, ein Wiedersehen mit den Meyers. Das war allerhöchstes Niveau: Statt Katia bereitete ein Kammerdiener Thomas' Abendtoilette vor, man ging ins Konzert und später mit dem Dirigenten, glücklicherweise war es der alte Freund Bruno Walter, zu Tisch. Mit ihm und der deutsch sprechenden Cousine Roosevelts, einer eleganten New Yorkerin, konnte man beim Champagner weltläufige Gespräche führen über »Avion-Unfälle« und eventuelle Treffen in Schweden oder Griechenland.[8] Am 16. April Kofferpacken – ohne Bedauern. »Mitnahme einer angenehmen Rosenseife« notierte Thomas noch ins Tagebuch, und »Verabschiedungen weiblicherseits sentimental«. Zu oft für seinen Geschmack hatte Agnes E. Meyer ihm während des Besuches Kälte und ein wenig spontanes Verhältnis zu seinen Mitmenschen vorgehalten. Später war sie gar konkreter geworden, und er hatte sich auch noch »dagegen verteidigen [müssen], daß ich in der Frau die Verführerin sähe(!)«[9].

Die folgenden Wochen in Princeton reichten gerade zum Aus- und Einpacken. Und zwischendurch zur Entgegennahme von drei Ehrendoktoraten[10] durch den gefeierten Autor. Am 28. April ließ er sich von John nach Rudgers chauffieren: »Auf dem Podium Gesang, Gebet, Einführung, dann mein Vortrag in 42 Minuten … Danach Ernennung … Kapuze, Diplom. Ansprechende Feier. Lunch …« Schon um drei war er wieder zu Hause. Am 18. Mai in Princeton ging es weltlicher, feierlicher zu. Die kirchliche Seite kam am Tag darauf zur Geltung, beim Vortragsabend in der Chapel der Universität. Mit seiner Leistung war er durchaus zufrieden, aber ein »sehr unverständlicher Vortrag Einsteins« war zu beanstanden. Fotos zeigen beide Redner mit Katia im opulenten Pelz. Nur zehn Tage lagen zwischen dieser Feier und der Entgegennahme der nächsten Promotion h. c. (und 300 Dollar Vortragshonorar) in Geneva im Staate New York.[11]

Für Annette Kolb, die alte Freundin, die in diesen Tagen in Princeton zu Gast war, gab es einiges zu bestaunen:

> »Thomas Mann bewohnt hier mit seiner Familie – was gerade von ihr aus- und einflitzt – ein großes, sicherlich von einem Engländer erbautes Haus. Denn es ist – bis auf die nachträglich eingebauten Badezimmer – reinstes early Victorian. Sogar ein conservatory ist darin. Im Garten sind alle Tulpen im Flor, auch der Dogwood-Baum mit seinen Strahlenblüten, die vom Himmel gefallen scheinen. … Was aber sehe ich rechts von meinen Fenstern stehen? Eine Gruppe von Tannen und darunter einen Tisch mit Liegestühlen. War es nicht so vor Thomas Manns Haus in Küsnacht bei Zürich?«[12]

Am 13. Juni betraten Katia und Thomas in Le Havre europäischen Boden – und wandten sich, mit Zwischenstopp in Paris (wo Katia sich auf den Konsulaten um Ein- und Durchreisevisa bemühen musste und ein überraschendes Treffen mit Heinrich zustande kam), nach Noordwijk aan Zee, um nicht durch ihr Auftauchen in der Schweiz den alten Pringsheims, die gerade von München dorthin gehen wollten, die Genehmigung der Ausreise zu erschweren. Vom 6. bis 18. August endlich Zürich, wo man alte Freunde traf und auch Golo, der zurückgekehrt war, um redaktionelle Aufgaben für *Mass und Wert* zu übernehmen. In diese Zeit fällt auch ein Besuch in Küsnacht. Katia hatte zu diesem Zweck einen kleinen Peugeot gemietet. Bewegt stiegen Katia und Thomas die verwachsenen Stufen hinauf zur leeren Schiedhaldi, standen auf der Terrasse, schauten in den Essraum, die Wohnhalle und hinauf zu den Fenstern, hinter denen einst sein Arbeitszimmer lag. Ein ersehnter Besuch, der doch Thomas Manns Depressionen vertiefte. Um sich zu trösten, verfolgten die beiden ihre Grundstückskaufpläne weiter und dachten daran, im September, vor der Rückfahrt nach Amerika, noch einmal an den Zürichsee zu kommen.

Zuvor das Pflichtprogramm: Flug über London nach Stockholm zum PEN-Congress, das hierfür vorgesehene Referat: *Problem der Freiheit*. In London wartete die Herz sehnsüchtig auf ein Treffen. Und Monika und Jenö Lányi. »Nette kleine Wohnung. Selbstgekochtes Abendessen, Kaffee und Bier im Arbeitszimmer«[13], das übliche Programm Jungvermählter bei elterlichem Besuch.

Am 22. August schrieb Katia an ihr »Liebes Kläuschen«:

»Ich habe den beifolgenden kl. Brief vom Mönle, die Deine Adresse nicht besitzt, an Dich weiterzubefördern übernommen; einen flüchtigen Blick habe ich darauf geworfen, der mich etwas melancholisch machte. Das Kind ist ein merkwürdiger Fall von Insufizienz … und ich bin fest entschlossen, in meinem Leben keine Unfreundlichkeit mehr über sie zu hegen und mich nur nett und hilfreich zu verhalten.« Das waren, leider, bei Katia übliche briefliche Klagen einem der Kinder gegenüber, die ein anderes betrafen. Doch: »Ach, *das* wäre das Wenigste. Ich bin heute total gebrochen ... wegen der grauenhaften Ereignisse mit Grete. Diese haben wir noch unmittelbar vor unserer Abreise, vor vier Tagen mit ihren Eltern in Lugano gesehen ...«[14] Grete, die Tochter Bruno Walters und einst Mitglied der Herzogpark-bande, war von ihrem Mann aus Eifersucht erschossen worden.[15] Erika war so erschüttert, dass der sonst so umsichtigen, versierten Reisenden unterwegs das Gepäck abhanden kam.

Als Katia und Thomas am 23. August an Bord der Suecia gingen, die sie von Tilbury nach »Goetheborg« brachte (als er dies schrieb, war Thomas in Gedanken wohl am Weimarer Frauenplan, bei dem verehrten Dichter[16]), registrierten sie viele heimkehrende Schweden, und während der Überfahrt verfolgte Katia am Radio, wie ein knappes Jahr zuvor, eine Rede Chamberlains. Die Wahrscheinlichkeit eines Krieges wurde immer größer, Stockholm schwirrte vor Gerüchten. Der Angst vor der nächsten Zukunft war offenbar nur mit verstärktem Konsum von Beruhigungs- und Schlafmitteln beizukommen.

Es war ein ungewöhnlich warmer Spätsommer, die Eheleute tranken ihren Tee im Garten und gingen oft über einen Klippenweg zum Baden. Sie trafen Bermanns, H. G. Wells, Brecht und viele andere. Thomas Mann gab ein Interview, in dem er den Tag ihrer geplanten Abreise nannte, der am nächsten Tag in den Zeitungen stand. Im eigens angeschafften Radio hörten Mutter und Tochter Hitlers Rede vor dem Reichstag, wodurch sie sich den Unmut eines Ehepaars zuzogen, das die Hotelzimmer über ihnen bewohnte. Das war am 1. September, dem Tag des Kriegsausbruchs. Es war nur zu klar: Sie mussten das Grandhotel Saltsjöbaden bei Stockholm früher als geplant und verkündet verlassen, um nach Amerika zurückzukehren.

Mit Flugzeug und Zug erreichten Katia, Erika und Thomas Mann Southampton, wo sie sich am 12. September einschifften. An Bord des überfüllten Dampfers war alles »viel irregulärer u. kriegsmäßiger als vorgestellt«. »Improv. Schlafsäle mit Pritschen bei getrennten Geschlechtern.« Das »Bad« (eine Sitzbadewanne) befand sich eine Treppe tiefer, die erlaubte Verweildauer dort betrug zehn Minuten. Das Essen war allerdings erstklassig, Champagner und Kaviar, Zigarren und Zigaretten eingeschlossen. Die

TELEGRAPHIC ADDRESS
"ALEXOTEL, KNIGHTS, LONDON."

TELEPHONE
SLOANE 4521
(10 LINES)

THE ALEXANDRA HOTEL,
HYDE PARK CORNER, S.W.1.

29. VIII. 39.

Zeit vertrieben sich die drei mit Casino, einem der wenigen Spiele, die Thomas Mann beherrschte. »Es wird gut sein, die unabsehbare Entwicklung des Krieges, seine Wechselfälle und Schrecken in meiner Princetoner library verfolgen u. abwarten zu können«, meinte er dann doch;[17] ob Katia Gleiches für sich wünschte, ist eher nicht zu vermuten.

Familie Mann, Weihnachten 1939, 65 Stockton Street, Princeton, New Jersey: »Champagner-Dinner zu 12 Personen mit dreifacher schwarzer Aufwartung bei brennenden großmütterlichen Kandelabern. Nachher im Weihnachtszimmer. Champagner u. Baumkuchen. Musik neuer Platten …« In der Bibliothek das Finale: Lesung des neunten Kapitels aus *Lotte in Weimar:* »Ergriffenheit«.[18]

Thomas hatte es also mit Katias Hilfe geschafft, das Buch, das er noch in Küsnacht begonnen hatte, trotz allem fertig zu schreiben. Am 26. Oktober in Princeton hatte er ihr den Abschluss des 552 Seiten starken Werkes gemeldet, nun lag es im Druck vor. »Angefangen an trautem Ort« stand daher in seiner Widmung und: »Meinem Katjulein/in Liebe/Princeton 1939 T.«[19]

Als sich die Gäste verlaufen hatten, die Weihnachtsdekorationen abgeräumt und verstaut waren, hatte Katia einen weiteren wichtigen Termin in ihrem Kalender: Michael und Gret Mann waren mit einem Schiff aus England unterwegs, am 8. Januar sollten sie in New York eintreffen. Der Tag war eiskalt, es lag Schnee, Katia wartete am Hafen, doch das Schiff kam nicht. Am 10. Januar der zweite Versuch, wieder verbrachte sie Stunden in der Kälte am Pier, dieses Mal nicht umsonst.

Den Tag danach hielt Katia wohl endlich für geeignet, Thomas von ihren Gebärmutterblutungen zu erzählen – zu seinem verständlichen Schrecken. Doch eigentlich hatte sie keine Zeit, sich wirklich damit auseinander zu setzen, am 13. kam Mrs. Meyer, um von ihren Lübeck-Recherchen zu erzählen und die Einleitung zu ihrem Buch vorzulesen. Außerdem waren Vorbereitungen für eine kurze Lesereise ins frostige Kanada zu treffen. Sozusagen schon unterwegs, unterzog Katia sich in New York einem kleinen Eingriff, dem ein weiterer am 30. Januar folgte – alles in allem glücklicherweise harmlos. Der Start zur nächsten Lesereise war eine Woche später, dieses Mal ging es über Illinois (Chicago, wo Borgeses nun wohnten), nach Iowa, Minnesota und Texas. Nach drei Wochen war auch das bestanden. Es brachte Geld und befreite zunehmend von der Bindung an die Universität Princeton. Das wurde wichtig, denn: »Princeton langweilt mich«, so Thomas Mann an Ostern, »Hollywood, Santa Monica, zieht mich durch Klima, lustigere Umgebung stark an.« Und: »In Gesprächen weitere Entwicklung der Californien-Pläne. Aufgabe dieses Hauses in festere Aussicht genommen.«[20]

Princeton langweilig? Das wohl nicht grundsätzlich. Es gab ein reges gesellschaftliches Leben mit Empfängen, Vorträgen berühmter Leute (Katia hörte dort beispielsweise Eve Curie), es gab Nachbarn wie Erich von Kahler, Historiker und Philosoph, Emigrant und ein gern gesehener Gast bei den Manns, oder auch Molly Shenstone, Ehefrau eines Ordinarius für Physik, die Katia bald eine unschätzbare Hilfe sein sollte bei der Erledigung englischsprachiger Korrespondenz – aber direkt lustig war das alles wohl nicht. Thomas Mann, der ständig mit der Familie, mit Besuchern im Mitford-House oder mit Menschen, denen er auf seinen Reisen begegnete, über die Kriegsereignisse sprach, der sich brieflich darüber austauschte, die Entwicklungen in Zeitungen, im Radio oder den Wochenschauen der Kinos verfolgte und zum Einfall der deutschen Truppen in Holland, Belgien und Frankreich am 22. Mai 1940 in sein Tagebuch schrieb »Scham, Gram und Haß dieser Tage werden unvergessen bleiben; sie sind kaum zu ertragen«[21], sehnte sich wohl nach einer Umgebung, die ein wenig leichtlebiger war.

Ob Katia ebenso dachte, ist nicht sicher auszumachen. Vielleicht war ihr die Nähe zur Drehscheibe New York wichtig, zum »Junction«, dem Eisenbahnknotenpunkt, wo sie Familienmitglieder und Gäste abholte, zum Hafen, wo sie die Ankunft von Golo, den Lányis oder vielleicht auch ihrer Eltern, eines ihrer Brüder oder Heinrich Manns erwarten wollte – so wie sie im Januar 1940 Bibi und Gret hatte »einholen«[22] können.

Vielleicht beeinflusste auch ihr Tagesgeschäft, das sich doch von dem ihres Mannes deutlich unterschied, ihre Wahrnehmung. Da waren die Gäste, die Reporter (der *Vogue* zum Beispiel), die mit Wünschen nach Homestories kamen, eine Malerin, die den Schriftsteller für Yale porträtieren wollte – sie alle beanspruchten individuelle Arrangements, die in Zusammenarbeit mit den Bediensteten zu erstellen waren.

Und es gab auch in Princeton Hunde. Im März 1939 hatten Bibi und Gret Jimmy mitgebracht, ein halbes Jahr später kam Caroline Newton mit dem Pudel Nico. Der machte Schwierigkeiten: Er riss aus, war krank, raufte mit anderen Hunden, war ungezogen. »Zerwürfnis mit dem Pudel wegen seiner Unfolgsamkeit nach Auffindung abstoßender Dinge. Beschluß, mich nicht mehr darum zu kümmern.«[23] Fein formuliert, Dichterfürst! Dann musste das wohl die, nach eigenem Urteil, gänzlich unfähige, aber sehr vernünftige Dichterfrau[24] tun.

Manns waren also bestens etabliert, und doch würden sie Princeton verlassen. Nur noch nicht in diesem Jahr, da musste eine Sommerreise an die Westküste genügen. Es war nicht leicht, dort ein passendes Haus zu finden, für ein paar Wochen nicht, und für länger schon gar nicht. Leonhard Frank aber machte es möglich. Für ein Vierteljahr, vom 5. Juli bis zum 6. Oktober, verlegte man den Haushalt samt Dienerpaar und Hund Nico, aber ohne Schreibkraft (weshalb Katia das Abtippen des Manuskripts der *Vertauschten Köpfe* selbst übernehmen musste) in ein großes elegantes Haus in Brentwood in Kalifornien.

Der Zeitplan für die Reise, auch die Zwischenstation Chicago auf dem Hin- und Rückweg, war sicher von Katia beeinflusst. Zwei der drei Brautpaare des vergangenen Jahres schickten sich an, Eltern zu werden.

Fridolin (genannt Frido, anfangs auch Fredolin) Mann wurde am 31. Juli 1940 als erster Sohn von Gret und Bibi in Monterey bei Carmel-by-the-Sea geboren. »Bibis« hatten sich dort niedergelassen, das, was sie »ascona-mäßig« nannten, hatte ihnen gefallen. Katia machte sich allein auf die »Enkelfahrt«[25]. Daher ist ein Brief aus Carmel von ihr erhalten an:

»D. Thomas Mann
441 N. Rockingham
Brentwood – Los Angeles, Cal.

Liebster Lamm:
Da bin ich dann also gestern Abend ganz allein in die weite Welt gefahren, um ein Haar wäre ich es gar nicht, weil John so *sehr* langsam fährt, die Entfernung so ungeheuer groß ist und sicher auch mal ein Umweg gemacht wurde. Wir kamen knapp zehn Minuten vor Abfahrt an, ein Red Cap war lange nicht zu kriegen, und als wir ihn glücklich hatten, konnte er auch nur gerade noch schwitzend im Galopp durch den weitläufigen und sonntäglich überfüllten Bahnhof in meinen Zug [gelangen]. Aber dann begab ich mich bald zu Bett und schlief in meinem lower bunk im auffallend ruhig gehenden Wagen überraschend gut. Bibi war auch pünktlich und freudig zur Stelle, während [Schwiegertochter] und Enkelsöhnchen mich hier festlich erwarteten.
Einen Blindling kann man es ja nicht nennen, aber etwas blass ist es ja und recht winzig kommt es mir auch vor. Aber das ist wohl so neugeborenenweise, und ich alte Omama habe es nur vergessen. Sie meinen er sei ungemein kräftig … Eben haben sie es zur wöchentlichen Untersuchung in die Klinik gefahren, da wird man ja feststellen, ob die künstliche Nahrung ihm anschlägt …«[26]

So der Bericht der unaufgeregten Großmutter.

Der Chicago-Aufenthalt auf der Rückreise war zwar zu früh, um auch das zweite Enkelkind schon zu erleben, aber es stand schon fest, dass man in der zweiten Novemberhälfte wieder dort sein würde: »So steht nahes Wiedersehen nach Geburt des Kindes in Aussicht.«[27] Da hatte man sich wohl verrechnet. Als die werdenden Großeltern am 14. November ankamen, war »Medi noch nicht von ihrer Last entbunden«[28], und sie wurde es auch nicht, bis Katia und Thomas am 27. zurück nach Princeton fuhren. Angelica Borgese wurde am 30. November 1939 geboren.

In der Zeit zwischen den beiden Aufenthalten in Chicago war Katia zweimal am Hafen, zwecks Einholung von Kindern, um die sie erheblich hatte bangen müssen:

Am 13. Oktober lief der griechische Dampfer Nea Hellas ein, an Bord eine »Ladung emigrierter deutscher Dichter und Literaten«[29]. Und Golo war wieder da! Im Mai 1940 war er als Kriegsfreiwilliger nach Frankreich gegangen, um gegen die Deutschen zu kämpfen. Dort wurde er sofort interniert. Wochenlang blieb er verschollen. Im September war ihm mit Heinrich und Nelly Mann, Franz Werfel und Alma Mahler-Werfel eine riskante, äußerst strapaziöse Flucht zu Fuß[30] über die Pyrenäen nach Spanien geglückt. Auf unterschiedlichen Wegen gelang es dann allen fünfen, sich nach Lissabon durchzuschlagen und dort Karten für die Überfahrt zu bekommen. So nahm die gefährliche Reise doch noch ein glückliches Ende.

Am 28. Oktober stand Katia wieder am Pier. Dieses Mal konnte sie eine Tochter in die Arme schließen. Monika war mit der Cameronia angekommen. (Sie hatte nicht, wie Erika, fliegen dürfen, denn sie besaß nur einen tschechoslowakischen Pass.) Schon einmal hatte sie sich auf die Reise gemacht, zusammen mit ihrem Mann auf der City of Benares von England nach Kanada, doch die Fahrt fand ein tragisches Ende. Am 22. September notierte Thomas Mann in sein Tagebuch: »Trauernachricht von der Torpedierung eines englischen Kinder-Schiffes, nach Canada bestimmt.« Am 24. dann: »Morgens Kabel von Erika, daß Moni und Lanyi auf dem torpedierten Schiff waren, der Mann tot ist und Moni sich in einem Hospital in Schottland befindet (in welchem Zustande?!) von wo Erika sie abholt. Sie scheint also transportfähig. – Grauen und Abscheu. Erbarmen mit dem gebrechlichen Kind.«[31]

Das war weiß Gott angebracht.

»Es gab so einen Ruck, als sei man irgendwo aufgefahren ... nachts, ja, es war halb elf, ich hatte schon geschlafen, er kam aus dem Salon herunter, wo er Klavier gespielt hatte ... bei der Alarmglocke kam er herunter in unsere Kabine, bleich, er zog erst mir den Rettungsgürtel an, dann sich selbst – was wir anhatten? Nur Regenmäntel, wir nahmen nichts mit, wir hatten keine Zeit, wir hatten Rettungsboot Nummer sechs, da waren viel zuviel Menschen, viel mehr als in ein Rettungsboot gehen, es fehlten Rettungsboote, die waren durch das Torpedo kaputtgegangen, und wir fielen alle auf den Grund des Meeres fast, weil wir zu viele waren, auch waren die Seile kaputt. Es war ein wahnsinniges Geschrei gewesen von der Mannschaft, … und als wir wieder heraufkamen, schrien wir so gut es ging, nahe am brennenden Schiff, wir hatten Petroleum geschluckt und waren zerschlagen und suchten etwas zum Anhalten, wir riefen einander, ich hörte seinen Ruf, dreimal und dann nichts mehr. Und dann waren lauter Tote um mich 'rum und ganz schwarze Nacht und ganz hohe Wellen, und ich war durstig, und ich hatte keine Stimme mehr, und meine Hände waren unendlich kalt, … die Wellen haben mich ganz zugedeckt, sie kamen wie schwarze Gebirge auf mich los – tote Kinder gab es, von Schreck und Kälte getötet, und Durst – ja der Durst! –, und sie schwammen wie Puppen herum – es hatte in Strömen geregnet, dann kam der Mond, jetzt schwammen die Kinder auf den schwarzen Wellen im Mondschein …«[32]

Lange Zeit, Tag und Nacht, habe sie die Erinnerung an das Erlebte bedrängt, so Monika Anfang der fünfziger Jahre. Was ihr Verhalten beeinflusste. Katia kam damit schwer zurecht. Ihr Verhältnis zu dieser Tochter, deren Schönheit und Intelligenz nicht herausragend waren, der auch der Ehrgeiz fehlte, etwas Besonderes aus sich zu machen, und die doch ein so anspruchsvolles Verhalten zeigte, wurde, trotz bester Vorsätze, immer schlechter. Sie konnte Monika buchstäblich nicht ertragen. Und Thomas konnte und wollte ebenso wenig gegensteuern wie die Geschwister. Es würde der jungen Witwe nicht helfen, die Nähe des Elternhauses oder ihrer Schwester Medi zu suchen – um sich zu stabilisieren? Ihre Emotionen auszuleben? Was auch immer, einige Jahre später würde die Familie sich nicht anders zu helfen wissen, als sie in ein Heim zu geben.

Im September 1940 war also auch Erika – nach etwa einem Monat Europa – wieder in Amerika, zur besonderen Freude des Vaters, der sie gleich in die Suche nach einem Haus an der Westküste einspannte. Diese Tochter leistete sich schon längst, was Katia sich wünschte, aber aus vielerlei Gründen nicht wagte, nämlich den Ereignissen nahe zu sein. Da Erika sich die britische Staatsbürgerschaft erheiratet hatte, konnte sie an BBC-Sendungen für Deutschland in London mitarbeiten. Klaus war ebenfalls in den USA, er war mit der Planung und Herausgabe seiner neuen Zeitschrift *Decision* beschäftigt.

Katia wusste nun endlich einmal alle ihre Kinder auf dem sichereren Kontinent. Am 17. Februar 1941 wurde ihr zudem die Freude zuteil, ihren Bruder Peter einzuholen, der mit Hilfe Agnes E. Meyers ein Lager in den Pyrenäen hatte verlassen können. Aber Hedwig und Alfred Pringsheim waren noch in Europa – und trotz vieler Bemühungen würde es nicht gelingen, sie in die Staaten zu holen.

»Vater soeben friedlich entschlafen …« Das Telegramm mit der Nachricht vom Tod Alfred Pringsheims traf am 25. Juni 1941 in Pacific Palisades ein, wo Manns seit kurzem lebten.[33] Katia, notierte Thomas, habe den Verlust »ruhig« hingenommen.[34] Das Leben, beraubt all dessen, was es einst so sehr bereichert hatte, war dem Einundneunzigjährigen längst nur eine Last gewesen, und die Tochter wusste das. So gab es für sie keinen Grund, den empfindlichen Thomas durch zur Schau getragene große Trauer zu verstören. Darüber hinaus dürfte die Vorbereitung eines Abendessens für dreizehn Gäste Katia von trüben Gedanken zur Genüge abgelenkt haben.

Die einst so reichen und angesehenen jüdischen Pringsheims hatten finanzielle und gesellschaftliche Degradierung verkraften müssen. Die Gelder, die sie in Kriegsanleihen investiert und verloren hatten, die Inflationsverluste, die Selbstbedienung der Nazis – arm waren sie zwar nicht geworden, aber der Unterschied zu früher war erheblich.

Auch der Status des Paares, der auf seinem Ansehen in der

Münchner kunstliebenden Gesellschaft und den Professorenzirkeln der Universität beruht hatte, war während der Hitlerzeit nach und nach geschwunden.

Hier der Rückblick: Obwohl auf eigenen Wunsch seit 1922 von der Verpflichtung zu Vorlesungen entbunden, sah Alfred Pringsheim sich am 3. Juni 1933 gezwungen, den Universitätsbehörden schriftlich zu geben, woraus er nie ein Geheimnis hatte machen wollen. »Jüdisch geboren, konfessionslos erzogen und verblieben«, schrieb er in die Zeile für sein Glaubensbekenntnis. Auch Hedwig Pringsheim blieb 1934, unter dem Datum des 15. August, ihren »Ariernachweis« schuldig, sie nannte sich wahrheitsgemäß »protestantisch« und beantwortete die Frage nach nichtjüdischer Abstammung mit einem klaren »Nein!«.[35] Nochmals, und zwar ebenfalls kurz nach deren Machtergreifung, fiel nationalsozialistischen Parteigängern Katias Vater unangenehm auf. Dem Beamteneid auf den »Führer«, vorgeschrieben auch für Emeriti, sofern sie sich ab und an zu einer Lehrveranstaltung hatten überreden lassen (wollen), entzog er sich durch die strikte Weigerung, künftig zur Verfügung zu stehen. »Im Namen des Reiches« wurde Professor Alfred Pringsheim »mit Wirkung vom 1. Januar 1935 ... in den dauernden Ruhestand versetzt«. Seine Jahrespension »auf Lebensdauer« wurde mit 12 250 Reichsmark festgesetzt.[36]

Katias Mutter war schon 1932 auf der Briennerstraße von einer ihr nicht näher bekannten Frau, die sich in Begleitung zweier Braunhemden befand, mit den Worten aufgehalten worden: »Jetzt ist die Zeit der Schwarzen und Roten vorbei, jetzt sind *wir* dran, endlich endlich; jetzt haben *wir* die Macht, das werdet ihr Schwarzen und Roten schon merken, wenn ihr Alle da droben am Obelisken [auf dem nahen Karolinenplatz] baumelt.« »Ordentlich gruselig« sei ihr dabei geworden, auch das hatte Hedwig Pringsheim »Tommy« damals eingestanden und zugleich angemerkt, dass man ihrer Meinung nach an einem Obelisken nur schwerlich jemanden aufhängen könne.[37] Allerdings war die Napoleon-Verehrerin vor Fehleinschätzungen nicht gefeit gewesen: »Die Großmutter«, wusste Enkel Golo zu berichten, »konnte sich einer zarten Bewunderung Hitlers nicht erwehren, worüber es zwischen den Greisen zu häufigen Streitereien kam.«[38]

Auch das musste verkraftet werden: 1933, im November, wurde in München das Haus Arcisstraße 12 gemeinsam mit den benachbarten gründerzeitlichen Palais dem Erdboden gleich gemacht. An deren Stelle wurden die so genannten Führerbauten errichtet, pompöse Verwaltungsgebäude der NSDAP.

Ob die Eltern die Todesgefahr, in der sie schwebten, realisierten? Katia musste daran ihre Zweifel haben. Warnungen, verklausulierte, vor immer schrecklicheren Folgen immer unverhohlener propagierten Judenhasses wollten weder Alfred noch Hedwig Pringsheim hören. Auch die Möglichkeit einer Ausreise wiesen sie lange weit von sich. Aufkommenden Ängsten suchten sie, wie es scheint, mit Sarkasmus oder Ignoranz zu begegnen, vor allem, indem sie die eigene jüdische Herkunft als irrelevant abtaten.[39]

Briefe[40] der Mutter (vom Vater sind keine erhalten), einmal wöchentlich mindestens in akkurater Spinnenschrift an die Tochter gerichtet, verraten, neben ihrem Talent zur Satire (eindeutig ein Erbteil Ernst Dohms), oft ihr Bemühen, Katia nicht das Herz schwer zu machen. Den Bericht vom Hinauswurf aus ihrem glanzvollen Heim begann Frau Hedwig am 1. November 1933 mit den Worten: »... hier diesen Brief tränenden Auges, denn er ist der letzte aus deinem Elternhaus: das zwar einem Eltern*haus* in keiner Weise mehr änlich sieht, sondern einem infernalischen Haus gleicht, in dem kein Schwein auch nur eine Stunde noch grunzen möchte. Aber immerhin ...! Der nächste, der aber wohl nur eine Karte sein dürfte, kommt also vom Maximiliansplatz 7/III, wohin der ... Umzug am Samstag vollzogen wird«[41], dessen Abschluss mit »Uff! liebste Kleine; und dreimal uff!!!«[42] bekannt gegeben wurde.

Pringsheims hatten eine Etagenwohnung beziehen müssen. Ihr Mobiliar bestand aus Teilen des alten, Platz für des Professors wertvolle Bibliothek gab es nicht mehr, wohl aber für die Majoliken. Der vielfach bewunderte Thoma-Fries überdauerte die Plünderung, ja sogar den Abriss und ging zwangsweise über in den Besitz der Stuttgarter Staatsgalerie[43], wo er bald darauf ohne

Angabe der Provenienz ausgestellt wurde. Katias Eltern nutzten die Gelegenheit, ihn dort ein letztes Mal zu sehen.

Der Tenor der Briefe Hedwig Pringsheims aus dem Jahr nach der Machtergreifung: Zweckoptimismus und Gesellschaftsklatsch, Stolz auf Erfolge von Katias Zwilling im Fernen Osten, Neues aus der Poschi, auch Hinweise auf Freunde, die seit kurzem nicht mehr zu Besuch kommen konnten.

»So; nun rollt 1934 unwiderruflich, unwiederbringlich in den Abgrund, Chronos hat ... eines seiner Kinder verschlungen; und wir stehen und starren in den Abgrund und wissen nicht, sollen wir uns freuen oder sollen wir trauern. Denn ach, wir wissen ja nicht welches Gesicht dies 1935 uns weisen [wird?]. ... Also laßt uns fröhlich sein und Pfannkuchen essen und Punsch trinken«, bekam Katia in der Schweiz zu Silvester von der Mutter zu lesen.[44] Zur wirklichen Beruhigung konnte dergleichen selbstverständlich nicht beitragen.

Wenn aber die Eltern alle paar Monate für jeweils zwei Wochen in Küsnacht auftauchten, war das für Katia auch nicht eben entspannend, da deren Einquartierung Thomas regelmäßig an die Grenzen seiner Belastbarkeit brachte. Sie gingen ihm schlichtweg auf die Nerven. Am 25. Juni 1934 etwa vertraute er dem Tagebuch an: »Die Renitenz ... im Gespräch ... äußerst widerwärtig.« Am 30. Juni 1934 war er »gereizt durch die alten Leute«. Mag sein, dass, immer wenn er länger als vierundzwanzig Stunden mit ihnen konfrontiert war, Jahrzehnte zurückliegende Verletzungen erneut zu schmerzen begannen. Golo hörte einmal, wie der Vater zur Mutter sagte: »Sie haben mich nie gemocht, und ich sie auch nicht.«[45] Und Katia erzählte Tochter Erika von einem nächtlichen Nervenzusammenbruch, den sie selbst erlitten habe, nachdem der Zauberer aufgrund einer vermeintlichen Demütigung und Beleidigung durch einen ihrer Brüder sowie den Professor in dessen Hause (es war um Arthur Schopenhauer gegangen) zunächst bleich und zitternd beherrscht geblieben, doch daheim, völlig außer sich geraten, äußerst hart mit ihrer gesamten Familie ins Gericht gegangen war.[46]

1937 – zu Beginn des Jahres hatten Pringsheims ihre Pässe abgeben müssen – wurde den beiden, er sechs-, sie zweiundachtzig, ein weiterer Wohnungswechsel innerhalb Münchens zugemutet. Nochmals reduzierter lebte es sich in der zweiten Etage des Hauses Widenmayerstraße 35. Eine Hausangestellte[47], schon in der Arcisstraße beschäftigt, stand ihnen noch zur Seite. Von wertvollen Schmuckstücken trennte Hedwig sich weiterhin Stück für Stück, was nicht zu Geld gemacht wurde, Juwelen, an denen ihr Herz hing, sicherte sie den nächsten Generationen durch Transfer in die Schweiz.[48] Eri und Medi, nicht aber Moni, werden als Empfängerinnen erwähnt. Die Goldtopas-Pretiosen waren ihr Geschenk für Katia zum dreiundfünfzigsten Geburtstag. Zum fünfundfünfzigsten erhoffte die Tochter nichts mehr als ein – mit großer Sicherheit letztes – Wiedersehen mit den Eltern. Nach bangem Warten kam am 23. Juli 1938 ein »Brief von ihrer Mutter, daß der Versuch … trübselig mißglückt, der Beamte den Alten unglimpflich behandelt«[49]. Am 20. des Monats in Konstanz eingetroffen, hatte Pringsheim im Bezirksamt wegen Erteilung einer Grenzübertrittserlaubnis vorgesprochen. Ohne Vorlage gültiger Pässe!? Er war zu seiner im Hotel ängstlich-gespannt wartenden Frau zurückgekehrt mit der niederschmetternden Auskunft: Aussichtslos. Die Trennungslinie in entgegengesetzter Richtung zu überschreiten, hatten die Nazi-Machthaber der Tochter unmöglich gemacht. Für Bibis Braut Gret Moser öffnete sich zweimal problemlos der Schlagbaum. Die Schweizerin überbrachte Briefe und Bücher – und wird daran erinnert haben, worauf Katia – im Wissen um ihre definitive Abreise im September in die USA – nur telefonisch hatte dringen können: Alfred und Hedwig Pringsheim sollten endlich alle Hebel in Bewegung setzen, um Deutschland den Rücken zu kehren.

»Ist bekannt, dass niemand Geringerer als Winifred Wagner sich ihretwegen viel bemüht hat …«, fragte Erika im Juli 1939 brieflich ihren Vater, und fügte, gestützt auf die Aussage des Pringsheimschen Dienstmädchens, erklärend hinzu: »Winifred hat von sich aus geschrieben, ob sie irgendwie behilflich sein könne. Da haben denn die Alten geantwortet, ihr einziger Herzenswunsch sei die schleunige Reise-Erlaubnis. Die zu besorgen habe Wini sich verpflichtet.«[50] Golo hingegen brachte den Münchner Geographieprofessor Karl Haushofer, einen alten

Freund der Pringsheims, als Helfer bei der Ausreise der Großeltern ins Gespräch.[51]

Aufatmen, als das »liebe Töchterlein« dann Mitte November endlich die erlösende Nachricht erhielt: »Komisch, komisch: ich kann es immer noch nicht glauben und hoffen, daß wir nach 61 Jaren Münchner nun seit 14 Tagen endgültig Züricher geworden sind! Dabei mutet uns soeben Zürich ganz münchnerisch an ...«[52] Die Pensionsunterkunft (laut Briefkopf »Apartment Rotes Schloss, Beethovenstr. 1«[53]) bestehe aus einem großen Zimmer mit Balkon und herrlichem Blick auf den See, die Bedienung sei nett, es gebe anständiges Frühstück und Abendessen, mittags gehe man aus und müsse bei beschränkten Mitteln natürlich sparsam leben. Was Katia zusätzlich beruhigt haben dürfte – soweit das möglich war, wenn zwischen der Tochter und den hochbetagten Eltern ein ganzer Ozean lag. Gottlob hielten die Zürcher Buchhändler- und Verleger-Freunde Emmie und Emil Oprecht ihr Versprechen, sich der Eltern nach Kräften anzunehmen.

Professor Pringsheims Ruhestandsbezüge sammelten sich nun, für ihn und seine Frau unerreichbar, auf einem so genannten Auswanderersperrkonto bei einer deutschen Bank an.[54] Eine (Not-)Versteigerung ihrer so wertvollen Majolikasammlung 1939 bei Sotheby's in London brachte bescheidene 20 000 Pfund, wovon sie läppische 2997 erhielten.[55] Die Differenz mussten sie als Lösegeld hergeben, welches, die Erpressung verschleiernd, zur »Reichsfluchtsteuer« erklärt und als Staatseinnahme verbucht wurde. (Auch Familie Mann würde eine solche Abgabe leisten müssen.)

Nach dem Tod ihres Mannes bezog Hedwig Pringsheim zunächst eine noch kleinere Wohneinheit im selben Haus. Es war, als hätte mit dem Gefährten sie auch ihr Lebensmut verlassen: »... ich fühle mich alt, verbraucht, und so gänzlich ›ibrig‹, daß ich grad eben noch so weiter vegetiren mag.«[56] Die Bitte Katias, nach Kalifornien zu übersiedeln, hatte sie freundlich, aber bestimmt zurückgewiesen.

Hedwig Pringsheim starb am 27. Juli des Jahres 1942.[57]

»Nachricht vom Tode der Mutter K.'s mit 88 nach längst vorangegang. geistigem Tod«, merkte der Schwiegersohn unter dem 30. Juli an, am Ende einer Tagebucheintragung, die er mit allerlei Hinweisen auf eigene Unpässlichkeiten begonnen hatte und in der sich kein einziges Wort über eine eventuelle Befindlichkeitsstörung seiner Frau finden lässt. Vielleicht hatten ja dieses Mal die ebenfalls erwähnten »Dienstboten-Calamitäten« Katia von tieferer Trauer abgehalten.[58]

Beide Todesanzeigen erreichten Katia in Kalifornien: Im Juni 1941 die erste in Pacific Palisades, 740 Amalfi Drive, im Juli 1942 die zweite in der gleichen Stadt unter 1550 San Remo Drive.

Die Manns hatten sich schon im Sommer 1940 von Brentwood aus umgeschaut, Anfang September an einen Makler gewandt, Grundstücke besichtigt, dann eines ausgewählt und mit dem Architekten begutachtet. Für 6500 Dollar wurde es am 12. September gekauft.

Beim Betreiber des Ganzen kamen zwischendurch Zweifel auf. So am 3. März 1941, noch in Princeton: »Erschütterung der Kalifornischen Beschlüsse[59] …, halber Wunsch, davon zurückzutreten. Andererseits ist der Aufenthalt hier überlebt. Was mich beklemmt ist die Nachbarschaft dort … Schließlich das Problem der Zähne, das hier leichter gelöst wäre.«[60] Doch Erika war in Kalifornien, um ein möbliertes Haus zu mieten, und Katia hatte die Umzugsleute bestellt. Sie kamen eine Woche später und räumten gleich die Bibliothek aus. Thomas war höchst irritiert: »Zunehmende Auflösung. Auch aus dem Schlafzimmer mein Züricher Stuhl, ein einfaches Ding, an dem ich hänge, entfernt. Verpackung der Möbel. Retten von Gegenständen hinauf ins Schlafzimmer … Anruf Erikas aus Beverly Hills. Ein passendes Mietshaus ist gefunden, in dem Erika mit uns wohnen wird. Gut und beruhigend.«[61] Als nach wenigen Tagen die Packer ihre Arbeit unter Katias Anleitung fast getan hatten, konnte Thomas nicht mehr geschont werden: Er musste seinen Schreibtisch ausräumen und den Inhalt in einer besonderen Kiste verstauen. Dann wurde auch sein Schlafzimmer-Refugium aufgelöst, Katia kam »zur Kleiderwahl und zum Packen. Kompliziertes

Geschäft.«[62] Am 17., dem Abreisetag: »K. seit 5 Uhr auf, Papiere vernichtend und ordnend. Ihr müdes Aussehen schmerzt mich.«[63] Dann war das Haus leer.

Thomas und Katia fuhren nach Chicago, wo sie Borgeses besuchten und Erika trafen, die für den Rest der Reise, die zum Teil auch eine Lese- und Vortragsreise war, bei den Eltern blieb. Es ging über Colorado Springs (dort Lesung *Magic Mountain*), Denver, Los Angeles, Berkeley (»Die 7. Kapuze, diesmal of Law«[64]), Stanford, Carmel beziehungsweise ein paar Erholungstage in einem kleinen eleganten Hotel im nahen Pebble Beach, von wo aus sie leicht Bibi, Gret und Frido besuchen konnten. Dann wieder Los Angeles, bis sie endlich am 8. April in Pacific Palisades ankamen. »Weißes, sauberes, ländlich gelegenes Haus, nicht unpraktisch, aber unvollkommen möbliert. Besichtigung, Einteilung.«[65] 740 Amalfi Drive hatte Gnade vor den Augen des neuen Hausherrn gefunden. Und auch der Pudel Nico, der mit dem Dienerpaar im Buick die weite Reise gemacht hatte, sah gesund und munter aus. Am 9. war Thomas beim Zahnarzt, am 10. diktierte er Katia. Am 18. waren sich die beiden einig, »den Plan des Hausbaus fallen zu lassen. Befreiung.«[66]

»Es wird gebaut«[67], hieß es dagegen keine drei Monate später. »Gleichgültig im Grunde gegen das finanzielle Abenteuer, da mir Geld, wenn notwendig, zur Verfügung steht«[68], bereits am 11. Mai. Und am 29. Juni: »Zahlreiche Unterzeichnungen auf Bauplänen u. Papieren. Zahlung der über die Loan hinausgehenden Baukosten mit Check. Ziemlich leichten Herzens, da morgens nach dem Frühstück die Meyer in Mount Kisco angerufen, ihr die Lage erklärt u. nicht nur ihre Zustimmung, sondern auch die Versicherung erhalten, daß ich mich in jedem Fall auf sie verlassen könne. Geldsorgen brauche ich mir nicht zu machen.«[69] Wie gut, eine solche Bürgin zu haben.

Am 12. Juli wurde den Kaliforniern durch einen Zeitungsartikel im »Santa Monica-Blättchen« (so die Tagebuchnotiz des Bauherrn, in der die Veranstaltung die Note »überflüssig« erhielt[70]) bekannt gemacht, dass der weltberühmte Autor einer der ihren werden wolle. Anlass für die Meldung war eine kleine Feier zum ersten Spatenstich auf dem Grundstück mit Pazifik- und Canyon-

Blick, wo das 20 000-Dollar-Objekt (zwanzig Zimmer, hundert Fuß lang und dreiundvierzig Fuß breit) nun entstehen sollte. Davidson, der Architekt, erläuterte die Lage von Arbeitszimmer, Bibliothek und Schlafzimmer des Schriftstellers, sein Auftraggeber wies auf die sechs Gästezimmer hin[71] – für jedes der immer willkommenen Mann-Kinder ein eigenes – und sprach davon, dass das Haus Seven Palms heißen würde, in Anbetracht der sieben Palmen, die sich neben den vielen Zitronenbäumen auf dem Bauplatz befanden. Auch Mrs. Mann kam zu Wort: »Es gibt hier Leute«, sagte sie, »die heiraten und lassen sich scheiden, bevor ihr Haus überhaupt fertig ist, aber für eine glückliche Familie ist der Baubeginn eines neuen Hauses der Zeitpunkt für eine kleine Feier.« Ein drittes Mitglied dieser glücklichen Familie war zugegen: Monika, die Unglückliche, die von Princeton zur Meyer, dann sofort zu Borgeses und am selben Tag zu Bibi und Gret gefahren war, wo sie ebenfalls aneckte. Auch am Amalfi Drive bei den Eltern funktionierte es nicht, schon am 3. Juli war sie wieder ausgezogen. Darüber hinaus wurden als anwesend erwähnt: Paul Huldschinsky, der Innenarchitekt und Freund der Familie, und Konrad Katzenellenbogen, ein emigrierter Freund von Erika und Klaus, damals Privatsekretär Thomas Manns.[72] Dem Artikel war ein Foto beigefügt, das Katia dem Anlass entsprechend perfekt gekleidet zeigt: ein helles Hemdblusenkleid mit feinen dunklen Paspeln und schmalem dunklem Gürtel, einen hellen Panamahut mit dunklem Band auf dem Kopf.

»Was mich beklemmt, ist die Nachbarschaft dort«, so hatte der Hausherr geschrieben. Wenn er dabei nicht nur an das Ehepaar Heinrich und Nelly Mann gedacht hatte (die beiden hatten am 9. September 1939 geheiratet), sondern auch an die vielen Flüchtlinge aus Europa, so war es sicher nicht einfach, einen – nicht *irgend*einen – Platz in dieser Gruppe zu finden.

Rund um die großen Filmstudios hatten sich vor allem diejenigen Exilanten der schreibenden Zunft angesiedelt, deren Immigration durch Autorenverträge ermöglicht worden war. In der Regel handelte es sich um vergleichsweise niedrig dotierte, auf ein Jahr befristete Notverträge, aber das reichte aus, um ein Einreisevisum zu bekommen. Agenturen traten als Vermittler zwischen den oft filmunerfahrenen Schriftstellern und den Produktionsfirmen auf, sie hatten, wie die Paul Kohner Inc. am Sunset Boulevard, kommerziell erfolgreiche und erfolglose Literaten unter Vertrag. Kohner gründete Anfang Oktober 1939 den European Film Fund, in den die Besserverdienenden einzahlten und so das Überleben der Bedürftigen sicherten.

Auch Heinrich Mann hatte mit Warner Brothers einen solchen Autorenvertrag abgeschlossen und sich zu ganzen Arbeitstagen am Schreibtisch in einem Büro dort verpflichtet. Die Zeit war abzusitzen, mehr wurde nicht vorgegeben. Heinrich jedenfalls hatte sie nicht nutzen können, der Vertrag wurde nicht verlängert, und so hätten er und seine Frau ab September 1941 mit einem Arbeitslosengeld von etwa 70 Dollar im Monat auskommen müssen, wäre Thomas nicht bereit gewesen, mehr als das Doppelte zuzuschießen. Angesichts des Lebensstils der Familie des jüngeren der Brüder scheint das wenig zu sein. Doch außer 500 Dollar von seinem Verleger Knopf sowie ab 1942 in etwa noch einmal so viel als Berater der Library of Congress (hier zog Agnes Meyer die Fäden; für eine Vorlesung pro Jahr erhielt er zusätzlich 1000 Dollar[73]) hatte Thomas Mann keine regelmäßigen festen Einnahmen mehr – alles darüber hinaus musste er durch Schreiben und Reden verdienen.[74] Und hatte davon ja auch noch die zwar erwachsenen, aber finanziell keineswegs völlig unabhängigen Kinder zu unterstützen, von denen schon seit jeher in erster Linie Bibi und Klaus die raffiniertesten Bettelbriefe an die Mutter schreiben konnten.

Adorno, Baum, Bergner, Brecht, Buñuel, Dieterle, Döblin, Einstein, Eisler, Feuchtwanger, Frank, Graf, Horkheimer, Huxley, Lubitsch, Massary, Polgar, Reinhardt, Renoir, Strawinsky, Toscanini, Walter, Werfel, Wilder, Zuckmayer – davon viele mit ihren Familien: die internationale Immigrantengemeinde war eine Ansammlung von Individualisten, die in unterschiedlichem Maße bereit und fähig waren, die Situation zu akzeptieren oder gar Nutzen aus ihr zu ziehen. Und Kontakte zu knüpfen, die hier unter Umständen überlebenswichtig sein konnten. Ganz besonders nützlich waren dafür Salons, wie der von Salka Viertel, der überaus erfolgreichen Drehbuchautorin, die viel für ihre Freundin Greta Garbo schrieb. Katia war mit Thomas oft bei ihr zu Gast, sie konnte dort Eindrücke von den unterschiedlichsten Lebensentwürfen gewinnen. Doch das Heim, das sie mit Thomas nun schuf, würde vor allem ein Haus sein, in dem er arbeiten konnte (und mochte: »sein schönstes Arbeitszimmer … er fühlte sich da sehr wohl«[75]); außerdem ein Zufluchtsort für die Kinder (von denen Agnes E. Meyer meinte, sie nutzten die Eltern »auf vampirische Weise« aus[76]); und schließlich war im Hinblick auf das Ansehen bei den übrigen Emigranten ein zu Repräsentationszwecken geeignetes Haus auch nicht unbedingt von Nachteil.

Natürlich war es nicht nach vier Monaten fertig, aber immerhin nach gut sieben. Der Dichter ließ sich von seiner Arbeit am neuen *Joseph*-Band nicht ungern ablenken, um an den Baufortschritten teilzuhaben, er zeigte sie gerne vor, war bereit, ein letztes Wort zu sprechen, wenn es um die Auswahl von Beleuchtungskörpern, Bodenbelägen, Dekorationsstoffen und Wandfarben ging. Am 18. September kam der Gärtner zum Tee und präsentierte seinen Kostenvoranschlag: 1100 Dollar (was nach heutigem Wert etwa 7000 Euro entspricht).

Am 14. Oktober brachen Katia und Thomas zu einer Vortragsreise auf, von der sie erst Ende November zurückkamen.

Ein besonderes Weihnachtsritual für ein Heim, aus dem der Auszug schon feststand, zu kreieren lohnte sich nicht. Am 5. Februar 1942 wurde 1550 San Remo Drive bezogen.

Wann würde es eine Atempause für Katia geben?

Wenn sie nicht für Thomas tätig war (seine Diktate aufnahm oder Kritiken der *Vertauschten Köpfe* sammelte oder ihn chauffierte – nicht immer unfallfrei[77]), sich nicht um Kinder und Kindeskinder zu kümmern hatte (vom Ende der Lesereise bis zum Einzug war Enkel Frido ihr anvertraut, Gret hatte Frühschwangerschaftsprobleme) oder für ihre Mutter, ihren Bruder Peter, ihren Schwager Heinrich ansprechbar war, wenn nicht eine von vielen für den Neubau wichtigen Entscheidungen getroffen werden musste, dann, ja dann gab es noch die Nachrichten aus Europa, die Gedanken an die zerstörten Städte, die geschundenen

Menschen und die vielen Bittbriefe, die direkt oder über eine der Hilfsorganisationen (Thomas-Mann-Fonds für notleidende exilierte Schriftsteller, American Committee for Christian German Refugees, German-American Writers Association[78], German-American Congress for Democracy) haufenweise eintrafen.

Nur Krankheit konnte sie für eine gewisse Zeit von diesen Pflichten entbinden, diese Ausflucht ergab sich nicht selten; mit dem Nebeneffekt, dass nur immer deutlicher wurde, wie unersetzbar sie war.

Tommys fortwährende Phantasie-Tändeleien mit blonden Vierzehnjährigen in Badehose und Gummistiefeln, Goldfische aus einem Bassin angelnd, mit Ball spielenden, herkulisch wohlgebauten matt-schwarzen Körpern, mit hirtenbubartigen kleinen Jungen mögen ihr darüber hinaus ein gewisses Gefühl von Überlegenheit gegeben haben.[79]

Aus welchen Gründen auch immer – der anspruchsvolle Beruf »Frau Thomas Mann« war offenbar genau das, was sie reizte: ihn so gut wie irgend möglich auszuüben, keine Anstrengung zu scheuen und sich so (das war ihr wichtig und sie machte sich's damit nicht leicht) den damit verbundenen Status redlich zu verdienen, um diesen dann auch guten Gewissens genießen zu können. Und war nicht tatsächlich Tommy ihr erfolgreichstes ›Kind‹, jeglicher Mühe wert? Ja sogar unter Einsatz des eigenen Lebens? In Nidden hatte Katia sich zwischen Tommy und einen mutmaßlichen entlaufenen Mörder gestellt, während eines Fluges kurz nach Kriegsbeginn ihm Deckung gegeben vor befürchteten Schüssen durchs Flugzeugfenster. An beide Episoden erinnerte sie gerne.[80]

Katia und Thomas waren grundsätzlich bereit, Anschluss zu finden – auch außerhalb der Exilantengemeinde. Sie hatte schon in Princeton dem Ladies-Club angehört, der Beitritt zu einem der Strandclubs wurde im Mai 1941 von beiden erwogen, im Februar 1942 hielt Thomas dem Rotary Club West-Los Angeles trotz schlechter Münchner Erfahrungen (man hatte ihn dort bekanntlich in absentia ausgeschlossen) einen Vortrag, eine allerdings nicht aktiv genutzte Ehrenmitgliedschaft war die selbstverständliche Folge. Im Jahr zuvor hatte man ihn bereits (übrigens aufgrund bedeutender akademischer Leistungen) zum Ehrenmitglied der Phi Beta Kappa Society gewählt, der exklusiven Studentenorganisation der Universität von Kalifornien.

Wie verhielten sich derart Ausgezeichnete (und Klassenbewusste!) zu ihren Angestellten? Lucy und John Long, die ihnen seit Princeton bis zum Umzug ins neue Haus halfen, den Alltag zu bewältigen und so manches darüber hinaus, waren für sie die »Schwarzen«; von den namenlosen jungen Frauen, die Ähnliches leisteten, sprachen sie als den »Mägden«. Und schätzten doch aller Leistung. Einem sich als »widrig« erweisenden »Emigrantenpaar«, den Nachfolgern der Longs, wurde allerdings unverzüglich gekündigt. Dafür kam Mitte März 1942 ein neues schwarzes Paar, Charles und Berenice, sie würden kein halbes Jahr bleiben. Und viele andere folgten. Die »Dienstboten-Calamitäten« blieben ihnen also erhalten. Am 7. August notierte der Hausherr gar ein schlichtes: »Abgespült.«[81] Sollte er das ganz alleine bewerkstelligt haben?

Frauen gingen ihm nach wie vor leicht auf die Nerven, in Tagebucheintragungen ließ er diesen Gefühlen freien Lauf. Auch Agnes E. Meyer blieb da nicht verschont – sie vor allen anderen nicht: »Mit Claudel hat sie, wie ich von Erika höre, ein Verhältnis gehabt. Das hätte wohl auch meine Sache sein sollen.« (19. 5. 1941) »Bedrückende Fixierung auf meine Person, Ausscheiden aus sozialen Aktivitäten um der desperaten Arbeit willen über mich. Schrecklich. Will da noch das Weib in mein Leben treten, allen Ernstes?« (2. 3. 1942; Caroline Newton hatte die Arbeit an ihrer Thomas-Mann-Biografie zu der Zeit schon aufgegeben.)

»Brief von Mrs. Shenstone, die mir unendlich lieber, als die beschwerliche Geist-Pute in Washington, obgleich auch hysterisch.« (3. 3. 1942; wieder ist Agnes E. Meyer gemeint.)

Aber nicht nur vor »Geist-Puten« grauste es ihm: »Zum Abendessen Heinrich und seine entsetzliche Frau.« (3. 3. 1942) »Grässliches Benehmen von Heinrichs Weib.« (18. 3. 1942) »Desolate Aufführung des Weibes.« (1. 4. 1942) »Heinrich und

Frau zum Abendessen. Das Weib betrunken, laut und frech.« (26.6.1942)[82]

Katia war also gut positioniert zwischen allerlei Extremen.

Doch gegenüber den erwähnten »Calamitäten« war sie machtlos oder ungeschickt; gelegentlich wurde sie auch als ein wenig schroff bezeichnet. In den folgenden Monaten war es ein einziges Kommen und Gehen. Mal half das Mädchen von Walters aus, mal die Frau von Fritz Landshoff. Wenn Katia kochte, war Thomas des Lobes voll, auf all den Wirbel der Haushaltshilfen hätte er gerne verzichtet. Prekär wurde die Situation, als Mitte Juni Michael kam, um Frido ein weiteres Mal bei den Großeltern abzugeben, denn Gret sah nun ihrer zweiten Niederkunft entgegen. Der kleine Antony Mann wurde am 20. Juli geboren, kurz vor Katias neunundfünfzigstem Geburtstag, der begangen wurde wie üblich: Blumen und Geschenke (die nicht selten von ihr selbst besorgt worden waren!) wurden auf einem besonderen Tisch arrangiert, das Frühstück wenn irgend möglich draußen eingenommen und abends ein festliches Essen mit Champagner für einige Gäste gegeben – kein Vergleich also zu einem Schriftsteller-Geburtstag; man feierte lieber im Kleinen. Später, am 3. Oktober, kamen Bibis für ein paar Tage, um das Neugeborene zu präsentieren und Frido abzuholen, von dem Katia sich nur schwer trennte. Sie und Thomas hatten sich manchmal wie junge Eltern verhalten, wenn sie mit dem Enkel auf der Strandpromenade spazieren gegangen waren.

Mit Blick auf Weihnachten 1942 gab es sicherlich größere Sorgen, aber vielleicht empfand es die Hausfrau gerade deshalb als äußerst schmerzlich, dass man nicht einmal Butter, wenig Eier und Milch und kaum Fleisch auf dem Markt kaufen konnte. Doch der Kummer darüber währte nur einen Tag, denn am 15. Dezember traf die Schreckensnachricht ein, dass Bibi wegen Darmverschlusses vermutlich operiert werden müsste; zwei Tage später war dieser Spuk vorbei. Ein ungutes Gefühl blieb trotzdem: Die Erinnerung an 1938, als sie um das Leben des an Kinderlähmung und an Meningitis erkrankten Sohnes hatten fürchten müssen, war mit einem Mal wieder präsent.

Als zum ersten Weihnachtsfest im neuen Haus die Kerzen brannten, Brathuhn, Zabaione, Kaffee, Champagner und Baumkuchen aufgetischt waren, konnte sich ungetrübt niemand freuen: Am 8. Dezember waren die USA in den Krieg eingetreten.

Im Grunde war das Erikas Thema. Doch die risikofreudige, zu eigenem Einsatz auch in Ägypten, Persien und Palästina bereite Kriegsberichterstatterin der amerikanischen Armee, der hoch geschätzte Troubleshooter in Familienangelegenheiten, hatte sich selbst in eine aussichtslose Position manövriert: Sie liebte Bruno Walter. »Ein feistes Stück aus des Teufels Tollkiste« nannte sie das und wäre ihre Gefühle gerne losgeworden.[83] Doch der um dreißig Jahre ältere berühmte Dirigent besetzte wohl zu viele freie Valenzen ihres Gefühlslebens, als dass sie auf ihn hätte verzichten können. Ihm schmeichelte ihre Zuneigung. Und außerdem hatte er eine sehr unfreundliche Frau. »Waltersche Hölle« nannte Thomas Mann die Ehe seines Freundes, da er und Katia oft bei den Nachbarn auch im kalifornischen Exil zu Gast waren, konnte er das wohl beurteilen. Und Else Walter war tatsächlich sehr eifersüchtig! Es galt also Termine und Orte zu finden für heimliche Treffen, wenn seine und ihre öffentlichen Auftritte es zuließen. Erika musste sich verstellen, vor Bruno Walters Frau, aber auch vor seiner Tochter Lotte, ihrer Freundin aus den Zeiten der Herzogparkbande. Mit Klaus versuchte sie zu sprechen, doch es überforderte ihn wohl, der sonst so überlegenen Erika plötzlich raten und helfen zu sollen – was auch, wie auch, wenn er doch die Leiden, die Passionen auslösen können, nur zu gut kannte. Und der Mutter vertraute Erika sich an, Katia indessen musste sich aus anderen Gründen verweigern. Was ihr ein solides Glück gebracht, das hätte sie auch der Tochter gewünscht: »Ich glaube, im Grunde ist sie tief unbefriedigt von ihrer Existenz, die ja reich und angeregt, aber menschlich eben doch nicht das Richtige ist«, urteilte sie Klaus gegenüber, und: in der Beziehung zu Bruno Walter würde sich »ein rechtes Frauenschicksal« für Erika nicht erfüllen.[84] Wie wahr. 1945 würde Else Walter nach einem Schlaganfall sterben. Noch drei Jahre würde der Witwer brauchen, um sich zu entscheiden: für eine andere. Was Erika zutiefst verletzen würde – aber hatte sie sich nicht längst selbst neu verliebt? In Betty Knox, die sie, wie bei den Freunden der Kinder üblich, mit ins Elternhaus brachte. Beide Frauen traten in Uniform auf. Auch Klaus (er hatte die Musterung geschickt überstanden, indem er sich bewundernd über den Busen eines Mädchens äußerte) und Golo (er hatte sich einen Leistenbruch operieren lassen müssen) – beide amerikanische Staatsbürger seit 1943 – präsentierten sich als Soldaten. Michael fürchtete, ebenfalls einberufen zu werden.

Und Konrad Kellen, früher Katzenellenbogen, Thomas Manns junger Sekretär, war bei der Armee. Für ihn fand sich ein sehr tüchtiger Ersatz: Seit Ende 1943 arbeitete Hilde Kahn für die Firma Thomas Mann. Das Einstellungsgespräch hatte Katia geführt, auch die Konditionen ausgehandelt, nachdem ein kleines Probediktat durch Thomas zufriedenstellend verlaufen war. Dass die junge Frau sich in den Dichter verliebte, konnte Katia gelassener betrachten als die Gefühle der tatkräftigen Mrs. Meyer. Anzügliche Bemerkungen der Kinder konnten sie zu dem Eingeständnis bringen, dass sie nicht unbesorgt sei, wenn Tommy mit dieser Verehrerin allein in einem Zimmer war.[85] Der »Scheidebrief«, den der sich belästigt fühlende Thomas im Mai 1943 schrieb, fand daher die »uneingeschränkte Billigung K.'s«, wurde aber von der Adressatin nicht richtig verstanden, und so änderte sich fast nichts. Die unfreundlichen Worte, die die Rückgabe einer seidenen Hausjacke, eines noblen Geschenks Agnes E. Meyers, zum übernächsten Weihnachtsfest begleiteten, taten da schon mehr ihre Wirkung.

Hilde Kahn jedenfalls, die den Schriftsteller zurückhaltend bewunderte, war voll gespannter Erwartung, den Entstehungsprozess des nächsten großen Werkes mitzuerleben.

Nachdem er im Januar das letzte der *Joseph*-Bücher beendet hatte, prüfte er kurz Katias Vorschlag, sich wieder mit dem Hochstapler-Roman zu beschäftigen, entschied sich aber dann für den *Doktor Faustus*-Plan, zu dem er etwa vierzig Jahre zuvor ein paar Zeilen notiert hatte. Schon Mitte der dreißiger Jahre hatte er mit dem Stoff geliebäugelt, nun begann er sofort mit dem Sammeln von Material: Für die Konzeption der musikalischen Partien des Werkes befragte er Schönberg und später Adorno. Sogar einen Stutzflügel stellte man auf im Haus am San Remo Drive, und fortan arrangierten Katia und Michael Kammermusikabende und andere musikalische Demonstrationen. Am 23. Mai 1943 begann Thomas mit der Niederschrift, die er zügig fortsetzte, unterbrochen nur durch die übliche große Vortragstournee, im Frühjahr 1944 eine private Reise nach Chicago (zwecks Besichtigung von Domenica Borgese, die am 6. März zu Welt gekommen war) und, immer wieder, durch seine Radiobotschaften *Deutsche Hörer!*. Das Kriegsende – das Paar feierte den 8. Mai 1945 mit französischem Champagner – forderte ebenfalls Kommentare des viel gefragten amerikanischen Neubürgers, der mit Katia 1944 im Januar das Bürgerexamen bestanden (er hatte, im Gegensatz zu ihr, nichts gelernt), im Juni den Eid geleistet und endlich die Einbürgerungspapiere unterzeichnet hatte. Drei Tage zuvor, am 20. Juni, hatte er mit der Verbrennung seiner Tagebücher begonnen.[86] Elf Monate später, am 21. Mai 1945, setzte er diese Arbeit fort,[87] wiederum drei Tage vor einer Zäsur in seinem Leben: dem Aufbruch zu einer ausgedehnten Triumphfahrt anlässlich seines siebzigsten Geburtstags. Katia (sie hatte sich vor Anspannung am Vortag mit heißer Sauce die Hand verbrannt) und Erika begleiteten ihn auch auf dieser Reise.

1945–1952
Klimawechsel – und was die geplagten Eltern sonst noch trifft

Wie üblich war Chicago, Familie Borgese, die erste Station; Medi servierte ein privates Champagner-Souper. Dann Washington, Thomas Mann hielt seinen 1000-Dollar-Vortrag in der Kongressbibliothek, den er selbst sehr gut fand, und so genoss er den abendlichen Empfang, den Agnes und Eugene Meyer zu seinen Ehren gaben. Am 3. Juni fuhren Katia, Thomas und Erika nach New York, wo sie statt im gewohnten Hotel Bedford im feineren St. Regis abstiegen. Hier trafen sie Moni zum Dinner. Und dann ging der Geburtstagstrubel los: Gumpert, Landshoff, Kahler, Broch. Caroline Newton. Briefe (nicht zuletzt von Klaus aus Prag), Telegramme, Blumen, Geschenke. Interviews, Zeitungsartikel. Auf den Geburtstags-Lunch bei Knopfs folgte die Einladung zu Bermann Fischer, der Katia bei der Organisation der Reise unterstützt hatte. Notabene: Da Erika wider Erwarten am 4. in New York ankam, trat Katia ihr Zimmer an die Tochter ab. So dürften an diesem 70. Geburtstag Katia und Thomas eine der seltenen Nächte gemeinsam in einem Zimmer verbracht haben. Nach einigen Erholungstagen im Mountain House, einem am »Lake Mohonk« (Mohawk?) gelegenen Hotel im Schweizer Stil (wo Thomas sich einer Schwärmerei für eine Sechzehnjährige hingab: »Die kleine Cynthia in roter Jacke, lieblich.« – »Andeutung Ulrikens«. Andeutung Goethes![1]), wieder New York: Rede im Waldorf Astoria, Rede im Radio, Lesung. Über Chicago wiederum in zwei Tagen und drei Nächten im Zug nach Los Angeles, von dort zurück nach Hause.

Die Geburtstagsfeierlichkeiten hatten ihn wohl getragen, die von Erikas altem Freund Dr. Gumpert verordneten Hormontabletten jugendliche Gefühle gefördert, doch bald waren die leisen Ängste wieder da, die Schwäche, die Gewichtsabnahme, die erhöhte Temperatur … Waren nicht in diesem Jahr Bruno Frank mit achtundfünfzig und Franz Werfel mit vierundfünfzig Jahren gestorben? Wie schwer war es doch, sich nach dem Krieg neu zu positionieren, wenn so wichtige Menschen nicht mehr gehört werden konnten. Freilich gab es da noch die Witwen, aber nicht jede verhielt sich »würdig«. Katia fand Liesl Franks so offensichtlich vom Ehrgeiz gesteuerte Umtriebigkeit in Nachrufsachen degoutant, ganz abgesehen von deren »Trauer-Unwesen«, denn das verleitete die Ärmste, »im Trunk Gespräche mit ihrem viel betrogenen Mann« zu führen.[2] Die um so vieles klügere Alma Mahler-Werfel bewies da mehr Fingerspitzengefühl – und sie vertrug auch mehr. Beide Frauen würden später die Westküste verlassen und nach New York übersiedeln.

Sobald es ging, fuhren Mann-Kinder nach Deutschland. Klaus schickte aus München einen Bericht über sein Wiedersehen mit der alten Poschi: Eine Ruine, Unterschlupf für obdachlose Menschen[3] hatte er vorgefunden, ein Haus des Lebensborns war sie gewesen, hier hatten die Nazis nach ihren Vorstellungen perfekte Menschen formen wollen. Erika und Golo waren als Berichterstatter der Kriegsverbrecherprozesse in Nürnberg.

Wie sich zu Süskind stellen, zu Reisiger, Preetorius, Bertram und Furtwängler? Katia war jedenfalls nicht damit einverstanden, dass Thomas über den Dirigenten schrieb, das konnte nicht gelingen, sie drang darauf, dass er den Artikel zurückzog unter Berufung auf den »Abgrund [der] zwischen unserem Erlebnis und dem der in Deutschland Zurückgebliebenen klafft«.[4] Persönliche Briefe zu wechseln, das war eine Sache, für die andere, die öffentlichen Bekenntnisse, empfahl Katia Zurückhaltung. Die fiel dem immer schwächer werdenden Thomas Mann zu jener Zeit auch nicht schwer. Das konnte nicht übergangen werden, es musste etwas geschehen! Also suchte man nach einem Infektionsherd, der für die inzwischen andauernd erhöhte Temperatur und die Gewichtsabnahme von 14 Pfund verantwortlich gemacht werden konnte. Die Durchleuchtung der Nebenhöhlen am 17. Januar 1946 ergab nichts, das Röntgen der Lunge kurz darauf eine frische »Stelle«, die beobachtet werden sollte. Die darauf folgende Grippe lenkte ein wenig ab, doch am 21. März entschlossen sich die Ärzte zur »Lungen-Photographie und Blutentnahme«. Ein weiterer Arzt wurde hinzugezogen, der sich zunächst in wirkungslose Eigenblutinjektionen flüchtete und am 1. April mit der halben Diagnose »Infiltration am re. Unterlappen« herausrückte, wofür Thomas Mann sofort den *Faustus*-Roman und die deutschen Zustände verantwortlich machte. Eine erneute Röntgenaufnahme ließ keine Ausflüchte mehr zu: Es war Krebs.[5]

Heinrich Manns Geburtstag am 27. März 1946 durften Katia und Thomas noch in der vagen Hoffnung begehen, dass sich eine vergleichsweise harmlose Erklärung für die alarmierenden Symptome finden könnte. Doch die Stimmung war ohnehin gedrückt. Denn so wie früher Nellys Präsenz so manche Feier belastete, tat es nun ihr Fehlen. Am 17. Dezember 1944 war es ihr schließlich gelungen, sich mit Schlaftabletten das Leben zu nehmen – ihr fünfter Selbstmordversuch. Ein Verkehrspolizist hatte sie betrunken am Steuer eines Autos erwischt, es war nicht das erste Mal. Im März 1943 hatte sie den Führerschein aus dem gleichen Grund verloren, in dem zu erwartenden Gerichtsverfahren standen ihre Chancen denkbar schlecht. Dieser neuen Komplikation in ihrem Leben wollte sie sich nicht mehr stellen. Heinrich hatte es Katia und Thomas am Telefon mitgeteilt, sie begleiteten ihn durch die nächsten Tage. Noch am selben Nachmittag fuhren sie zu ihm, versuchten ihn zu trösten und ließen einen Scheck für die Beerdigungskosten da. Auch besichtigten sie ein Zimmer im Haus Salka Viertels, die bereit war, Heinrich kurzfristig aufzunehmen, bis Borgeses abgereist waren und der Bruder im San Remo Drive unterkommen konnte. Bis dahin versorgte Katia ihn mit Lebensmitteln. Am 20. Dezember dann das beklemmende Szenarium: neben dem offenen Grab sechs Stühle für die Trauergäste, unter denen sich niemand fand, der ein paar Worte sprechen wollte, der Bestatter blickte verlegen, Heinrich Mann stolperte schluchzend davon, Katia lief ihm nach …

All das war keine vier Monate später noch lange nicht vergessen, aber die folgenden Ereignisse würden es in den Hintergrund treten lassen.

Katia Mann am 6. Mai 1946 aus Chicago an Ida Herz:

»... ich beeile mich, Ihnen beruhigende Nachricht zu geben: es stand ernst, aber bis jetzt ist alles gut, ja über jedes Erwarten gut gegangen, und wenn ich auch immer davor zittere in sträfliche Hybris zu verfallen, nach menschlichem Ermessen wird es keine Komplikationen mehr geben.
Vor etwa zwei Monaten erkrankte mein Mann, wie wir zuerst glaubten, an Grippe mit mässigem Fieber. Der Zustand zog sich, ohne irgendwie alarmierend zu sein, immer länger hin, aber da gerade dieses Jahr solche langanhaltenden Temperaturen für die flu typisch waren, sah der Arzt keinen Anlass zur Beunruhigung, bis eine Röntgenaufnahme eben doch eine ›Infiltration‹ der unteren rechten Lunge zeigte, deren Ursache sich nicht feststellen liess; es bestand aber sofort der Verdacht, dass sich ein Abzess dort gebildet habe, der operiert werden müsse. Da es in Los Angeles einen erstklassigen Lungen-Chirurgen nicht gibt, entschlossen wir uns, nach diversen Telephonaten mit ärztlichen Freunden in New York und Chicago und nachdem Medi sich eingehend mit dem Chefarzt der hiesigen Klinik beraten, hierher zu fahren, da Professor Adams hier am Billingshospital auf dem Gebiet der Lungenchirurgie absolut führend sein soll.
Vor drei Wochen langten wir hier an, und vor zwölf Tagen wurde, nach den sorgfältigsten und umfassendsten Vorbereitungen, die Operation mit vollem Erfolg ausgeführt. Eine solche Lungenoperation ist unter allen Umständen ein schwerer Eingriff und in hohem Alter doppelt ernst.«[6]

Was Katia nicht schrieb, erklärte in einem Brief an Ida Herz vom 9. Mai 1946 Dr. Norbert Bloch, einer der Chicagoer Ärzte Thomas Manns: Der Patient wisse nur, es war »ein kleiner Eingriff«.[7]

Die Diagnose Krebs hatte man ihm also verschwiegen. Der Rückgang der Temperatur nach einer Penicillin-Kur hatte ihn zunächst ein wenig beruhigt. Katia hatte sich derweil entschlossen, eine schwere Entscheidung ohne Beteiligung des Patienten zu treffen. Die Ärzte, die ihren Alleingang akzeptierten, hatten ihr zu bedenken gegeben, dass einerseits in Thomas' hohem Alter ein Eingriff, um den Tumor zu entfernen, riskant war – andererseits konnte man aber erwarten, dass der Krebs sich langsamer entwickeln würde als bei jüngeren Menschen. Katia erwog das und wünschte die chirurgische Intervention. Konnte sie sich eher einen Tod im unmittelbaren Zusammenhang mit der Operation vorstellen als ein langsames Sterben? War ihre Entscheidung mutig? War sie in seinem Sinn? Nachträglich besehen: ja. Denn es ging gut aus, und Thomas kritisierte sie zu keinem Zeitpunkt. Er habe gewusst, um was es ging, so sah sie es und exkulpierte sich damit auch vor sich selbst.

Martin Gumpert hatte Katia die Lungenspezialisten des Billingshospitals in Chicago empfohlen, Medi den Aufenthalt der Eltern vorbereitet – niemand sonst sollte mitkommen, obwohl Katia alle Kinder informiert hatte, und zwar ausführlicher und offener als im Brief an Ida Herz. Die Nacht vor der Operation verbrachte sie in einem Lehnstuhl neben dem Bett ihres Mannes. Geduldig, ja sogar ein wenig neugierig und fasziniert schickte er sich in alles, was man mit seinem Körper anstellte. Gehorsam befolgte er als Rekonvaleszent die ihm auferlegten Regeln, nun unterstützt von Katia, Medi und Erika. Er schaffte es wirklich außerordentlich gut und schnell, sich von dem schweren Eingriff zu erholen. Am 28. Mai war er wieder – nach einer langen Zugfahrt unter »bequemsten Umständen« – zu Hause. Was ihm die ganze Zeit wichtig war: die Vollendung des *Doktor Faustus*.[8] 1947 hatte er es geschafft.

Da rauchte er schon längst wieder, wenn auch mit schlechtem Gewissen. Da hatte er unangenehme Rückenschmerzen ausgestanden (Operationsfolgen, weil er im Liegen nicht schlafen konnte, verbrachte er Nächte im Stuhl neben Katias Bett) und ein langwieriges Rektalleiden hinter sich, das er voll auskostete, nachdem er sich im wirklich schwerwiegenden Fall so beherrscht hatte. Katia nahm wieder seine Briefdiktate auf. Sie ging mit ihm spazieren, oft zum alten Haus am Amalfi Drive; wenn er nicht weiterkonnte, pausierte er auf einem mitgenommenen Klappsessel. Das Leben begann also wieder seinen normalen Gang zu gehen. Es konnten Gäste kommen, am 24. August beispielsweise zu einem Buffet-Dinner dreißig Personen. Im Oktober und November waren die Enkel Frido und Toni da. Und es gab die sattsam bekannten »Calamitäten«: Silvester 1946 war es wieder einmal so weit, Katia musste neue Dienstboten suchen. Den ersten Tag des Jahres 1947 verbrachten Herr und Frau Thomas Mann in Gesellschaft von Herrn und Frau Charlie Chaplin – unter anderen. Die nächsten Monate waren bestimmt durch ein für Katia nicht untypisches Problem: Autounfall, Anwaltsbesuche, Prozess. Wie er ausging, ist leider nicht überliefert. Wie sie das Autofahren verstand? So, wie sie es anderen beibrachte, dem Neffen Klaus etwa:

> »... sie hat mich dann vor's Steuer gesetzt, hat sich neben mich gesetzt, und dann hat sie mir erklärt: ›So schaltet man, und während du schaltest, musst du die Kupplung runterdrücken, und neben der Kupplung ist die Bremse, aber du gehst immer vom Gaspedal zur Bremse und von der Bremse zurück zum Gaspedal, aber du musst dir merken, die Kupplung muss man ganz ganz langsam herauslassen, während du schaltest ...‹, und dann hat sie mir beigebracht, wie man vom ersten zum zweiten, zum dritten und rückwärts schaltet und ist ungefähr fünfundvierzig Minuten lang mit mir herumgefahren, und ich habe chauffiert, und wenn ich was falsch gemacht habe, hat sie es korrigiert, und dann, fünfundvierzig Minuten später, sagte sie: ›Kläuschen, jetzt fährst du mich zurück zum Haus‹, und da hab' ich sie zum Haus zurück gefahren, und dann sagte sie: ›Jetzt kannst du allein fahren üben‹, da sag' ich: ›ich hab doch gar keinen Führerschein!‹, da sagt sie: ›Das macht nichts, hier kommt nie ein Polizist hin ...«[9]

War es einfach die Bindung an alte Gewohnheiten? War es der Wunsch, mit eigenen Augen zu sehen, was Erika, Klaus, Golo berichtet hatten? Waren es die alten Freunde, denen wieder zu begegnen immer wichtiger wurde? Die Untersuchung in Chicago fast auf den Tag genau ein Jahr nach der Operation ergab keine Einwände: Katia und Thomas konnten ihre erste Europareise nach dem Krieg antreten – auf bewährten Wegen, das heißt über Washington nach New York, mit der Queen Elizabeth nach Southampton, in London ins Savoy, dann (und das war neu!) mit einem Privat-Flugzeug nach Zürich. Hier warteten Emil und Emmie Oprecht[10], die Freunde aus alten Züricher Tagen. Noch in Amerika hatte jede der Stationen dieser Reise zu Begegnungen mit Freunden und Familienmitgliedern geführt; in Europa, in London, waren es Ida Herz und die Cousinen Katias, die warteten.

In Zürich wurden Katia und vor allem Thomas Mann von den früher so oft besuchten Ladenbesitzern wiedererkannt, zum allseitigen Vergnügen. Der Autor war in der Schweiz berühmt und gefragt. Er sprach (über *Nietzsches Philosophie im Lichte unserer Erfahrung*) zur Eröffnung des XIX. Internationalen PEN-Kongresses, er sprach im Auditorium Maximum der Universität, er sprach im Schauspielhaus, immer von Katia aufmerksam beobachtet. Dagegen hatte er sie im Blick, als sie während eines Erholungsaufenthalts in Flims (gearbeitet wurde auch dort, Katia übertrug die Korrektur des *Faustus*, er sprach dort zugunsten Münchner Waisenkinder) im Caumasee mit »energischen Stössen einem Felseninselchen zuschwamm, das alle Geübteren sich zum Ziel nehmen«.[11] Doch auch Thomas sollte zum Baden kommen. Nach Flims noch ein paar Tage Zürich, dann ging es per Flugzeug nach Amsterdam und weiter mit dem Auto nach Noordwijk: »Wieder im Huis ter Duin, nach 8 Jahren!«[12] Schon am nächsten Tag: »Ging dann mit K. zur Badeanstalt u. nahm vorn in kleinen Wellen das erste Seebad seit vielen Jahren.« Im Vergleich mit der Schweiz schnitt Holland allerdings schlecht ab, es gab »keine Augenliebe ringsum«[13], nur eine Mückenplage. »Gestern Abend ein Bellergal, ein Empirin-Kodein, ein Phanodorm und ein Evipan. Danach recht gut geschlafen.«[14]

Am 29. August gingen Katia und Thomas (ohne Erika) an Bord der Westerdam. Dass sie dort auf Max und Quappi Beckmann trafen, war vielleicht nicht ganz so günstig, denn es reichte nur zu einem »Kunstgespräch obenhin«. Wie schon die Hinreise war auch die Rückfahrt stürmisch bewegt. Erst wurde Frau Beckmann seekrank, dann tat Frau Mann es ihr nach. »Die Magen- u. Darmgefühle doch nie ganz behaglich. Sind sie es übrigens je?« Herr Mann jedenfalls spürte offenbar keinen wesentlichen Unterschied zum Leben an Land.[15]

Am 17. September waren die beiden zu Hause in Kalifornien. Und plötzlich stand Katia wieder vor einem Berg von Problemen: Erika wollte kommen; weil sie nicht mehr »so gefragt« war, musste sie unterstützt werden – »wie Heinrich«, dem der Arzt wegen depressiver Verstimmungen einen Aufenthalt in der Familie des Bruders empfohlen hatte. Und auch Klaus Pringsheim reiste an, der in Japan vorläufig kein Auskommen mehr hatte.[16] Da dürfte das Angebot von 100 000 Dollar für die Filmrechte an *Joseph und seine Brüder* eine erfreuliche Nachricht gewesen sein. Gegen Ende des Jahres wurde der Platz im Haus dann in der Tat sehr knapp: Erika, Golo, Bibi, Gret, Frido und Toni waren gekommen, die Enkel mussten in Katias Zimmer schlafen. Heinrich wurde hin- und hergefahren. Er spielte damals mit dem Gedanken, ins »russische Deutschland zu gehen«[17], was den jüngeren Bruder samt Gattin sicher erleichtert hätte.

Auch 1948 sollte für Katia mit einer außerplanmäßigen Belastung beginnen: Am 26. Februar stürzte Thomas und brach sich den Schulterknochen, sein linker Arm musste fixiert werden. Er litt sehr, auch unter der Einschränkung seiner Bewegungsfähigkeit, die vor allem seine Körperpflegerituale behinderte. »Wannenbad im Knieen und in der Badehose mit K.'s Hilfe«[18] war nach über einer Woche eine Wohltat, es lässt sich ahnen, dass das nicht die einzige Handreichung Katias für Thomas in dessen misslicher Lage war (und erinnert an einen früheren, eher verzweifelten Versuch, seine schon monatelang andauernden, jeder Therapie widerstehenden Ischiasschmerzen zu lindern: »Massage mit dem elktr. Bügeleisen durch K.«[19]).

Selbst Erika äußerte sich mittlerweile besorgt über Katias Überanstrengung und extreme Geschäftigkeit, aber auch sie machte einen so angegriffenen Eindruck, dass beide Frauen ihre Ärzte aufsuchten. Katia bekam ein »Drüsenpräparat zum Abnehmen«, Erika sollte sich einer Operation unterziehen – Katias Vermutung eines »Frauenleidens« war bestätigt worden. Zuvor führten Vater und Tochter ein Gespräch unter vier Augen. Es ging um Erikas Zukunft. Er bot ihr eine sichere Stelle an: »als Sekretärin, Biographin, Nachlaßhüterin, Tochter-Adjutantin«. »Unterredung bewegend«, notierte Thomas danach gerührt.[20] Mit Katia sprach er einen Tag später. Wie sie die Vereinbarung aufnahm, das ist nicht bekannt. Allerdings war im Lauf der nächsten Jahre oft deutlich spürbar, dass die Mutter eifersüchtig war auf ihre Älteste. Im Augenblick aber gab es das schwerwiegendere Problem, dass Erika die Zustimmung zur Operation verweigerte, wegen »des Wunsches nach einem Kinde, der allenfalls noch zu erfüllen wäre, wenn man einen Mann im Auge hätte«[21] – »hätte«! Dieses Wort des Vaters sagt alles. Er konnte es ruhig abwarten. Zwar trat Erika zum ersten geplanten Operationstermin am 30. März nicht an, aber am 8. April war sie bereit. Am 12. Mai erwies sich ein weiterer Eingriff als nötig, ebenso am 15. Juni. Katia war sehr belastet durch die ständigen Fahrten zum Krankenhaus, ganz zu schweigen von den Sorgen um die Gesundheit Erikas. Und eine weitere Tochter machte ihr zu schaffen: Monika, die »wunderliche Hausgenossin«, seit dem 27. Juni war sie da, »bedrückt[e] und reizt[e] K. so sehr, daß ihr Weggang zu wünschen«. Am 27. August: »Beschluß, die arme Moni eine Stunde weit in das anthroposophische Guest House zu expedieren, wo Heinrich und Huxley zeitweise lebten.«[22] Und von wo aus Moni leicht die Eltern besuchen konnte.

Katia war im Grunde damals nicht mehr belastbar. Um ihren 65. Geburtstag herum hatte sie das Haus voller Gäste, Kinder und Kindeskinder – auch die waren nicht mehr so niedlich, alle vier rauften an dem Festtag miteinander, es gab sogar Verletzte. Selbst Frido fiel vorübergehend in Ungnade, denn er hatte Löcher in die Terrassenjalousie gestoßen. Das alles bei ständig wechselndem Personal, zeitweise war gar keine Hilfe da, und Thomas musste die Erfahrung machen, dass er nicht einmal in der Lage war, sich einen Kaffee zu kochen.

Doch was Katia mehr als alles andere zusetzte: Am 11. Juli,

also keine zwei Wochen vor ihrem Geburtstag, hatte Klaus (wie schon so oft) versucht, seinem Leben ein Ende zu setzen: dieses Mal durch Einnehmen von Schlaftabletten, Öffnen der Pulsadern und Einatmen von Gas.

Um ein Uhr morgens fuhr Katia in jener Nacht zu ihm ins Krankenhaus. In den folgenden Stunden ging ihr sicher durch den Kopf, was sie schon so oft gedacht hatte, wenn sie nach einer Erklärung für seine Todessehnsucht suchte. Sich ganz ohne Verantwortung zu sehen, entsprach ihrem Wesen ebenso wenig, wie ihm die Frage nach seiner eigenen Verantwortlichkeit zu ersparen. Was es für ihn bedeutete, Ende Mai ins Elternhaus zu kommen und es schon bald wegen der Ankunft Michaels mit Familie wieder verlassen zu müssen[23], wird sie berücksichtigt haben. Allzu viel Verständnis brachte sie trotzdem nicht auf. In der *New York Times* hatte über den Selbstmordversuch des inzwischen einundvierzigjährigen Sohnes von Thomas Mann nur gestanden: »His condition was not serious.« – Katias überlieferte Reaktion: »Wenn er sich umbringen wollte, warum hat er es dann nicht richtig getan?«[24] Ein harter Satz, wenn er denn so gefallen ist. Dagegen stehen die häufigen liebevollen und vertrauten Briefe voller Familienklatsch, die Katia in den nächsten Monaten an Klaus schrieb. Im November beispielsweise wurden am 6., 11., 22. und 25. Monikas schriftstellerischer Ehrgeiz und Erikas unpassende Leidenschaft für den Greis Bruno Walter ebenso durchgehechelt wie die schlechte Presse für den *Faustus*.

Auch Michael und Gret Mann hatten Katias Dienste erneut eingeplant: Sie wollten eine »Kunstreise« unternehmen und ihre Söhne zwei Monate in der Obhut der Großeltern lassen.

Im Oktober war Katia mit Heinrichs Umzug beschäftigt, es war schwer gewesen, ihn dazu zu überreden, die alte Wohnung voller Schmutz, Staub, Kleidergerümpel und mottenzerfressenen Wollsachen endlich zu verlassen und, nachdem er keine Neigung zeigte, das Ostberliner Angebot anzunehmen, eine neue zu beziehen, die Katia für ihn gemietet hatte. Glücklich war er nicht, dankbar noch weniger. Misstrauisch, freudlos, mäkelnd, scheltend – das war er, und sie ärgerte sich.[25] Ida Herz gegenüber klagte sie brieflich über Zeitmangel, »zumal Heinrich, der aus seiner

Wohnung evicted wurde, und, ohne Telephon, sich äußerst unglücklich in einer von mir mit grösster Mühe aufgetriebenen fühlt, täglich betreut sein will«.[26]

Und natürlich war da Tommy, der sie forderte wie gewohnt. Auf Spaziergängen, beim Tee, ein Thema beherrschte nun viele ihrer Gespräche: Der Krach mit Adorno und, schlimmer noch, mit Schönberg, die Anteile am *Doktor Faustus* einklagen wollten. Die Eitelkeiten der drei beteiligten Herren führten zu Auseinandersetzungen, die in die Literaturgeschichte eingingen. Katia hatte keineswegs die Absicht, sich herauszuhalten. Wo Thomas gerne Konzilianz gezeigt hätte, hielt sie ihn zurück. »Schönberg hat wirklich die Absicht zu klagen. Nicht ausgeschlossen, daß er einen unternehmenden Anwalt findet. Überhaupt nichts ausgeschlossen. Warum sollte man nicht finden, daß dem Erfinder der 12 Ton-Musik alle Einkünfte aus meinem Buch zukommen? Ich schließe das weniger entschieden aus, als K.«[27] Adorno sollten ihrer und Erikas Meinung nach ebenfalls keine Zugeständnisse gemacht werden, die Tochter übernahm die Aufgabe, die Bedeutung dieses Beraters zurechtzustutzen. So brachte auch *Die Entstehung des Doktor Faustus* keine endgültige Satisfaktion.

»Hast ein Reh du lieb vor andern/laß es nicht alleine grasen«[28], Eichendorffs Zeilen fielen Thomas Mann ein, als er in diesen Wochen von der *Welt am Sonntag* nach seinem Lieblingsgedicht gefragt worden war. Eine hübsche Verneigung vor der gar nicht immer sanften Katia.

»Bei uns geht alles normal und friedlich zu ... Weihnachten hatten wir natürlich wieder ausverkauftes Haus, und die beiden Enkelbuben sind hiergeblieben und gehen zur Schule. Außerdem ist Erika bei uns, wenn sie nicht gerade lectures hat, und Klaus, dessen Pläne noch ungewiß sind, nebst Golo zum Wochenende, sodaß die Familie noch immer ganz stattlich ist und die Hausfrau vollauf beschäftigt, zumal unser vortrefflicher butler wegen schwerer Trafic violation (auf unserem widerrechtlich benützten Wagen natürlich) wieder einmal seit einem Monat im Gefängnis sitzt ...«[29], so Katias Kurzreport an Bermann Fischer.

Am letzten Tag des alten Jahres stellte der Hausherr im San Remo Drive die Uhren (auch seine neue, ein Weihnachtsgeschenk) um eine Stunde zurück, »da die Daylight saving time beendet«[30].

Am ersten Tag des Jahres 1949 wurde schnell klar: das hatte nicht geklappt. Als Katia und Thomas aufstanden, war der Kaffee längst kalt. Die Dienstboten hatten es richtig gemacht.

An diesen hatte Katia ansonsten auch weiterhin wenig Freude. Nach wie vor herrschte fliegender Wechsel, mal verschwand gar eine große Silberkanne, was unverzüglich Affa-Ängste aufkommen ließ. Nur Hilde Kahn war erfreulich. Sie traf den richtigen Ton im Umgang mit Mr. und Mrs. Mann. Sie bewunderte Katia ein bisschen, wie sie beispielsweise im langen weinroten Hauskleid durch die Räume lief, eine lebhafte, imposante, zuweilen auch einschüchternde Persönlichkeit. Mit durchaus eigenem Willen: So diktierte Thomas um 1950 der Kahn ein Schreiben, in dem er sich für Rechtsanwälte einsetzte, die kommunistischer Umtriebe verdächtigte Klienten verteidigten. Hilde Kahn tippte den Text, Thomas Mann las ihn vor – in Gegenwart Katias, die nach kurzem Überlegen vorsichtig und doch bestimmt empfahl, ihn nicht abzuschicken. Ihre Bedenken: Die übereifrigen McCarthy-Leute würden ihm dann weitere Schwierigkeiten machen. Er aber wollte sich nicht gängeln lassen. Demonstrativ brachte er den Brief selbst zum Kasten. Katia schickte ein Telegramm an den Empfänger, in dem sie ihn bat, das Schreiben zurückzuhalten, bis sie ihn gesprochen habe. Sie wurde tatsächlich empfangen und bekam den Brief ungeöffnet ausgehändigt.[31]

Selten ließ sie es sich nehmen, dabei zu sein, wenn jemand den Hausherrn sprechen wollte. Genau beobachtete sie, ob der Besucher den nötigen Respekt zeigte – wie sie auch sehr darauf schaute, dass alle Zuhörer einer privaten Lesung nie in ihrer Aufmerksamkeit nachließen, so lange es auch dauern mochte. Und nachher auch die richtigen Worte fanden, denn die waren für die Einstellung des Schriftstellers zu seinem eigenen Produkt nicht unwichtig. Für gelungene Auftritte hatte sie eine Schwäche. Und so liebte sie es auch, ein schönes Auto zu fahren: im Januar 1949 ein neues, einen Buick-Convertible mit Radio, Lautsprechern und Antenne – und ohne Kupplung, wie der Ehemann staunend bemerkte![32]

Brünhilde hatte ein junger Mann, der leicht ihr Sohn hätte sein können,[33] Katia einmal genannt. Vielleicht traf er damit ein wenig das, was Thomas Mann seit nun über vierzig Jahren so eng mit ihr verband: Sie war eine Frau auf Augenhöhe mit den ihm so vertrauten und von ihm bewunderten Wagner-Heldinnen.

Sehnsüchte hatte der über Siebzigjährige allerdings ganz andere. Hormoninjektionen und Stärkungsmitteln war es zuzuschreiben, so vermutete er, dass so viele »sinnliche Bilder« seine »Leidenschaft erregten«. Fast täglich nahm er den Weg zum Santa Monica Beach, wo er nicht selten schöne junge Männer sah. Katia begleitete ihn sehr oft auf diesen Spaziergängen, beobachtete ihn auch, aber sie tat das wohlwollend. »Sie war tolerant, da musste sie sich nicht verstellen, und ihre Art zu lieben war nicht alltäglich. Immer war sie stark und noch dazu sehr, sehr selbstbewusst.«[34] Elisabeths Charakteristik ihrer Mutter erklärt auch dieses Verhalten.

Auf Reisen schaute Thomas sich ebenfalls genau um und sammelte Eindrücke, die ihn in Tag- und Nachtträumen beschäftigten. Den Klatsch über die sexuellen Aktivitäten des acht Jahre älteren Arturo Toscanini oder über einen siebenundachtzigjährigen Geologen in Berkeley, der Vater eines Sohnes wurde, fand er höchst interessant. Auch löste die Anwesenheit der »Bübchen«, Frido und Toni, Gedankengänge aus, die dazu führten, dass er seinem Lieblingsenkel, der ihm einen irritierenden Kuss auf den Mund gegeben hatte, einen bedeutungsvollen Crayon schenkte. Die beiden Enkelinnen Angelica und Domenica vermochten nicht, ihn derart zu begeistern, als er, mit Katia und Erika erneut auf dem Weg nach Europa, sie im April 1949 erlebte. Die Zwischenstation Chicago war, neben Besuchen der Borgeses und des am Argonne National Laboratory beschäftigten Bruders von Katia, des Physikers Peter Pringsheim, den üblichen Nachuntersuchungen im Billingshospital gewidmet. Die so zufriedenstellend verliefen, dass er unbesorgt die Weiterreise antreten konnte. Über Washington (Mrs. Meyer und der Library-Vortrag) und New York (Empfänge, Vorträge, mörderisch anstrengend), der Flug über den Ozean »glatt vollzogen«, ging es nach London und weiter nach Oxford zur »Promotion im roten Talar in der Halle aus dem 14. Jahrhundert«, dann wieder zurück nach London: »Bunte Reihe von Treffen, Veranstaltungen, Rede-Verpflichtungen«. Die Herz. Die Cousinen. Erregte Nächte. »Die Hilfe Erikas und K.'s die ganze Zeit unschätzbar.« Am 21. Mai endlich, nach erneutem Flug und zweimaligem Zimmerwechsel, etablierten sie sich im Grand Hotel in Stockholm. Am 22. Mai, einem schönen warmen Tag, unternahm man den ersten Ausflug: den Besuch einer Schule und eines Schlosses am Mälarsee. Müde von den vielfältigen Eindrücken fuhren Thomas und Katia zurück.[35]

> »Bei Ankunft im Hotel schwerster Chock. Telegramm, daß Klaus in der Klinik von Cannes in verzweifeltem Zustand liege. Bald darauf Telephonat von seiner u. Erikas Freundin dort: Mitteilung seines Todes. Langes Beisammensein in bitterem Leid. Mein Mitleid innerlich mit dem Mutterherzen und mit E. Er hätte es ihnen nicht antun dürfen. Die Handlung offenbar von ihm selbst unerwartet geschehen, mit Schlafkapseln, die er aus einer New Yorker Drogerie bezog ... Viel über ihn und den von langer Hand unwiderstehlich wirkenden Todeszwang. Das Kränkende, Unschöne, Grausame, Rücksichts- und Verantwortungslose. Beratung auch über unsere Reisezukunft, ob alles abzubrechen und direkte Heimkehr geboten. In völliger Erschöpfung gegen 2 zu Bette. Heute Morgen bei Erika Fortsetzung der Beratung und Beschluß eines Kompromisses: Ausführung meiner Vortragsverpflichtungen hier, in Kopenhagen u. in der Schweiz und Absage aller gesellschaftlichen Veranstaltungen, zunächst des Theaterbesuches heute Abend, in Drodningholm [sic!], bei dem wir das Kronprinzenpaar treffen sollten ... K.'s Seufzen, Eris Schmerz geht mir unsagbar zu Herzen.«[36]

Ganz so konsequent wurden die »gesellschaftlichen Veranstaltungen« dann doch nicht gemieden. »Gestern zum Cocktail beim französischen Botschafter«, das war am 25. Mai, das ging schnell, blieb aber wohl eine seltene Ausnahme auf dieser Reise. Unumgänglich auch: die Ehrenpromotion in Lund. Er war schon reichlich enerviert, als er an die Kanonenschüsse, den Ring und den hohen Hut dachte, noch mehr aber, als er erfuhr, dass man nicht für einen Hut, sondern für einen Lorbeerkranz Maß genommen hatte (und auch nicht für den Ring, der später enger gemacht werden musste), den weiß gekleidete Kinder ihm überreichen würden. »Entsetzlich« fand er das vorab, dann aber war die akademische Feier die schönste, die er je mitgemacht hatte.[37] Vergleichsmöglichkeiten gab es ja wahrlich genug.

Über Kopenhagen flogen sie nach Zürich, noch am selben Abend besuchten sie das Schauspielhaus. Am nächsten Tag trafen Klaus' Koffer, Schreibmaschine und Mäntel ein, was Erika (!) erneut extrem zusetzte. Sonst: »Alle waren da, Oprechts, Bibis, die Bübchen, Therese Giehse, … Monika.«[38] Die Aufzählungen der Menschen, die sie trafen; der Geschenke, die er zu seinem 74. Geburtstag bekam; der Speisen, die sie genossen – auch der Getränke, der alkoholischen vor allem, die auch im Mann'schen Haushalt längst obligatorisch waren: Thomas und Katia waren offensichtlich entschlossen, das Positive an ihrem Schweiz-Aufenthalt, auf den sie sich gefreut hatten, zu betonen. Ihre Gefühle, wie auch immer sie geartet sein mochten, im Zusammenhang mit dem Selbstmord des ältesten Sohnes behielten sie für sich.

Für Erika galt das nicht. In diesen Tagen war unübersehbar, dass ihre Reizbarkeit und Verbitterung, schon seit Monaten erkennbar, noch erheblich zugenommen hatten. »Zuviel Charakter macht ungerecht«, klagte der Vater, und dass sie schlecht aussehe. Ein nervöser Herzanfall, eine (Lebensmittel?-)Vergiftung schreckte auf, hielt die Tochter aber nicht davon ab, sich über die Gestaltung des Grabes in Cannes Gedanken zu machen. Sie ließ das Motto, unter das Klaus Mann seinen letzten, kurz vor seinem Tod begonnenen Roman *The Last Day* stellen wollte, in einen Stein meißeln: »For whosoever should save his life shall lose it; but whosoever shall lose his life the same shall find it.«[39]

Erika hatte auch Schwierigkeiten mit den nächsten Stationen dieser Europareise, sie ließ die Eltern alleine fahren: Frankfurt am Main, Stuttgart, München (die Poschi anzuschauen, das wäre zu viel gewesen, schon die Fahrt durch die zerstörten Straßenzüge Richtung Hotel Vier Jahreszeiten hatte sie zu Tränen erschüttert, und so ist es auch nicht verwunderlich, dass in Presseberichten Katia bescheinigt wurde, dass man ihr die Kümmernis ansah[40]), Nürnberg, Weimar, Eisenach und wieder Frankfurt am Main. Höhepunkte: zwei Ansprachen zum Goethe-Jahr; die eine, am 25. Juli, in der Paulskirche in Frankfurt am Main, die andere, am 1. August, im Nationaltheater in Weimar.

Wer Thomas und Katia Mann[41] sah, im Buick mit dem schweizerisch-russischen »Chauffeur« – der Chemiker Georges Motschan hatte Katias Fahrprüfung bestehen müssen, bevor er die verehrte Berühmtheit herumkutschieren durfte –, war beeindruckt. Die Presse in West und Ost wies allerdings dem Autor einen unbequemen Platz zwischen zwei Stühlen zu.

Schon längst auf der Rückreise, im Zug von Chicago nach Los Angeles, beschrieb Katia am 17. August für Ida Herz ihre Einschätzung der schwierigen Unternehmung:

»Ich weiß nicht, was Sie über die deutsche Reise gelesen haben. Äusserlich und persönlich ist sie ja besser verlaufen, als man irgend erwarten konnte. Die Feier in der Paulskirche war würdig und eindrucksvoll, das Publikum war bestimmt sorgfältig gesichtet, aber die Demonstrationen nachher auf der Strasse, wo viele … Spalier standen: ›Wiederkommen‹ und ›Hoch T. M.‹ etc. riefen und Kinder hinter dem Wagen rannten, war bestimmt spontan und herzlich, und in München war die Stimmung ebenso. Natürlich darf man das aber nicht überschätzen, und die Beobachtungen im Allgemeinen waren doch deprimierend bis hoffnungslos. Zum Schluss kam Weimar, worüber ja schon im voraus in der deutschen Presse grosse Aufregung herrschte. Dort ging es ja überwältigend zu, aber das war natürlich Veranstaltung der Regierung. Aber auch der Teil der Bevölkerung die [sic!] in Opposition ist, (und das ist ein sehr beträchtlicher) zeigte dankbare Freude über den Besuch, der also offenbar ganz das Richtige war und nur böswillig missdeutet werden konnte.«[42]

Thomas Mann und die beiden Teile Deutschlands – das war nun ein emotionsgeladenes Dreiecksverhältnis.

Zurück in Pacific Palisades schwappte eine Welle von Meinungsäußerungen (»Presse-Mist«, wie Thomas im Tagebuch kommentierte[43]) über die Deutschlandreise ins Haus. Und die »Medi-Töchter« trafen ein, in der Ehe ihrer Eltern kriselte es, Borgese beklagte den Ehrgeiz seiner jungen Frau und ihr Bestreben, ihn auszustechen![44]

Auch das Problem Heinrich bestand weiterhin. Zunächst war er bereit, nach Deutschland zu gehen, wenn er das Reisegeld bekäme. Als dann Geld kam, interpretierte er es als Honorar, von dem er zuerst seine Schulden dem Bruder gegenüber begleichen wollte, was diesen indes wenig scherte – Thomas hätte ihn am liebsten in Ostberlin gewusst. Auch Katia sah langsam ihre Chancen schwinden, von der selbst auferlegten Verantwortung für den Schwager entbunden zu werden, und schrieb ihm einen langen Brief »zur Schärfung seines Gewissens«[45], in dem sie ihm erklärte, wie die Übersiedelung zu bewerkstelligen sei, ihm ein Schiff aussuchte, ihm das Verpacken der Bücher erläuterte. Er wollte dann auch weg – im Frühjahr des folgenden Jahres, wie er im Oktober 1949 meinte. Doch Thomas hatte ganz richtig erkannt, dass seine Lebensgeister dafür nicht ausreichen würden. Im Januar verbrachte der ältere Bruder viele Stunden des Tages schlafend auf dem Bett sitzend. Er zeigte – trotz der von Katia organisierten Betreuung – Zeichen von Verwahrlosung. Dennoch belegte die Schwägerin für ihn im Februar eine Kabine auf einem polnischen Schiff, das Mitte April innerhalb von elf Tagen über London nach Danzig fahren würde. Sein Pass war von der tschechischen Gesandtschaft geschickt worden, die Eröffnung der Akademie der Künste in Ostberlin, deren Präsidentschaft er übernehmen sollte, war seinetwegen verschoben worden, gewaltige Ehrungen und viel Geld erwarteten ihn – wenn er nur fahren würde. Doch Katia hatte schon Schwierigkeiten, ihn wegen neuer Anzüge, die er dringend benötigte, zum Schneider zu bewegen.[46] Hatte Heinrich es geahnt? Oder vielleicht gehofft? Am Morgen des 11. März wurde er »bewusstlos, unerweckbar, im Koma aufgefunden ... Gehirntod, bei noch schwach fortarbeitendem Herzen. K. dort«[47] – derweil der Bruder darüber sinnierte, dass er nun der letzte noch lebende der fünf Geschwister sei. Viktor, der Jüngste, war am 21. April 1949 gestorben.[48] »K. berichtet von dem Fund einer Menge obszöner Zeichnungen in [Heinrichs]... Schreibtisch. Die Nurse wusste davon, daß er jeden Tag gezeichnet, dicke nackte Weiber. Das Sexuelle in seiner Problematik bei uns Geschwistern, Lula, Carla, Heinrich und mir. Vikko scheint simpel gewesen zu sein, freilich seine Frau [Nelly] reichlich betrogen zu haben. Erika holt die Blätter ... aus der Wohnung ab.«[49] Dass so etwas der Bruder für den Bruder tun könnte, war wohl nicht erwogen worden. »Meinem großen Bruder in Liebe«, den Kranz, die Schleife, sicher hatte Katia das arrangiert, wie sie auch am Vortag den Friedhof von Santa Monica besucht hatte, um die Beerdigung vorzubereiten.

Die Brüder auf einem Kontinent, zu den Feierlichkeiten anlässlich des 75. Geburtstages des jüngeren, ungleich erfolgreicheren (jetzt hatte er dem älteren sogar den triumphalen Empfang im Osten Deutschlands voraus) – dazu war es nicht mehr gekommen. Als Thomas Mann 1950 seine Europareise antrat, war er in dieser Hinsicht allein.

Warum nur bezogen Katia und Thomas Anfang Mai wieder dasselbe große Eckzimmer in der zweiten Etage des Stockholmer Grand Hotels wie im vergangenen Jahr? War ihnen der Gedanke daran, dass sie damals an genau diesem Ort die Nachricht von Klaus' Tod erreicht hatte, nicht zu belastend?

Von New York waren sie direkt in die schwedische Hauptstadt geflogen, erneut, um einer Einladung zum PEN-Kongress zu folgen. In diesem Jahr kam es auch endlich zu Begegnungen mit dem schwedischen Hochadel. Mitte Mai reisten die beiden nach Zürich, mit Zwischenstopp in Paris zum Signieren von Büchern. Dachten die Eheleute nach nun mehr als fünfundvierzig Jahren an ihre Hochzeitsreise, als sie 1950 wieder im Baur au Lac abstiegen? War immer auch Nostalgie dabei, wenn sie ins Schauspielhaus, die Oper gingen? Sie fuhren auch ein wenig in die Vergangenheit, als sie von Lugano aus Hesses in Montagnola besuchten. Die Rückfahrt nach Zürich mit dem »sich vortrefflich bewährenden« kleinen Minx über den St. Gotthard (sowohl Katia als auch Erika standen als Fahrerinnen zur Verfügung) verursachte »Ärger mit frech überholendem Pöbel; krankte den ganzen Tag daran«[50]. Selbst der Beifahrer Thomas teilte also die Leidenschaft seiner Frau, sich beim Autofahren jeder Beschränkung möglichst zu widersetzen.

Am 6. Juni, seinem »Feiertag«: Telegramme, Briefe, Blumen. Familie. Freunde. Eine Lübecker Delegation! »Dankrede, bei der ich des armen Klaus hätte gedenken sollen.« Verwirrung, Vergnügen, Müdigkeit.[51] Am Tag danach: »K. macht mir die Eröffnung, daß eine Unterleibsoperation bei ihr notwendig ist, die sie 3 Wochen in der Klinik festhalten wird.«[52] Zwei Tage danach brachte Erika die Mutter ins Spital Hirslanden, elf Tage dauerte es, sie auf die Operation vorzubereiten. Als sie genügend ausgeruht war, genügend Spritzen gegen die Emboliegefahr bekommen hatte und auch psychisch gut präpariert schien, konnte die Operation für den 20. angesetzt werden. Zuvor fand sie Zeit, sich die deutschen Geburtstagsartikel vorzunehmen und für Thomas zur Durchsicht vorzubereiten.

»Tag der Operation. Vor 9 auf. Rührendes Telefonat mit K., die schon sehr schläfrig zubereitet nach ruhig verbrachter Nacht. Segenswünsche ... Gute Narkose, kein Zwischenfall ... Dann zu frühes Erwachen, heftige Wundschmerzen, zunächst mit nichtiger Spritze bekämpft ...«[53] »Die nächsten Tage bleiben ernst.«[54] »Viel Leid und Kummer um der Schmerzen, die K. zu leiden hat ... Sie gestand, daß sie vorgestern, nachdem sie Erika und Golo fortgeschickt, einen nervösen Verzweiflungsanfall gehabt hat.«[55]

Danach ging es nach und nach besser, doch Katia mutete sich ein Weiteres zu: Am 6. Juli unterzog sie sich einer kosmetischen Operation der Brust.

Lion Feuchtwanger[56] nahm Anteil an Katias und Thomas' (»Vereinsamungsgefühl ohne sie«[57]) Leiden: »Ich bewundere seit langem, wie tapfer und selbstverständlich Katia mit dem Leben im Exil ... fertig wird und mit wie schneller Umsicht sie die Probleme löst, die beinah jede neue Woche mit sich bringt. Ich spüre für sie ehrliche, freundschaftliche Verehrung.«[58]

Als der Ehemann diesen Brief erhielt, während Katia noch in der Klinik um die Wiederherstellung ihrer »Spannkraft« kämpfte, hatte ihn sein »Vereinsamungsgefühl« einen Menschen entdecken lassen, aud den er seine ganze Phantasie verwenden konnte: »Zürich, Dolder, Montag den 3. Juli 50 ... Welche hübschen Augen und Zähne! Welche charmierende Stimme! Wüßte nicht, daß sein Körper mich anzöge. Aber hier ist etwas fürs Herz, was sich voriges Jahr nicht fand.«[59] Dass der junge Mann, der ihn im Grandhotel Dolder bediente, Franz Westermeier hieß, konnte Thomas noch an diesem Tag aus dem Verehrten herausfragen. »Bei K.«, »Mittags bei K.«, »Telephon mit K.«, »Telephon mit K.«, »Mittags bei K.«, »Telephon mit K.«, das verzeichnete er in seinem Journal Tag um Tag.[60]

Aber auch: »Sehe den kleinen Westermaier zu wenig.« »... kleines Gespräch mit Westermayer, den ich lange nicht gesehen. Sehr liebe Stimme.« Hier zupfte Erika ihn am Ärmel und schalt ihn unbeherrscht – und der Vater erklärte der Tochter, dass das Wohlgefallen an einem schönen Pudel für ihn nichts sehr Verschiedenes sei und viel sexueller auch nicht.[61] Allein für sich philosophierte der Dichter über die Ungerechtigkeit der Liebeswahl: »Wer das Tiefste gedacht, liebt das Lebendigste.« Und: »Das Gefühl für den Jungen geht recht tief. Denke beständig an ihn und versuche, Begegnungen herbeizuführen, die leicht zum Anstoß werden könnten.« Mit Erika und Katia »scherzend über mein Faible«.[62] Tatsächlich fand Katia, aus dem Krankenhaus entlassen, beim ersten Kennenlernen das Verhalten des jungen Mannes im Vergleich zu dem anderer Kellner frech, aber sie war freundlich zu ihm, um ihres Mannes willen – was diesem durchaus klar war. Das Vertrauen zwischen den Eheleuten war derart, dass Thomas Katia in Sils Maria, wohin beide am 16. Juli zur Erholung gegangen waren, seine Sehnsucht gestehen und mit ihr das Ob und Wie eines Briefes an ihn diskutieren konnte. Den er dann tatsächlich schrieb. Sein Verlangen, ein paar Zeilen von dem zu erhalten, den er in Michelangelo-Gedichten gepriesen sehen wollte – vor seiner Frau brauchte er es nicht zu verheimlichen.

Die beiden spielten das unterhaltsame Spiel um den »Jungen in der weißen Jacke« perfekt. Wobei Katias Entscheidung für eine operative Brustverkleinerung, mit fast siebenundsechzig Jahren!, die ihrer Vorliebe für ins Maskuline spielende Kleidung entsprach, sowohl eigenes Bedürfnis als auch Annäherung an Thomas' Geschmack ausdrücken mochte.

Dass seine Liebäugelei mit Franzl Westermeier Katia belasten würde, glaubte der Ehemann nicht. Aber die Finanzen waren eine andere Sache, diesbezügliche Aufregungen waren von der Rekonvaleszentin fernzuhalten. Tagelang beherrschte er sich, verschwieg seine Sorgen wegen der »schlechten geldlichen Lage in New York«. Als er endlich darüber sprach, wusste sie sofort, daß es sich bei den niedrigen Beträgen gar nicht um die eigentliche amerikanische Abrechnung, sondern um die übliche kanadische Nebenzahlung handelte. »Schrecken und Geheimhaltung ganz unnötig.«[63]

Franzl schrieb übrigens tatsächlich, aber da war Thomas Mann schon längst bereit gewesen, sein Herz an einen jungen argentinischen Tennisspieler zu verlieren, der sich allerdings in normaler Kleidung als uninteressant erwies.

Immer wieder hatte das Paar in diesen Wochen eine Rückkehr in die Schweiz erwogen. Das politische Klima in Amerika hatte sich sehr verändert. Der Vortrag in der Library of Congress war in jenem Jahr verboten worden, Thomas Mann war Angriffen wegen seiner Rolle unter den Exilanten ausgesetzt, seine politischen Äußerungen, die vergangenen und die gegenwärtigen, wurden einer Bewertung unterzogen, die seinen gegen die Nationalsozialisten gerichteten, erwünschten Antifaschismus in eine pro-kommunistische Haltung umdeutete, die es zu verfolgen galt. Die Reise nach Weimar machte in der McCarthy-Ära endgültig eine verdächtige Person aus ihm, für die sich das FBI interessierte.[64] »Alle Hoffnungen, einst auf dieses Land gesetzt, vollständig enttäuscht«[65], hielt er im Tagebuch fest. Es war wohl mehr als nur das, er war tatsächlich gefährdet, zumindest, so wie Lion Feuchtwanger, etwa seinen Pass und damit die Möglichkeit zu verlieren, weiterhin nach Europa zu reisen. Umgekehrt fürchtete Erika Probleme, falls sie mit den Eltern direkt nach Amerika zurückginge. Sie nahm den Weg über Kanada. Vor fast vier Jahren hatte sie einen Antrag auf Einbürgerung in die Vereinigten Staaten gestellt, immer wieder war sie hingehalten worden, 1950 zog sie ihn empört zurück. All das belastete auch Katia, die zwei ihrer Söhne für Amerika in den Krieg gehen sah und nun erkennen musste, dass die Haltung, die der Familie in ihrer Wahlheimat noch vor kurzem zu Ansehen verholfen hatte, nun dazu führte, dass man von ihr abrückte. Dazu kam, dass immer mehr Bekannte aus der Emigrantenszene wieder nach Europa gingen. Allerdings: zum jetzigen Zeitpunkt, im Jahr 1950, nicht mehr, wie geplant, nach Pacific Palisades zurückzukehren, das wäre wohl »äußerst beschämend«[66] gewesen.

Doch es war ganz sicher nicht nur die veränderte politische und gesellschaftliche Atmosphäre in der Neuen Welt, die die Schweiz – nicht Deutschland! – immer attraktiver machte. Für Thomas Mann waren es die Sprache, die Kultur, die geistige Heimat, der Gedanke an sein Grab, die seine Sehnsucht nach dem Alten Kontinent nicht vergehen ließen. Und für Katia waren es auch handfeste ökonomische und praktische Gründe, die mehr und mehr gegen das wunderbare Haus am San Remo Drive sprachen: Für drei Personen war es zu aufwändig, und die Probleme, geeignetes Hauspersonal zu finden, hatten nach dem Krieg eher zu- statt abgenommen. Dazu kam: Die Einnahmen in Amerika gingen zurück, Thomas Mann war als Autor und als Redner immer weniger gefragt. Dennoch trennte gerade die so genau rechnende Katia sich schwer, war sie 1950 noch lange nicht bereit, hinter sich zu lassen, was sie unter so großen Mühen aufgebaut hatte. Von London aus, wo die beiden wieder im Savoy abstiegen und wieder einmal Ida Herz und die alten Cousinen trafen, flogen sie am 20. August nach New York. Dort suchte Katia gleich Erikas Anwalt auf, um möglichst deren Einreise abzusichern. Währenddessen brachte eine harmlose telefonische Anfrage, die bei Thomas landete (»Anruf einer Agentur wegen Erikas reservations nach Los Angeles«), diesen zu der tief empfundenen Aussage: »Meine praktische Unfähigkeit, verstärkt durch Verwöhnung, beschämt mich.«[67]

Washington wurde verständlicherweise umgangen, das Treffen mit Agnes Meyer fand in New York statt. Aber der Autor besuchte die Yale Library. Er besichtigte eine Ausstellung. Joseph Warner Angell hatte dort 1938 die Thomas Mann Collection ins Leben gerufen, nun war aus deren Beständen (ergänzt durch Dokumente, die der Schriftsteller selbst und Ida Herz beigesteuert hatten[68]) »The 1950 Thomas Mann Exhibition« zusammengestellt worden. Das wäre zu dessen 75. Geburtstag fast eine sehr erfreuliche Sache geworden, doch die Pressekonferenz zu diesem Anlass artete ins Politische aus, worüber sich der Jubilar derart ärgerte, dass es danach im Hotel zu einer Szene mit Katia kam. Auch sie war wohl sehr angespannt, denn sie verlor ihre Reiseschecks, wie sie überhaupt oft etwas verlor, verlegte, vermisste. Auch kleinere Stürze hatte sie auffallend häufig zu beklagen – ganz zu schweigen von den ungezählten Autokarambolagen. Könnte, neben Stress, auch ihr unbefangener Tablettenkonsum schuld an all dem gewesen sein?

In Chicago gab es Besprechungen – mit Peter Pringsheim in Erbschaftsangelegenheiten, mit den Borgeses über deren geplanten Umzug nach Italien. Die anschließende lange Zugfahrt trug Katia eine lästige Blasenentzündung ein, doch keine zwei Monate später, am 20. November, war sie wieder auf dem Weg nach Chicago. Es hatte große telefonische Aufregung gegeben: »Borgese teilt mit, daß Medi ›has a lover‹ und ›she told him so‹. Der Argentinier, den sie zum Generalsekretär ihrer W. Gov.-Organisation gemacht hat. B. ruft dringlichst K.'s Vermittlung an.«[69]

»Bester Lämmlein«, schrieb Katia an ihren Tommy am 22. November aus Chicago:

> »Mein Telegramm habt Ihr ja in Händen, ich bin schier zu erschöpft, um viel hinzuzufügen. Kam denn also, nach ziemlich melancholischer Fahrt, heute Vormittag pünktlich an, von

dem armen Kohlweißling bewegt in die Arme geschlossen. Unterwegs besprachen wir natürlich gleich die Situation: wie ich mir dachte, ist es viel weniger leidenschaftliche Liebe zu jenem Argentinier, als der Wunsch, einem längst unleidlich gewordenen Zustand ein Ende zu machen, wobei natürlich der Gedanke, die Kinder herzugeben, ihr auch unerträglich und außerdem der Zustand des gänzlich ver- und zerstörten Gatten, an dem sie ja doch hängt, ebenfalls äußerst bedrückend. Kaum angekommen, wurde ich von diesem in sein Studdy gezogen, wo er mir denn in zweistündigem Monolog die Lage zu erklären suchte. Sofort hatte er den Eindruck, *ich* wolle Elisabeth von ihm nehmen, (was ich gar nicht unbedingt wollte), während er, wie ich ja schon am Telephon merkte, die Ehe um jeden Preis retten möchte. Natürlich kamen wir zu keinem Ergebnis, als er aber, bleich und bebend zum Lunch erschienen, sich sofort wieder zurückzog, folgte ihm Medi, und wenige Minuten später kamen sie beide zurück und er sagte mit schwerer Zunge (Nikali war zugegen): ›Medi bleibt bei mir!‹ Sie brachte es nicht übers Herz und eine Weile wird es nun jedenfalls besser gehen, ob auf die Dauer ist jedenfalls zweifelhaft, obwohl er sich bestimmt zunächst Mühe geben wird.« – »Praktisch wäre zu bemerken: vergesst nicht Eva's Fete am Freitag ... Ferner bleibt Gölchen hoffentlich über den Sonntag. Ferner: wenn es am *Freitag* die Hammelkeule gab, sollte Frau [unleserlich] für Samstag Suppenfleisch einkaufen*, *beef-brisket*, as lean as possible, ca 4 Pfund, am besten auf dem Sunset-Market bei den Tankstellen. Hoffentlich benimmt [sich] Algi[70] menschlich in seinem Korridor. Und Perline lässt sich keine weiteren Übergriffe zu Schulden kommen ...«

Der Brief endet salopp: »Herrieh, Herr Reh, warum hab ich Dir verlassen! Aber auf sehr bald. Seid allesamt geherzt vom armen Mielein.

*Für Sonntag evtl. ein Capon in Aussicht genommen.«[71]

Es sollte sich zeigen, dass die Krise im Hause Borgese längst nicht vorüber war.

Der Erwählte[72] war nach gut zweieinhalb Jahren Arbeit Ende Oktober fertig geworden, und Thomas Mann beschäftigte sich wieder einmal mit *Felix Krull*. Es gelang ihm das »erotische Kapitel«, die »Szene mit Mme Houpflé«. Er schrieb unter der Anspannung der letzten Monate: Seit seiner Liebe zu Franz Westermeier[73] waren ihm viele junge Männer (und einige wenige Frauen) begegnet, deren Anblick ihm seine Bereitschaft, sich zu verlieben, ja seine Lust daran, immer wieder bewiesen. Mit einer Mischung aus Genugtuung und Wehmut beobachtete er seine nächtlichen Erektionen, mit leichtem Schrecken reagierte er, wenn es ihm nicht mehr gelang, sie herbeizuführen. Mit einer Lesung des Houpflé-Kapitels schloss Thomas Mann das Jahr 1951 ab. Das war anlässlich einer Einladung zur Silvesterfeier bei Feuchtwangers. »Erika auf der Heimfahrt über das Erz-Päderastische (›Schwule‹) der Szene. Soit.«[74] Ein Kommentar der mit im Auto sitzenden Katia wurde nicht überliefert.

Festliche Einladungen wie diese, an denen sie ihre Europa-Mitbringsel von 1950, den schönen Silberfuchs oder den Granatschmuck, hätte ausführen können, ergaben sich kaum noch. Die meiste Zeit verbrachte das Ehepaar Mann mit Klaus Pringsheim und Sohn und der Zeichnerin Eva Herrmann, einer Freundin von Erika und Klaus. Auch Alma Mahler-Werfel trafen sie gelegentlich.

Hinter ihnen lag ein Jahr, das vor allem anderen geprägt war durch immer stärker werdende Zweifel an der Eignung der USA als Wahlheimat weiterhin. Sie wurden neben den bisherigen Überlegungen genährt durch Reparaturen, die am Haus fällig waren: Brandgeruch der Heizung, Blätter-Verstopfung auf Thomas' Balkon, die Schranktüren in seinem Zimmer mussten gerichtet werden, ebenso die »Blinds«, auch Malerarbeiten wurden erforderlich. Dies alles war zu planen, zu organisieren und durchzuführen – ob man nun ging oder blieb. Es handelte sich darum, den Wert des Hauses zu erhalten. Denn Katia machte sich daran, den Gefühlen Fakten zur Seite zu stellen: sie befragte den Steuerberater, den Anwalt, sie ließ das Anwesen schätzen. Noch im vergangenen Jahr war das angrenzende Grundstück hinzugekauft worden, nun erwog sie, es als erstes wieder abzustoßen, nicht zuletzt weil Erika erkennbar auf die Eltern angewiesen war. Ihr Gesundheitszustand war schlecht. Ihr Drogenkonsum hatte erheblich zugenommen. Sie litt unter Juckreiz und Schlaflosigkeit. Blass und mager bewegte sie sich durchs Haus, jederzeit bereit, sich über irgendetwas maßlos aufzuregen. Ein teurer Versuch, ihr im Billingshospital in Chicago helfen zu lassen, scheiterte; sie brach ihn – von Hassausbrüchen gegen die Ärzte begleitet – ab. »Es schmerzt mich, dass Erika ihre geliebte Mutter enerviert und deprimiert, ja reizt durch ihre große Bitterkeit«[75], so der mitleidige Thomas, der sehr wohl wusste, dass Katia schon mit ihm genug Sorgen hatte. Auch seine Nerven waren angegriffen, er litt an »Schlingbeschwerden«, Obstipation, Rektaljucken, Schulterschmerzen (und das war noch längst nicht alles), vor allem aber an Amerika und an dem Gedanken, es zu verlassen – um nicht wie Heinrich in Santa Monica begraben zu werden, unter einem Stein mit englischer Inschrift? Noch reichte es nicht ganz für den Entschluss, den Erika so unerbittlich forderte. Als die Manns am 4. Juli 1951 zu ihrer obligatorischen Europareise aufbrachen, war klar, sie würden zurückkehren. Doch vorsichtshalber deponierte Katia einen Koffer mit Manuskripten in einem Banksafe. Der Sichtung und Katalogisierung dieser Dokumente, deren erheblichen Wert sie spätestens seit den Verhandlungen mit Yale in etwa einschätzen konnte, hatte sie mit Thomas und Erika vor mehr als einem Jahr viel Zeit gewidmet. Damals hatten die Papiermassen das ganze Wohnzimmer überschwemmt. Und schon zu jener Zeit fühlten sich die Eltern bedrängt von der Frage »Wohin mit uns – stumm und in Worten.«[76] Für Erika war die Antwort klar, doch Katia bremste noch. Schließlich wollte man das Haus ja nicht unter Wert verkaufen, jedenfalls nicht aus Gründen des Zeitdrucks. Der Architekt Davidson veranschlagte 70 000 Dollar (und riet, bei 90 000 zu beginnen), der Verkaufsagent 75 000. Thomas sah ihn bei realistischen 35 000 Dollar, da der Senatorensohn, wenn er sich denn Gedanken darum machte, wohl die Marktverhältnisse besser beurteilen konnte. Auch Katia fürchtete schließlich, dass es dabei bleiben würde, und hätte den Besitz lieber zunächst für ein Jahr vermietet. Mit der Option auf Rückkehr? Oder war es doch die Spekulation auf einen höheren Erlös? Bevorzugte sie als Entscheidungshilfen tatsächlich ökonomische Größen? Weltpolitische Ereignisse, der Korea-Krieg, die Möglichkeit des Zündens einer Atombombe ... für Thomas jedenfalls war keine Dimension zu gewaltig, als dass sie nicht zum Orakel getaugt hätte für dringenden Handlungsbedarf.

1951 gab es ein neues Reiseziel: Österreich, Strobl am Wolfgangsee, wo Familie Michael Mann nun wohnte, die Eltern hatten sich in letzter Zeit über diesen Sohn freuen dürfen, bis nach Amerika waren seine Erfolge als Musiker in Europa bekannt geworden.[77] Dann fuhr man weiter nach Salzburg und Bad Gastein zur Badekur. »Weiter, weiter. Das Schlimme, was mich quält, ist der Unglaube an die Krull-Memoiren und das Nicht wissen, was tun.«[78] Am 24. September allerdings bescherte eine Vorlesung aus *Felix Krull* dem bedrückten Thomas Mann im Schauspielhaus Zürich rauschenden Beifall, zur Freude und Erleichterung Katias. Zwei Tage danach traten sie den Rückflug in die USA an – ohne Erika, die ein Haus in Lugano besichtigen sollte.

Wieder in Pacific Palisades kam gleich Bibi zu Besuch, der ein Konzert gab, erfolgreich, wie Golo, der es besuchte, am nächsten Tag berichtete. Bald darauf konzertierte Michael Mann wieder mit erfreulichem Verlauf, begleitet von der Pianistin Yalta Menuhin, der dreißigjährigen Schwester Yehudi Menuhins, des Geigers. »Niedliches Kind«[79], so Thomas Mann, als er sie knapp zwei Wochen zuvor kennen gelernt hatte. Das war wohl auch Michael aufgefallen. Nun hatten Katia und Thomas Anlass, sich »beim Kaffee über das Besorgniserregende der Konstellation Bibi-Gret-Yalta und deren Gatte«[80] zu unterhalten. Am 4. November, das Ehepaar Mann aß gerade mit Eva Herrmann zu Mittag,

> »... teleph. Schreckensnachricht von Yalta M's Gatten, daß auf der Fahrt zum Konzert die hysterische Spannung zwischen ihr und Bibi zu einer hässlichen Entladung gekommen ist. Yalta überm Auge verwundet, beim Arzt und bettlägrig. Bibi zunächst abgängig. K., die mir innig leid tat, mit Eva zu im Ge-

räuf zu Schaden Gekommener, während Erika hier blieb und Anrufe Bibis und des Gatten abnahm. [Wie gut, dass Thomas Mann nicht unterwegs war und als Chronist der Ereignisse zur Verfügung stand!] Dieser betrachtet B. als mental case und lässt über Fortsetzung des ausgedehnten Konzertprogramms (nach Ausfall des gestrigen Auftretens) nicht mit sich reden. Die Lage sehr schwierig, ohne [daß] der Zügellose und durch extreme Anstrengungen Überreizte, sich schon Rechenschaft davon gäbe. Auch die Frau verängstigt. Ratlosigkeit.«[81]

So beschrieb der Vater im Tagebuch den nun schon vier Wochen währenden Streit, der dann der Karriere des Sohnes ein jähes Ende setzte:

»Bibi hat seinen Entschuldigungsbrief besorgt, der aber [nach] einem Telephon-Gespräch K.'s mit dem Mann, geringe Aussicht auf Erfolg hat. Die Tournee fällt ins Wasser. Was soll mit dem fatalen jungen Menschen werden, dessen ganze Zukunft auf die Zusammenarbeit mit der ›sister of‹ gestellt war, der es aber, verwildert auch [durch] die Huldigungen, die ihm von der Familie M., selbst von Yehudi, entgegengebracht wurden, an intelligenter Selbstbeherrschung unglaublich hat fehlen lassen. ... Yalta's Familie gibt maßlos an mit Michaels freilich unmöglichem Benehmen. Angst vor ihm, Drängen auf seine schleunige Abreise. Seine Flugkarte unterwegs. Alle Konzerte, einschließlich der europäischen, abgesagt. Bibi niedergeschlagen ... K. wird von einer Wiederkehr ihres Blasenkatarrhs behelligt. Zusammenhang mit der Bibi-Katastrophe naheliegend.«[82]

Die Affäre beschäftigte alle Beteiligten lange, doch nach und nach drängten sich die alten unbeantworteten Fragen wieder in den Vordergrund: »Morgens mit K. schwankendes Gespräch über das Für und Wider unserer Übersiedelung nach der Schweiz. Das Problem Erika. Sie verkümmert hier, was mir am Herzen nagt. Aber fraglich, wie weit K. und ich dem späten Wechsel gewachsen.«[83]

Ende Februar 1952 beendete Thomas Mann ein weiteres Kapitel des *Krull*. Es war ihm nicht leicht gefallen. Danach wollte ihm gar nichts mehr gelingen. »Beim Abendessen Besprechung der Arbeitskrise, der Zweifel, ob ich wirklich die letzten Jahre meines Lebens an diesen Gegenstand wenden soll.« Das war am 3. April 1952.

Katia war es, die ihm drei Tage später die Idee für *Die Betrogene* lieferte:

> »Beim Früh-Kaffee Erinnerung K.'s an eine ältere Münchener Aristokratin, die sich leidenschaftlich in den jungen Hauslehrer ihres Sohnes verliebt. Wunderbarer Weise tritt, nach ihrem Glauben kraft der Liebe noch einmal Menstruation ein. Ihr Weibtum ist ihr zurückgegeben – es war im Grunde noch nicht tot, denn wie hätte sonst auch dies junge, mächtige Gefühl sie ergreifen können? Zu diesem fasst sie unter dem Eindruck der physiologischen Segnung, Verjüngung, Auferstehung, frohen und kühnen Mut. Alle Melancholie, Scham, Zagheit fällt davon ab. Sie wagt zu lieben und zu locken. Liebesfrühling, nachdem schon der Herbst eingefallen. Dann stellt sich heraus, daß die Blutung das Erzeugnis von Gebärmutter-Krebs war – auch eine Vergünstigung, da die Krankheit gewöhnlich nichts von sich merken läßt. Furchtbare Vexation! War aber die Krankheit der Reiz zur Leidenschaft, täuschte sie Auferstehung vor? (In welchem Stadium des Krebses tritt solche Blutung ein? Ist der Fall noch operierbar? Tod oder Selbstmord aus tiefster Beleidigung durch die Natur oder Verzicht und Grabesfriede.)«[84]

Diese Geschichte konnte er nicht übergehen, sie passte einfach zu gut. Zu sehr hatte ihn das Phänomen Menopause in Katias Leben fasziniert und irritiert, zu sehr hatte er sich für die Pathologie der »weiblichen Organe« interessiert am Beispiel von Mutter und Tochter. Zu reizvoll war der Gedanke an die Korrespondenz mit Fachleuten über die Frage Gebärmutter- oder Eierstockkarzinom.[85] Zu sehr verlangte ihn wohl auch danach, das zu beschreiben, was einen jungen Mann in den Augen eines älteren Menschen, der schon längst mit dem »Liebesfrühling«

abgeschlossen hatte, begehrenswert machte. Die unpassende Liebe als tödlicher Irrtum, das lag ihm doch? Und hatte er nicht für all das erstklassige Informantinnen? Es war ein Geniestreich, der Katia und Erika zusammenführte und beide vom täglich Belastenden ablenkte – zumindest für eine Weile.

Wer hatte eigentlich die Weltreise gewollt? Indien und Japan waren im Gespräch, die Einnahmen hatten sich als überraschend gut erwiesen, doch Erika war dagegen. Und dann mochte auch Thomas nicht mehr, überhaupt hatte sein Arzt abgeraten, der vielen Impfungen wegen. Und Katia?

Sie reiste in die Vergangenheit. Sie las den *Wendepunkt*. Auf Initiative Erikas war Klaus' Buch posthum erschienen. »Ergreifend Lob und Preis für Mielein«, stellte Thomas sofort fest. Über die glückliche Kindheit der Geschwister unterhielten sich die Eltern, denen diese Gespräche nach der quälenden Lektüre der »späteren Teile«[86] sicherlich ein Bedürfnis waren.

Seinen 77. Geburtstag begingen Thomas und Katia ohne die mittlerweile fast unvermeidliche älteste Tochter, die schon nach Zürich abgereist war, um den Eltern den Weg zu bereiten.

> »Morgens mit K. über die Zukunftsfragen, Erika, das Haus, die Schweiz und alles. Die Zweifel, das Abraten von Freunden, die Schwierigkeiten, K.'s Leiden unter E. Meine Dankbarkeit für sie u. meine Besorgnis ihretwegen, die leicht ihrem Bruder folgen könnte. Gewiß will sie nicht länger leben, als wir. Fortsetzung des Gesprächs beim Frühstück. Dies Haus, gut. Aber mein irrationaler Wunsch nach der alten Erde. Möchte mich nicht mit dieser vermischen, sondern meinen Stein in der Schweiz haben.«[87]

Katia gab sich geschlagen. Sie akzeptierte, dass ihr Neffe Klaus Pringsheim zunächst das Haus hütete, so wie sie die nächsten Stationen der Reise akzeptierte und in den letzten Tagen am San Remo Drive an Stelle der Hausmädchen kochte. So wenig war geblieben von der glücklichen Familie, die sie einst dort einziehen sah.

1952–1955
Ortswechsel – und letzte gemeinsame Jahre in der Schweiz

1. Juli 1952, Zürich, Baur au Lac:

»Das Ziel erreicht ... Ankunft in Kloten [tags zuvor] am Mittag ... Mit Golo zum Hotel. Erika im Sanatorium bei Bern, wie sie uns per Kabel nach dem New Yorker Flug meldete. ... Apéritiv [sic!] mit Golo im Garten. Lunch mit ihm an gewohntem Tisch. Lauter bekannte Gesichter. Ein neues: hübscher Kellnerjunge ... Nachmittags Ruhe.« Während Thomas dem Jetlag Tribut zollte, setzte Katia Mann bei hochsommerlichen Temperaturen das Auspacken und Einräumen fort.[1]

Beinahe zwangsläufig gingen Ungewissheiten mit gesundheitlichen Beeinträchtigungen einher, um ein Vielfaches mehr bei ihm als bei ihr. Kaum in Zürich angekommen, klagte Thomas Mann über trockene Rachenentzündung; Halswickel und nächtliche Behandlungen seines nässenden Ohres gehörten zu den stets sehr dankbar entgegengenommenen Handreichungen seiner Frau. Während er in den Folgetagen beim Zürcher Mediziner Professor Mäder Injektionen und Inhalationen verabreicht bekam oder lange vermisste Bummel durch Zürichs Einkaufsstraßen genoss, weiß-gelbe Schuhe und die »guten Laurens-Cigaretten« erstand[2], telefonierte Katia unablässig mit Hotels und Pensionen in klimatisch begünstigten Gebirgsregionen. Erst nach ungezählten vergeblichen Anfragen war eine vermeintlich passende Unterkunft gefunden.

Am 9. Juli war kurz zuvor in Schränken Verstautes schon wieder in diverse Koffer zurückgewandert und mitsamt seinen Besitzern im Auto unterwegs ins Berner Oberland, wo sogleich ein anderes, komfortableres Quartier gesucht werden musste. Steinige Wege statt der bevorzugten Promenaden trugen, neben »Magenschwächung« und »sehr angreifbarem Kopf«, zu Thomas Manns »Übelbefinden« bei.[3] Notdürftig behaglich gemachte fremde Behausungen verstärkten eben generelles Unbehagen. Bereits der Gedanke an Provisorium und Unsicherheit hatte ihn einige Kilo Körpergewicht gekostet. Und solange dies andauerte, würden Appetitlosigkeit und Gewichtsverlust auch kein Ende nehmen. Seine Frau litt hingegen unter zunehmender Korpulenz, hervorgerufen vorwiegend durch Wasseransammlungen im Gewebe, bemitleidenswert dick angeschwollen waren zumeist ihre Beine.[4]

Beiden fielen in jener Zeit längere Spaziergänge schwer. In Verschnaufpausen auf Aussichtsbänken, die Blicke in geografisch schöne Fernen gerichtet, besprachen sie ihre Sorgen. Über Erika war zu reden, »ihren psycho-somatischen Leidenskomplex, ihren Wert und Rang dabei und ihre Neigung zu Selbstzerstörung«[5]; mit anderen Worten: die vermutlich wiederum vergebliche Hoffnung auf Nachhaltigkeit ihrer derzeitigen, von Besuchen bei den Eltern unterbrochenen Entziehungskur in besagter Schweizer »Anstalt«[6]. Stets aufs Neue diskutierte das Ehepaar die Möglichkeit einer Rückkehr in die Vereinigten Staaten, denn noch war das Haus in Pacific Palisades unverkauft, vielleicht sogar unverkäuflich und ein Wiedereinzug nicht ausgeschlossen: »K. will im Grunde«.[7] Sollten sie sich jedoch, was Thomas Mann präferierte (schon wegen der Tochter, die ja zu den im Amerika des Kalten Krieges unerwünschten Personen gehörte), für den Rest ihres Lebens in der Schweiz niederlassen, wo dann dort? In der Gegend um Genf? Im Tessin, nahe Ninon und Hermann Hesse? Oder besser doch, auch wenn exorbitant hohe Grundstückspreise und spekulative Zurückhaltung von Grundstückseigentümern eher dagegen sprachen, in vertrauter Umgebung, am Zürichsee? Was tun für Golo, der sich wie Moni seit dem Weggang der Eltern in der Neuen Welt nicht mehr heimisch fühlte? Die mittlere Tochter würde, wo in Europa auch immer ihr Ziel lag, vorwiegend allein zurechtkommen müssen; gründlicher galt es zu überlegen, welche Beziehungen bei der Suche nach einer dem vierundvierzigjährigen Historiker angemessenen Anstellung hilfreich sein könnten. Eine wichtige Frage war auch, ob Golo bei ihnen wohnen sollte. »K. möchte ihn bei uns aufnehmen, aber Erika dürfte es nicht ertragen.«[8] Also vorerst: nein. Zu denken gab auch Schwiegertochter Grets »schlechtes Aussehen u. stilles Wesen«: »Sie hat es nicht leicht mit dem nervösen, von egocentrischem Ehrgeiz besessenen, tyrannischen Vater ihrer Kinder.«[9] Man würde nach einer gedeihlicheren Umgebung für die »Bübchen« Ausschau halten müssen.

»Erleichterung« verschaffte laut Thomas Mann eine Nachricht von den Borgeses: »Im Walde las K. mir einen Brief Medi's des Inhalts, sie bringe es nicht über sich, die Scheidung vollziehen zu lassen und habe ihrem Anwalt aufgesagt.«[10] Ihre Mutter, davon war die jüngste Tochter überzeugt, hätte die Trennung von dem nachtragenden, verbitterten Guiseppe »gut verstanden, selbst wenn sie natürlich für Versöhnung war«.[11] Uneingeschränkt begrüßte Katia die Rehabilitierung des Antifaschisten, dem in seiner italienischen Heimat staatlicherseits Pensionszahlungen sowie eine Professur an der Universität von Mailand versprochen worden waren. Im Oktober verließen die Borgeses Chicago, sie bezogen eine Casa rustica ganz nahe bei Florenz. Zuvor hatte die beruflich ambitionierte junge Frau ihres alten Mannes Vorbedingung für Waffenstillstand an der Ehefront akzeptiert: Verzicht forthin auf jede nicht familienbedingte Tätigkeit.

Der 24. Juli des Jahres 1952 begann hochsommerlich. Schon vor dem Frühstück saßen sich Katia und Thomas Mann auf dem Balkon gegenüber. »Sprachen über den Ablauf des Lebens, der keineswegs huschend war, sodaß man sich fragen müßte: Wo sind die Jahre geblieben. Ist eine lange, langsame erlebnis- und auch leistungsreiche Zeit seit unserer Heirat und den Tölzer Tagen.«[12] Abends beim Champagner-Diner mit Forellen, Huhn und Torte wurde Thomas Mann, wie so oft seit einiger Zeit, von unbezwingbarem Würgereiz befallen (»Schlundenge. Immer die Gefahr des Steckenbleibens eines Bissens, das mich bis zum Erbleichen erschreckt.«[13]); einige Stunden der Nacht, die auf ihren neunundsechzigsten Geburtstag folgte, verbrachte Katia zu seiner Beruhigung sitzend an seinem Bett.

Auf drei Wochen Kandersteg folgte ein Ausflug nach Lugano. Hier und in allerlei benachbarten Gegenden hatten Katia und teils auch Erika Immobilien zu inspizieren. Unterbrochen von jeweils kurzzeitiger Rückkehr in ihre Zürcher Basisstation Waldhaus Dolder (»Enttäuscht durch die Mitteilung …, daß die versprochenen Einzelzimmer vorläufig besetzt bleiben … leider heftig gegen K …«[14]), jagte bis November (»K. rührend tätig mit Auspacken und Einräumen«[15]) ein Ortswechsel den anderen: München, Salzburg, Salzkammergut, nochmals München (deprimierend ihr Wallfahrtsgang zu »den Fundamenten des niedergelegten Hauses«, der Poschi im Herzogpark, den sie diesmal dann doch wagten), Bern, Frankfurt, Wien … In ihrer Mehrzahl waren die Ziele noch immer vorgegeben durch die Tätigkeitsfelder des Autors.

Gegen Jahresende zog Katia die Notbremse. Nierenschmerzen zwangen die Erschöpfte ins Bett; zugleich könnte ihr Rückzug aufs Krankenlager Antwort gewesen sein auf die Absage einer von ihr dringend gewünschten »italienischen Reise« zu Medi, die am »Zuviel« des Gatten gescheitert war. Allein kam Katia aus Zürich jedoch nicht fort, da Thomas nur in Notfällen länger als einige Stunden ohne sie auskam.

Folglich fuhr Medi mit den Kindern nach Zürich, kehrte am 3. Dezember in die Toskana heim und teilte tags darauf »in aufgelöstem Zustande« den Eltern telefonisch mit: »Borgese mit Gehirntrombose im Todesschlaf.« Er starb um Mitternacht. Von ihrer Mutter bekam die junge Witwe das Versprechen schnellstmöglicher Ankunft in Florenz, vom Vater (»Beklommenheit des Alleinseins«, »dem Telephon ausgesetzt«, »Kaffee in K.'s Zimmer«, »Abendthee in K.'s Zimmer«, »Frühstück in K.'s Zimmer«) einen Brief »herzlicher Teilnahme und des Trostes«.[16]

Weitere Tote waren zu beklagen: Alfred Neumann, Romancier, er und seine Ehefrau Kitty waren alte Freunde und Nachbarn in München und Pacific Palisades; Hans Feist, ein Übersetzer und seit Jahren ein Freund der Familie, speziell von Erika; Emil Oprecht, der allzeit hilfsbereite tüchtige Zürcher Verleger, sowie Samuel Fischers Witwe Hedwig. Stundenlange aufmunternde Telefonate und Gespräche mit Hinterbliebenen, persönlich vorgebrachte Beileidsbekundungen und Teilnahme an Trauerfeierlichkeiten waren im Hause Mann weitestgehend Frauensache. So wie ja auch andere flankierende Maßnahmen.

Spätherbst 1952: Der Publizist Erich Kuby wartete in der Halle des Hotels Waldhaus Dolder auf das Erscheinen des prominentesten Gastes. Statt seiner betrat eine »kleine Dame … den Raum, sucht sich energisch einen Pfad durch den Dschungel der Sessel«. Der Besucher wurde von Katia Mann ins Zimmer des Gatten geleitet, an dessen Seite sie wie selbstverständlich Platz nahm und aufmerksam jedes gesprochene Wort registrierte. Kaum hatte Thomas Mann zu höflicher Abschwächung der vorausgegangenen Äußerung Kubys angehoben, er wisse eine Einladung beim obersten Exponenten der deutschen Literatur sehr zu schätzen, warf seine Ehefrau ein, dass an der Spitzenstellung ihres Mannes nun wirklich kein Zweifel bestehen könne.[17]

Die fremdenpolizeiliche Genehmigung ihrer ›Niederlassung‹ in der Schweiz wurde den Manns am 27. Oktober 1952 erteilt, zwei Tage später war ein noch unzulänglich auf Mieter vorbereiteter, hellhöriger, als Zwischenlösung jedoch akzeptabler Neubau gefunden: in Erlenbach nahe Küsnacht, in der Glärnischstraße 12. Der Tipp war von Emmie Oprecht gekommen, auf Anraten Els Pfisters von der Firma Möbel-Pfister, welche den Manns bis zum Eintreffen von Hausrat und Mobiliar aus den Vereinigten Staaten mit Leihinterieur, einschließlich Weihnachtsbaum, aushalf. Das Mietvertragsende wurde auf April 1954 festgelegt. Wohnliches Einrichten mit allem Drum und Dran in Erwartung alsbaldiger Wiederholung war für die Dame des Hauses eine ganz besondere Herausforderung. Obwohl grundsätzlich froh über den günstigen Mietpreis sowie die Aussicht aufs Arbeiten am eigenen Schreibtisch, hatte Thomas Mann einiges an den zwei Etagen auszusetzen. Als »zu eng« sah er sie vor allem an und als zu »mesquin«. Am meisten störte ihn das Fehlen eines zweiten Badezimmers. Und auch seiner im Erlenbacher Arbeitszimmer nicht unterzubringenden »Sofa-Ecke« (in die gelehnt er seit der

Lungenoperation am besten schreiben konnte) würde er weiterhin nachtrauern müssen. Richtig schlecht aber ging es ihm, wenn er an direkt bevorstehende Unbequemlichkeiten dachte: »Starke Neigung, das neue Heim hinter meinem Rücken, ohne mein Hinsehen herrichten zu lassen, so gut und rasch es eben geht.«[18]

Heftige Schneefälle erschwerten im November und Dezember ständiges Pendeln mit dem Auto zwischen dem hoch über Zürich gelegenen Waldhaus Dolder und dem gleichfalls nur über steile Routen zu erreichenden Haus in Erlenbach. Ein zweiter Wagen, ein leistungsstarker Fiat, wurde neben dem kleinen englischen Hillman-Minx angeschafft, auch damit Katia und Erika ihren vielfältigen Pflichten unabhängig voneinander nachkommen konnten. Unangenehme Konsequenzen hatte nur längeres Fernbleiben Katias. Und so überkam den Ehemann auch »Bangigkeit«, als seine Frau einen ganzen Nachmittag lang zur Besprechung jugoslawischer Lizenzangelegenheiten bei Emmie Oprecht war. Erschwerend kam hinzu, dass derzeit auch Medi den Beistand der Mutter brauchte. Just als die Hausherrichtung auf Hochtouren lief, hatte die in ihrer Trauer nur noch Gutes am Verstorbenen entdeckende Witwe sich samt Töchtern im Waldhaus Dolder eingefunden.

Exakt am Heiligen Abend konnte das Domizil in Erlenbach bezogen werden. Den Zeitaufwand fürs Zusammenraffen aller noch in ihren Hotelzimmern verbliebenen Utensilien und fürs anschließende Verstauen zahlreicher Gepäckstücke im Fiat hatte Katia, schon müde nach letzten Besorgungen von früh bis mittags in der Stadt, erheblich unterschätzt. Erst nach Einbruch der Dunkelheit kamen sie deshalb von Zürich weg. »Schwerer Tag, auch für mich«, war im Rückblick der Eindruck ihres Mannes, dessen Hauptaufgabe während letzter Stunden im Hotel die Verabschiedung vom stets sehr bemühten Personal gewesen war – wohingegen das fürs neue Heim engagierte Mädchen Schlimmes befürchten ließ. Doch das war ja nichts wirklich Neues.

Medi, die feiertägliches Beisammensein mit Erika vermeiden wollte, war vorübergehend heimgekehrt[19]; dafür wurden die Enkel Frido und Toni bei den Großeltern Moser in Zollikon abgeholt. Genau genommen hatte Katia in jenen Tagen beinahe rund um die Uhr aktiv zu sein, da ihr Mann, beunruhigt durch rasselndes Husten (hatte nicht seine Großmutter bei ihrem Sterben an einem Lungen-Emphysem gleiche Geräusche produziert?) und gepeinigt von hämorrhoidalen »Rektal-Mißlichkeiten«, nachts dringend ihrer Hilfe bedurfte.[20] Tagsüber ging es Thomas und somit auch Katia nicht besser. Entweder litt der Dauerpatient unter Verstopfung, oder der gewaltsam herbeigeführte Stuhlgang machte ihm zu schaffen.[21] Entweder beklagte er Völlegefühl oder Aufruhr in seinen Gedärmen. Ständig war ihm übel. »Die Eier hier sind mir widerlich. Für Trüffelwurst, die K. besorgt, keinen Geschmack.«[22] Doch ging sein Leiden tiefer: »Frage mich immer, ob meine Abgelebtheit, Lebensmüdigkeit, eigentliche Hoffnungslosigkeit all den Aufwand von Mühe für die Neuinstallierung noch lohnen. Mag nicht essen, bin so vielfach inkommodiert.«[23] Wie ihn auch nur einigermaßen im Gleichgewicht halten? Mit unaufhörlich gutem Zureden! Wie sie ihn »hundertmal getröstet und aufgerichtet« hatte »in Lebens- und Arbeitskrisen: Laß gut sein, du bist ganz brav gewesen, hast getan, was du konntest.«[24]

Als Gegenleistung vertraute Thomas Mann am 20. Dezember nur seinem Tagebuch an, wie ihm derzeit wirklich ums Herz war: »Mein Abnehmen, das Alter, zeigt sich darin, daß die Liebe von mir gewichen scheint und ich seit langem kein Menschenantlitz mehr sah, um das ich trauern könnte. Mein Gemüt wird noch freundlich bewegt vom Anblick … schöner Hunde …«[25]

Wäre er wenigstens mit dem Schreiben vorangekommen. Quälend langsam aber ging es mit der *Betrogenen* vorwärts, »eine Frauengeschichte, die offenbar nichts für Frauen ist«[26] (weil Katia und Erika kein Hehl daraus machten, dass ihnen unter anderem die Mutter-Tochter-Beziehung darin nicht behagte?). Auch mit dem *Felix Krull* kam er nicht recht von der Stelle.[27] Zur »Arbeitskonzentration«, stellte Thomas Mann berechtigterweise fest, brauche man »stillen, gleichmäßig erwartungslosen Alltag auf lange Sicht«.[28] Doch war leider genau daran nicht zu denken.

Zuerst war das Haus in Pacific Palisades leer zu räumen. Seit der Abreise der Manns hatte Neffe Klaus Pringsheim jr. die San Remi gehütet. Bei der logistisch anspruchsvollen Vorbereitung des Schiffstransports von Hausrat und Mobiliar stand ihm dann Gret Mann zur Seite.

Am 16. Januar 1953 konnte Ida Herz mitgeteilt werden: »Eben ist unsere californische Habe, Möbel, Bücher, Bilder, hier eingetroffen, und es sieht chaotisch aus bei uns. Ich gestehe sogar, dass ich dies aus dem Hotel Waldhaus Dolder schreibe, wohin ich mich aus dem Trubel davon gemacht habe.«[29]

Aber nicht ohne seine Frau! Die sich folglich mit erneutem Hin und Her zwischen Hotel in Zürich und Haus in Erlenbach hatte abfinden müssen. Bei anhaltend winterlich widrigen Wetterbedingungen, Schneestürme sorgten regelmäßig für Schneeverwehungen, haftete auch kreuz und quer führenden Besorgungstouren (noch war die Zeit der Supermärkte nicht gekommen) etwas Abenteuerliches an. Und nicht zu vergessen: Katia Manns Zuständigkeitsbereich Personenbeförderung. Jederzeit stand nun hauptsächlich sie ihrem Mann, der den Führerschein niemals erwarb, als Fahrerin zur Verfügung. Häufiges Ziel war die Züricher Innenstadt. Einkäufe schöner, guter, teurer Dinge halfen Thomas ebenso über manche Unbilden hinweg wie Shampoonieren, Mani- und Pediküren. Gern hielt er nach Exquisitem Ausschau: bei Herrenausstattern und Tabakwarenspezialisten, in Konfiserien, Papeterien, Parfümerien … Hatte er vom Sehen, Kaufen oder Sichpflegenlassen genug, wartete er, verabredungsgemäß, bei einem Glas Wermut auf Katia. Auch gemeinsame Spazierfahrten und -gänge hatten therapeutische Wirkung. Im Mai 1953 etwa konnte nach mittäglicher Waldwanderung mit der Ehefrau von morgendlicher Lebensmüdigkeit (»Überaus schlaff, träge, lust- und glaubenslos. Wie so oft drängt der Gedanke sich ein: ›Das Beste wäre …‹«[30]) keine Rede mehr sein.

Einen Vorteil bot die räumliche Enge im Erlenbacher »Häuschen«: Nur Familienmitgliedern zumutbare »bescheidene Gästezimmer« mit »Badegemeinschaft« waren gute Argumente gegen die Beherbergung nicht gar so sehr Willkommener, Ida Herz beispielsweise, die als äußerst gewissenhafte Archivarin zwar nützlich sein durfte, aber zumeist auf Abstand gehalten und bei ihrem Besuch im Juli 1953 ins Hotel abgeschoben wurde. Gewöhnlich war es Katia, die für solche Abwehrmaßnahmen verantwortlich zeichnete. Im Falle der Herz waren sie letztlich Selbstschutz, wusste sie doch aus Erfahrung von den schlimmen Folgen der Neigung der großen Bewunderin ihres Mannes zu ein wenig Distanzlosigkeit. Oder besser gesagt: zu dem, was dieser darunter verstand. Schon das Schaffen günstiger Voraussetzungen für genau genommen nichts als nett gemeinte, harmlose verbale (Ein-) Schmeicheleien konnte bei Thomas Mann ja zu Panikattacken führen. Einmal, als seine Frau unmittelbar nach dem Abendessen das Wohnzimmer verlassen und ihn mit Ida, nur um das Schallplattenkonzert zum Tagesausklang vorzubereiten, allein gelassen hatte, war Tommy ihr nach kürzester Zeit »zerquält und zerstört« nachgestürzt.[31]

Nur Ende April, in Rom, war ihm die Abwesenheit seiner Frau bei der auf sein, des Protestanten, Betreiben hin arrangierten Audienz bei Papst Pius XII. sogar ein klein wenig entgegengekommen. Denn da sie draußen hatte warten müssen und ihr so der genaue Ablauf des Empfangs beim Pontifex maximus verborgen geblieben war, konnte er unwidersprochen in Schilderungen dieser Begegnung ein paar kleinere Übertreibungen einfließen lassen. Den Literaturpreis der römischen Accademia dei Lincei und hernach den Doktorhut im englischen Cambridge holten sie, wie gewohnt, gemeinsam ab und nahmen auch Ovationen nach Lesungen Thomas Manns in London und Hamburg Seite an Seite entgegen.

Allein im Mittelpunkt stand Katia bei der Feier ihres siebzigsten Geburtstags. Geehrt hätte man sie »natürlich weit über Gebühr und viel zu viel«, wiegelte die an sich Erfreute im Dankbrief an Tilly Wedekind, die ihr ebenfalls gratuliert hatte, Würdigungen an ihrem Jubeltage ab.[32] Versammelt waren am 24. Juli 1953 ihre Brüder Heinz und Klaus, der ja nun gleichfalls ein Siebziger war, nebst Ehefrauen sowie »alle greifbaren Kinder«.[33] Aber auch die Zürcher Freunde. Richard Schweizer, Autor und Verwaltungsratsvorsitzender des Schauspielhauses, überraschte die Jubilarin mit einer festabendlichen Laudatio und einem hochkarätig besetzten kammer- und volksmusikalischen Morgenständchen. Ein von Erika gedichtetes kleines Festspiel führten die vier Enkel gleichfalls schon in der Frühe auf. Am schönsten seien die Reden gewesen, schrieb Katia nicht ganz absichtslos hernach Ida Herz, und am allerschönsten die bewegende (der Herz in Kopie nachgeschickte) Tommys, abends im Zürcher Hotel Eden au Lac, »für die Traute, die Märchenbraut von einst«.[34] Beim Nachdenken über »das Zusammenleben und alles zusammen Tragen seit 48 Jahren« waren Thomas Mann die Augen feucht geworden. Und fast unweigerlich mündete es in endzeitliche Gedanken: »Der Tod wird die Hände lösen, und jedes geht in die Einsamkeit seines Nichtseins.«[35] Dem Freunde Kuno Fiedler brieflich Eingestandenes war Katia an ihrem Festtag mündlich nicht zuzumuten. Man würde zusammenbleiben, auch im Schattenreich, wurde ihr versprochen. Auch Dank wurde ihr gesagt, »für ihr unerschütterliches Ausharren«, »für die heldenhafte Geduld, zu der Liebe und Treue ihre natürliche Ungeduld anhielten ...«![36]

Obwohl ihre Mutter partout »kein Aufhebens« von ihrem Siebzigsten hatte machen wollen, platzierte Erika einen eigenen »liebenswürdigen Artikel« in einer »Schweizer Damen-Zeitschrift« und »sorgte« zudem »dafür, die Öffentlichkeit etwas in Bewegung zu setzen«.[37] In seinem gedruckten »Gruß an Katja Mann« erfand der Musiker Bruno Walter für das »Wesenstempo« der Jubilarin die ebenso hübsche wie passende Bezeichnung »allegretto con grazia«, nannte sie eine kluge Ratgeberin, eine perfekte Hüterin von Nachkommenschaft sowie Häusern und noch perfektere Ehefrau: »Der Mittelpunkt ... um den ihr Denken und Fühlen kreiste, war und blieb ›Tommy‹.«[38] Im August 1953 jedenfalls dürfte sie froh gewesen sein, dass Michaels Buben nach wochenlangem Ferienaufenthalt in Erlenbach wieder in ihre Internatsschulen entlassen werden konnten.[39] Mitte des Monats verließ Klaus Pringsheim die Zwillingsschwester, um von

Genua aus nach Japan zurückzureisen. Das »Problem Mönchen [Monika], die klebt und nicht geht«, blieb als Restbestand der Geburtstagsbesetzung noch länger.[40]

Ende August hatte man der »verhaßten Magd Charlotte« endgültig kündigen müssen.[41] Sympathischer Ersatz war schwer zu beschaffen, da der Markt für verlässliches Dienstpersonal in und um Zürich nahezu leer gefegt war.[42] Und das bei stetig steigender Besucherfrequenz. Entweder zum Tee oder zum Abendessen, mitunter auch zweimal täglich, fanden sich Gäste ein. Daran war die Hausfrau gewöhnt. Angst und bange aber konnte Katia werden, wenn sie ans bedrohlich näher rückende, vertraglich festgesetzte Laufzeitende des Mietvertrages dachte.

Im September 1953 intensivierte sie die Vorbereitung des notwendigen Wechsels: »Umschau in Herrliberg und Küsnacht«[43], »Häuserbesichtigungen in Montreux«[44], Inspektionen in Lugano und Umgebung. Zwar war Erika an der Vorauswahl beteiligt, doch die Hauptlast lag bei Katia. Denn Thomas setzte seinen Fuß erst über unbekannter Leute Schwellen, wenn ein Objekt dem Anforderungsprofil »sehr seriös«, »schön gelegen«, »herrschaftlich«, »geräumig«, »in der Einteilung praktisch«, »genügend Bäder« und »mit Garten« in möglichst allen Punkten entsprach.[45] Medi brachte die Ansiedlung der Eltern in Florenz ins Gespräch, sie wurde erörtert und verworfen. Erikas geschwisterliche Unverträglichkeit ließ eine solche Lösung nicht zu. Vom Erwerb eines Turmhauses oberhalb Erlenbachs, obwohl seine Extravaganz und das Vorhandensein eines riesigen Arbeitszimmers den Dichter eine Zeit lang stark beschäftigten, sah man ebenfalls schließlich ab. Diskussionswürdig war auch ein Grundstückskauf mit Bau von etwas Eigenem.

Die Manns verfügten über ein sehr beruhigendes finanzielles Polster, das anzugreifen jedoch nicht in Frage kam. Über Altguthaben, aktuelle Kontostandsveränderungen und zu erwartende Zahlungseingänge war bekanntermaßen nur Katia genau informiert. Konnte Thomas so wie derzeit summa summarum »reichliche Einnahmen«[46] vermerken, stammte folglich sein Wissen von ihr. Fünf Millionen Lire hatte der römische Literaturpreis eingebracht, 20 000 Mark der Käufer des Münchner Poschi-

Grundstücks hingelegt. Geringer als erhofft war der Erlös aus dem mittlerweile bewerkstelligten Verkauf des Hauses am San Remo Drive in Pacific Palisades ausgefallen: knappe 39 000 Dollar sofort, weitere 10 000 in zwei jährlichen Raten. »Höchst willkommen«, »wie alles Geld«,[47] waren den Manns 10 000 Westmark aus der ostdeutschen Republik. (Gottfried Bermann Fischer bezahlte mit Zustimmung Thomas Manns von dessen Ostberliner Konto preisgünstige DDR-Druckarbeiten und zahlte deren Gegenwert, was dem Schriftsteller logischerweise entgegenkam, in D-Mark aus. Das Guthaben der Manns in Ostdeutschland soll erheblich höher als der erwähnte Betrag gewesen sein.) 28 000 Franken wurden ihnen vom Sekretär der sowjetischen Gesandtschaft in Bern für die russische Ausgabe der *Buddenbrooks* persönlich überbracht. Eine 40 000-Mark-Honorarzahlung von Bermann Fischer stand ins Haus. Darüber hinaus würde mit der Vergabe von Filmrechten der Erhalt einer größeren Summe verbunden sein. Sicher war ihnen zudem eine Lastenausgleichszahlung in Höhe von 75 000 Mark für 1933 in Deutschland zurückgelassene Vermögenswerte.[48]

Anfang 1954 hatte dank Katias beharrlicher Jagd nach etwas Respektablem ihr zukünftiges Heim Gestalt angenommen: »K. hat ein Haus in Kilchberg angesehen, das nicht unmöglich ist.«[49]

Am 2. Februar wurde der notarielle Vertrag unterschrieben. Erfolgreich hatte sich die Hauseigentümerin in spe gegen die käufliche Übernahme von Vorhängen, Persern, Treppenläufern, Eisschrank und dergleichen gewehrt sowie den ursprünglich mit 255 000 angegebenen Preis für die Immobilie um dreißigtausend Franken heruntergehandelt.

Am 3. Februar wurde »K.'s Tätigkeit erschwert durch das Versagen beider Wagen«.[50]

Am 4. Februar bezweifelte ihr Mann, dass sie bis zur Abfahrt am späten Nachmittag mit der Zusammenstellung ihres Reisegepäcks fertig sein würde.

Taormina im Winter, das konnte kein Erfolg sein. Einesteils war das sizilianische Wetter abscheulich, zum anderen gingen Thomas Mann Nachstellungen und indiskretes Geschwätz des

31 An Bord der »Lafayette« während der Überfahrt von Southampton nach New York, Juni 1935

32 65 Stockton Street, Princeton; hier wohnten Katia und Thomas Mann von September 1938 bis März 1941

33 Katia und Thomas in ihrem Haus in Princeton

34 1550 San Remo Drive, Pacific Palisades; hier wohnten die Manns von Februar 1942 bis Juni 1952

35 Auf der Terrasse des Hauses San Remo Drive: Katia, Thomas, Erika und Monika

36 Berkeley, 27. März 1941: Katia zwischen den *doctores honoris causa* der University of California Thomas Mann und Peter Pringsheim

37 Weihnachten 1944 in Pacific Palisades: Guiseppe Antonio Borgese, Thomas, Frido und Katia Mann, Angelica Borgese, Elisabeth Mann Borgese, Dominica Borgese, Gret, Michael und Toni Mann

38 Die Villa Alte Landstraße 39 in Kilchberg, in der die Manns seit 1952 wohnten

39 Auf der Gangway: Thomas, Katia und Erika Mann, um 1950

40 Abfahrt vom Hamburger Hauptbahnhof, 11. Juni 1953

41 Während der Feier zum 70. Geburtstag Katias am 24. Juli 1953

2 Uraufführung des Felix-Krull-
ilms im April 1957 in Berlin mit
Iorst Buchholz und Peer Schmidt

43 Am heimischen Herd

4 Mit ihrem »Plymouth«, 1962

45 Mit Golo im eigenen Schwimmbecken in Kilchberg um 1970

46 Mit Elisabeth, um 1975

exzentrischen, außerordentlich offenkundig homosexuellen Schriftstellers Roger Peyrefitte, ebenfalls Gast im Domenico, furchtbar auf die Nerven, so dass ihn wohl nicht nur unablässiger Regen sowie ein grippaler Infekt als Nachwehe jüngst erlittener Strapazen zum Verbleib im Hotelzimmer zwangen.[51] Katia hatte ihre nervenstärkenden Auszeiten in Form von Erkältungen und Blasenentzündungen, immer wieder einmal einige Tage zwischendurch, schon daheim genommen. Und so würde sie es auch weiterhin halten.

Anfang März zurück in Erlenbach begannen die Umzugsvorbereitungen, bald erschwert durch erneute vorläufige Verlegung des ehelichen Lebensmittelpunktes ins bewährte Ausweichquartier Waldhaus Dolder.

Der Einzug der Manns in das Anwesen Alte Landstraße 39, ihre »definitiv letzte Adresse«[52], wie Thomas prophezeite, fiel auf den 15. April 1954, einen Gründonnerstag. Nun wohnten sie Küsnacht gegenüber an einem Hang, der steil zum Zürichsee abfällt. Die Aussicht auf Wasser und Gebirge war an Schönheit kaum zu übertreffen und die Villa, so der neue Hausherr, »entschieden angenehm und erfreulich, nicht herausfordernd aber anständig und bequem«.[53] 1923 in Conrad Ferdinand Meyers Sterbeort Kilchberg errichtet und von unspezifischer Bauart, reihte sich das Haus »in den fünfziger Jahren noch ein in eine Gruppe ähnlicher Gebäude von unprätentiös-spätklassizistischen Formen«[54]. In ihrer Gesamterscheinung mit Erker und Balkonen vermittelte die »Kilchi«, wie sie unverzüglich getauft worden war, den Eindruck einer kleinen Poschi-Schwester. »Von den fünf Räumen des Erdgeschosses bildeten drei eine schmucke Suite. Bei geöffneten Flügeltüren ging ein Zimmer ins andere über. Dem Arbeitszimmer benachbart, gab es die Bibliothek mit dem Ausgang zum Garten. Und von der geräumigen Wohndiele ging es bequem hinauf zu den oberen Stockwerken …«[55], wo sich die Schlafzimmer befanden. Dem seinen war zu des Dichters größter Freude ein nur von ihm genutzter Bade- und Toilettenraum beigegeben. Die Umgebung des Hauses war 1954 ländlich, die Nachbarn, nach vereinzeltem Zögern, entgegenkommend.

Am Abend des Umzugstages seien er und Katia mit ihren »Nerven ziemlich zu Ende« gewesen, schrieb Thomas ins Tagebuch. Während der immerhin bald Neunundsiebzigjährige, zu Mittag in Kilchberg eingetroffen, vor und nach Tisch seine im vorherigen Arbeitszimmer so sehr vermisste Chaiselongue körperlich wieder in Besitz hatte nehmen und sich zwischen Führung durchs Haus und Fünf-Uhr-Tee ein Stündchen Schlaf hatte gönnen können, war seine Frau, mit nahezu einundsiebzig Jahren ebenfalls nicht mehr die Jüngste, unaufhörlich hin und her, treppauf und treppab gehetzt.

Ostersonntag teilte sie sich mit Erika das Kopieren eines vielseitigen Manuskripts. Tags zuvor hatte sie beim Tee mit Bibi und Gret deren Vorhaben besprochen, eine Fremdenpension in Italien zu betreiben, wo zwar Toni, nicht aber Frido zur Schule gehen könne, der gegebenenfalls bei den Mann-Großeltern (keine Frage!) wohnen müsse.

Am Ostermontag kam, bevor sie in die Staaten entschwand, Kitty Neumann zum Lunch, und zum Tee hatte sich ein Grafikerehepaar aus Worpswede angesagt, das dem berühmten Autor seine Aufwartung machen wollte. Leider war dieser etwas indisponiert, da er insgeheim unter »bösen Darmwinden« litt, die – abends fand er auch das des Notierens wert – ohne befreiendes »Ergebnis« blieben.[56]

Unmittelbar nach den Feiertagen rückten Telefontechniker an und die Arbeiter zum Garagenbau. Katia hatte sich, nach etlichen Probefahrten, für den Verkauf des Fiat und die Neuanschaffung eines Opel Kapitän entschieden.

Anfang Mai sorgte ein Filmteam der Ostdeutschen Wochenschau für erhebliche Turbulenzen. Kurz darauf kamen DDR-Verlagsvertreter zu von Sightseeingtouren umrahmten Gesprächen.[57] Und am 20. des Monats bereits fand die »Weihe-des-Hauses-Party« mit sechsunddreißig Geladenen statt. Aufatmen Thomas Manns danach: »Lief glücklich ab. Empfang und Sherry-Erquickung. … Hielt mich anfangs mit Moser [Vater Gret Manns] in der Bibliothek … Nach dem Konzert Aufschlagen der Eßtische und Souper mit gutem Champagnergetränk. … Alles sehr gut organisiert. Reiche Verpflegung. … Für die Schweizer das Ganze sehr eindrucksvoll.«[58] Kein Wort ausnahmsweise über Katias bis an den Rand ihrer Kräfte gehendes Schaffen. Doch fanden im Tagebuch drei Bedienerinnen sowie Erika, »sehr verdient um die Fête«, Erwähnung.[59]

Dass die manisch überspannte und chronisch überarbeitete, da ihre Unentbehrlichkeit unentwegt unter Beweis stellende Tochter mit dem Kraftakt »Neuinstallierung« ihr Limit überschritten hatte, zeigte sich an der Notwendigkeit eines neuerlichen – selbstverständlich wiederum von den Eltern bezahlten – Sanatoriumsaufenthalts. Erfolg war auch diesem nicht beschieden. Beim Experiment Totalentzug in der Klinik Höllriegelskreuth bei München geriet sie regelrecht außer sich: »Bei allem, was mir an Widrigkeiten laufend zugefügt wird, bleiben die 3 Nächte des ›Heilschlafes‹ einzigartig und unerreichbar in ihrer wahren *Schrecklichkeit*. Dabei ... wäre es *so leicht* gewesen, mich zu mir selbst zu bringen, und ich werde den Verdacht nicht los, daß die Ärzte ... in jener 3. Nacht dies gar nicht *wollten*, – vielmehr ihre helle Freude hatten an der ›Klassizität‹, mit der ich halluzinierte ...« Nach Wiedereintritt in die Wirklichkeit konnte sich Erika auch daran erinnern »(um vom harmlosesten etwas anzuführen!)«, dass sie einer nur in ihrer Wahnvorstellung existierenden, vermeintlich Thomas Mann kritisierenden Krankenschwester, zum Entsetzen der sie begleitenden echten, »mit *Donner*stimme« zugerufen hatte: »*Halten* Sie den *Mund*, Sie GOTTVERFLUCHTE DRECKSAU!!«[60] Freilich blieb der Mutter nicht verborgen, was an den Vater adressiert war. »Gram und Sorge«.[61] Unvergessen auch ihr Erschrecken, als die infolge multipler Drogeneinnahme Umnebelte »mit Gepolter« zu Boden gegangen war, während die Eltern im Teezimmer saßen.[62]

Hinzu kamen Unwägbarkeiten hinsichtlich Bibis und Grets zukünftiger Perspektiven. Das Italienprojekt jedenfalls war über die Planungsphase nicht hinausgekommen.

Nachdem im Juli »die Leutchen« (so nannte der Vater Michael mit Familie häufig) sowie Medi »mit ihren beiden wilden Dämchen«[63] und auch Golo, ihm war Knall auf Fall seine gerade erst begonnene Mitarbeit bei der *Weltwoche* gekündigt worden und die erhoffte Professur noch nicht sicher[64], zu weiterer Zunahme ohnedies überreichlicher Belastung beigetragen hatten, flüchtete sich Katia zuerst krank ins Bett und anschließend mit ihrem Mann nach St. Moritz und Sils Maria. Ein Gutteil unangenehmer Verlegerkorrespondenz[65] wurde dort ihr überlassen, und eine schmerzhafte Zahnwurzelentzündung dürfte zur unbedingt erforderlichen Erholung auch nicht gerade beigetragen haben. Ende August, gerade zurück aus dem Engadin, ging es in Begleitung Erikas, die nur notdürftig wiederhergestellt war, ins Rheinland. Im Vordergrund standen Lesungen Thomas Manns. Doch nutzten sie in Köln die Gelegenheit, Ernst Bertram wiederzusehen – erstmals seit zwei Jahrzehnten. Man blieb dem uneinsichtigen Parteigänger der Nationalsozialisten und einstigen Intimfreund entfremdet, trotz betont herzlicher Unterhaltung.[66] Über Klaus Heuser, der nach achtzehn Jahren China zurück nach Deutschland kommen sollte, wurden in dessen Heimatstadt Düsseldorf Auskünfte eingeholt. »Da er den Z[auberer] nicht haben konnte, hat ers lieber ganz gelassen«, kommentierte Erika die Information, dass der »Geliebte von einst, ein Vierziger nun«, unverheiratet geblieben war.[67] Als möglichst wenig ernst zu nehmend, mitunter vielleicht etwas lästig sah ja auch Katia längst ihres Thomas' zeitweilige Seitenblicke an. In St. Moritz übrigens waren diese erfolglos geblieben: »Keine Gelegenheit zur Beobachtung interessanter Tennisspieler, die vorkommen könnten.«[68] Von Oktober bis Weihnachten hielt sich Erika »in Sachen der Buddenbrook-Film-Cooperation« hauptsächlich in München auf. Dem Vater fehlte sie erklärtermaßen sehr, die Mutter dürfte erleichtert gewesen sein. Entspannend auf beide wirkten nach Auslieferung des *Felix Krull* »fast peinliche Erfolgsprophezeiungen«[69], denen auf dem Fuße »hochpreisende Besprechungen«[70] folgten.

Königliche Hoheit, als Film uraufgeführt[71], konfrontierte das alte Ehepaar mit den Anfängen seines nunmehr fünf Jahrzehnte währenden »strengen Glücks«. Eine große Feier der Goldenen Hochzeit wurde zugunsten von des Schriftstellers nahendem achtzigsten Geburtstag aus dem Programm für 1955 gestrichen. Rücksicht war auch auf Thomas als Rekonvaleszenten zu nehmen, dem Arosa im Januar nicht gut bekommen war.

An die frühmorgendliche »herzliche Begrüßung mit K.« schloss sich am 11. Februar »herzliche Freude über das Wiederdasein des kreatürlichen Hausgenossen« an: Im Zentrum der kleinen Zeremonie im Familienkreis hatte die Übergabe Nikos gestanden; der junge Pudel war Ersatz für den noch in Kalifornien tödlich verunglückten alten. Danach zog sich der Ehejubilar ins Bett zurück und studierte bis mittags eine Schrift namens *Klosterleben.*[72] Vermutlich hatte Thomas Mann dabei schon *Luthers Hochzeit* im Kopf, jenes »aufführbare Stück«, mit dem er sich in Kürze intensiver auseinander setzen sollte, wozu auch die Beschäftigung mit dem ersten Brief des Paulus an die Korinther gehörte: eine Wohltat.[73] Vielleicht betraf sein Tagebuchhinweis auf den Bibeltext ja jenes Kapitel, in dem geschrieben steht, dass es gut für den Mann sei, keine Frau zu berühren, sich ein jeder aber dennoch, zur Vermeidung von Unzucht, eine zur Ehe nehmen solle ...[74]

Katias Profit aus seit fünf Jahrzehnten legalisierter Zweisamkeit dürfte, neben ständiger Bestätigung der Richtigkeit halb intuitiven, halb wohlüberlegten Setzens 1905 auf Tommy, nun tatsächlich nahezu uneingeschränkte Teilhabe an »Ehre, Devotion und Freundlichkeit«[75] gewesen sein. Es scheint sogar, als habe sie mit der Zeit fast alles, was dem »Dichterfürsten« (so hatte übrigens Alfred Pringsheim den Schwiegersohn meist tituliert) an Gutem erwiesen wurde, dem persönlichen Gewinn zugeschrieben – sehr wohl wissend, aber kaum darüber sprechend, wie hoch der Anteil ihrer Investitionen einzuschätzen war am Gelingen von Leben und Werk des Autors. Und so dürfen wir seine Frau auch im Mai getrost auf der Genießerseite sehen: bei den Medienereignissen der Schillerfeiern mit Schillerreden in Stuttgart (mit Empfang bei Theodor Heuss) und in Weimar (mit Volksaufläufen und Ernennung Thomas Manns zum Doktor honoris causa – diesmal der Medizin![76]) sowie bei der Verleihung der Ehrenbürgerschaft der Stadt Lübeck an den Spätheimkehrer. Mehr Spaß als Verdruss dürfte ihr auch die mit den Vorbereitungen zum Highlight dieses Jahres verbundene häusliche Unruhe bereitet haben – obwohl ein bisschen Jammern in für Ida Herz bestimmten Briefen von Katia nie für verkehrt gehalten wurde: »Fortwährend soll photographiert, gefilmt [werden] ..., ständig kommen Telegramme und Expressbriefe, und dies alles abzuwehren, füllt die Tage aus.«[77] Länger als eine Woche stand ein Aufnahmewagen des Nordwestdeutschen Rundfunks vor der Villa Alte Landstraße 39, und drei Tontechniker gingen in ihr ein und aus, derweil *Tonio Kröger*, vom Verfasser gesprochen, auf Band aufgenommen wurde.

Mit einem Tag war auch das eigentliche Feiern nicht abgetan.

Am 4. Juni musste ein Empfang der Gemeinde Kilchberg im Conrad-Ferdinand-Meyer-Haus mit Ansprache des schweizerischen Bundespräsidenten Max Petitpierre und Überreichung der Ernennungsurkunde zum Ehrendoktor der Naturwissenschaften durch den Rektor der Eidgenössischen Technischen Hochschule bestanden werden. Am 5. Juni, beim Festabend im Zürcher Schauspielhaus, zelebrierte Bruno Walter sein Dirigat-Geschenk. Eigens aus den USA war auch der dortige Verleger Alfred A. Knopf angereist. Der 6. Juni blieb dem Gratulanten-Defilee, einem mittäglichen Familienessen (zu dem auch der altvertraute Hans Reisiger eingeladen war[78]) sowie einem abendlichen Galadiner im um noch andere Freunde erweiterten Kreis vorbehalten. Von den Seinen bekam Thomas Mann zum achtzigsten einen Turmalinring. Vom Kauf des von ihm so sehr gewünschten, mit einem Smaragd gezierten Fingerschmucks hatten Frau und Kinder aus Kostengründen abgesehen. Nachgerade taub hatte sich Agnes E. Meyer in dieser Frage gestellt, Gönnertum außerhalb ihrer Reichweite hielt sie wohl für nutzlos.

Noch Ende Juni herrschte gewissermaßen Chaos im von Kindern und Enkeln überfüllten Haus. Selbst »bis zum Elend« überanstrengt und ausgebrannt, beobachtete Thomas Mann mit einer Mischung aus Mitleid und Skepsis die Erschöpfungszustände seiner Frau: »K.'s Kräfte werden übermäßig beansprucht u. sind gleichfalls den Anforderungen nicht mehr gewachsen.«[79] Mit Erika war fast kein Auskommen mehr. Katia dachte laut über räumliche Trennung nach. Was nicht hieß, dass Teil eins der bevorstehenden Reise in die Niederlande ohne die Tochter stattfinden konnte. Weder ahnten Katia noch Erika, dass die begeistert aufgenommenen Wiederholungen seines Vortrags zum hundertfünfzigsten Todesjahr Friedrich Schillers in Amsterdam und Den Haag, als Beiträge zum so genannten »Holland Festival«, Thomas Manns letzte öffentliche Auftritte sein würden.

In Noordwijk aan Zee blieb das Ehepaar unter sich.[80] Letzte gute Tage zu zweit behielt Katia jahrzehntelang in Erinnerung: »Wir gingen jeden Tag am Meer spazieren, das Wetter war ungewöhnlich beständig und schön, und wenn ich sagte: Ich glaube, wir sollten umkehren, es sei an der Zeit …, sagte er: Ach was, gehen wir doch noch ein bißchen.«[81]

Zwischendurch kam Peter Pringsheim mit Frau aus Antwerpen zu einem Kurzbesuch nach Noordwijk. Am 8. Juli wurden Thomas und Katia nach Amsterdam gefahren, wo in ihrem Beisein die Verfilmung von *Königliche Hoheit* erstmals in den Niederlanden gezeigt und begeistert aufgenommen wurde (»Wieder einmal Erfahrung der Fürstlichkeit«[82], so Thomas Mann im Journal). Königin Juliana empfing sie am 11. Juli in ihrer Sommerresidenz Schloss Soestdijk; die von Thomas Mann mehr oder weniger herbeigeredete Einladung war zusätzliche Auszeichnung nach jüngst erfolgter Ordensverleihung.[83] Die Damen und der Herr kamen formlos gut ins Gespräch. Die Kronprinzessin, vertraute man ihnen gar an, lasse schulisch zu wünschen übrig, möglicherweise sei ihr Abitur in Gefahr. Katia Mann, ansonsten ohne Scheu im Umgang mit hohen Würdenträgern, verkniff sich, zur Ehrenrettung etlicher eigener Kinder vermutlich, jeglichen Hinweis auf ihre reichlichen Erfahrungen mit gänzlich unzureichendem Lerneifer – und die Quintessenz miserablen schulischen Erfolgs. Im Übrigen war ihr der Hofknicks ausdrücklich erlassen worden.

Der ziehende Schmerz im linken Bein wurde Katia am 18. Juli eingestanden. Keinen Schritt mochte, konnte, durfte ihr Mann mehr gehen. Rheumatismus, hatten beide zunächst spekuliert. Mit dieser Diagnose wäre zu leben gewesen. Keine Sekunde ließ Katia am 21. Juli den Patienten mit dem aus Leiden herbeigerufenen Professor allein. Es handele sich, so gab man ihr nach eingehender Untersuchung zu verstehen, um eine sehr ernst zu nehmende Thrombose. Verharmlosung war Katias sofortige, ihrer Meinung nach einzig richtige »psychisch ratsame«[84] Reaktion. Im Prinzip glich ihr Vorgehen jetzt dem von 1946. War damals die Todesgefahr mit der Diagnose Lungenabszess weggeredet worden, so verpflichtete sie nunmehr Ärzte und andere Kontaktpersonen auf: »Cirkulationsstörung durch Venenentzündung in der Leistengegend«[85], behoben nach sechs Wochen Behandlungsdauer.

Liegend wurde der Patient, medizinisch entsprechend vorbereitet, nach Zürich zurückgeflogen und ins Kantonsspital eingeliefert.

Strikt war ihm verboten, aufzustehen. »Qual und Mühsal, der Appetit gleich null. K. vormittags u. nachmittags bei mir, versorgt mich mit Ergänzungen für das schlechte Essen.«[86]

Wie ihm sonst noch helfen? Bis zu neun Stunden täglich saß Katia an Tommys Bett. Ob sie ihren zweiundsiebzigsten Geburtstag am 24. Juli überhaupt wahrgenommen hat? »Wenn er las[87] oder schrieb, war sie ihrerseits still im Krankenzimmer beschäftigt. Wollte er aber plaudern oder Musik hören, so unterhielt sie ihn auf die ein' oder andere Art, wobei der Langspielapparat eines Freundes, den sie in die Klink gebracht, und eine kleine Auswahl von ›Lieblingsplatten‹ gute Dienste leisteten.«[88]

Am 29. Juli enden Thomas Manns Tagebucheintragungen: »Lasse mir's im Unklaren, wie lange dies Dasein währen wird. Langsam wird es sich lichten.«

Am 10. August noch klammerte sich seine Frau an die vage Hoffnung auf Besserung …

Exkurs:
Die Geschäftspartnerin

Februar 1930. München, Herzogpark.
Eine dem Zeitgeist verschriebene Journalistin recherchierte in der Poschi:

> »... eingebettet in große Gärten und zwischen Villen die alteingesessene Wohlhabenheit ausatmend, steht das Haus des Dichters Thomas Mann. In der großen Vorhalle die hohe Tanne, noch im weihnachtlichen Schmuck – an den Wänden Bord an Bord, Bücher über Bücher. Im Arbeitszimmer empfängt mich Frau Katja Mann. Wie neugierig bin ich, persönlich von der Gattin des großen Dichters, eines berühmten Mannes zu hören, wie sich ihr Leben gestaltet.
> ›Ich glaube, Sie überschätzen meine Bedeutung! Mein Einfluß? Er besteht nur in passiver Kraft, in weiblicher Einfühlung, im Anpassen, im Verstehen ... Selbstverständlich weiß ich, daß ein Dichter, ein Schriftsteller nicht immer im gleichen engen Kreise leben kann, – er muß sehen, neue Eindrücke in sich aufnehmen ... Aber wenn er dann heimkehrt, dann fühlt er stets von neuem beglückend die Ruhe, die Harmonie des ›Zuhauseseins‹. Und ihm die Heimat zu geben, das war, das ist und bleibt mein einziges Ziel.‹«[1]

Entweder kamen der angeblich Zitierten beim Nachlesen dessen, was ihr unter der Überschrift »Nur seine Frau« in den Mund gelegt worden war, die Tränen vor Wut oder aber, was wahrscheinlicher ist, vor Lachen.

Januar 1969, Kilchberg, Schweiz.

Ein Interview mit der Fünfundachtzigjährigen.[2]

Katia Mann erinnerte vor laufender Kamera eine Begebenheit, die weit zurücklag:

Nachdem Thomas Mann Ende 1904 in ihrem Beisein in Berlin aus *Fiorenza* gelesen hatte,

> »… wurde das Honorar … nicht bezahlt, und [er] schrieb aus München den Leuten einen Brief, den er mir zeigte: Ich muß mit Befremden feststellen, daß Sie das mir geschuldete Honorar von hundert Mark noch immer nicht eingezahlt haben; ich muß nun dringend bitten, daß das jetzt geschieht. Das ist bei mir nicht Sache der Geldgier, sondern des Ehrgeizes, denn ich bin überzeugt, daß Wolzogen[3] sofort sein Honorar bekommen hat.
> Ich sagte: Wie kannst du denn so etwas schreiben? Dann werden sie dir antworten: Beruhigen Sie sich, Wolzogen hat es auch nicht bekommen. Also, du musst schreiben: Ich bestehe darauf, daß Sie es bezahlen. Aber das mit Wolzogen würde ich weglassen.«[4]

Wer in Geschäftsdingen künftig den Ton angeben würde, hatte also bereits die Braut anklingen lassen; und nach Ablauf etlicher Ehedezennien war »… ihr berühmtes ›Tommy, du mußt!‹«[5] ja zum geflügelten Wort geworden.

Übergänge zwischen Familien- und Literaturbetrieb gestalteten sich für Katia fließend. Rasches Umschalten vom einen zum anderen gelang ihr in aller Regel mühelos. Im Gegensatz zu ihrem Mann, dem strikte optische und akustische Trennung beider Sphären ein Grundbedürfnis war. Schon geringste Störungen konnten Thomas aus dem emotionalen Gleichgewicht bringen. (»Ich bin wütend … wenn ich ausnahmsweise gezwungen war, ein Telephongespräch zu führen.«[6]) Und bereits kleinste Gemütsbewegungen taten wiederum seiner schriftstellerischen Produktion nicht gut. (»Zur Arbeitskonzentration … braucht man stillen, gleichmäßig erwartungslosen Alltag auf lange Sicht.«[7]) Die Verantwortlichkeit für die Aufrechterhaltung beziehungsweise Wiederherstellung des Sicherheitsabstandes zwischen ihm und der Außenwelt lag allzeit bei Katia.

»Sie hielt ihm die Sorgen vom Leibe … – kurzum, sie war sein Schutz und Schirm«[8], brachte Tochter Erika die Omnipräsenz der Mutter auf den Punkt. Ihre Geschwister sahen das genauso. Nichts anderes als die Bestätigung von Katias Allgegenwart konnte auch aus dem Freundes- und Bekanntenkreis kommen: »Sie war ja sozusagen die Managerin. Sie hat ihn doch sehr geführt. … Er hat sich absolut auf sie verlassen können, hundertprozentig. … Sie hat die Fäden in der Hand gehabt. Sie konnte sehr energisch sein.« Aber sicherlich!

Völlig zu Recht wurde Katia Mann auch als »Schatzmeisterin« angesprochen.[9] Allein sie bewahrte bis in ihr höchstes Alter den pekuniären Überblick, führte Gespräche mit Banken, Versicherungen, Architekten, Maklern, Agenten, Ämtern, Anwälten in Vermögensanlage-, Kredit-, Altersversorgungs-, Hauskauf-, Hausbau- und Steuerfragen, ja scheute selbst vor US-amerikanischen Steuererklärungen nicht zurück.

»Frau Thomas Mann«, so ihr Briefkopf, kümmerte sich um Fahrkarten, Reisepläne, Hotelreservierungen, Visa und Gepäck, übernahm Botengänge und Botenfahrten und …

… mischte sich ungeniert in Vertragsverhandlungen ein. Filmgesellschaften lehrte sie ebenso Mores wie Verleger. Billig waren auch Lizenzen von ihr nicht zu bekommen. Das Letzte noch holte die Blitzgescheite aus ihrem jeweiligen Gegenüber heraus.

»Der finanzielle Teil Ihres Briefes«, teilte Thomas Mann am 27. Januar 1924 Samuel Fischer beispielsweise mit, »ist ja schon durch meine Frau erledigt worden«[10], welche überfällige Zahlungen angemahnt und infolge des Verzugs auch entgangene Zinsgewinne eingefordert sowie, zwischen den Zeilen, Überlegungen hinsichtlich einer anderweitigen geschäftlichen Partnerschaft angedroht hatte. Er schicke nun den neuen Vertrag, habe sich also der Meinung angeschlossen, dass sich nächstjährige Abrechnungen stärker zu ihren Gunsten auswirken müssten, wurde Frau Mann vom Verleger beruhigt, in einer Antwort, die vorsichtshalber an den »lieben Herrn Mann« gerichtet war.[11]

Auf den Nachfolger Samuel Fischers, seinen Schwiegersohn

Gottfried Bermann Fischer (von Haus aus Mediziner, den Namenszusatz führte er auf Wunsch des Verstorbenen) schoss sich Katia Mann, mit zumeist Thomas Mann als ausführendem Organ, in besonderer Weise ein.[12] Vorzugsweise bombardierte sie den Jungverleger mit ausführlichen Anleitungen zur Gewissenserforschung ähnlich der vom 8. Januar 1946:

»Hauptsächlich … schreibe ich heute, weil ich mich gelegentlich der Steuererklärung mit den Abrechnungen des letzten Jahres befassen musste und dabei auf Punkte gestoßen bin, die ich gerne klären möchte. Vor mir liegen die Abrechnungen umfassend Januar bis December 1944 und die letzte, von Januar bis 30. Juni 45, und meine Ungewißheit gilt der Verrechnung von ›Josef der Ernährer‹. Das Buch erschien hierzulande, soviel ich mich erinnere, etwa Juni 1944 und die erste, zwei Tausend betragende Auflage war nach wenigen Wochen vergriffen, sodaß ich das Buch eine Weile nicht erhalten konnte. Auf der Abrechnung des Jahres 1944 figurierten aber nur 1902 Exemplare, und ich habe Sie damals gleich gefragt, ob denn die gesamte zweite Auflage plus 98 Exemplare der ersten Ihnen liegen geblieben sei, aber Sie meinten, der Verkauf gehe ganz befriedigend weiter. Nun stehen auf der neuesten Abrechnung … 264 Exemplare des vierten ›Joseph‹-Bandes. Ich habe aber den Eindruck, daß es sich dabei nicht um die amerikanische, sondern um die schwedische Ausgabe handelt, da der Preis in Kronen angegeben ist, und so scheint mir der weitere Absatz der amerikanischen Ausgabe noch garnicht berücksichtigt worden zu sein. Außerdem aber habe ich erst eben festgestellt, daß auf der Abrechnung Januar 1944 bis Dezember 1944 die Tantieme nur … 10% beträgt, was ganz bestimmt ein Versehen ist, da doch die Romane durchweg mit 15% honoriert werden. Bitte prüfen Sie die Angelegenheit doch nach und teilen Sie mir Ihre Absicht mit.«[13]

»Ich beeile mich, Ihren Special Delivery Brief vom 8. sofort zu beantworten«, so beginnt Bermann Fischers noch ausführlicheres Rechtfertigungsschreiben.

Auch im April 1935 hatte sich dieser brieflich ausnahmsweise unmittelbar an die »liebe Frau Mann«[14] gewandt:

> »Ich weiß, wieviel es Ihrer Stärke und Unermüdlichkeit zu danken ist, daß Thomas Mann sein großes Werk schaffen und vollenden konnte. Gegenüber allem, was seine labile und feinnervige Natur so tief erschüttern musste, waren Sie die Bewahrerin und Schützerin, die durch kluge Aktivität den brutalen Anprall ausglich und das Gleichgewicht wieder herstellte. ... Dichterfrauen sind für den Verleger, vor allem den ›Juniorchef‹, ein schwieriges Kapitel. Darin bilden Sie, Verehrteste, keine Ausnahme. Im Gegenteil. Das sei offen eingestanden. Aber das gehört zur Natur der Dinge, und die Auseinandersetzung mit der real denkenden Gattin zum Beruf des Verlegers.«[15]

Wieder einmal waren Bermann Fischer Fehler unterlaufen, denn gegen Lobhudeleien war Katia ebenso allergisch wie gegen eine Behandlung von oben herab.

Ergo gingen die Beanstandungen munter weiter: »... strenger Brief an Bermann wegen seiner Knickrigkeit, Ablehnung seiner Vertrags-Erneuerungswünsche«[16]; »K. empört über Bermanns unmögliche Abrechnungen«[17]; »Strenger Brief an Bermann wegen schlechten Geschäftsgebarens«[18]; »Brief an Bermann nach Entwurf von K. diktiert«[19]; »Lange Verantwortung Bermanns gegen K.«[20]; »Brief an Bermann nach einer Skizze von K. Annahme der 8,7% für Joseph unter Protest«[21]; »K. entwirft Brief an Bermann wegen seiner unverschämten Halbpart-Beteiligung an der Gesamtausgabe«[22] und so weiter und so weiter ...

Katia Mann war im Ehegespann die grundsätzlich Misstrauischere und, nicht zu vergessen, die mathematisch Geschultere. Schon deshalb suchte und entdeckte in aller Regel sie Unstimmigkeiten in Honorarabrechnungen. Zu Höchstform lief sie auf, wenn es darum ging, Einsprüche der Getadelten abzuschmettern. Wirkliche oder vermeintliche Begriffsstutzigkeit brachte sie schier aus der Fassung.

Ihr nachgewiesene Fehlinterpretationen aber wurden tunlichst ignoriert und die eine oder andere Verletzung für unumgänglich im Eifer des Gefechts erachtet.

Günstige Rahmenbedingungen vorausgesetzt, konnte sie auch generös sein. So spendierte Katia Mann im Jahre 1948 dem in Prag lebenden Übersetzer der Werke Thomas Manns ins Tschechische ein Hörgerät und noch dazu fünfzig Batterien.[23] Dafür hatte Pavel Eisner ihr versprechen müssen, beim dortigen Verleger Melantrich eine trotz etlicher Mahnungen noch immer ausstehende Restzahlung einzutreiben. An einen jener (außerhalb des Familienkreises) selteneren Fälle von Großzügigkeit unter Verzicht auf Gegenleistungen erinnerte sich Erika Mann beim Zurückdenken an die Bettelbriefe, die nach der Nobelpreisverleihung 1929 ins Haus geflattert kamen: »Was die Leute alles wollten! Und das Erstaunliche: Sie haben es bekommen. Alles – von der Bruthenne bis zum Wochenendhäuschen. Auf Anordnung meiner Mutter.«[24]

Einstellungsgespräche waren Chefinnen-Sache. Prinzipiell. Folglich kamen auch Bewerber und Bewerberinnen um einen Posten bei Herrn Mann um eine Vorauswahl durch Frau Mann nicht herum, welche jedoch über einen langen Zeitraum hinweg in Richtung eines generellen Ausschlussverfahrens tendierte. Hinweise auf »Verstimmungen« im Zusammenhang mit geplanten, und schlimmer noch von Thomas (zwecks Schonung seiner Frau) durchgesetzten Beschäftigungen von Sekretären oder Sekretärinnen tauchen in seinen Journalen immer wieder auf. Mit Eifersucht im engeren Sinne hatte Katias langjähriger Widerstand gegen fleißig assistierende Herren und Damen wohl kaum, mit Angst vor Machtverlust sicherlich sehr viel zu tun. Erst als die dem Home Office auferlegte Arbeitslast erdrückend geworden war, gab sie vernünftigerweise nach.

Obwohl längst regelmäßig eingebunden, begann Katias intensive Mitarbeit im Literaturbetrieb Thomas Mann im September 1921. Kurz zuvor war ihr die stundenweise Anwesenheit einer Stenotypistin angekündigt worden und Tommy bis dato regelmäßig in ein Münchner Schreibbüro gegangen. Ins Haus kam an

Fräulein Baumgartners Stelle eine moderne Schreibmaschine. Es dauerte nicht lange, da tippte Frau Mann perfekt mit allen zehn Fingern und hatte sich in gleicher Windeseile die Deutsche Einheitskurzschrift beigebracht.

Doch sollte es dabei nicht bleiben. Unentbehrlich machte sie sich auch als Ghostwriterin.

Thomas Mann ließ, ein zeitraubendes Prinzip, Briefe nicht gern unbeantwortet. Selbst niveaulose und zudringliche Zuschriften mochte er nicht achtlos beiseite legen. Da war es sehr hilfreich, dass auch abschreckender Einsatz von Spott und Sarkasmus zu den Spezialbegabungen Katias gehörte. Und noch dazu wusste sie den Schreibstil ihres Mannes wunderbar nachzuahmen, »zum Schreien komisch«[25], heißt es, sei das mitunter gewesen.

Weniger erfreut war man in ihrer Umgebung über die Auswirkungen einer anderen, ebenfalls sehr ausgeprägten Eigenart Katia Manns. Während bei Thomas die Dinge an ihren ihnen einmal zugewiesenen Plätzen auch zu finden waren, suchte sie beständig nach irgendetwas. Das hing nicht mit Vergesslichkeit zusammen – ihr Gedächtnis war exzellent. Zu denjenigen gehörend, die mit Vorliebe oder auch der Not gehorchend drei, vier Arbeiten gleichzeitig in Angriff nehmen und darüber hinaus den Kopf noch voll etlicher weiterer Dringlichkeiten haben, war sie ganz einfach schusslig. Katia, es klang bereits an, verlor und verlegte alles: Schlüssel für Schränke und Autos, Geldbörsen, Handtaschen, Pässe, Billetts, wichtige Adressen … aber auch, im Falle endgültigen Verlustes, absolut Unersetzliches: so die erst nach langer fieberhafter Suche wiederentdeckten Materialien zum *Felix Krull*.

Berge von Unerledigtem türmten sich gewöhnlich auf Katias Schreibtisch, der in ihrem Schlafzimmer stand, was von Vorteil besonders in Krankheitszeiten war. Nach halb sitzend, halb liegend aufgenommenen Diktaten war der Wechsel vom Bett an die Schreibmaschine mit denkbar geringem Aufwand verbunden.

Diktiert wurde ihr in vielerlei Lebenslagen: an Urlaubsorten, an Bord von Schiffen, an ihren Geburtstagen und in ›freien‹

Stunden, die ihr blieben, wenn beispielsweise am Heiligen Abend (»Mögen K.'s Kräfte nicht überfordert werden!«[26]) das Haus voller Kinder und Enkel war, oder in jenen paar Minuten, die sie und ihr Mann noch aufs Taxi warten mussten, um ihr Zuhause für etliche Wochen hinter sich zu lassen ...

Doch konnte auch Katia anspruchsvoll sein. 1937, als Thomas sich vor einer Amerika-Lesereise – wie gewöhnlich vor größeren Aufgaben sah er nur noch schwarz – am liebsten gedrückt hätte, beharrte sie, bei allem Verständnis für die Nervenschwäche des Gatten, auf Leistungsbereitschaft.

Dergleichen wiederholte sich des öfteren.

Mit seiner vorsorglichen Vernichtung früher Diarien sorgte Thomas Mann nicht nur für weiße Flecken auf der Landkarte der eigenen Vita, sondern auch auf der seiner Frau. Zusätzlich erschwert wird die Suche nach Details aus beider Leben durch Verlust erheblicher Teile des privaten Briefwechsels und anderen Familienschrifttums aus der Zeit vor der Exilierung. Allein mit dürftiger Quellenlage aber ist die Tatsache nicht zu erklären, dass man eine beachtliche, ausnahmsweise vom Beruf ihres Mannes unabhängige Leistung der »Dichterfrau« bislang übersehen hat. Wohl aber mit gestörter Kommunikation zwischen Deutschland Ost und West nach 1945.

Die Verwertung ihrer Sprachkenntnisse über das Normalmaß von Dolmetscherdiensten und ähnlichem hinaus war seit langem ein Wunsch gewesen. Immer dann, wenn nach intensiven Babyphasen die Mutterpflichten etwas in den Hintergrund hatten treten können, nachweislich 1907 und 1912, hatte Katia Mann sich nach größeren intellektuellen Herausforderungen gesehnt.[27]

»Was die Thackeray-Übersetzung betrifft – ich hatte auch schon davon gehört – so muss sie ... sehr früh stattgefunden haben – spätestens, als ich noch ein kleines Kind war. Denn später hätte ich etwas davon gewusst – und ich kann mich an absolut nichts Derartiges erinnern. Möglich wäre es, aber ich würde sagen, dann müsste es in die zwanziger Jahre fallen.«[28] Elisabeth Mann Borgeses im Herbst 2001 vorgenommene chronologische

Einordnung der Beschäftigung ihrer Mutter mit der Übertragung von *Vanity fair*, dem 1000-Seiten-Roman des englischen Autors William Makepeace Thackeray ins Deutsche, deckt sich mit Hinweisen in Briefen Katias aus der von Medi angesprochenen Zeit.

Am 27. Januar 1925 war die achtzehnjährige Erika vom guten Fortschreiten eines nicht näher benannten Übersetzungswerks unterrichtet worden. Gleiches, wiederum der Tochter gegenüber, wurde wenige Wochen danach erwähnt.[29] Und hatte Katia nicht auch Thomas, im Juni 1926 vom Waldsanatorium in Arosa aus, wissen lassen, dass sie »übersetze«?

Vom erfolgreichen Abschluss einer diesbezüglichen Tätigkeit Katia Manns erfuhr die Öffentlichkeit erstmals 1950, als im Leipziger Paul List Verlag unter Hinweis auf sie die deutsche Fassung des Thackeray-Romans erschienen war. Auf die hohe Qualität ihrer enorm aufwändigen Arbeit wies das Nachwort[30] späterer Auflagen hin: »Katia Mann, die Witwe Thomas Manns, ist die Übersetzerin unserer Ausgabe des *Jahrmarkts der Eitelkeiten*. Ihr ist es in seltenem Maße gelungen, das wiederzugeben, was der Professor für englische Literatur in Cambridge, Sir Arthur Thomas Quiller-Couch, 1925 … als das Geheimnis von Thackerays Stil hervorhebt: ›Es liegt, wenn man den Sätzen folgt und sich ihrem Lauf und ihren Pausen … überläßt, in einer eigenartigen, ständig fließenden Musik …‹«

Ausdrücklich wurde auf ihr Mitwirken an der Herausgabe von »30 repräsentativen Romanen aus dem Reichtum der europäischen Völker, und zwar unter dem Gesichtspunkt des Romanes als einer künstlerischen und soziologischen Erscheinung« innerhalb einer List-Reihe, die in den zwanziger Jahren den Namen »Epikon« erhielt, auch in unveröffentlichten Verlagschroniken der Jahre 1947 und 1948 sowie im Jubiläumsalmanach von 1964 hingewiesen.

Wer Katia einstmals den Kontakt nach Leipzig verschaffte, falls das Bemühen nicht von ihr ausging? Thomas Mann? Vielleicht. Gesucht hatte er bekanntlich schon lange nach Auftraggebern für seine Frau. Auch Schwager Heinrich stand auf der Liste der Epikon-Mitarbeiter, Freund Hans Reisiger ebenso.[31]

Den Beweis guter Verträglichkeit von Haushaltsführung und linguistisch anspruchsvoller Schreibtischtätigkeit hatte im Übrigen schon Katias Mutter geführt. Denn Hedwig Pringsheim war Bitten ihrer Schwester Maria Gagliardi um Beteiligung an Übersetzungsaufträgen stets sehr gerne nachgekommen; Ende 1905/ Anfang 1906 beispielsweise unterstützte sie Mieze bei der Übertragung von Antonio Fogazzaros neuestem Roman *Il Santo* aus dem Italienischen ins Deutsche.[32] Außerdem war ja auch Katias Großvater Ernst Dohm ein anerkannter guter Übersetzer gewesen.

Und Katia, die Kritikerin und Lektorin? Allerlei Tagebuchnotizen Thomas Manns zeugen davon, wie gefragt sie auch als solche war:

15. Oktober 1918: »Las dann Katja, die das Kindchen [Medi] bei sich hatte, etwa die Hälfte des Jagd-Kapitels von *Herr und Hund* vor. Ich hatte den Eindruck großer Langweiligkeit, ließ mich aber von K. objektiv beruhigen.«[33]

14. November 1918: »Zum Tee Richter [Dr. Georg Martin Richter/Villino/Feldafing]. Gespräch über deutsche Hexameter, deren Natürlich- u. Rechtmäßigkeit ich gegen ihn und K. verteidigte.«

Und im Frühjahr des folgenden Jahres, es ging um den *Gesang vom Kindchen* und Katias neuerliche Kritik daran – »Es ist denn doch zu privat.«[34] –, führte letztlich zähneknirschendes Akzeptieren einiger Änderungsvorschläge der Ehefrau zu »Unbehagen zwischen K. und mir, wegen der notgedrungen gestrichenen beiden Verse ...«[35]

Sich 1919 anschließende Eintragungen bekunden häufiges Aufflackern atmosphärischer Störungen. Teils weil auch Ratgeber Ernst Bertram, welcher die Beseitigung metrischer Ungenauigkeiten im *Gesang* eingefordert hatte, nicht locker lassen wollte, und teils wegen Katias fortgesetzter Unnachgiebigkeit hinsichtlich Indiskretionen. Außerdem befand sich Frau Mann in jenen Tagen im Zustand fortgeschrittenster Schwangerschaft, noch dazu war sie grippekrank, was zur Folge hatte, dass es Tommy an der gewohnten Bequemlichkeit fehlte und vermutlich sie von dem Gefühl nicht loskam, dass eigentlich ihr einfühlsame Rücksichtnahme seinerseits zugestanden hätte.

Im Jahr darauf, beim *Zauberberg*, gelang es Katia, taktisch wieder klüger vorzugehen:

11. Juli 1920: »Nach dem Thee K. die beiden letzten Scenen vorgelesen, von denen sie sehr erfüllt war. Werde an der Sonntag-Nachmittag-Scene eine von K. empfohlene technische Änderung vornehmen.«

9. April 1921: »Krisis im Zbg, seit gestern Nacht, wo ich es richtig fand, die Liebesvereinigung schon am Schluss von V geschehen zu lassen. Heute Zweifel. Ich las K. das Geschriebene von ›Walpurgisnacht‹ vor u. beriet mit ihr. Es soll bei dem neuen Beschluss bleiben ...«

16. April 1934: »K. hat gestern Abend den J. J. [Jungen Joseph] zu Ende gelesen und sprach sehr entzückt, erheitert und bewunderungsvoll von dem Buch. Ihre Einwände betreffen psychoanalytische Belastungen in dem Brunnen-Kapitel und bei der Rückkehr der Brüder gegen Ende.«

24. Januar 1953: »Beim Kaffee mit K. ... Wiederaufnahme des Gesprächs [über *Die Betrogene*] von gestern. K. glaubt die Idee hauptsächlich dadurch gefährdet, daß Rosalie erst als Kranke, angesichts der zugestandenen Untersuchung, ihrer Leidenschaft freien Lauf läßt. ... Was tun? ... Begann mit der Umarbeitung des Gesprächs Mutter-Tochter und beschloß allgemeinen Umsturz des Nachfolgenden.«

Eine Hilfe war sie ihrem Mann auch beim Verfassen von Vortragstexten, so beispielsweise

am 5. November 1940: »... mit K. die Armistice lecture mit vorhandenem Material zu Ende komponiert«,

am 11. Mai 1944: »Redaktion mit K.« oder auch

am 5. Dezember 1945: »... mit K. Redaktion der Rede für das Citizen Committee Dinner«.

Mit der Korrektur der Übersetzung von deutschen Texten ins Englische konnte sie ihrem Mann unter anderem am 20. Januar 1946 dienlich sein: »... schlechte Übersetzung ... von der akadem. Rede ... Verbesserungen mit K.«

Katia war es im Übrigen, die unermüdlich auf Komplettierung des *Felix Krull* gedrungen hatte. Ihre Meinung, von Thomas Mann ursprünglich nicht geteilt, der Hochstaplerroman habe das Zeug zum Erfolgsbuch, sah sie sofort nach Erscheinen bestätigt.

Und noch anderweitig war auf sie Verlass.

»Ihre Frage nach Lea ist natürlich vollkommen berechtigt. Meine Frau war die erste, die mich auf diese Lücke … aufmerksam machte und ihre Ausfüllung verlangte. Es war eine Art Mischung aus Indolenz und Überzeugung, die mich hinderte ihrem Rat zu folgen.« Das teilte Thomas Mann einem zwar nicht autorisierten, aber umso aufmerksameren Leser der Druckfahnen von *Der junge Joseph* im Frühjahr 1934 mit. Dem Herrn war also ebenfalls das achtlose Übergehen der älteren, unschönen Laban-Tochter, nachdem »diese ›Unrechte‹ … ihre Rolle ausgespielt« hatte, unangenehm aufgefallen.[36]

Tatsächlich entgingen derlei Ungereimtheiten Katia so gut wie nie. »K. tippt ›Meerfahrt‹ ab, macht mich aufmerksam auf sachliche Flüchtigkeiten«, notierte Thomas Mann im Oktober des bereits genannten Jahres[37]; häufig finden sich in seinen Tagebüchern Notizen dieser Art. Ende 1947 aber hatte Übersetzerin Helen Lowe-Porter noch besser aufgepasst, sie fand gar einen Fehler in bereits Gedrucktem, was aber weiter nicht schlimm war: »Selbst meine Frau hat den Balzac-Schnitzer beim Korrekturenlesen nicht bemerkt, was etwas Beruhigendes hat, denn wer soll ihn dann merken. In der deutschen Ausgabe ist der Gedächtnisfehler stehen geblieben … Im Englischen sollten wir ihn natürlich korrigieren.«[38]

Dass Thomas Mann 1948, als er kurz vor seinem Siebzigsten stand, Erika bat, etliches zu übernehmen, was bislang allein Katias Domäne gewesen war, erfuhr die Ehefrau erst im Nachhinein. Erfreut war sie sicherlich nicht. Wohl so wenig wie 1940, als sie Erika von ihrer Überlegung erzählt hatte, ungeachtet der Kriegsgefahren in die Schweiz zu fliegen, um dort ihre Eltern zu treffen – und die Tochter daraufhin mit dem Vorschlag gemeinsamen Reisens gekommen war, verbunden mit der Einschränkung allerdings, dass es für Thomas Mann zu ärgerlich wäre, sie beide gleichzeitig einzubüßen, könnte er doch sie, die Tochter, leicht als, wortwörtlich, Frau benutzen nach der eigentlichen Gattin Hingang.[39]

Doch das war lange her. Nun galt es, sich nach dem Tod des Ehemanns und Vaters zu arrangieren. So gut es eben ging.

V. Die Überlebende
1955–1980

Die folgenden Zeilen, auf einen Briefbogen mit Trauerrand geschrieben, richtete am 26. August Katia Mann an die »Liebe Ida [Herz]«:

> »Ich weiß wohl, *wie* traurig Sie sind und wie gerne Sie mir helfen möchten. Unfassbar ist es für Sie, wie es für mich ist und vielleicht immer bleiben wird. Die beruhigenden Nachrichten, die ich Ihnen gab, waren durchaus berechtigt. Die Thrombose ging über alles Erwarten schnell zurück und die Ärzte sahen keinen Grund zur Besorgnis. Donnerstag ... sollte er zum ersten Mal auf dem Korridor spazieren gehen. Da erlitt er im Lehnstuhl, in dem er schon seit zehn Tagen nachmittags ein Stündchen sass (auch einige Schritte gehen durfte er schon) ganz unerwartet einen Kollaps, von dem er sich aber ziemlich rasch erholte. Puls und Blutdruck waren wieder normal; ich blieb über den Abend, aber dann verliess ich ihn ruhig schlafend, da der Arzt mir versicherte, ich könne unbesorgt nachhause gehen. Auch als ich am nächsten Morgen wie immer in der Klinik anrief, lag kein besonderer Grund zur Beunruhigung vor; als ich aber eine Stunde später eintraf, hatte er soeben einen zweiten, ganz schweren Kollaps gehabt, der Blutdruck war überhaupt nicht mehr messbar, und obgleich den ganzen Tag alles Denkbare geschah an Bluttransfusionen, stimulierenden Injektionen, allen möglichen Infusionen, stellte er sich nicht wieder her. Dabei war er den ganzen Tag bei Bewusstsein, fühlte sich zwischendurch schlecht, aber sehr gelitten hat er nicht – die ganze Krankheit ist überhaupt

ohne Schmerzen verlaufen, was ein grosses Glück ist – und aus jeder seiner Äußerungen ging hervor, dass er, der immer so viel an den Tod gedacht und über den Tod geschrieben hat, sein Ende nicht kommen fühlte; er hat sogar noch nachmittags mit dem Arzt gescherzt und verlangte plötzlich, ich müsse mit ihm, einem Walliser, doch französisch sprechen. Gegen Abend stellte sich Atemnot ein. Er bekam sofort zur Erleichterung Sauerstoff; als sich die Anfälle aber zweimal wiederholten, wussten die Ärzte, dass nichts mehr zu hoffen war; er bekam Morphium und beruhigte sich sofort, konnte ruhig ohne Sauerstoff atmen. Ehe er einschlief, verlangte er noch nach seiner Brille; dann lag er, friedlich atmend und entspannt, wohl eine Stunde da, und als sein Herz… still stand, habe ich es, neben seinem Bett sitzend, nicht bemerkt.«[1]

Die Ursache der Thrombose und letztlich auch des Todes war eine schwere Arterienverkalkung. Ein auch für die Ärzte unerwartet eingetretener hoher Blutverlust, hervorgerufen durch einen Riss in der unteren Bauchschlagader, ließ Thomas Mann schmerzlos sterben.[2] Zuvor waren Golo und Erika von der Mutter heimgeschickt worden.

In einer Januarnacht des Jahres 1938 hatte er, von entsetzlicher Lebensangst geplagt, wie so oft zuvor und auch danach, in seelisch größter Not seine Frau an sein Bett gerufen: »K. einige Zeit bei mir. Als sie meine Hand hielt, dachte ich, so möchte es sein in meiner Sterbestunde.«[3] Sie war ihm für den Abend des 12. August 1955 vorherbestimmt. »Die Uhr zeigte zehn Minuten nach acht. Er war schlafend hinübergegangen.«[4] Zuletzt hatten auch die Ärzte das Ehepaar allein gelassen.

Der ihm zugedachte Platz in der Lübecker Gruft war auf Thomas Manns Geheiß schon vor Jahren einem anderen Familienmitglied zugewiesen worden. Großen Wert aber hatte er auf eine Bestattungszeremonie hanseatisch patrizischer Prägung gelegt (und Einäscherung ausgeschlossen).

»Am Dienstag, dem 16. August, eine Viertelstunde vor 2 Uhr, begann Kilchberg zu läuten; die Glocken der Zürcher Gemeinde über dem See riefen die Getreuen des Dichters ... zum letzten Geleite zusammen. Aus allen Richtungen der Welt kamen sie. Die Kinder des Dorfes standen bei den Hecken – verwunderte Zuschauer eines ruhigen Aufzugs, in dem Senatoren, Gesandte, Räte aus kleinen und großen Gegenden, Dichter, Gelehrte, Verleger erschienen; und Freund um Freund kam herbei. Die Bänke der hellen, reinen Kirche füllten sich. Die Mitte des Raumes ... war von Kränzen überlagert ... Und dann dort, am Anfang zum Chor, ein tiefgrüner Blattring, mit schwarzroten Rosen dicht bestickt; auf der Schleife, die nach vorn niederfiel, stand: ›Die Deinen‹. ...«[5]

Erst beim Aufbruch zur Beerdigung, berichtete Golo Mann, habe seine Mutter sich der Tränenflut nicht mehr erwehren können. Neben Katia verbarg auch Erika Mann ihr Gesicht hinter einem Witwenschleier.

Mühe und Arbeit machten eines langen Lebens Köstlichkeit aus, gab der Kilchberger Pfarrer, den 90. Psalm zitierend, den Trauernden zu bedenken – und widersprach zugleich, nichtsahnend, dem Empfinden des Verstorbenen, der einmal in einer Zwischenbilanz zu einem ganz anderen Ergebnis gekommen war. »Das Leben«, er »möchte es nicht wiederholen«, das Peinliche habe zu sehr überwogen, hatte Katia sich ja schon 1938 anhören müssen, ausgerechnet an ihrem dreiunddreißigsten Hochzeitstag.[6] Verwunderlich wäre es nicht, wenn des Geistlichen gut gemeinte Worte Erinnerungen wachriefen an größte Betroffenheit auch damals.

Einig mit ihrem Mann wusste sich Katia hinsichtlich der Gestaltung ihrer beider Grabstein.[7] Namen nur sollten den Granitquader zieren, gefolgt von Lebensdaten; doch sollte noch ein Vierteljahrhundert vergehen, bis sie Thomas nachfolgen würde.

»Eine mehr als fünfzigjährige Gemeinschaft sollte einem Anspruch geben auf das Schicksal von Philemon und Baucis ...«![8], schrieb die Witwe Ende 1955 an Feuchtwanger, den Freund seit Jugendtagen. Nach zeitgleichem Ende ihrer menschlichen Existenz der Übergang von Tommys Seele in eine Eiche und die Wanderung der eigenen in einen Lindenbaum? Kaum vorstellbar, dass die allzeit quecksilbrige Katia auf Dauer Gefallen an bewegungslosem Überdauern gefunden hätte, vergleichbar dem jener sagenhaften treuen Alten aus dem antiken Griechenland.[9]

Obige Äußerung mit Lebensüberdruss in Verbindung zu bringen ginge an der Wahrheit weit vorbei. Vielmehr hatten gewisse Zukunftsbangigkeiten mit Anpassungsschwierigkeiten an ihre Witwenschaft und mit verständlicher Sehnsucht nach dem vertrauten Partner zu tun. Ängstlich gestimmt haben könnte sie, fürs erste, auch »unerfreuliche Geschäftigkeit«[10]. In Anbetracht der nun auf die inzwischen Zweiundsiebzigjährige einstürmenden Anforderungen und Anfragen bezüglich Sicherung und Verwaltung des Nachlasses Thomas Manns wird es eben eine Weile bis zum Wiedereintritt von Routine gedauert haben. Einiges an Nerven kostete außerdem das forthin ungepufferte Aufeinanderprallen von Mutter und ältester Tochter: Willensstärke versus Herrschaftsanspruch.

Viele quälend »lange, aber heillose Gespräche«[11] zwischen Erika und Katia Mann hatte es zu LebzeitenThomas Manns schon gegeben. Abhängigkeit von Morphium, Aufputschmitteln, Schlaftabletten, Alkohol, Nikotin ..., zunehmende Geneigtheit zu Übereifer und »bedauerlichen Übertreibungen«[12], »Gereiztheit«, »krankhaftes Misstrauen«[13], »ja Haß auf die Geschwister« und »infantile Eifersuchtsszenen gegen K.« hatte dieser in Richtung der Tochter milde gerügt und der Ehefrau gegenüber halbherzig zu entschuldigen versucht: Erika »sollte Stütze sein, ist es auch oft, aber ... ebenso oft eine Belastung«.[14]

Äußerst unnachgiebig in Form- und Stilfragen ansonsten, stand Katia Mann einigen Unarten und Ungezogenheiten dieser Tochter jedoch erstaunlich wehrlos gegenüber. Nichts sagte sie, wenn Erika zum Frühstück in Pyjama und Morgenrock erschien, unkommentiert blieben auch Rauchen zwischen den Gängen und das Ausdrücken von Zigaretten in Essensresten etwa.[15]

Im geräumigsten unter den Dachgeschosszimmern der Kilchberger Villa hatte sich die nunmehr fast Fünfzigjährige auf Lebenszeit eingerichtet. Unfähig zu Gelderwerb nach gängigem Muster, bestand jetzt ihr Lebensinhalt im Wesentlichen in hyperaktiver Verklärungsarbeit. Groß, ja immens sind Erika Manns Verdienste um posthume Verwertung und Herausgabe der Werke, Schriften, Briefe des Vaters sowie der literarischen Hinterlassenschaft von Bruder Klaus. Trotz grundsätzlicher Anerkennung ihrer außerordentlichen Dienstbereitschaft mag erleichtertes Aufatmen durchs Haus gegangen sein bei längeren Abwesenheiten Erikas, wenn sie monatelang, erfreulich erfolgreich, in Buch- und Filmangelegenheiten unterwegs oder ihr wieder einmal ein – deprimierend erfolgloser – Entziehungskuraufenthalt verordnet worden war.

Für Golo – Historiograf, habilitierter Geschichtswissenschaftler und zu jener Zeit am kalifornischen Claremont Men's College tätig – war Alte Landstraße Nr. 39 vorerst nur eine Sommeradresse. Monika, die schwierige Rangordnungsletzte, nun Lebensgefährtin von Antonio Spadaro, Sohn eines Fischers und Villenbesitzers auf Capri, tauschte allenfalls an hohen Fest- und Feiertagen das Mittelmeer gegen den Zürichsee ein. Selten ließ sie von sich hören. Zu lesen gab es von Moni umso mehr. Zur Aufbesserung ihrer Apanage münzte sie des Vaters herausragenden Ruf in einen bescheidenen eigenen um: Hier und da gedruckte nette Geschichten wechselten ab mit Ausplaudereien von Familiärem in Memoiren, Artikeln und offenen Briefen, die Katia Mann weder interessierten noch ihr imponierten.

Wie unkompliziert gestaltete sich da der Umgang mit Medi. Wiedererlangte Unabhängigkeit hatte der erst siebenunddreißigjährigen Witwe den privaten und beruflichen Neustart ermöglicht. »Das Gebundensein an einen Mann gehörte nach ihren Vorstellungen unabdingbar zum Leben, wieder war es ein Älterer, für den sie sich entschieden hatte, Corrado war genauso alt wie Elisabeths Mutter Katia.«[16] Neuerliche Heirat stand weder jetzt noch im Zusammenleben mit anderen Partnern (bald nach Borgeses Tod hatte beispielsweise ein alter Freund, der Schriftsteller Ignazio Silone, Interesse angemeldet) zur Debatte. Corrado Tumiati, ursprünglich Psychiater[17], schrieb wie Medi für Kultur-Magazine und sie darüber hinaus Novellen sowie an einem Buch mit dem Titel *Der Aufstieg der Frau.*[18]

Regelmäßig nistete sie sich als sehr gern gesehener Gast in Kilchberg ein – der Mutter im Gegenzug gänzlich ungetrübte Ferienaufenthalte in der Toskana bietend. Mit eingeladen waren oftmals Frido und Toni. Während deren Eltern sich »entschieden hatten, ohne ihre beiden Söhne in die USA zurückzuwandern«[19] – des beruflichen Musizierens überdrüssig, würde Katias labiler jüngster Sohn Michael dort sein Glück in einem Germanistikstudium suchen[20] –, wussten sie ihre Buben bestens in der Schweiz betreut. Es sei gut, schrieb Erika Mann im Dezember 1955 an Hermann Hesse, dass ihre Mutter die Buben bei sich habe, »vor allem Frido …, den Liebling des Z[auberers]. Mit ihm arbeitet sie, ihn verwöhnt sie, von seinen Zeugnissen träumt sie, und eine kleine Nische wenigstens der entleerten Existenz vermag er auszufüllen. Entleert – vom Wichtigsten, meine ich.«[21] Ein Gutteil der bislang im Wesentlichen auf Tommy konzentrierten Fürsorge ließ sich nun auf den älteren der Enkel übertragen.[22] Denn »Toni, der leider ganz ungewöhnliche Schwierigkeiten mit dem Lernen hat«, war in ein »sympathisches Internat gegeben« worden.[23] Die Großmutter begleitete Fridos Erwachsenwerden und unterstützte maßgeblich seinen schulischen Werdegang bis zum Abitur an einem Gymnasium in Zürich.[24] Das Haus an der Alten Landstraße verließ Frido erst nach Abschluss seines Musikstudiums.[25]

Unterkunft hatte die Kilchberger Hausherrin außerdem »Mägden« zu gewähren, die teils besser, teils schlechter ihre Arbeit taten. Grundsätzlich keine leichte, will man meinen, zumal auch Boris, Golos Schäferhund[26], und Pudel Niko, das Geschenk aller Kinder zum Ehejubiläum, ihren Beitrag zur Belebung des Mannschen Witwensitzes leisteten. Insoweit war alles beim Alten geblieben. Zu schaffen machte Katia Mann das Einschrumpfen ihrer Kontakte zu prominenten Vertretern der Außenwelt. Vorbei die Zeit, da vorzugsweise Ida Herz die Invasion Durchreisender vorgehalten worden war: kein Tag vergehe, ohne dass jemand hocherfreut anrufe, er sei da und wolle die Manns besuchen, ganz zu schweigen vom Anspruchsdenken unangemeldet vorsprechender Unbekannter, die einfach nur einen Blick auf den weltberühmten Schriftsteller werfen wollten …

»Trotz Kindern und Enkeln hat mein Leben nun eben doch seinen Sinn verloren«[27], gestand sie einmal ein.

Nur widerstrebend hatte sie bekanntlich dem Wechsel von Kalifornien in die Schweiz zugestimmt. Meteorologische Verschlechterungen, die »ewige Hochnebeldecke, durch die im Winter kein Sonnenstrahl dringt«, und die Unzuträglichkeit des »fast immer wehenden Föhns« dürften zuvor als Gegenargumente genannt worden sein. Eher weniger war sie auf klimatische Härten gesellschaftlicher Art gefasst gewesen: »In der (ziemlich) großen Stadt Zürich habe ich, außer der guten Emmie Oprecht, eigentlich nicht eine befreundete Seele. Die Leute sind fremdenunfreundlich, ungastlich und engherzig.«[28] (Als »voll eingezüricht« empfand sie sich auch zwanzig Jahre später nicht.[29]) Daran, dass Pacific Palisades' soziale Infrastruktur auch für Prominenten-*Witwen* eine gute, um nicht zu sagen bessere sein würde, hatte Katia Mann im Verlauf des Entscheidungsprozesses vielleicht gedacht, aber wohl kaum darüber gesprochen.

Wäre sie im Januar 1958 völlig beschwerdefrei gewesen, wären die Schweizer und Schweizerinnen um sie herum möglicherweise etwas glimpflicher davongekommen, aber so: »Augenblicklich bin ich rüstige Greisin krank. Eine Thrombose [»oberflächlich und unbedenklich, aber lästig …«], der der Arzt leichtsinnigerweise glaubte mit Ruhe und häuslicher Pflege beizukommen, aber nun bin ich seit zwei Tagen doch hier in dem sehr guten Spital Hirslanden.«[30]

Gesundheitliche Stabilität war seit einiger Zeit erstaunlicherweise der Standard; weitgehend weggefallen waren Blasenentzündungen und Erkältungskrankheiten, einstmals untrügliche Stresssymptome. Katia Mann hatte sich ein Badebecken im Garten zugelegt (ihren Mann hätte sein Anblick gestört); wenn es das Wetter irgend zuließ, drehte die begeisterte Schwimmerin darin ihre Runden. Eines Oktobertages jedoch, da war sie schon dreiundachtzig, tat sie des Sportlichen ein wenig zu viel: »Es war ein kühler Tag, und ich wollte beschwingt ins geheizte Schwimmbassin eilen, stolperte über eine Wurzel, und hin war das Handgelenk.«[31]

Gefäßverschlüsse durch Blutgerinnsel stellten sich trotz reichlicher Bewegung immer wieder ein. Bald war die Betroffene recht geübt im Umgang mit der Gefahr: Ihr Lauern wurde schlichtweg ignoriert, ansonsten half Herunterreden nach der verbreiteten Devise, dass alles noch schlimmer hätte kommen können: »Die hohen Jahre, die zu erleben ich nie angestrebt habe, bringen eben derlei Verdrießlichkeiten mit sich, und ich sage immer ›ab und zu ein bescheidenes Trombösli ist doch wesentlich besser, als blind oder taub‹ …«[32]

Dass die Dreiundsiebzigjährige am 2. Februar 1957 ihren letzten Willen niederschrieb, dem entsprechend ihr Nachlass zu gleichen Teilen an ihre Kinder und anstelle der verstorbenen an deren Nachkommen »in allen Graden und Stämmen« zu gehen hätte, muss als reine Vorsichtsmaßnahme gewertet werden. Todesgedanken, Todessehnsucht, Todeserwarten, Todesangst – das waren keine Anwärter für die Aufnahme in ihr Vokabular. Seit jeher verfügte Katia im Widerstand gegen seelische Gleichgewichtsschwankungen über die weitaus besseren Waffen als ehedem Thomas Mann. Sie sei, konnte erfreut die Mittsiebzigerin von sich behaupten, »noch immer arg robust«[33].

Und noch ziemlich kämpferisch. So in ihrer Reaktion auf Inhaftierung und Verurteilung des, in ihren Worten, »unseligen« Chefs des Berliner Aufbau Verlages sowie Befürworters und Betreibers der ostdeutschen Thomas-Mann-Gesamtausgabe wegen konterrevolutionärer Gruppenbildung zu fünf Jahren Zuchthaushaft. Um die Freilassung Walter Jankas zu erreichen, organisierte sie eine Unterschriftenaktion und setzte maßgeblichen DDR-Politikern auch sonst noch denkbar zu.[34]

Weitere an sich erfreuliche Herausforderungen hielt das Jahr 1957 bereit. Ende April stand auf ihrem Programm die glanzvolle Uraufführung der Filmfassung des *Felix Krull* in Berlin und im Anschluss daran die Einladung der Verleihfirma ins Hotel Kempinski.

»Und dort, ganz versteckt … hinter der Schar der ›Stars‹ die umringt wurden, saß die Witwe des großen Dichters, während Frau Erika Mann … emsig fragenden Kritikern und Journalisten Auskunft gab.«[35] Kein Wort zu den Ereignissen des Tages konnte der Korrespondent der *Allgemeinen Wochenzeitschrift der Juden in Deutschland*, sie kannten einander seit frühen Bogenhausener Tagen in der Poschi, Frau Katia Mann entlocken. Einzig von Klaus sprach sie zu ihm, in schneller, fast geflüsterter Rede. Während die Festgäste durch den Empfangssaal wogten, waren anscheinend ihre Gedanken Jahrzehnte zurückgewandert – die aktuellen Bilder wurden wohl überlagert durch solche von 1919: Sie in wütender Verzweiflung im Münchner Revolutionskampfgetümmel auf ihrem Rad unterwegs, nach dem Sechzehnjährigen Ausschau haltend und ihn zu ihrer großen Erleichterung endlich findend, hinter den Rotarmisten-Linien, die zu durchbrechen sie sich zuvor von nichts und niemandem hatte abbringen lassen.

Noch schmerzlicher aber als der Anflug später Trauer um diesen Sorgensohn mag an jenem festlichen Tag in Berlin das Fehlen Tommys an ihrer Seite gewesen sein. Vom Reporter des *Telegraf* dann doch noch ins Blitzlicht gerückt, platziert zwischen dem *Krull*-Titelhelden Horst Buchholz und dem jungen Schauspieler Peer Schmidt, mochte Katia Mann – »die so gar nicht zum … sich pfauenhaft aufplusternden Typus der Schriftsteller-Gemahlin gehört«[36] – kein demonstratives Fotografiergesicht aufsetzen. Ähnlich zurückhaltend wirkt »die Witwe des Dichters« auf Bildern, die entstanden, als 1959 Lübeck im »Buddenbrook-Taumel« war.[37] Erneut verweigerte sie jegliches Premierengetue. Wie in Berlin war ihr Kleid von bevorzugt schlichter Machart, stofflich und fertigungstechnisch jedoch erlesen, wie im Übrigen ihre gesamte, außerordentlich umfangreiche Garderobe. Über Schmuckstücke verfügte Frau Mann ebenfalls in großer Zahl, mehrreihige Perlenketten gehörten zu ihren Lieblingspreziosen.

Andernfalls und andernorts nämlich machte sie kein Hehl aus auch *ihrem* Spaß an Auftritten von hohem repräsentativem Wert.

Mehr als das Kompetenzgerangel war Erikas infolge fortwährenden Drogenmissbrauchs fortschreitende Knochenentkalkung zu einem Problem geworden. Noch schlimmer aber waren ihre Depressionen: »Eri … macht mir oft Sorge, weniger wegen der Angelegenheit mit dem Fuß, die zwar langwierig ist, aber nicht tragisch zu nehmen. Sie braucht auch wohl kaum deswegen so viele Monate zu Bett zu liegen, sondern tut dies an sich ganz gerne, was wieder mit ihrem allgemeinen wenig befriedigenden Zustand zusammenhängt.«[38] Auch Sohn Michaels anhaltend überreichlicher Alkohol- und Tablettenkonsum kann der Mutter im Sommer 1958 nicht entgangen sein. Mit seiner Frau Gret war Bibi aus Amerika zu Katias fünfundsiebzigstem Geburtstag nach Kilchberg gereist. Nur des besonderen Anlasses wegen hatte Katia nicht, wie sonst seit Tommys Tod, auf Monikas Ankündigung ihres Besuches mit rechtzeitiger Flucht reagiert. Für Golo Mann, jetzt Inhaber eines Lehrstuhls für Politik an der Technischen Hochschule in Stuttgart, war das Haus an der Alten Landstraße nun Hauptwohnsitz geworden. Längere Anwesenheiten dort zogen unweigerlich längere Absenzen seinerseits nach sich. Zwischen Mutter und Sohn gab es mancherlei Reibungsflächen. Golos Männerlieben mit Argwohn oder zumindest hochgezogenen Augenbrauen zu begegnen aber wäre Katia nicht eingefallen.

Trotzdem neigte sie in jener Zeit zum Nörgeln, ganz ungeschoren kam darum, ausnahmsweise, auch Medi nicht davon: »Die leichtsinnige Frau hat sich ein viel zu großes und dürres Landhaus erbaut, aus schierem Marmor, ultramodernen Stiles … es fehlt an privacy.«[39] Fünf Erholungswochen in Medis neuer Sommerresidenz im toskanischen Badeort Forte dei Marmi (sie wurden ihr zur lieben Gewohnheit; winters standen unter anderem Pontresina und St. Moritz auf dem Programm) waren nach dem Geburtstagstrubel dennoch nicht zu verachten gewesen, lag doch ein gehöriges Quantum an Verlagsarbeit hinter und noch vor der Schriftsteller-Witwe.

Einige Male musste sie sich auf den Weg nach Frankfurt machen, »um … bei einer Auswahl von Tommys Briefen mitzuwirken. Es liegt schon ein ungeheueres Material vor …«. 1956 hatte der S. Fischer Verlag mit seiner weltweiten Suchaktion begonnen und an die 10 000 Schriftstücke in Kopie oder als Original erhalten. Richtig gut gefiel es der Thomas-Mann-Expertin im Verlagshaus nicht: »Ein überexpandierter literarischer Industriebetrieb, und dazu [Bevormundung hatte sie noch nie gut gefunden] funkt Madame Tutti [Brigitte Bermann Fischer] noch überall dazwischen.« Ein volles Jahr, auch das wurde Lion Feuchtwanger im Dezember 1958 brieflich mitgeteilt, hätte man sich bei Fischer um diesen Briefband überhaupt nicht gekümmert, und jetzt solle er bis Februar druckreif sein, »wobei sie sich ausschließlich auf mich verlassen«.[40] Ganz so war es natürlich nicht. Jedoch unterlag Erika Manns, der in Wirklichkeit hauptverantwortlichen Editorin, Befindlichkeit ja leider starken Schwankungen. Außerdem nahm Katia für sich in Anspruch, gewichtige Wörtchen mitzureden. So in einer Unterredung mit Herrn Heinz Saueressig, der 1959 in Sachen Gründung einer Thomas-Mann-Gesellschaft in der Alten Landstraße vorgesprochen hatte und hernach in seinem Gedächtnisprotokoll vermerkte:

> »Frau Erika, 54 Jahre jetzt, lebhaft, mit Lust am Agieren, bot Sherry und Port an … Sie selbst nahm nichts, holte jedoch ein grösseres Wasserglas mit einer Flasche Steinhäger aus dem Schrank, goss dieses Glas voll und nahm davon zwischen den unendlich vielen amerikanischen Zigaretten … Frau Katja kam hinzu. Wenn einer 76 ist, so mag er nicht mehr schön sein, eindrucksvoll ist Katja Mann auch heute noch. … Das Gespräch war kurz. Es ging um [Walter] Jens und andere mögliche Präsidenten der Gesellschaft. Den Tübinger Professor lehnte sie ab. Als sie mir Auf Wiedersehen sagte, gab es ein Abschiedsritual zwischen Mutter und Tochter, die sich Wange an Wange legten; freundliches Theater.«[41]

Am schönen Schein war den Damen freilich gelegen.

Als Erika Mann von 1960 an die Herausgabe der Briefe ihres Vaters vorantrieb, brachte selektive Vorgehensweise ihr den fragwürdigen *Spiegel*-Titel »Künstlerin der Auslassung« ein.[42] Den Streichungen fielen, neben vielem anderen, anscheinend unakzeptable Hinweise Thomas Manns auf seine homoerotischen Neigungen zum Opfer. Ob da eine zweite korrigierende

Hand im Spiel war? Denkbar wäre es. Der Kulturredaktion des *Münchner Merkur* jedenfalls hatte Katia Mann zu verstehen gegeben, »dass nicht alle Briefe die derzeitige Öffentlichkeit unbedingt etwas angingen«[43]. Zumindest die Nicht-Veröffentlichung des Briefwechsels Thomas Manns mit seiner fleißigen Archivarin und großen Verehrerin Ida Herz ging ganz allein auf ihr Konto: »zu persönlich«[44], lautete ihr Verdikt.

Herausragende Ereignisse waren jetzt überwiegend von privatem Charakter. So wurde Katia im Januar 1960 von der Mitteilung Edith Geheebs überrascht, die Odenwaldschule denke an eine »[Friedens]Nobel-Initiative« zugunsten ihres ehemaligen Schülers Klaus. Den Sohn als zweiten Nobelpreisträger in ihrer Familie hätte sie sich durchaus vorstellen können: »Es wäre natürlich gut, wenn mehrere Leute von Ansehen nach Oslo schrieben, ich denke, Sie werden das wohl veranlasst haben.«[45] Möglicherweise war man in Ober-Hambach so ganz wunschgemäß dann doch nicht vorgegangen.

Wenig später, im Frühling, besuchte sie mit ihrem Zwillingsbruder Israel, sah sich um in dem einen oder anderen Kibbuz, ließ sich politisch informieren und entwickelte große Sympathien für Land und Leute. Höhepunkt der Reise dürfte ein Treffen mit der Außenministerin und späteren Ministerpräsidentin Golda Meir gewesen sein. Besonderes Interesse der Zwillinge an den eigenen religiösen Wurzeln wurde, zumindest nach außen hin, nicht spürbar.

1962, im Oktober, nach den zehn dazu nötigen Jahren in der Eidgenossenschaft, wurde aus der US-Amerikanerin Katia Mann eine Schweizerin und eine Kilchberger Bürgerin mit allen Rechten und Pflichten.[46] Zuvor hatte sie, wie jeder Antragsteller, in einer eingehenden behördlichen Examination ausreichend gute Kenntnisse der Landesgeschichte und -kunde nachweisen müssen.[47]

1963 stand am 24. Juli der achtzigste Geburtstag an. Gefeiert wurde er bei Medi in Forte dei Marmi. Mitjubilar Klaus Pringsheim war aus Japan angereist. Hinzu kamen die Brüder Peter (er starb noch im gleichen Jahr) und Heinz nebst Schwägerinnen, Golo und die vier Enkel. (Weiterer Nachwuchs stand in Aussicht. Medi, sechsundvierzig, würde bald Großmutter werden, was die künftige Urgroßmutter trocken mit »höchste Zeit«[48] kommentierte.) Monika fehlte, und Erika hielt sich in Begleitung einer Freundin in einem bayerischen Sanatorium auf.

Katia Mann nunmehr achtzigjährig – die Printmedien merkten wieder einmal auf. Geburtstagsartikeln in Renommierblättern wie der *Neuen Zürcher Zeitung*, der *Frankfurter Allgemeinen* oder der *Süddeutschen Zeitung* hatten sich unterdessen solche in Zeitungen und Zeitschriften ganz anderer Couleur vermehrt hinzugesellt. Von hochkarätigen Laudatoren verfasste wortgewaltige Würdigungen fanden ihre Ergänzung in reich bebilderten Homestories für *Meyers Frauen- und Modeblatt*, *Das Reich der Frau* oder *Film und Leben*, wobei sich das Augenmerk fast aller Schreibenden auf die »vorbildliche Dichtersgattin« richtete. Und das, wo Katia Mann doch gerade erst die Amtsbezeichnung »Wirtschaftshaupt« für angemessen befunden hatte,[49] auch »ehrwürdiges Familienoberhaupt«[50] nannte sie sich nun.[51] Gegen Ende des Jahres stellte sie ihre diesbezügliche Leistungsfähigkeit unter Beweis: Noch zählte ein bis unters Dach mit Weihnachtsgästen vollgestopftes Kilchberger Haus zu den Selbstverständlichkeiten.

Eine der wesentlichen Voraussetzungen für Unabhängigkeit bis ins hohe Alter ist Mobilität in eigener Regie.

Die aber sollte nun verloren gehen.

Katia, die Autofahrerin. Bekanntlich ein Kapitel für sich: Erika meinte einmal, ihre Mutter habe nie aufgehört, mit physischer Qual zu reagieren, »wenn auf der Landstraße ein Gefährt sich nicht überholen läßt«. Aus Mitfahrten konnten Mutproben werden: »Technisch eine glänzende Fahrerin, ängstigt sie uns gelegentlich durch übertriebenes Gottvertrauen. Der Mann vor ihr, denkt sie, wird *nicht* ganz plötzlich und ohne ein Zeichen zu geben nach links abbiegen; und wer aus der Seitenstraße kommt, wird an der Ecke klüglich verlangsamen.«[52]

Ähnliches wusste auch Thomas Manns Ostberliner Verleger zu berichten, dem eine Zürichsee-Umrundung im Jahre 1954[53] unvergesslich blieb. »Weniger wegen der vielen Naturschönheiten, auf die mich Katia aufmerksam machte. Mehr wegen der rasanten Fahrweise. ... Aber Katia steuerte ihren Fiat gekonnt durch die engen Gassen oder durch den starken Verkehr. Und nichts passierte.«[54]

Worauf prinzipiell kein Verlass war. Wie auch, wenn Bestimmungen der Straßenverkehrsordnung unvereinbar sind mit eigenem (Vor)Rechtsverständnis.

»Missliche«, »kostspielige«, »verstimmende« Zwischenfälle, »Auto-Accidents« und »Konflikte K.'s« mit gegnerischen Parteien, eine »Vor-Verhandlung ihrer Auto-Affaire« und einen »Auto-Prozeß« hatte der geplagte Ehemann schon in seinen Tagebüchern der vierziger Jahre festgehalten.[55] Glimpflich war gottlob eine Österreichfahrt während ihres Europaaufenthalts 1951 verlaufen: »... mit K. allein über St. Gilgen nach Unterach am Attersee [zur Villa Bermann Fischers] ... Enge gewundene Straßen ... Nervenproben, zur Not bestanden.«[56] »Tollkühn unterwegs«[57] war Katia Mann auch noch bei Straßenüberflutungen infolge Dauerregens, bei Eisglätte oder auf mächtigen Schneeunterlagen. Aber: Je weiter sie im Alter fortschritt, desto öfter war sie gezwungen, die »sehr geehrten Herren« der Zürich Unfallversicherungsgesellschaft von Schadensfällen vergleichbar diesem in Kenntnis zu setzen:

»Am 6. Juni [1956][58] vormittags, etwa um 10 Uhr 15, streifte ich auf dem Mythenquai, bei der Rentenanstalt, beim Ueberholen, einen Lastwagen mit Anhänger, und es wurden an beiden Fahrzeugen die linken Kotflügel beschädigt. Die Nummer meines PW, Plymouth Limousine, ist ZH 23574 ...«[59]

Jedoch einer Frau Dr. Buchli die Fahrerinnenflucht unumwunden einzugestehen, hielt sie im Januar 1957 für unter ihrer Würde:

> »Von dem kleinen Zwischenfall am Paradeplatz, bei dem ich, rückwärts einparkierend, den hinter mir stehenden Wagen beschädigt haben soll, wurde ich erst nachträglich informiert durch den Straßenkehrer, der ihn beobachtet haben will. Der Mann hätte freilich besser daran getan, mich auf das Vorkommnis aufmerksam zu machen, sodass ich den Schaden feststellen und eine Karte mit einer Adresse in Ihren Wagen

> hätte legen können, statt auf der Polizei unsere beiden Nummern abzugeben und auf diese Weise offenbar Ihre Adresse festzustellen. Ich habe dann so lange nichts von Ihnen gehört, dass ich schon davon überzeugt war, jener Zeuge habe sich geirrt. Als aber dann doch schließlich Ihr Brief kam, erklärte ich mich postwendend bereit, für einen Schaden aufzukommen, von dem ich zwar nichts wusste, den ich ja aber angesichts der Zeugenaussage noch für möglich halten musste. Wieder trat eine so lange Pause ein, dass ich dachte, Sie wollten die Angelegenheit nicht weiter verfolgen. Da kam überraschender Weise heute Ihr Brief mit einer Rechnung, die mir unverständlich ist. ...«

Unverständliche Rechnungen aber hatten Katias Widerspruchsgeist seit jeher angeregt:

> » ... Ich habe die Möglichkeit zugegeben, dass ich beim Rückwärtsfahren mit meiner Stossstange Ihren Kotflügel berührt habe. Um eine schwere Schädigung kann es sich allerdings nicht gehandelt haben, da ich den Stoss überhaupt nicht bemerkt habe. Dass ich aber bei der Ausführung dieses Manövers Ihre Türe gestreift und eingedrückt habe, ist absolut ausgeschlossen. Sie müssen im Lauf der langen Zeit, die Sie unbegreiflicherweise haben verstreichen lassen, eine andere Kollision mit der von damals verwechselt haben, und ich bin nicht bereit, für einen Schaden aufzukommen, den ich nicht angerichtet habe.«[60]

Im Umgang mit dem Haftpflichtversicherer war ihr eine Demutsgeste zwar angebracht erschienen: »Bei diesem Anlass möchte ich mein Bedauern darüber aussprechen, dass ich im Lauf des abgelaufenen Jahres Ihre Gesellschaft für mehrere kleine Schadenfälle in Anspruch nehmen musste, und hoffe, dass sich dies 1957 wird vermeiden lassen.«[61] Doch nutzte der Kotau nicht wirklich, da leider auch ein neues schmuckes Gefährt, ganz zu schweigen von anderer Leute demolierten Automobilen, keineswegs ohne Blessuren blieb.

Irgendwann zwang die Vielzahl polizeibekannter Karambolagen die eidgenössischen Ordnungshüter zu konsequentem Handeln, doch hatten auch die Nachkommen der Delinquentin seit längerem dafür plädiert.[62] Somit war die nachfolgende an die arg geschröpfte Zürich gerichtete Meldung für den Versicherer letztlich sehr erfreulich:

Gegen Jahresende 1963 teilte Katia Mann ihm mit,

»... fuhr ich mit meinem Opel-Kapitän, 12,5 PS, Chassis Nr. 2 10410094, Motor Nr. 2,5L-56-28087, Kontrollschild-Nr. ZH 23574, etwa um 11 Uhr 45 von meinem Hause stadtwärts. Bei der Einmündig[63] der Hornhaldenstrasse in die Seestrasse war der mittägliche Stossverkehr bereits in vollem Gang, und ich wartete lange, bestimmt wesentlich über 5 Minuten, am Stop. Dann entstand in dem von Zürich kommenden Strom eine Lücke, die mir den Uebergang über die Strasse gestattete. Ich blickte natürlich auch nach rechts auf die viel weniger zahlreichen aus der Richtung Rüschlikon kommenden Wagen und hielt die Entfernung des vordersten für genügend, um die Strasse zu überqueren. Nun war aber unglücklicherweise mein Motor noch ganz kalt, der Wagen zog nicht, und dies hatte zur Folge, dass eine Dame, die offenbar den kreuzenden Wagen nicht bemerkt hatte, als ich gerade rechts einbiegen wollte, mit aller Wucht mit mir kollidierte. Da ich von Stop kam, war ich natürlich verantwortlich, erklärte dies auch sofort mit lebhaftestem Bedauern und ebenso meine Bereitschaft, für den angerichteten Schaden selbstverständlich aufzukommen, unter Vorweis meines Führerscheins, Angabe meiner Adresse etc. Uebrigens war der Schaden an dem Wagen der Frau Heu, PW CH 4709, verglichen mit dem völlig demolierten Vorderteil des meinen, soweit ich es beurteilen konnte, nicht sehr erheblich, und ich wollte ihn gern auf mich nehmen, da es mir widerstand, ein wie ich hoffte unfallfreies Jahr nun gleich mit einem Unfall zu beginnen. Aber Frau Heu traute mir offenbar nicht, liess erst ihren Gatten aus Zürich kommen, der seinerseits die Kilchberger Polizei alarmierte. Diese traf nach geraumer Zeit ein, und nach ausführlichen

> Zeugenvernehmungen, Messungen etc. konfiszierte sie meinen Führerschein, sodass weitere in Inanspruchnahmen der Versicherung im Jahre 1964 für mich wohl leider nicht in Betracht kommen dürften.«[64]

Der Plural war also insgeheim schon einkalkuliert gewesen.

Führerscheinentzug, das war ein schwerer Schlag. Fast(!) alles hätte Katia Mann für die Rückgabe der Fahrerlaubnis getan. Dass auch ausnahmsweises Zügeln ihres Temperamentes hätte hilfreich sein können, darauf kam die Wiederholungstäterin zu spät. Stattdessen war sie einem Anrufer in gewohnter Manier in die Parade gefahren. Kaum hatte der Leiter ausgerechnet einer Einrichtung zur Durchführung unter anderem von, wie man dergleichen heutzutage nennt, »Idiotentests« die Möglichkeit freiwilligen Verzichtes auf die Fahrerlaubnis ins Gespräch gebracht, war ihm von der alten Dame am anderen Ende der Leitung das Wort abgeschnitten worden. Was diese taktisch klug und in aller Ruhe sofort hätte sagen sollen, versuchte sie nun in ihrem schriftlichen Rettungsversuch vom 18. März 1964 nachträglich an den Mann zu bringen:

> »Leider habe ich das Gefühl, mich bei unserem heute Nachmittag geführten Telephongespräch allzu unbeherrscht benommen zu haben, und so ist es mir ein Bedürfnis, ihm einige Zeilen nachfolgen zu lassen.
> Sie hatten gewiss ganz recht, mir nahezulegen, in meinem Alter auf den Führerschein zu verzichten. Gäbe es in der Schweiz eine Altersgrenze für Automobilisten, so würde ich mich dieser ohne das geringste Murren fügen. Wie die Dinge liegen, kommt es offenbar auf den individuellen Fall an, und in meinem sind die geistigen und physischen Kräfte noch einigermassen intakt. Dies festzustellen, ist ja wohl der Zweck der mir auferlegten Prüfungen. Die gerichtsmedizinische, bei der sämtliche Organe, Reflexe, Nervenreaktionen gründlichst untersucht wurden, verlief positiv; sie fand am 19. Februar statt, und man hatte mir gesagt, die psychotechnische werde

sehr bald folgen. Am 8. März erst erhielt ich die Aufforderung, den vorgeschriebenen Betrag einzuzahlen, und heute benachrichtigte mich das Verkehrsamt, ich solle mich sogleich mit Ihrem Institut in Verbindung setzen. Der Fahrlehrer in Kilchberg, an den ich mich natürlich gewendet habe – denn wie soll ich nach dreissig Jahren ohne Weiteres eine neue Führerscheinprüfung bestehen, wenn ich mich auch in sechs europäischen und amerikanischen Ländern erfolgreich solchen unterzogen habe – … war der Meinung, Mitte März werde die psychotechnische Prüfung bestimmt erledigt werden können. So kam die heutige Mitteilung, der früheste Termin sei Mai, als ein Chock zu mir; bis zur Fahrprüfung mag es Sommer werden, in den ersten Januartagen fand der Vorfall statt, und in einem zur Neige gehenden Leben ist ein halbes Jahr denn doch ein sehr wesentlicher Zeitraum. Natürlich wäre es unter diesen Umständen das einzig Richtige zu resignieren, und doch widersteht es mir, das Unternehmen, das ich nun einmal auf mich genommen habe, fallen zu lassen. Auch sage ich mir, dass meine Berechnungen nun vielleicht zu pessimistisch sind. – Eines aber steht fest: ich habe ein langes, nicht ganz einfaches, mit allerlei Pflichten und Verantwortungen beladenes Leben hinter mir. Sollte ich noch einmal in den Besitz eines Führerscheins gelangen, so würde ich beim geringsten Gefühl von Unsicherheit am Steuer sofort freiwillig auf ihn verzichten.«[65]

Nur glaubte gerade daran außer ihr niemand mehr!

Im zukünftigen regelmäßigen Chauffiertwerden sah sie lediglich einen Notbehelf. Tempo wie auch Verkehrsregeln wurden nach wie vor von ihr festgelegt. Unter Zuhilfenahme von Mundwerk und Krückstock zwang die im Fond des Wagens Sitzende beispielsweise Taxifahrer zur Nichtberücksichtigung auf Rot geschalteter Ampeln.[66] Von ihrer Autoreise 1968 zu einem Wiedersehen mit Professor Jessens Waldsanatorium in Davos ist Vergleichbares allerdings nicht bekannt.

Am 8. März traf die »zierliche kleine Dame« im winterlich verschneiten Hochgebirgsort auf ein Fernsehteam sowie auf allerlei kommunale Honoratioren. Einige überflüssige Pfunde waren Katia in den vergangenen Jahren (nach erheblicher Gewichtszunahme in ersten Witwenjahren) tatsächlich abhanden gekommen, dunkle Altersflecken auf der Haut und viele Falten jedoch hinzu; auch hatte vorsichtigeres Gehen in kleinen Schritten raumgreifend flinke Bewegungen früherer Zeiten ersetzt. »Irgendwie lästig«, so der Eindruck des ärztlichen Begleiters, seien Katia Mann altersbedingte Beschwernisse gewesen. Was ihm ebenfalls auffiel, war der trotz erkennbar gerundetem Rücken demonstrativ hoch aufgerichtete Kopf: »Prüfend« habe sie »die Menschen und Dinge« betrachtet. Bemerkenswert fand er aber auch die anscheinend noch verstärkte Besonderheit sprachlicher Modulation: »wohllautend tief, fast männlich ...« Gesprochen habe sie, hieß es, mit eher leiser Stimme – welche sicherlich erhoben wurde, als es darum ging, fürsorgliches Stützen beim Einsteigen ins Auto konsequent abzuwehren. Ganz so vielleicht, wie vor mehr als einem halben Jahrhundert von der damals noch nicht Dreißigjährigen das Angebot jenes feschen jungen Marine-Offiziers zurückgewiesen worden war, der, bei der Vorbereitung auf die alltäglichen Liegekuren im Freien, liebend gern die Wolldecke um ihren Körper gewickelt hätte. Ebenso überrascht wie das freimütige Eingestehen an und für sich lockerer *Zauberberg*-Sitten wurden Gesprächsbeiträge der Greisin im Verlaufe der Rückfahrt nach Kilchberg zur Kenntnis genommen: »Über alle wichtigen politischen Tagesereignisse ist sie erstaunlich gut unterrichtet.«[67] Schrecklich aufregen konnte sich Katia über – ihrer Meinung nach – Fehlentwicklungen. 1967 war sie vier Wochen in den Vereinigten Staaten gewesen, mit Medi, bei Michael und Gret: »... alles fand ich verhässlicht, abgesehen davon dass ihre [der Amerikaner] Politik ja doch der Fluch der Welt ist und frevelhaft einer grauenvollen Katastrophe zutreibt.«[68] Gemeint war die Vietnam-Offensive.

Starke Präsenz und starke Worte sind probate Mittel zur Einschüchterung. Von ihrer Wirksamkeit konnte sich der Publizist Marcel Reich-Ranicki überzeugen, als er im Jahre 1966 der Hausherrin der Kilchberger Villa gegenüberstand: »Sie trug ein dunkelgraues, beinahe bis zum Boden reichendes Kleid. Wie eine gestrenge Domina sah sie aus.« Einen verbalen Strafakt aber hatte nur der Begleiter des Berichterstatters zu befürchten. Hans Mayer nämlich war jüngst durch verhaltene Kritik am Spätwerk Thomas Manns (dessen Gesamtwerk er herausgegeben hatte) unangenehm aufgefallen. Das Katia Mann von dem Literaturhistoriker (laut Thomas »kein reizvoller Geist«) gleich eingangs dargebotene Blumengebinde wurde geflissentlich übersehen und er selbst aufs Heftigste attackiert. Zaghafte Ansätze zu Erklärungsversuchen befeuerten nur die Schimpfkanonade. Ein Ende setzte ihr erst Erika Manns Erscheinen: »Die einstige Schauspielerin trug lange schwarze Hosen aus Seide oder doch wohl Brokat. Sie stützte sich auf silberne Krücken, … so war ihr Auftritt etwas mühselig, doch zugleich stolz und energisch …« Aber auch Erikas Scharfsinn, ihre Schlagfertigkeit und ihre Streitsucht fielen Reich-Ranicki auf.[69]

»Schlimmes« hatte Katia Mann dann im März 1969 befürchtet, als nach wochenlang anhaltenden Kopfschmerzen eine gründliche Untersuchung der Tochter unumgänglich geworden war. Tatsächlich war ihr Ergebnis niederschmetternd. Als hoffnungslos bezeichneten die Mediziner Erikas Zustand. Beim Versuch der Entfernung eines Gehirntumors Anfang April fiel sie ins Koma. Es sei entsetzlich »jammervoll … einen geistig so lebendigen Menschen so völlig reduziert sehen zu müssen«, bekannte die Mutter einer Freundin.[70] Zeitweilige Entlastung verschaffte da der obligatorische Sommeraufenthalt in Forte dei Marmi. Telefonisch behielt Katia Kontakt mit den Zürcher Krankenhausärzten.

Erika Mann starb, noch nicht vierundsechzigjährig, am 27. August 1969. Bei der Trauerfeier in der Kilchberger Kirche las Gert Westphal aus Briefen Thomas Manns an sein »kühnes, herrliches Kind« – dessen Urne nun des Vaters erste Grabbeigabe wurde.

Zu viele Todesfälle habe es zu ihren Lebzeiten gegeben, antwortete Katia einer Vertrauten, die ihr kondolierte, umso mehr müsse sie sich über die eigene Widerstandsfähigkeit wundern.[71]

In schier endlosem Frage-und-Antwort-Spiel vor laufenden Kameras druckreife Statements abzuliefern hatte der Witwe Thomas Manns im Januar 1969 augenscheinlich Vergnügen bereitet. Indiskretes war der Fünfundachtzigjährigen wieder einmal nur ansatzweise über die Lippen gekommen. Sohn Golos leiser Vorwurf am Rande, das Gefühl der Kinder sei immer gewesen, »daß sie ihr Licht ein wenig zu sehr unter den Scheffel stellte«, aber hatte Katia zu einem unerwarteten öffentlichen Konter herausgefordert: »Ich wollte nur sagen: ich habe in meinem Leben nie tun können, was ich hätte tun wollen.«[72]

Man darf das getrost bezweifeln.

Im Gegenzug hatte Erika (die im Zürcher Thomas-Mann-Archiv stattfindende Filmaufnahme des Gesprächs mit ihr war einer ihrer letzten öffentlichen Auftritte) der Mutter die Unantastbarkeit von deren Stellung als »Herrin des Hauses« vor Augen geführt.

Möglicherweise hatte diese schon vor einiger Zeit beschlossen, ihre Dominanz ein wenig herunterzureden. Denn nur so lässt sich Monikas Hinweis erklären. In *Vergangenes und Gegenwärtiges*, ihrer schon 1956 erschienenen autobiografischen Zwischenbilanz, war sie nach Gegenüberstellung von Pflicht- und Kürprogramm zu einem glaubwürdigeren Resümee gelangt:

> »In Abendtoilette, angeregt konversierend auf prominenten Festlichkeiten, wirkt meine Mutter, als ob sie das nur so spielte, weil man es befohlen hat: eigentlich möchte sie im bunten Leinenkittel durch den Föhnsturm über das Moos laufen; oder wenn sie das Auto durch die eleganten Geschäftsstraßen lenkt, möchte sie eigentlich das Höhensteuer ziehen und über die Menschen und Hausdächer hinwegfliegen; oder wenn Papa ihr Briefe diktiert, möchte sie eigentlich hohe Mathematik treiben oder mit klingelndem Schlitten durch Sibirien fahren, wenn sie im Vortrag von Papa sitzt – repräsentative Dichtersgattin, in der ersten Reihe – möchte sie eigentlich in der Erde versinken und mit Erdheinzeln irgendwelchen Schabernack treiben … Wie scheinen Sein und Wollen hier heimlich und koboldhaft auseinanderzugehen! Doch letzten Endes

kann niemand gegen seinen Willen fünfzig Jahre lang etwas so vollendet sein, was er nicht ist, und so hat meine Mutter letzten Endes *dies* Leben gewollt.«[73]

Katia Mann auf Dauer gegen eigene Überzeugungen handelnd? Das ist in der Tat unvorstellbar!

Im Dezember 1972 musste sie einen weiteren sehr wichtigen Menschen auf ihre Verlustliste setzen: »Meinen Zwillingsbruder habe ich verloren, und wir wollten doch im Sommer unseren neunzigsten Geburtstag feiern. Traurig.« Aber kein Grund zu Larmoyanz. Denn: »Wer so lange lebt, muss viele überleben.«[74] Und: »Man muss sich davor hüten, eine egoistische Greisin zu werden.«[75]

Große Lust auf großen Andrang von Gratulanten zu ihrem Neunzigsten habe sie nicht, gestand Katia einer in Israel lebenden Briefpartnerin, doch bleibe ihr als »widow of ...« wohl keine andere Wahl.[76] Die von der *Neuen Zürcher Zeitung* dann an die »Herrscherin in her own right«, die »Mitkämpferin«, die »magische Mitte« des Hauses Mann gerichteten Grüße dürften ihr letztlich ebenso gefallen haben[77] wie Albrecht Goes' Verneigung vor der »Patriarchin« in seinem Artikel in der *Stuttgarter Zeitung*.[78]

Geladen wurde zum 24. Juli 1973 in die Villa Thomas Mann, das Büfett stammte aus der Küche des Baur au Lac, Medi beteiligte sich am Servieren, Golo kredenzte zahlreichen Gästen reichlich Moët et Chandon. Bibi und Gret waren aus Amerika angereist, auch Frido, inzwischen verheiratet und Vater eines Sohnes, hatte sich in seinem ehemaligen Zuhause eingefunden. Nicht erschienen waren Tochter Monika (unerwünscht) und Enkel Toni (je älter er wurde, desto weniger an Familienkontakt interessiert). Heinz Pringsheim, Katias einzig noch lebender Bruder, hatte sich die Reise nicht mehr zugemutet, er starb im darauf folgenden Frühjahr.

Die Menge der Blumensträuße übertraf bei weitem die der verfügbaren Vasen, ständig läutete das Telefon, vielfach erschien der Telegrammzusteller. Geburtstagsbriefe häuften sich zu großen Stapeln. Unter den Gratulanten waren einige Staatsoberhäupter.[79] Im ehemaligen Arbeitszimmer Thomas Manns (nachdem es einige Jahre unter Verschluss gehalten worden war[80] jetzt die Studierstube Golos) gab nach dem Abendessen ein professioneller Zauberer eine Kostprobe seiner Künste. Gegen 22 Uhr zog sich die Jubilarin zurück. Tags darauf, um 7.15 Uhr in der Früh auf dem Weg zum Kaviarfrühstück, stolperte Katia Mann auf der Treppe, stürzte ein paar Stufen hinab und: stand auf, als wäre nichts geschehen.

Meine ungeschriebenen Memoiren kamen 1974 auf den Buchmarkt. Obwohl zunächst strikt dagegen, hielt Katia Mann die Übertragung mündlicher Anmerkungen in schriftliche schließlich für »weiter kein Unglück«. Mit stetig steigendem Verkaufserfolg ihrer Reminiszenzen schlich sich jedoch, bei aller auch dann noch gebotenen Bescheidenheit, Stolz in ihre Reaktionen ein: »Dass Sie das schlichte Büchlein gleich so verschlungen haben«, antwortete sie einer mit ihr gut bekannten Dame auf deren Lobesworte, »ist natürlich eine Freude für die … Autorin, die ja überhaupt nie an die Veröffentlichung ihrer Erinnerungen gedacht hatte. Das war ausschließlich die Missetat des unbotmässigen Michael.«[81]

Michael Mann war gemeinsam mit der Journalistin Elisabeth Plessen Herausgeber der autobiografischen Erinnerungen seiner Mutter. Im Vorwort gaben sie Auskunft über die Verwertungsgeschichte der Gespräche von 1969:

> »Zum Teil wurden daraus Fernsehsendungen, zum anderen Teil wurden die zerstreuten Mitteilungen in eine chronologische Erzählung umgegossen. … Dann blieb, gemäß der Einstellung der Erzählerin, die Sache halb ausgearbeitet liegen. Anläßlich des 90. Geburtstages kam das Manuskript wieder in die Hände des Sohnes. In traulichem Beisammensein mit der Mutter … wurde die Erzählung einer weiteren Bearbeitung unterzogen. Mit täglich neuer Erfindungsgabe musste die Erzählerin dazu bewegt werden, sich des Manuskripts anzunehmen: während der Teestunde etwa, auf der Terrasse …, beflissenes Herbeischaffen von Brille und Bleistift … Dann saß die Autorin oft bis zum Abendessen über den Blättern …«[82]

Unermüdlich redigierend …

Lag es an intensiver Beschäftigung mit ihrer Vergangenheit, dass die einstmalige Pringsheim-Prinzessin neuerdings so gern ihre hochgradig geldadlige Herkunft herausstrich? Unangenehm berührt zeigten sich derzeit vermehrt in Kilchberg vorsprechende Medienvertreter auch vom Beharren Katia Manns auf besserem Wissen: »Sie besteht darauf, reizend und hartnäckig, recht zu behalten; recht zu behalten und zu bekommen nicht im Sinne des unseligen Michael Kohlhaas, sondern in der Art, wie mutwillige gescheite Kinder in der Auseinandersetzung mit dann erschöpften und dennoch charmierten Erwachsenen recht behalten.«[83] Althergebrachter Selbstsicherheit hatte sich altersbedingter Starrsinn hinzugesellt. Aber hatten Stereotypen nicht schon in viel früheren Jahren Katia Mann überaus rasch in Grenzbereiche höflicher Duldsamkeit manövriert?

Ein Vorteil wenigstens war mit dem Wiederaufflackern des Publikumsinteresses verbunden. Es wirkte, fürs erste, dem Ausbreiten des unangenehmen Gefühls zunehmender Vereinsamung entgegen. Schon deshalb vielleicht (und aufgrund ihrer Liebe zur Kreatur) durfte selbst der Fotoreporter eines Tier-Magazins auf freundliches Entgegenkommen der Witwe des Schriftstellers hoffen. Zwar war auch dieser Besucher auf eine Die-Frau-an-seiner-Seite-Geschichte aus gewesen, doch hatte in deren Mittelpunkt, naturgemäß, das Familienmitglied Belgischer Schäferhund zu stehen.

»Tommy's Hundertsten habe ich ganz brav überstanden, aber es konnte mir nicht darüber hinweghelfen, dass er fehlte!«[84] Mit gemischten Gefühlen hatte Katia dem 6. Juni 1975 entgegengesehen, den virtuellen Geburtstag ihres Mannes dann aber bravourös überstanden. Ebenso tapfer absolvierte sie zwei Monate darauf das Gedenken zum zwanzigsten Todestag.

Frühestens zwei Jahrzehnte nach seinem Ableben, hatte Thomas Mann verfügt, dürfe Einblick in seine Tagebücher genommen werden.[85] War der Festlegung des Endes der Sperrfrist auf 1975 eine Wahrscheinlichkeitsrechnung vorausgegangen? Nach der er noch Erika, die Möglichkeit ihres früheren Todes gar nicht erst in Betracht ziehend, das Amt der »Nachlasshüterin« hatte anvertrauen und Katia, unter falscher Einschätzung auch deren Sterbealters, hatte schonen wollen? Wie auch immer, es war bekanntlich anders gekommen.

So musste die jetzt zweiundneunzigjährige Überlebende mit dieser oder jener ihr bislang unbekannten Feststellung aus der Feder ihres Mannes fertig werden. Eindeutige Bekenntnisse zu seiner Homophilie vermittelten ihr nichts prinzipiell Neues. Wenngleich die Intensität der Ergriffenheit hier und da auch sie überrascht haben dürfte. Schwerer wird Katia Mann der Umgang mit Akzentverschiebungen, den eigenen Stellenwert betreffend, gefallen sein. Denn auch solche waren schwarz auf weiß vorgenommen worden. So beispielsweise im Jahre 1934:

> »Sonntag den 6. Mai
> … suchte in alten Notizbüchern … und vertiefte mich in Aufzeichnungen, die ich damals über meine Beziehungen zu P. E. [Paul Ehrenberg] im Zusammenhang mit der Roman-Idee der ›Geliebten‹ gemacht. Die Leidenschaft und das melancholisch psychologisierende Gefühl jener verklungenen Zeit sprach mich vertraut und lebenstraurig an. Dreißig Jahre und mehr sind darüber vergangen. Nun ja, ich habe gelebt und geliebt, ich habe auf meine Art ›das Menschliche ausgebadet‹. Ich bin, auch damals schon, aber 20 Jahre später in höherem Maße, sogar glücklich gewesen und durfte wirklich in die Arme schließen, was ich ersehnte. …
> Das K. H.[Klaus Heuser]-Erlebnis war reifer, überlegener, glücklicher … Aber ein Überwältigtsein wie es aus bestimmten Lauten der Aufzeichnungen aus der P. E.-Zeit spricht. …, hat es doch nur einmal – wie es sich wohl gehört – in meinem Leben gegeben. Die frühen A. M.[Armin Martens]- und W. T. [Williram Timpe]-Erlebnisse treten weit dagegen ins Kindliche zurück, und das mit K. H. war ein spätes Glück mit dem Charakter lebensgütiger Erfüllung, auch doch schon ohne die jugendliche Intensität des Gefühls, das Himmelhochjauchzende und tief Erschütterte jener zentralen Herzenserfahrung …

So ist es wohl menschlich regelrecht, und kraft dieser Normalität kann ich mein Leben stärker ins Kanonische eingeordnet empfinden, als durch Ehe und Kinder.«

Michael Mann übernahm, von seiner Mutter darum gebeten, die Hauptvorbereitungsarbeit im Zusammenhang mit der Veröffentlichung aller überlieferten Journale Thomas Manns. Er litt unter manchem, was er dort lesen musste. Es fanden sich aber auch Passagen, die Uneingeweihten auf ewig verborgen bleiben sollten.

Mitunter kommt altersgemäße Einschränkung der Merkfähigkeit (von Katia Mann sehr wohl wahrgenommen und ganz unsentimental kommentiert: »Das bringt ›molesta senectus‹, wie der Lateiner sagt, nun einmal so mit sich …«[86]) einer Gnade gleich.

So war es der Greisin nun möglich, über ein langes Leben hinweg angehäufte leidvolle Erfahrungen achtlos zu übergehen. Erika wähnte sie mitunter wieder unter den Lebenden, und selbst Klaus sah sie wie selbstverständlich ihr Zimmer betreten …[87]

Über den Tod des jüngsten Sohnes musste sie das Mäntelchen des Vergessens gar nicht erst decken.

Michael Mann starb in der Silvesternacht von 1976 auf 1977.

Gegen Jahresende war er von einer Vortragsreise anlässlich des einhundertsten Geburtstages seines Vaters nach Kalifornien zurückgekehrt. »Der Obduktionsbefund ergab, daß eine Kombination von Alkohol und Barbituraten zum Tode geführt hatte.«[88] Gezielt wurde er von dem zutiefst unglücklichen, emotional unberechenbaren Grenzgänger, dessen Aggressionen gegen andere wie gegen sich selbst gerichtet waren, vermutlich nicht herbeiführt. Auch seine Urne kam ins väterliche Grab. Tage zuvor hatte man Warnungen ausgestreut: keine Hinweise in Hörweite der Mutter auf die bevorstehende Beisetzung. Und Briefen Katia Manns fügte Privatsekretärin Anita Naef vorsorglich und heimlich ein Blatt bei, auf dem von ihrer Hand geschrieben beispielsweise stand: »Frau Mann geht es recht gut, nur das Gedächtnis wird immer schlechter; Sie können sich ja vorstellen, wie das ist! Ich wollte Ihnen noch sagen, dass sie nichts weiss vom Tod ihres Sohnes Michael – Medi und Golo wollten es ihr nicht mitteilen; da er so weit weg war, fragte sie auch nie nach ihm – sie hätte es ja gleich wieder vergessen, aber es wäre vielleicht doch ein Choc gewesen …«[89]

Infolge nunmehr nahezu täglichen Umgangs mit ihr war vom späten und langsamen körperlichen und geistigen Verfall der Mutter hauptsächlich Golo betroffen. »Der Sohn hing an ihr, und eben deshalb wurde ihm das Zusammensein mit ihr nun zur Qual. Auch litt er an dem Detail, in welchem der Teufel ja steckt; beim Essen zum Beispiel unter Nachlässigkeiten, die seine Mutter nicht mehr bemerkte, für die aber er sich bei den Gästen entschuldigen musste oder zu müssen glaubte.«[90] Emanzipationsversuche Golos hatte es mehrere gegeben. Zwischendurch im Tessin und am Bodensee bezogene Bleiben waren über den Behelfsheim-Status nicht hinausgekommen. Wer in sich selbst kein Zuhause findet, dem kann das Gefühl des Daheimseins generell verloren gehen.

Einmal zumindest noch fand Katia Mann zur einstigen Hochform zurück. Das Ereignis fiel in den Sommer des Jahres 1979; es ging um eine Liebesangelegenheit und in deren Folge um die Ausreise eines DDR-Bürgers in den Westen. Unter Verwendung deutlicher Worte forderte die alte Dame in Ostberlin die Genehmigung ein. Nach nur zehntägiger Bearbeitungszeit lag der positive Bescheid auf ihrem Schreibtisch, unterzeichnet vom Staatsratsvorsitzenden Erich Honecker höchstpersönlich.

Die wenigsten Hochbetagten nehmen nahezu vollständigen Austausch großer gegen kleine Freuden so klaglos hin, wie die Witwe Thomas Manns es tat. Sie habe ein friedvolles Alter, sei gesund und soweit gehe es ihr ziemlich gut, sagte sie noch mit sechsundneunzig von sich.[91] Um schönfärberische Floskeln handelte es sich dabei nicht. Allerdings war ihr manche Wohltat in späten Jahren erstmals zuteil geworden. Zum Altersluxus gehörten vormittägliche Bettlektüre, wenn es regnete, oder ausgedehnte Luftbäder auf der Terrasse bei Sonnenschein. (Das hauseigene Schwimmbad hatte Golo unterdessen aus Sicherheitsgründen zuschütten lassen.) Ganz besonders aber genoss sie, nach Jahrzehnten schier endloser Personalmisere, dass eine überaus tüchtige und zuverlässige Hauswirtschafterin sie liebevoll umsorgte: »Möge das Juwel Mathilde mir erhalten bleiben.«[92] Dieser und noch ein anderer Wunsch sollten sich ihr erfüllen.

Katharina, genannt Katia, Mann geborene Pringsheim starb am 25. April 1980 in ihrem siebenundneunzigsten Jahr, bis zuletzt erstaunt darüber, dass sich »dieses ehrwürdige Alter … so erträglich benimmt«.[93]

Ohne vorausgegangene Krankheit zu erlöschen, wie Zwillingsbruder Klaus[94], sei doch das Beste, was man sich denken könne, hatte sie einst gesagt. Und nicht vergebens gehofft.

Nachklang

Nicht ganz einhundert Trauergäste, Familie, Freunde, Schriftsteller, Literaturforscher, Archivare, Verlagsvertreter und solche des so genannten öffentlichen Lebens versammelten sich am 30. April 1980 in der Kirche neben dem Friedhof von Kilchberg. Der Pfarrer sprach Gebete, und dieses Mal deklamierte Gert Westphal aus Thomas Manns Rede zum siebzigsten Geburtstag Katias: »Solange Menschen meiner gedenken, wird ihrer gedacht sein. Die Nachwelt, hat sie ein gutes Wort für mich, ihr zugleich wird es gelten, zum Lohn ihrer Lebendigkeit, ihrer aktiven Treue, unendlichen Geduld und Tapferkeit.«[1]

Derweil drinnen noch Musik erklang, war draußen schon der Sarg mit dem, was an Katia Mann sterblich war, dem ihres Mannes an die Seite gestellt worden. Still wurde am Grab Abschied genommen. Im nahen Gasthof saß man danach beisammen.

*****

Frankfurter Allgemeine Zeitung, 29. April 1980.
Marcel Reich-Ranicki zum Tod von Katia Mann:

»... Indem sie zwischen ihm und der Umwelt, zwischen seinem Werk und dem täglichen Leben mit Geist und Takt, mit Umsicht und Souveränität vermittelte, ermöglichte sie erst die Entstehung, die Fortsetzung und die Vollendung dieses Werks.

So war sie schon zu Lebzeiten eine literaturhistorische Figur, so steht sie in einer Reihe mit jenen oft unterschätzten Frauen, denen Deutschland unendlich viel zu verdanken hat – in einer

Reihe also mit Goethes Christiane und Schillers Charlotte, mit Heines Mathilde und Fontanes Emilie. …

Aber war Katia Mann, die Frau des ersten deutschen Schriftstellers dieses Jahrhunderts, die Mutter der Publizistin Erika Mann, des Romanciers Klaus Mann, des Historikers Golo Mann, des Germanisten Michael Mann, der Feuilletonistin Monika Mann und der Journalistin Elisabeth Mann, war Katia Mann, die Erwählte, wirklich glücklich?«

Wie sollte man das wissen?

Fahndern in Überliefertem offenbart sich bei der Suche nach einer Antwort auf diese Frage nicht einmal Ungefähres.

1943 zum Beispiel, als ihr anlässlich der begeisterten Aufnahme einer Lesung Thomas Manns aus dem amerikanischen Publikum »You are a lucky woman«[2] entgegengeklungen war, hatte Katia Mann, die Diskrete, weder Bejahung noch Verneinung zu erkennen gegeben.

Sicher können wir nur dessen sein, was ihr Sohn Klaus so zum Ausdruck brachte: Wie Thomas sei auch Katia Mann das satte und sentimentale Behagen trivialen Glückes niemals erstrebenswert erschienen.[3]

*****

Ein Freund Golo Manns berichtete von Veränderungen im Hause, einige Zeit nach dem Tod der Mutter: »Der Grossteil der Bilder war durch andere, teilweise fürchterliche Gemälde ersetzt. Ich erinnere mich insbesondere an einen Schwarten im besten bayrischen Alpenkitsch: Im Hintergrund ein Felsgebirge, vorn ein Wildbach und knorrige Tannen, das Ganze reich garniert mit Alpenglühen. Als GM sah, wie perplex ich war, bemerkte er mit grimmigem Lächeln, es handle sich sozusagen darum, Geister auszutreiben …«[4]

*****

Die sterblichen Überreste Monika Manns wurden 1992 ins Familiengrab gebettet. Golo Mann hatte für die seinen einen mindestens dreißig Meter vom elterlichen entfernt gelegenen Begräbnisplatz vorherbestimmt; 1994 hielt man sich daran. Für Elisabeth Mann Borgese, sie starb erst im Jahr 2002, war mit der Vorstellung unmittelbarer Nähe zur Familie auch über den Tod hinaus keinerlei Schrecken verbunden.

An eine Heimholung von Klaus Manns Gebeinen hatten wohl ernstlich weder Eltern noch Geschwister gedacht.

Anmerkungen

Auftakt

1 Das erzählte, in hohem Alter, Katia Mann: *Meine ungeschriebenen Memoiren*, S. 11.
2 Ebd.
3 Laut freundlicher Auskunft von Eva Maria Herbertz, Feldafing, stand das für den Sommer gemietete Geburtshaus Katias am Kirchenweg und trug die Hausnummer 58 (heute Bahnhofstraße 15). Ein Münchner, Oberlandesgerichtsrat Leweling, hatte die Villa 1871 erbauen lassen; nach 1945 wurde sie abgerissen und durch ein neues Gebäude ersetzt. Vgl. Ferdinand Kindler: *Ortschronik*, 1929, und auch Dirk Heißerer: *Wellen, Wind und Dorfbanditen*, S. 237.
4 Ein aus Osteuropa stammender Diener nannte sie so.
5 Katia war die späterhin von ihr selbst bevorzugte und ausschließlich verwendete Namensvariante.

I. Die Enkelin. Vor ihrer Zeit

1 Als Jahr der Übersiedlung wird einmal auch 1828 angegeben.
2 Katias Urgroßvater David Marcus Levy nahm den Namen Franz Dohm an.
3 (1791–1831).
4 Hedwig Pringsheim-Dohm: »Meine Eltern Ernst und Hedwig Dohm«. In: *Das Unterhaltungsblatt der Vossischen Zeitung* vom 11.05.1930.
5 Albert Hofmann (Hrsg.): *Der Kladderadatsch und seine Leute*, S. 257.
6 (1795–1857).
7 Kurzzeitig war er auch Internatsleiter.
8 Hedwig Pringsheim-Dohm: »Meine Eltern …«
9 Albert Hofmann (Hrsg.): *Der Kladderadatsch …*, S. 253.
10 Ebd., S. 254.

11 Max Osborne: *Ernst Dohm*, S. 222.
12 Hedwig Pringsheim-Dohm: »Bayreuth einst und jetzt«. In: *Das Unterhaltungsblatt der Vossischen Zeitung*, 16. 08. 1930. Ernst Dohm war Präsident des Berliner Wagner-Vereins.
13 Hedwig Pringsheim-Dohm: »Meine Eltern …«
14 Albert Hofmann (Hrsg.): *Der Kladderadatsch* …, S. 256.
15 Ebd., S. 257.
16 Der Berliner Handels-Gesellschaft.
17 *Carl Fürstenberg. Die Lebensgeschichte eines deutschen Bankiers 1870–1914*, S. 95.
18 (1809–1875).
19 (1798 – nach 1875).
20 Alle Einträge »unehelich« sind in den evangelischen kirchlichen Taufbüchern ergänzt um den Vermerk: »Hr. Gustav Adolph Gotthold Schlesinger, Tabaksfabrikant, hat sich schriftl. als Vater bekannt. Siehe die Anlage: Taufbuch 1827, Pag. 81.« Das erste Kind war den Jülich/Schlesingers 1827 geboren worden.
21 Liebermann Marcus Schlesinger (1758–1836) wurde in Frankfurt/Oder geboren und soll um 1772 nach Berlin gekommen sein. Das Geburtsjahr seiner Frau Rosette Schlesinger geborene Nauen ist nicht bekannt, sie starb 1823.
22 Mit königlichem Schutzbrief ausgestattet.
23 Jacob Jacobson: *Jüdische Trauungen in Berlin 1759–1813*, S. 282.
24 Wir kennen weder Marie Louise Jülichs Geburts- noch ihr Sterbejahr. Sie war laut Julia Meißner: *Mehr Stolz ihr Frauen!*, S. 17 u. Anm. 1/39 die Tochter eines Bäckermeisters und stammte von der Insel Usedom.
25 In seinen Anmerkungen zu »Little Grandma« nennt Thomas Mann ihn, wohl zu Unrecht, einen »Tabakimporteur« »aus dem kleinen Berliner Mittelstande«, »der die Tochter eines jüdischen oder halbjüdischen Musiklehrers« geheiratet habe.
26 Bislang war als Hausnummer auch 236 angegeben, im Taufbuch-Eintrag von Marianne Adelaide Hedwig Jülich, Oktober 1831, findet sie sich nicht bestätigt.
27 Berta Rahm (Hrsg.): *Erinnerungen und weitere Schriften von und über Hedwig Dohm*, S. 17 f.
28 Ebd., S. 51 f.
29 Ernst Dohm, der lange nicht so gut Spanisch wie Französisch sprach, aber auf jeden Zuverdienst angewiesen war, verließ sich ganz auf seine rasche Auffassungsgabe.
30 Hedwig Pringsheim-Dohm: »Meine Eltern …«
31 Auch Töchtern und Enkelinnen gegenüber war sie verschwiegen, wenn es um persönliche Eheerfahrungen ging.
32 Hedwig Dohm: »Ehemotive und Liebe«, in: *Sozialistische Monatshefte*, Berlin, 25. 03. 1909.

33 Hedwigs Eltern waren von Ernst Dohm als Schwiegersohn nicht begeistert.
34 Hedwig Pringsheim-Dohm: »Meine Eltern …«
35 Ebd.
36 Die Sängerin Pauline Biardot-Garcia war eine der beiden.
37 So drückte es Hedwig Pringsheim-Dohm im Artikel »Meine Eltern …« aus.
38 Ebd.
39 Ebd.
40 Katia Mann: *Meine ungeschriebenen Memoiren*, S. 40 f.
41 Carl Fürstenberg: *Die Lebensgeschichte eines deutschen Bankiers*, S. 98.
42 Richard J. Evans: *The Feminists. Women's Emancipation Movement in Europe, America and Australasia 1840–1920*, S. 104.
43 Genau genommen lassen sich lediglich das Erscheinungsbild und einige Charakterzüge Sibillas mit Hedwig Pringsheim in Verbindung bringen.
44 Gisela Brinker-Gabler (Hrsg.): *Frauen gegen den Krieg*, S. 56. Der Beitrag Hedwig Dohms wurde 1915 für die *Aktion* geschrieben, aber erst im August 1917 veröffentlicht. In einem fiktiven Brief machte sie ihrer Empörung über Kriegsausbruch und Kriegspsychose Luft.
45 Hedwig Dohm: »Die wissenschaftliche Emancipation der Frau«; zitiert nach Golo Mann: *Erinnerungen und Gedanken*, S. 217.
46 Conrad Rosenstein (alias Naftali): »Besuch bei Frau Katja Mann im Herbst 1974«, Typoskript. Thomas-Mann-Archiv.
47 Katia Mann: *Meine ungeschriebenen Memoiren*, S. 16.
48 Hedwig Pringsheim-Dohm: »Meine Eltern …«
49 Ludwig Pietsch: *Wie ich Schriftsteller geworden bin*, Bd. 2, S. 309.
50 In zweiter Ehe war Cosima von Bülow geborene Liszt mit Richard Wagner verheiratet.
51 Thomas Mann: »Little Grandma«, in: *Über mich selbst*, S. 191.
52 Gustav Meyer (Hrsg.): *Ferdinand Lassalle. Nachgelassene Briefe und Schriften*, 2. Bd.: Lassalles Briefwechsel von der Revolution 1848 bis zum Beginn seiner Arbeiteragitation, S. 203, Anm. 2; Shlomo Na'aman: *Lassalle*, S. 764 f.
53 Carl Fürstenberg: *Die Lebensgeschichte eines deutschen Bankiers …*, S. 221.
54 Gertrud Bäumer: »Hedwig Dohm«, in: *Jahrbuch der Frauenbewegung*, S. 164.
55 Paul Lindau: *Nur Erinnerungen*, S. 80. Andernorts ist von »einer halben Etage« die Rede, was aber nichts über die Größe der Wohnung aussagt.
56 *Berlin und seine Bauten*, S. 113.
57 Katia Mann: *Meine ungeschriebenen Memoiren*, S. 32.

58 Die Lebensdaten von Rudolph Pringsheims Eltern Heymann Pringsheim und Henriette Pringsheim geb. Unger sind unbekannt. Doch wissen wir von Vorfahren, die schon im 18. Jahrhundert als Inhaber von Schank- und Braurechten zu Wohlstand gekommen waren.
59 1901 wurde zwar vielfach als Todesjahr angegeben, was aber nicht mit den Angaben des Sohnes übereinstimmt. Vgl. Bayerisches Hauptstaatsarchiv, MK 44150, Personalakte Dr. Alfred Pringsheim. Katia Mann erwähnt in *Meine ungeschriebenen Memoiren* ein erstes Zusammentreffen ihres Verlobten Thomas Mann mit den Großeltern väterlicherseits, welches nachweislich 1904 stattfand.
60 Horst Pringsheim-Reday im Gespräch mit Heinrich Breloer: *Unterwegs zur Familie Mann*, S. 264.
61 Hans-Wolfgang Scharf: *Eisenbahnen zwischen Oder und Weichsel*, S. 388.
62 Einen weiteren Teil der Aktien hielt die kapitalstarke Oberschlesische Eisenbahnbedarfs-A. G.
63 Erwähnt in *Berlin und seine Bauten.*
64 (1851–1921).
65 Es entstand zwischen 1872 und 1874.
66 *Berlin und seine Bauten*, S. 113.
67 Ebd., S. 113.
68 *Berlin und seine Bauten*, S. 114.
69 Ebd.
70 Das meinte Katia Mann in einem Gespräch mit Conrad Rosenstein (alias Naftali): »Besuch bei Frau Katja Mann im Herbst 1974«, Typoskript. Thomas-Mann-Archiv.

II. Die Tochter. 1883–1904

1 Katia Mann: *Meine ungeschriebenen Memoiren*, S. 11.
2 Bruno Walter: *Thema und Variationen. Erinnerungen und Gedanken*, S. 310.
3 Aus dem eigenhändig geschriebenen Lebenslauf Alfred Pringsheims zitiert nach Peter de Mendelssohn: *Der Zauberer*, S. 829 f. Siehe auch Hanno-Walter Kruft: *Alfred Pringsheim, Hans Thoma, Thomas Mann. Eine Münchner Konstellation*, S. 4, FN 5, wo es u. a. heißt: »Von Alfred Pringsheims Wagner-Bearbeitungen liegen [in der Bayerischen Staatsbibliothek] in veröffentlichter Form vor: Seefahrt aus Tristan und Isolde. 3 Stimmen (Pianoforte, Violine, Violoncello) ..., Siegfried und der Waldvogel (Klavierquintett-Bearbeitung) ... Eine größere Anzahl handschriftlicher Wagner-Bearbeitungen (für verschiedene Besetzungen) Alfred Pringsheims sind im Klaus-Pringsheim-Archiv der Mills Memorial Library der McMaster University (Hamilton, Ontario, Canada)

erhalten, eine Reihe gedruckter Bearbeitungen für vier Hände ... in der Pringsheim Music Library in Tokio, Japan.«

4 Hedwig Pringsheim soll sie, gemeinsam mit anderen Teilen des Nachlasses, nach seinem Tod vernichtet haben.

5 Die Antwort auf die persönliche Entfremdung war um 1878 der Austritt von Rudolph und Alfred Pringsheim aus dem Patronatsverein. Cosima Wagner: *Die Tagebücher*, Bd. II, 1873–1883, S. 162. Für die Version, Alfred Pringsheim hätte sich an Wagners Antisemitismus gestoßen und aus diesem Grunde die Beziehung abgebrochen, gibt es keine sicheren Beweise.

6 Hedwig Pringsheim-Dohm: »Bayreuth einst und jetzt«, in: *Das Unterhaltungsblatt der Vossischen Zeitung*, 16. August 1930.

7 Lediglich Hörergelder standen ihm zu.

8 Das Alfred-Pringsheim-Werkeverzeichnis wurde von Manuela Schmieja zusammengestellt. Vgl. Rudolf Fritsch und Daniela Rippl: *Alfred Pringsheim*, S. 124.

9 Ebd., S. 122.

10 Oskar Perron: »Alfred Pringsheim«, S. 191.

11 Man traf sich ab 1900 im Künstlerhaus.

12 Katia Mann: *Meine ungeschriebenen Memoiren*, S. 73.

13 Außerordentliches Mitglied war er schon 1894 geworden.

14 Sequenz: Bayerisches Hauptstaatsarchiv, MK 44150, Personalakte Dr. Alfred Pringsheim.

15 Bei starken, branchenbezogenen Abweichungen bekamen Bergleute etwa 1500, Textilarbeiter hingegen nur 790 Mark pro Jahr ausbezahlt.

16 Klaus Mann: *Der Wendepunkt*, S. 14.

17 Carl Fürstenberg: *Die Lebensgeschichte eines deutschen Bankiers*, S. 98.

18 Alfred Erck u. Hannelore Schneider: *Georg II. von Sachsen-Meiningen*, S. 196.

19 Hedwig Pringsheim-Dohm: »Wie ich nach Meiningen kam«, in: *Das Unterhaltungsblatt der Vossischen Zeitung*, 20.07.1930.

20 Am 17. Dezember 1875 wurde in Meiningen das Lustspiel *Vom Stamme der Asra* uraufgeführt, Hedwig Dohm die Ältere hatte es geschrieben.

21 Klaus Mann: *Der Wendepunkt*, S. 15.

22 Alfred Erck: »Erinnerungen an der Jugend ›hochgespannte Hoffnungen‹«, Teil 77 einer Zeitschriftenartikel-Reihe über das Meininger Hoftheater, in: *Meininger Tagblatt* 1999/2000.

23 Klaus Mann: *Der Wendepunkt*, S. 14.

24 Hedwig Dohm-Pringsheim: *Thomas Manns Schwiegermutter erzählt*.

25 Peter de Mendelssohn: *Der Zauberer*, S. 841.

26 Das »Verehelichungsgesuch des Privatdozenten Dr. Alfred Pringsheim« war dem »Kgl. Akademischen Senat der Universität Mün-

chen« am 29.08.1877 vorgelegt worden. Universitätsarchiv München, E-II-2732.

27 Ihr erstes Münchner Domizil lag am Anfang der Arcisstraße.

28 Peter de Mendelssohn: *Der Zauberer*, S. 842.

29 Ebd., S. 843.
Zwillingsgeburten gab es in Katias Familie schon vorher und auch danach.

30 Hans-Rudolf Wiedermann (Hrsg.): *Thomas Manns Schwiegermutter erzählt*, S. 33. Anlass für Hedwig Pringsheims Äußerung war Katia Manns vierte Schwangerschaft.

31 Peter de Mendelssohn: »Ihr energisch geschwindes Temperament. Zum 90. Geburtstag von Katia Mann am 24. Juli«, in: *Süddeutsche Zeitung* vom 21./22.07.1973.

32 Golo Mann: *Erinnerungen und Gedanken*, S. 219.

33 Klaus Mann: *Der Wendepunkt*, S. 15 f.

34 Thomas Mann Tb 04.07.1934.

35 Die aus Kroatien stammende Sopranistin Milka Ternina trat von 1890 bis 1899 an der Münchner Hofoper auf und bereicherte auch die Hausmusikabende der Pringsheims.

36 Katia Mann: *Meine ungeschriebenen Memoiren*, S. 15.

37 Hans-Rudolf Wiedermann (Hrsg.): *Thomas Manns Schwiegermutter erzählt*, S. 36 u. 46.

38 Klaus Mann: *Der Wendepunkt*, S. 14 ff.

39 Peter de Mendelssohn: *Der Zauberer*, S. 850.

40 1933 wurde das Pringsheim-Palais abgerissen und bald darauf an seiner Stelle der so genannte ›Führerbau‹ der NSDAP hochgezogen.

41 So Erika Mann in einem Artikel zum 80. Geburtstag Alfred Pringsheims, der im *Münchner Sonntags-Anzeiger* vom 02.09.1930 veröffentlicht wurde.

42 Peter de Mendelssohn: *Der Zauberer*, S. 846 f.

43 Ebd., S. 848.

44 Ebd., S. 830.

45 Klaus Mann: *Der Wendepunkt*, S. 43 f.

46 (1839–1924).

47 Peter de Mendelssohn: *Der Zauberer*, S. 847.

48 Ebd.

49 (1836–1904).

50 Katia Mann: *Meine ungeschriebenen Memoiren*, S. 18.

51 Ebd.

52 (1850–1920).

53 Klaus Mann zitiert nach Andrea Weiss: *Flucht ins Leben*, S. 17.

54 Conrad Rosenstein (alias Naftali): »Zu Besuch bei Frau Katja Mann im Herbst des Jahres 1974«, Thomas-Mann-Archiv, und Peter de Mendelssohn: *Der Zauberer*, S. 899.

55 Heinz Pringsheim: »Katja«, in: *Die schöne Münchnerin*, S. 148.
56 W. E. Süskind: »Die Zwillinge aus der Arcisstraße. Ein Protest und unsere Antwort«, in: *Süddeutsche Zeitung* vom 09. 08. 1963.
57 Heinz Pringsheim: »Katja«, in: *Die schöne Münchnerin*, S. 150.
58 Peter de Mendelssohn: »Ihr energisch geschwindes Temperament. Zum 90. Geburtstag von Katia Mann am 24. Juli«, in: *Süddeutsche Zeitung* vom 21./22. 07. 1973. Siehe auch Peter de Mendelssohn: *Der Zauberer*, S. 902.
59 Peter de Mendelssohn: *Der Zauberer*, S. 897.
60 Ebd., S. 901.
61 Brief Hedwig Pringsheim an Maximilian Harden vom 04. 10. 1905. Bundesarchiv. Nachlass Maximilian Harden, N 1062/82.
62 Peter de Mendelssohn: *Der Zauberer*, S. 902 f.
63 Heinz Pringsheim: »Katja«, in: *Die schöne Münchnerin*, S. 148.
64 Hedwig Pringsheim-Dohm: »Auf dem Fahrrad durch die weite Welt«, in: *Das Unterhaltungsblatt der Vossischen Zeitung* vom 10. 08. 1930.
65 Man wohnte in der Villa Holz und im Hotel Steinmetz.
66 Karl Smikalla: *Thomas Manns heimliche Liebe zum Tegernsee*, S. 40 u. S. 62 ff. Da nicht alle ›Fremden-Listen‹ erhalten sind, gibt der Autor zu bedenken, dass die Pringsheim-Familie weitaus häufiger als heute nachweisbar ihre Sommerferien am Tegernsee verbracht haben könnte.
67 Elisabeth Mann Borgese im Gespräch mit Heinrich Breloer: *Unterwegs zur Familie Mann*, S. 47.
68 Katia Mann: *Meine ungeschriebenen Memoiren*, S. 12.
69 In Karlsruhe öffnete noch im gleichen Jahr das erste deutsche Mädchengymnasium seine Pforten.
70 *Neue Bayerische Landeszeitung* Nr. 14 vom 18. 01. 1900.
71 Ebd.
72 *Augsburger Postzeitung* Nr. 69 vom 27. 03. 1898.
73 Katia Mann: *Meine ungeschriebenen Memoiren*, S. 12.
74 Ebd.
75 Lion Feuchtwanger (1884–1958), Dramatiker und Romanschriftsteller, emigrierte 1933 nach Frankreich und 1940 in die USA; er war Nachbar von Katia und Thomas Mann im kalifornischen Pacific Palisades und mit beiden eng befreundet.
76 Lion Feuchtwanger: »Glückwunsch an Katja Mann«, in: *Aufbau* vom 17. 07. 1953.
77 Reifezeugnis.
78 Thomas-Mann-Archiv.
79 »Ich habe tatsächlich mein ganzes, allzu langes Leben immer im strikt Privaten gehalten. Nie bin ich hervorgetreten, ich fand, das ziemte sich nicht. Ich sollte immer meine Erinnerungen schreiben. Dazu sage ich: in dieser Familie muß es einen Menschen geben,

der nicht schreibt.« Katia Mann: *Meine ungeschriebenen Memoiren*, S. 9.

80 Klaus Pringsheim: »Nachtrag zu ›Wälsungenblut‹«, in: *Neue Zürcher Zeitung* vom 17. 12. 1961, Sonntagsausgabe.

81 Katia Pringsheims Zulassung zum Abitur trägt die Nummer 5652 und ist datiert vom 22. April 1901.

82 1896 bestand mit der Düsseldorferin Margarete Heine die wohl erste deutsche Frau an einem Knabengymnasium die Reifeprüfung. Die Vorreiterinnenrolle in Bayern übernahm Margarete Schüler aus Fürth, 1898 bestand sie, wie Katia Pringsheim extern vorbereitet, das Abitur am staatlichen Neuen Gymnasium in Nürnberg. 1901 wurden in München auf privater Basis erstmals dreijährige Gymnasialkurse für Mädchen ab 16 Jahren angeboten; wöchentlich wurden nur zwölf Unterrichtsstunden erteilt. Drei Jahre nach Preußen, 1911, wagte auch Bayern mit § 28 seiner reformierten Schulordnung den nächsten Schritt: »An die höhere Mädchenschule können, wo hierfür ein besonderes Bedürfnis besteht, mit Genehmigung der obersten Aufsichtsstelle [sechsjährige] humanistische oder reale Gymnasialkurse angeschlossen werden.« Boehm, Letitia: »Von den Anfängen des akademischen Frauenstudiums in Deutschland. Zugleich ein Kapitel aus der Geschichte der Ludwig-Maximilians-Universität München«, in: *Historisches Jahrbuch* 77/1958, S. 311. Schulisch gleichberechtigt waren Jungen und Mädchen in Deutschland von 1927 an.

83 Universitätsarchiv München, Sem-110.I. So problemlos ging es nicht immer ab. Dass Lujo Brentano, wenn es sich bei der Antragstellerin nicht um die ansonsten unauffällige Tochter eines geschätzten Kollegen, sondern um eine höchst aktive Frauenrechtlerin handelte, auch anders konnte, überlieferte die Juristin Lida Gustava Heymann (sie schloss ihr Studium in der Schweiz ab): »Keiner der Professoren, bei denen ich hörte, war in seiner Abneigung gegen Hörerinnen so voller Vorurteile wie der ›liberale‹ freiheitliche Brentano. Kurz und schroff erklärte er mir: ›Ich gebe Ihnen meine Einwilligung nicht. Weibliche Hörer sind mir ein Greuel, sie wissen und verstehen nichts, machen sich nur wichtig mit dem Besuch der Universität.‹« Nachdem die zunächst Abgewiesene sich nicht hatte einschüchtern lassen, ja dem Rektor gar unterstellt hatte, dass weder seine Fachkenntnisse an die ihren heranreichten noch seine soziale Kompetenz ausreichend sei, riss er Lida Gustava Heymann »den zu unterzeichnenden Schein aus der Hand, setzte seinen Namen darunter und gab ihn … ohne ein weiteres Wort zurück.« Zitiert nach Hadumod Bußmann (Hrsg.): *Stieftöchter der Alma Mater?*, S. 34 f.
Andererseits regte Professor Brentano seine ersten Doktorandinnen zu empirisch abgesicherten Forschungsarbeiten zur Frauenfrage an.

84 Die Zahl der Hörerinnen wurde anhand der im Universitätsarchiv verwahrten Belegblätter ermittelt.
Zeittypisch ist der hohe Anteil an Ausländerinnen; im Wintersemester 1901/02 kamen sie aus Frankreich, Russland, Ungarn, Polen, den USA, dem Elsass und dem Baltikum; einige hatten in ihren Heimatländern bereits ein Studium, teils mit der Promotion, abgeschlossen und waren zwecks zusätzlichem Erwerb von Spezialwissen nach München gekommen. Universitätsarchiv München, Stud.-BB-156.
85 Bayerisches Hauptstaatsarchiv, MK 11115.
86 Katia Mann: *Meine ungeschriebenen Memoiren*, S. 13.
87 Universitätsarchiv München, Stud.-BB-156, Belegblatt 3103.
88 Wilhelm Conrad Röntgen war im Herbst 1901 der Nobelpreis für Physik verliehen worden.
89 Universitätsarchiv München, Stud.-BB-166, Belegblatt 4402.
90 Universitätsarchiv München, Stud.-BB-176, Belegblatt 3800.
91 Die damalige Bezeichnung für Anorganische Chemie.
92 Universitätsarchiv München, Stud.-BB-186, Belegblatt 4129.
93 Universitätsarchiv München, E-II-2732.
94 Laut Eingangsstempel erreichte es die Behörde erst am 28.03.1903.
95 Gasthörer Thomas Mann, nach dem 10. Schuljahr ohne Abitur von der Schule abgegangen, war im Jahr 1894 problemlos zu Benutzerkarten gekommen.
96 Bayerisches Hauptstaatsarchiv, MK 11116.
97 Ernst Theodor Nauck: »Das Frauenstudium an der Universität Freiburg im Breisgau«, in: *Beiträge zur Freiburger Wissenschafts- und Universitätsgeschichte*, S. 54.
89 Bayerisches Hauptstaatsarchiv, MK 11116, Schreiben vom 18.09.1903.
Davon abweichend wurde die Technische Hochschule München erst am 08.04.1905 per »allerhöchstem Erlaß« zur regulären Zulassung von Frauen verpflichtet. Bayerisches Hauptstaatsarchiv, MK 11117.
99 Universitätsarchiv, Stud-BB-196.
100 Mehr als 50 im WS 1903/04.
101 Universitätsarchiv München, Stud.-BB-196.
102 Universitätsarchiv München, Stud.-BB-206.
103 Universitätsarchiv München, Stud.-BB-216.
104 Katia Mann: *Meine ungeschriebenen Memoiren*, S. 13 und Conrad Rosenstein (alias Naftali): »Zu Besuch bei Frau Katja Mann im Herbst des Jahres 1974«, Typoskript. Thomas-Mann-Archiv.
105 Rudolf Fritsch und Daniela Rippl: *Alfred Pringsheim*, S. 120.
106 Universitätsarchiv München, Sem-110.I.
Hedwig Pringsheims Gesuch ist undatiert, es wurde am 25.10.1901 vom Akademischen Senat an das Staatsministerium

des Innern für Kirchen- und Schulangelegenheiten weitergeleitet und schon vier Tage später mit dem Genehmigungsstempel versehen.

107 Universitätsarchiv München, Sem-110.I, Belegblätter 3104, 4403, 3774, 4372, WS 1901/02, SS 1902, WS 1902/03, SS 1903. Aus Briefen Hedwig Pringsheims an Maximilian Harden geht hervor, dass sie sich mit dem Vorlesungsstoff nicht nur oberflächlich beschäftigte.
Auch eine gute Freundin Hedwig Pringsheims, die Dramatikerin Elsa Bernstein (alias Ernst Rosmer) war vergleichsweise problemlos an die Hochschulzugangsberechtigung gekommen. Nicht jedoch Annette Kolb: Die ebenfalls mit den Pringsheims befreundete Dichterin blieb im Mai des Jahres 1902 erfolglos.

III. Die Braut. 1904–1905

1 Über den genauen Zeitpunkt des Ereignisses wurde mehrfach spekuliert, exakt ist er nicht mehr feststellbar; die Begegnung könnte auch gegen Ende des Sommersemesters 1903 stattgefunden haben.

2 »Scher dich zum Teufel, Zigeunerin grausige« ist eine andere Version. Erika Mann: »Wenn ich an meine Mutter denke«, in: *Quick*, Nr. 18 vom 02.05.1965.

3 Katia Mann: *Meine ungeschriebenen Memoiren*, S. 24.

4 Später wurde er in Tonhalle umbenannt; sie verschwand wie das Odeon im Bombenhagel des Zweiten Weltkriegs.

5 Peter de Mendelssohn: *Der Zauberer*, S. 777.

6 Aus dem Kaim-Orchester gingen später die Münchner Philharmoniker hervor.

7 Erstmals vermutlich im Sommer 1903. Einen Hinweis auf diesen Zeitpunkt enthält der Entwurf eines Briefes Thomas Manns an Otto Grautoff vom 29. August 1903, Nb 2, 89. Wenig später wurde Katias Augenfarbe, »schwarz wie Teer«, des Notierens für wert erachtet, Nb 2, 97.

8 Thomas Mann: *Königliche Hoheit*, S. 215.

9 »Kläuschen Pringsheim flirtete mit Gustaf ...«, von Katias Zwillingsbruder war die Rede und von Gustaf Gründgens, bei dessen Hochzeit mit Erika Mann die Annäherung beobachtet wurde. Andrea Weiss: *Flucht ins Leben*, S. 44.

10 Das entsprach wohl Thomas Manns eigenem Eindruck; wiedergegeben hat er ihn in *Wälsungenblut*.

11 Katia Mann: *Meine ungeschriebenen Memoiren*, S. 73.

12 Golo Mann: *Erinnerungen und Gedanken*, S. 39.

13 Als ihr Mann nach Japan ging, blieb Lala Pringsheim in Prag zu-

rück. Aus einem Briefwechsel Katia Manns mit Dr. Pavel Eisner (Übersetzer der Werke Thomas Manns ins Tschechische) geht hervor, dass dieser sich im Prag der Nachkriegszeit auch um die Belange von Schwägerin Lala kümmerte und ihr, durch Geldmittel aus dem Hause Mann unterstützt, die Ausreisebewilligung nach Deutschland verschaffte. Vgl. Brief Katia Mann an Dr. Pavel Eisner vom 19. 06. 1950. Thomas-Mann-Archiv.

14 Eine Tagebucheintragung Thomas Manns unter dem 1. November 1946, die ihm erst nach Ablauf der Sperrfrist zugänglich war, machte Klaus Hubert Pringsheim auf die »unechte« Vaterschaft aufmerksam. Auf seine dringende Bitte hin verhinderte Golo Mann den Abdruck des verräterischen Wortes. Auch seine ›Tante‹ Katia hatte der völlig konsternierte junge Mann um Beistand gebeten. Sie gab ihm den klugen Rat: Da er sich doch bisher als ein Pringsheim gefühlt habe und auch als solcher in die Familie aufgenommen worden sei, solle man es ganz einfach dabei belassen.

15 Seine Tätigkeit als Musical Adviser beim Royal Department of Fine Arts in Bangkok fällt in die Jahre 1937/38.

16 Sowohl sein 1935 komponiertes Konzert in C-dur, Op. 32, als auch seine Siamesischen Melodien, eine Suite für Violine und Piano von 1939, widmete Klaus Pringsheim seinem Schwager Thomas Mann.

17 Obwohl ihn Katia und Thomas Mann in jeder Beziehung unterstützten, sahen sie den Fehlschlag voraus. Thomas Mann Tb 18. 11. 1946: »Morgens mit K. über die Kalamität mit ihrem Bruder und Neffen [Klaus Hubert Pringsheim], deren Herüberkommen ein entschiedener Mißgriff.«

18 Brief Katia Mann an Klaus Mann, Pacific Palisades, Januar 1948, Monacensia, München: »Ach, und Onkel Klaus! ist doch ein ständiger Nagel zu meinem Sarg, und nicht nur eine Närr, sondern leider ausgesprochen ein alter Nichtsnutz … wie komme ich eigtl. zu einem solchen Zwilling!«
Thomas Mann bezeichnete Klaus Pringsheim als »das Närrchen«. »Närrgen« nannte übrigens Johann Wolfgang von Goethe seine Schwester Cornelia.

19 Golo Mann: *Erinnerungen und Gedanken*, S. 84.

20 Klaus Mann: *Der Wendepunkt*, S. 42.

21 Brief Hedwig Pringsheim an Maximilian Harden vom 22. 06. 1905. Bundesarchiv. Nachlass Maximilian Harden, N 1062/82.

22 Darüber geben verschiedene Stellen im Briefwechsel Hedwig Pringsheims mit Maximilian Harden Auskunft.

23 Hedwig Pringsheim-Dohm: *Thomas Manns Schwiegermutter erzählt*, S. 26 u. 28.

24 Brief Hedwig Pringsheim an Maximilian Harden vom 26. 03. 1908. Bundesarchiv, Nachlass Maximilian Harden, N 1062/82.

25 Auch das Jahr 1930 wird in diesem Zusammenhang genannt.
26 Seine Frau hatte einen Sohn aus erster in ihre zweite Ehe mitgebracht.
27 Siegfried Goslich: »Nachruf auf Heinz Pringsheim«. Bayerischer Rundfunk ›Kulturspiegel‹, 01.04.1974, in: *BR gehört-gelesen*, Heft 5/1974.
28 Bruder Klaus Pringsheim hielt nicht viel von dergleichen und nannte in einem Artikel des Jahres 1930 die »neudeutsche Tanzkunst« einen »Unfug«.
29 Horst Pringsheim-Raday im Gespräch mit Heinrich Breloer: *Unterwegs zur Familie Mann*, S. 265.
30 Golo Mann: *Erinnerungen und Gedanken*, S. 40.
31 Ebd., S. 41.
32 Horst Reday-Pringsheim ist ein Sohn Mara Duvés aus erster Ehe.
33 Elsa Bernstein bevorzugte Vorlesungen zu Zoologie und Botanik.
34 Gelber Marmor.
35 Sequenz Thomas Mann/Heinrich Mann: *Briefwechsel*, S. 26 ff.
36 Am 12.06.1981 schrieb Golo Mann an Marcel Reich-Ranicki: »Die Frage, ob TM ein Parvenu gewesen sei ... nein das war er nicht. Aber seine Herkunft war provinziell ... Gute Bürgersleute in einer kleinen Stadt. Daher stammt auch sein Antisemitismus, von dem er nie *völlig* wegkam (sein Bruder auch nicht). Wie sollten junge Kleinstadt-Patrizier der 1890er Jahre nicht antisemitisch sein?« Golo Mann/Marcel Reich-Ranicki: *Enthusiasten der Literatur*, S. 76.
37 Sequenz Thomas Mann/Heinrich Mann: *Briefwechsel*, S. 24 ff.
38 Maximilian Harden machte sich nicht nur bei Hofe, sondern auch in der Öffentlichkeit unbeliebt. Ein Beispiel dafür: Über drei (!) gegen ihn angestrengte Prozesse hinweg blieb er bei seiner Behauptung, Philipp Fürst zu Eulenburg, ein enger Freund Kaiser Wilhelms II., sei homosexuell, was damals ›widernatürliche Unzucht‹ hieß und mit Gefängnishaft bestraft werden konnte. Den Erfolg des Recht-Behaltens bezahlte der »Nestbeschmutzer« mit erheblichem Rückgang der Nachfrage nach seinen Publikationen.
39 Katia Mann: *Meine ungeschriebenen Memoiren*, S. 30.
40 Klaus Pringsheim: »Ein Nachtrag zu ›Wälsungenblut‹«, in: *Neue Zürcher Zeitung* vom 17.12.1961, Sonntagsausgabe.
41 Katia Mann: *Meine ungeschriebenen Memoiren*, S. 18.
42 Ebd, S. 28 f.
43 Peter de Mendelssohn: *Der Zauberer*, S. 908.
44 Sein Großvater und der von Katia waren Vettern.
45 Katia Mann: *Meine ungeschriebenen Memoiren*, S. 18 f.
46 Thomas Mann/Heinrich Mann: *Briefwechsel*, S. 30.
47 So Erika Mann im Rückblick auf die Anfänge elterlicher Zweisamkeit und in Anlehnung an einen Goethe-Reim. Erika Mann:

»Die letzte Adresse«, in: Thomas Sprecher u. Fritz Gutbrodt: *Die Familie Mann in Kilchberg*, S. 13.

48 Brief Thomas Mann an Otto Grautoff vom 08. 11. 1896.

49 Brief Thomas Mann an Otto Grautoff vom 17. 02. 1896. In ihm ging der zwanzigjährige Thomas Mann auf eine vom Freunde beklagte gesundheitliche Schwäche ein, hielt ihm Schlafmangel, exzessives Rauchen, schlechte Ernährung und nicht näher erläuterte Geschmacklosigkeiten vor, sparte aber auch nicht mit guten Ratschlägen: »Es ist ein langsames, behutsames Schwächen und Abdorren des Triebes nötig, wobei alle möglichen intellectuellen Kunstgriffe mithelfen, die einem der Selbsterhaltungsinstinkt suggeriert. Schließlich ist man viel zu sehr homme de lettre und Psycholog, als daß man nicht nebenbei eine überlegene Freude an solcher Selbstbehandlung haben sollte. Irgendwelches Zweifeln wäre in Deinem Alter unsinnig. Du hast Zeit, und der Trieb zur Ruhe und Selbstzufriedenheit wird die Hunde im Souterrain schon an die Kette bringen.«

50 Thomas Mann/Heinrich Mann: *Briefwechsel*, S. 29.

51 Thomas Mann Tb 22. 05. 1919.

52 Die da Silvas lebten bereits in der dritten Generation in Brasilien.

53 1890 war mit großem Pomp das hundertjährige Firmenjubiläum gefeiert worden.

54 Da war Viktor Mann, der Jüngste, erst ein Jahr alt.

55 Thomas Mann: »Im Spiegel«. GW, XI, S. 329 f.

56 Thomas Mann: *Briefe III*, S. 385 ff.

57 Thomas Mann: *Briefe I*, S. 53.

58 Thomas Mann: *Briefe III*, S. 385 ff.

59 Thomas Mann 1925: »Über die Ehe«.

60 Thomas Mann: *Briefe III*, S. 387.

61 Hermann Kurzke: *Thomas Mann*, S. 47.

62 Thomas Mann: *Briefe III*, S. 387.

63 Williram Timpe wurde mit Pribislav Hippe/Clawdia Chauchat im *Zauberberg* ein literarisches Denkmal gesetzt.

64 Quarta, Untertertia und Untersekunda hatte er zweimal absolvieren müssen.

65 Thomas Mann: *Lebensabriß*.

66 Thomas Mann/Agnes E. Meyer: *Briefwechsel 1937–1955*, S. 162.

67 Ebd., S. 162.

68 Thomas Mann: *Lebensabriß*.

69 »She is so very clever, und ich bin so dumm, immer die zu lieben, die clever sind, obgleich ich doch auf die Dauer nicht mitkann.« Thomas Mann/Heinrich Mann: *Briefwechsel*, S. 22. Mary Smith ist die Thomas-Mann-Novelle *Gladius Dei* gewidmet.

70 Paul (1876–1949) und Carl (1878–1962) Ehrenberg, der Letztgenannte war Komponist und Dirigent, hatte Thomas Mann schon vor der Jahrhundertwende in München kennen gelernt. »Mit gebildeter Harmlosigkeit überwanden sie meine Melancholie, Scheu und Reizbarkeit …«, tat er 1930 die stark homoerotische Beziehung zum älteren der Brüder ab.
71 Thomas Mann Tb 06. 05. 1934.
72 Thomas Mann Nb7, zitiert nach Hermann Kurzke: *Thomas Mann*, S. 142.
73 Thomas Mann Tb 06. 04. 1934.
74 Thomas Mann: *Lebensabriß*.
75 Klaus Mann: *Der Wendepunkt*, S. 18.
76 Thomas Mann: *Über mich selbst*, S. 116.
77 Ebd.
78 *Bonner Zeitung*.
79 Unter Angabe von 1901 als Erscheinungsjahr.
80 Thomas Mann: *Über mich selbst*, S. 116.
81 (1867–1948). Kerr war sein Pseudonym, eigentlich hieß er Kempner.
82 In diesem Sinne äußerte sich Marcel Reich-Ranicki in der ZDF-Sendung *Reich-Ranicki solo* am 02. 02. 2002.
83 Brief Hedwig Pringsheim an Maximilian Harden vom 04. 12. 1902. Bundesarchiv. Nachlass Maximilian Harden, N 1062/82.
84 »… mein Vater war ja zumindest latent homosexuell, vielleicht war da auch eine Anziehung zu Thomas Mann.« Klaus Pringsheim jr. im Gespräch mit Heinrich Breloer: *Unterwegs zur Familie Mann*, S. 207.
85 Peter de Mendelssohn: »Ihr energisch geschwindes Temperament … Zum 90. Geburtstag von Katia Mann am 24. Juli«, in: *Süddeutsche Zeitung* vom 21./22. 07. 1973.
86 Thomas Mann Nb7, S. 102.
87 Alle nicht eigens gekennzeichneten Zitate der folgenden Sequenz: Thomas Mann: *Briefe I*, S. 42 ff.
88 Thomas Mann: *Briefe I*, S. 42.
89 Guttapercha: malaisch, zu einer braunen zähen Masse, dem Kautschuk ähnlich, eingetrockneter Milchsaft verschiedener südostasiatischer Bäume. Guttapercha diente als Isolationsmaterial für Kabel, Kitt- und Dichtmasse, zur Herstellung von Treibriemen und medizinischen Folien. 1882 wurde Guttapercha-Pflastermull eingeführt. Gekaut und geschluckt sollte es einen Schutz der Magen- und Darmschleimhäute bewirken. Seine Verwendung bei Zahnwurzelbehandlungen ist heute noch üblich, wenn auch sehr umstritten.
90 Friedrich Nietzsche: *Jenseits von Gut und Böse*, Aphorismus 144. Thomas Mann Nb1, S. 52.

91 Thomas Mann Nb7, S. 101.
92 Thomas Mann/Heinrich Mann: *Briefwechsel*, S. 30.
93 »… wer einfach immer nur geliebt wird, ist ein Trottel, eine Lichtgestalt, eine ironische Figur. Ich habe keinen Ehrgeiz in diese Richtung.« Thomas Mann: *Briefe I*, S. 44.
94 Thomas Mann/Kurt Martens: »Briefwechsel I«, in: Eckhard Heftrich und Hans Wysling (Hrsg.): *Thomas Mann Jahrbuch*, Band 3 (1990), S. 216 f.
95 Thomas Mann/Heinrich Mann: *Briefwechsel*, S. 13.
96 1901 waren sogar zwei Kuraufenthalte fällig gewesen: in Riva und in Mitterbad, wo Dr. von Hartungen ebenfalls ein Sanatorium betrieb.
97 Dieses Adjektiv wurde ihr von Tochter Elisabeth zugewiesen. Heinrich Breloer: *Unterwegs zur Familie Mann*, S. 383.
98 Golo Mann/Marcel Reich-Ranicki: *Enthusiasten der Literatur*, S. 76.
99 Thomas Mann: *Zur Judenfrage*, GW XIII, S. 461 f.
100 Thomas Mann/Heinrich Mann: *Briefwechsel*, S. 30 f.
101 Klaus Mann: *Der Wendepunkt*, S. 17.
102 *Berliner Tagblatt* vom 05. 02. 1903.
103 *Berliner Tagblatt*, Morgenausgabe, vom 01. 12. 1904.
104 Herwarth Walden, eigentlich Georg Levin, Galerist, Kunstkritiker, Schriftsteller und von Haus aus Musiker, gründete 1910 die Zeitschrift *Sturm*, um die sich die Wortführer des Expressionismus sammelten.
105 Katia Mann: *Meine ungeschriebenen Memoiren*, S. 31.
106 Klaus Mann: *Kind dieser Zeit*, S. 32 f.
107 Katia Pringsheim: *Meine ungeschriebenen Memoiren*, S. 32.
108 Julia Mann: *Ich spreche so gern mit meinen Kindern*, S. 143.
109 Thomas Mann: »Little Grandma«, in: *Über mich selbst*, S. 188.
110 Katia Mann: *Meine ungeschriebenen Memoiren*, S. 30.
111 Adele Schreiber: *Hedwig Dohm als Vorkämpferin und Vordenkerin neuer Frauenideale*, S. 67 ff.
112 Thomas Mann/Heinrich Mann: *Briefwechsel*, S. 32.
113 Klaus Mann: *Der Wendepunkt*, S. 38.
114 Eine besondere Schwäche hatte Julia Mann für Anwärter auf höhere militärische Ränge, aber auch für Künstlernaturen, unter denen der Münchner Maler Leo Putz eine Sonderstellung eingenommen haben soll.
115 Klaus Mann: *Kind dieser Zeit*, S. 32.
116 Ebd., S. 31.
117 Julia Mann: *Ich spreche so gern mit meinen Kindern*, S. 134 f.
118 Thomas Mann/Heinrich Mann: *Briefwechsel*, S. 32.
119 (1877–1927).
120 Otto Grautoff übernahm am 1. Februar 1905 Thomas Manns letzte Münchner Junggesellenwohnung.

121 Dennoch erlangte Viktor Mann als einziger unter den Geschwistern, er holte Versäumtes in einer so genannten ›Presse‹ nach, die Hochschulzugangsberechtigung; sein Studium der Landwirtschaft konnte er mit dem Diplom abschließen. Sein Buch *Wir waren fünf. Bildnis der Familie Mann*, erschien kurz vor seinem Tod 1949; es nötigte Bruder Thomas einigen Respekt ab, obgleich, aber damit konnte der Ältere leben, manches darin Aufgeführte nicht deckungsgleich war mit der Wirklichkeit.
122 Julia Mann: *Ich spreche so gern mit meinen Kindern*, S. 138.
123 Ebd., S. 135.
124 Ebd., S. 134 f.
125 Thomas Mann/Heinrich Mann: *Briefwechsel*, S. 30 ff.
126 Klaus Mann: *Der Wendepunkt*, S. 17.
127 Donald A. Prater: *Thomas Mann*, S. 96.
128 Das ergaben Nachforschungen der Autorinnen.
129 Beilage zum Brief Hedwig Pringsheims an Maximilian Harden vom 15. 02. 1915. Bundesarchiv, Nachlass Maximilian Harden, N 1062/82.
130 Julia Mann: *Ich spreche so gern mit meinen Kindern*, S. 143.
131 Ebd., S. 131.
132 Zu Beginn des Jahres 1905 waren von Heinrich Mann neben vier Romanen diverse Novellen und Erzählungen auf dem Buchmarkt.
133 (1881–1910).
134 Brief Hedwig Pringsheim an Maximilian Harden vom 13. 05. 1906. Bundesarchiv. Nachlass MaximilianHarden, N 1062/82.
135 So arm wie Julia Mann gern tat, war sie sicherlich nie, obwohl ihr Kapitalstock allmählich abschmolz. Angst vor Verarmung war darum schon berechtigt. Je älter sie wurde, desto häufiger flossen Kosten-Nutzen-Rechnungen in ihre Briefe und Gespräche ein.
136 Sequenz: Julia Mann: *Ich spreche so gern mit meinen Kindern*, S. 142 ff.
137 Klaus Mann: *Der Wendepunkt*, S. 17.
138 Thomas Mann/Heinrich Mann: *Briefwechsel*, S. 33.
139 Thomas Mann/Heinrich Mann: *Briefwechsel*, S. 34.
140 Dr. Ringier am Zeltweg, Dr. Ulrich in der Bahnhofstraße, Prof. Constantin von Monakow, Russe und weltberühmte Kapazität, Dufourstraße. Peter de Mendelssohn: *Der Zauberer*, S. 962.
141 Brief Hedwig Pringsheim an Maximilian Harden vom 15. 02. 1905. Bundesarchiv, Nachlass Maximilian Harden, N 1062/82.

IV. Die Ehefrau und Mutter
1905–1914

1 Julia Mann: *Ich spreche so gern mit meinen Kindern*, S. 143 ff.
2 Anfangs ging Katia regelmäßig in die Arcisstraße, später, der Kinder wegen, kam Hedwig Pringsheim oft zu den Manns.
3 Golo Mann: *Erinnerungen und Gedanken*, S. 19.
4 Donald A. Prater: *Thomas Mann*, S. 96.
5 Peter de Mendelssohn: *Der Zauberer*, S. 1056.
6 Ebd., S. 1085.
7 Ebd., S. 1058.
8 Peter de Mendelssohn (Hrsg.): *Thomas Mann. Briefe an Otto Grautoff 1894–1901 und Ida Boy-Ed 1903–1928*, S. 157.
9 Katia Mann: *Meine ungeschriebenen Memoiren*, S. 33.
10 Peter de Mendelssohn: *Der Zauberer*, S. 1058. »Poesiealben«: Es handelt sich hier um ein unkommentiertes Zitat aus Thomas Manns Notizbuch, Nr. 7, S. 145.
11 Ebd., S. 1171.
12 Klaus Harpprecht: *Thomas Mann*, S. 267. Rudolf Bretschneider war demnach der aufmerksame junge Mann.
13 Peter de Mendelssohn (Hrsg.): *Thomas Mann. Briefe an Otto Grautoff 1894–1901 und Ida Boy-Ed 1903–1928*, S. 157 f. Übrigens mit zum Teil identischen Formulierungen ging ein Brief auch an Bruder Heinrich.
14 Peter de Mendelssohn: *Der Zauberer*, S. 1097.
15 Auf diese Namen wurde sie am 21.02. 1906 getauft. Erika nach dem ältesten Bruder Katias, Julia nach Großmutter und Tante väterlicherseits, Hedwig nach Großmutter und Urgroßmutter mütterlicherseits. Hedwig Pringsheim fand es mutig, das Kind in Anlehnung an den missratenen Erik Erika zu nennen. Brief Hedwig Pringsheim an Maximilian Harden vom 23. 1. 1906. Bundesarchiv, Nachlass Maximilian Harden, N 1062/82.
16 Thomas Mann/Heinrich Mann: *Briefwechsel*, S. 63.
17 Ebd., S. 65.
18 Klaus Pringsheim: »Ein Nachtrag zu ›Wälsungenblut‹«, in: *Neue Zürcher Zeitung* vom 17. 12. 1961.
19 Katia Mann: *Meine ungeschriebenen Memoiren*, S. 27.
20 Brief Hedwig Pringsheim an Maximilian Harden vom 06. 07. 1906. Bundesarchiv, Nachlass Maximilian Harden, N 1062/82.
21 Brief Hedwig Pringsheim an Maximilian Harden vom 14. 12. 1906. Bundesarchiv, Nachlass Maximilian Harden, N 1062/82.
22 Donald A. Prater: *Thomas Mann*, S. 296.
23 Thomas Mann/Heinrich Mann: *Briefwechsel*, S. 84.
24 Peter de Mendelssohn: *Der Zauberer*, S. 1234. Übrigens kostete die »Pension« damals 12 Mark pro Tag.

25 Klaus Mann: *Kind dieser Zeit*, S. 16.
26 Peter de Mendelssohn: *Der Zauberer*, S. 1228; Katia Mann: *Meine ungeschriebenen Memoiren*, S. 44.
27 Bald wurden Briefbögen mit dieser Absenderangabe in Auftrag gegeben, über der Haustür weist allerdings das Monogramm TM nur auf den Hausherrn hin.
28 Thomas Mann/Heinrich Mann: *Briefwechsel*, S. 98
29 Möslang in Klaus Mann: *Kind dieser Zeit*, S. 20 und Mösslang bei Peter de Mendelssohn: *Der Zauberer*, S. 1252. Ein Beispiel von vielen, dessen Erwähnung vermutlich die Autorinnen dem Vorwurf der Erbsenzählerei aussetzt, dessen Verschweigen aber die Gefahr der Diskreditierung birgt. Nun ja.
30 Sie dauerten wenigstens bis zum Erscheinen von Klaus Manns Buch *Der Wendepunkt* an, in dem er die Version des Todes von fremder Hand verbreitete, worauf seine Tante Mary mit einer Verleumdungsklage drohte. Erik Pringsheim war am 20. 01. 1909 gestorben, Selbsttötung ist nicht auszuschließen.
31 Peter de Mendelssohn (Hrsg.): *Thomas Mann. Briefe an Otto Grautoff 1894–1901 und Ida Boy-Ed 1903–1928*, S. 163.
32 Thomas Mann/Heinrich Mann: *Briefwechsel*, S. 82.
33 Peter de Mendelssohn: *Der Zauberer*, S. 1287. Am 26. Oktober trafen sich dann Thomas, Heinrich und eine dritte Person, sehr sicher Katia, in Mailand und reisten nach Südfrankreich.
34 Katia Mann: *Meine ungeschriebenen Memoiren*, S. 40. Doch Klaus W. Jonas erinnerte sich, dass Katia von tiefer innerer Abneigung gegen Heinrich sprach. Thomas Sprecher u. Fritz Gutbroth: Die Familie Mann in Kilchberg, S. 238
35 Peter de Mendelssohn: *Der Zauberer*, S. 1378.
36 Ebd.
37 Paul Schlesinger: »Die Anmut der Dichterfrauen«, in: *Berliner Illustrirte Zeitung* Nr. 8, 1909.
38 Katia Mann: *Meine ungeschriebenen Memoiren*, S. 54.
39 Irmela von der Lühe: *Erika Mann*, S. 30.
40 »Die vier Nachkommen würden alle einmal über ihre Tölzer Kindheit schreiben. Wenn man die entsprechenden Passagen nebeneinander hält, kommt man sich vor wie ein Theologe beim Vergleich der Evangelien.« Albert von Schirnding: »Gruppenbild mit Collie«, in: *Süddeutsche Zeitung* vom 27./29. Juli 2001, S. VI.
41 Klaus Mann: *Kind dieser Zeit*, S. 19.
42 Katia Mann: *Meine ungeschriebenen Memoiren*, S. 60.
43 Ausdruck von Katia Mann in: ebd., S. 50.
44 Auch im Sommer war das Wasser sehr kalt, und so hatte ein aus dem benachbarten Dorf stammender Bäckergeselle, der in der Mittagshitze mit vollem Magen hineingesprungen war, darin den Tod gefunden – was besonders Klaus außerordentlich beeindruckte.

45 Klaus Mann: *Kind dieser Zeit*, S. 17 f.
46 Monika Mann: *Vergangenes und Gegenwärtiges*, S. 15 ff.
47 W. E. Süskind: »Die Zwillinge aus der Arcisstraße«, in: *Süddeutsche Zeitung* vom 23. 07. 1963.
48 Monika Mann: *Vergangenes und Gegenwärtiges*, S. 16.
49 Thomas Mann: *Der Zauberberg*, S. 370.
50 Thomas Mann/Heinrich Mann: *Briefwechsel*, S. 116.
51 Katia Mann: *Meine ungeschriebenen Memoiren*, S. 85. Prof. Jessen diagnostizierte zunächst wohl »etwas« mit den Hilus-Lymphdrüsen, ein Röntgenbefund, der sowohl auf eine Tuberkulose als auch auf eine (harmlose) Sarkoidose hinweisen kann.
52 Thomas Mann wohnte aber wohl in der unterhalb des Waldsanatoriums gelegenen Villa am Stein, in der vor ihm auch schon Robert Louis Stevenson und Sir Arthur Conan Doyle (beide waren allerdings lungenkrank) zu Gast gewesen waren. Ken Lindenberg: *Thomas Mann – Davos – der Zauberberg*, S. 5 ff. Er nutzte den Davos-Aufenthalt 1912 für den *Zauberberg*, indem er für das Innere seines Internationalen Sanatoriums Berghof das Waldsanatorium Dr. Jessens, für das Äußere das Valbella als Vorbild verwendete.
53 Katia Mann: *Meine ungeschriebenen Memoiren*, S. 86.
54 Auf Briefpapier Waldsanatorium Professor Jessen Davos-Platz 02. 07. 1912 schrieb sie beispielsweise an Harden: »O, solch ein Tag wie dieser Tag! Ein Graus, eine nasse Hölle! Vom frühen Morgen an liegen die Wolken im Tal; vielmehr wir schweben in den Wolken, und es regnet, regnet, und Himmel, Erde und Luft sind gleichmäßig und eintönig grau. Man geht trotzdem aus, und 2 Röcke und 2 P. Stiefel von mir sind auf unabsehbare Zeiten geliefert, werden nie wieder trocknen. So sitze ich denn in einem abgelegten Kleid von Katja, von unten dringen die Klänge von Wagner-Musik, die Klaus dem Klavier entlockt, zu mir, auf dem Nebenbalkon links nimmt die hübsche lungenkranke Griechin italienische Stunde und auf dem Nebenbalkon rechts hustet der Regierungsrat aus Kassel. Abends unterhalten wir uns mit dem allerliebsten Fräulein aus Hamburg mit dem Blutsturz und dem vollbusigen Fräulein aus Köln mit dem Pneumo-Thorax, und alle machen sie Witze über die schreckliche Krankheit, das Fräulein mit dem Pneumo-Thorax läßt ihn pfeifen und erzählt, der Arzt habe ihr geraten, sie könne sich ja während der Zeit, da sie ihn ›trägt‹, als Orchestrion engagieren lassen(!); und man vergißt zeitweilig ganz und gar, daß man sich im Haus und im Tal der Todgeweihten befindet. Seit 10 Tagen bin ich hier zum Besuch von Katja, und Klaus verbringt seine Ferien, teils zu Katja's Erheiterung, teils aber auch zu der eigenen, dringend notwendigen Erholung hier im Sanatorium. Sie wollten ihm natürlich – wie jeden, der so unvorsichtig ist, sich hier in Davos untersuchen zu lassen – eine Tuberkulose in

die Lunge schwätzen; aber, gottlob, die Röntgenphotographie ergab alsbald den Irrtum, und man mußte ihn, contre coeur, für gesund erklären. Katja fand ich ja sehr gebessert, wettergebräunt und gut aussehend, stärker geworden und munter im Wesen. Auch sei ›der Befund‹ wesentlich zurückgegangen, wenn sie auch leider noch keineswegs ganz ›entgiftet‹ ist. Doch wird sie immerhin Ende September nachhaus gehen; ob geheilt? ich bin skeptisch. Ich bin überhaupt skeptisch gegen Davos, wo sie jeden, der sich einmal in ihre Klauen begeben, mit eisernen Klammern festhalten. Die hübsche Griechin nebenan hat eine Schwester zum Besuch, ein blühendes strammes Frauenzimmer, hat eben maturiert, 20 Jare alt, rennt 8 Stunden am Tag, spielt Tennis, rudert und schwimmt, hat nie ›Temperatur‹, kurz: eine Bärengesundheit. Da sie für einige Wochen herkam, wurde sie gestern untersucht; natürlich: beginnende Tuberkulose, Liegekur, nicht Tennis, nicht gehen, 8 Mal am Tage messen! ja, wer davon nicht krank wird, der muß schon eine Riesenwiderstandskraft haben. Das hübsche, kraftvolle, lebensprudelnde Mädel schaut heute trüb und finster, stiert vor sich hin, und die kranke Schwester ist außer sich. Unter uns, mein Freund: ich halte Davos für einen Schwindel. Selbstverständlich ist es gesund und bekömmlich, täglich 6 Stunden im Freien in der köstlichsten Luft auf einem Liegestuhl zu verbringen, 5 Malzeiten, viel Milch, keine Sorgen und Dienstmädchen in absoluter Ruhe. Es braucht kein weiser Medizinmann vom Himmel zu steigen, um einem das zu sagen. Ich bin überzeugt, wenn Katja in ihrem Tölzer Landhaus one Tommy, one die 4 Bamsen und one dies abscheuliche Dienstbotengezücht 5 Monate so lebte wie hier, wäre sie gerade so weit. Nur daß sie das eben nicht kann. Ende September will sie unter allen Umständen fort, und ich kanns ihr nicht verdenken. Ich könnte die herrlichsten Briefe über meinen Aufenthalt im Sanatorium schreiben; aber ich will dem Schwiegertommy nicht ins Handwerk pfuschen, der ja auch 4 Wochen hier war, und der ja, sozusagen, nur ›Material‹ lebt. Professor Jessen wird sich nächstens sein blaues Wunder erschauen!« Bundesarchiv, Nachlass Maximilian Harden, N 1062/82.

55 Katia Mann: *Meine ungeschriebenen Memoiren*, S. 85.
56 Thomas Mann: *Über mich selbst*, S. 70 f. (Dort steht Karlsbad statt Marienbad und 1912 statt 1911.)
57 Klaus Harpprecht: *Thomas Mann*, S. 355 f.
58 Katia Mann: *Meine ungeschriebenen Memoiren*, S. 76 f.
59 Ebd., S. 80 f.
60 Gilbert Kaplan (Hrsg.): *Das Mahler Album*, S. 51.
61 Katia Mann: *Meine ungeschriebenen Memoiren*, S. 77 f.
62 Thomas Mann/Heinrich Mann: *Briefwechsel*, S. 118.
63 Hans Bürgin (Hrsg.): *Thomas Mann: Schriften und Reden zur Lite-*

ratur, Kunst und Philosophie, Band 1, »Über die Ehe«, Brief an den Grafen Hermann Keyserling, S. 250 ff.

64 Thomas Mann/Heinrich Mann: *Briefwechsel*, S. 118 f.

65 Ebd., S. 120.

66 Das Haus war 1911 eröffnet worden, also in nagelneuem Jugendstil (Linoleumfußböden bedeckt mit Kokosläufern, viel Weiß auf Möbeln und Wänden, aufgelockert durch dekoratives Schmiedeeisen und bunte Schablonenmalerei, Musikzimmer mit Klavier und Grammophon, sehr bequeme Liegestühle, die noch heute dort in Gebrauch sind. Vollpension – die sieben Mahlzeiten einschloss – und ärztliche Behandlung waren für 12 Franken täglich zu haben). Ken Lindenberg: *Thomas Mann – Davos – Der Zauberberg.*

67 Sequenz Dr. med. Chr. Virchow: »Wiedersehen mit dem Zauberberg«, in: *Deutsches Ärzteblatt*, Heft 1 vom 03.01.1970, S. 61 ff. Es handelt sich hier um einen Bericht über einen Besuch Katias am 08.03.1968 in Davos.

68 Julia Mann: *Ich spreche so gern mit meinen Kindern*, S. 214 f.

69 Im unten zitierten Brief Thomas Manns an Ida Boy-Ed war sie am 14. November nach Gardone abgereist. Peter de Mendelssohn schreibt in seiner Mann-Biografie auf Seite 1546 von einer Reise nach Meran, auch bei Klaus Harpprecht (S. 368) findet eine solche Erwähnung.

70 Peter de Mendelssohn (Hrsg.): *Thomas Mann. Briefe an Otto Grautoff 1894–1901 und Ida Boy-Ed 1903–1928*, S. 177.

71 Julia Mann: *Ich spreche so gern mit meinen Kindern*, S. 223.

72 Thomas Mann/Heinrich Mann: *Briefwechsel*, S. 129.

73 Vgl. dazu auch das Nachwort von Inge Jens zu: *Thomas Mann an Ernst Bertram. Briefe aus den Jahren 1910–1955*, S. 293 ff.

74 Ernst Bertram (1884–1957): Germanist, Lyriker, Essayist, während seiner Münchner Zeit dem George-Kreis zugehörig, war seit 1910 einer der engsten Freunde Thomas Manns.
Bruno Frank (1887–1945): Erzähler, Dramatiker, einer der engsten Freunde der Familie Mann seit 1910. Dieser »Brunone« hatte Katia für Trost und Zuspruch zu danken: Während ihres Davos-Aufenthaltes starb im dortigen Hotel Montana die fünfundzwanzigjährige Amerikanerin Emma Ley, Bruno Franks Verlobte. Er heiratete später Liesl Massary, Fritzi Massarys Tochter. Frank, nicht Katia, wie vielleicht zu vermuten wäre, soll die aufregenden Zauberberg-Passagen in französischer Sprache Korrektur gelesen haben. Vgl. Günther Schwarberg: *Es war einmal ein Zauberberg. Thomas Mann in Davos – Eine Spurensuche.*
Kurt Martens (1870–1945): Schriftsteller, Feuilletonredakteur der *Münchner Neuesten Nachrichten*, Bekanntschaft mit Thomas Mann seit 1899, zählte zu dessen engsten Freunden, nach dem Ersten Weltkrieg kam es zur Entfremdung.

Emil Preetorius (1883–1973): Graphiker, Illustrator (u. a. der Vorzugsausgabe von *Herr und Hund*), Bühnenbildner.
Wilhelm Herzog (1884–1960): Schriftsteller, Publizist, enger Freund Heinrich Manns(!), Kritiker Thomas Manns in seiner pazifistischen Zeitschrift *Das Forum*, die aber im Ersten Weltkrieg eingehen würde.

75 Klaus Harpprecht: *Thomas Mann*, S. 368.

1914–1919

1 Meldung in der *Frankfurter Allgemeinen Zeitung* vom 05. 06. 2002, S. 49: »Silber statt Holz. Thomas Manns Bär erhält seinen Teller zurück.« Elisabeth Mann Borgese erinnerte sich daran, dass in ihrer Kindheit der Bär einen Silberteller zwischen den Pfoten getragen habe. 1937 fand eine Versteigerung des Inventars der »Poschi« statt. Im Gedränge fand der Silberteller einen neuen Besitzer, er landete im Atelier eines Malers, und der Bär bekam als Ersatz den hölzernen, den de Mendelssohn kannte. 2002, durch einen Film aufmerksam gemacht, meldete sich die Tochter des Malers und gab den Silberteller an den Bären zurück.

2 Peter de Mendelssohn: *Der Zauberer*, S. 1550 ff.

3 Bruno Walter war der andere der beiden »Brunonen« Katias. Sie duzte sich übrigens mit beiden, Thomas mit Bruno Frank nie, mit Bruno Walter erst nach vierunddreißig Jahren Bekanntschaft.

4 Thomas Mann Tb 17. 11. 1933.

5 Klaus Mann: *Kind dieser Zeit*, S. 22 ff.

6 Erika Mann: *Mein Vater, der Zauberer*, S. 25.

7 Deutschland hatte den »Zustand drohender Kriegsgefahr« am 31. Juli 1914, die Mobilmachung am 1. August 1914 verkündet und zunächst Russland den Krieg erklärt.

8 Wir können uns die Szene auch etwas abgewandelt vorstellen: Das geplante Theaterstück hieß *Die Einbrecher* und die Kriegsnachricht traf während des Mittagessens der Familie ein – die Quellen sind auch hier nicht einheitlich.

9 Klaus Mann: *Kind dieser Zeit*, S. 67 f.

10 Ebd., S. 49 ff.

11 Golo Mann: *Erinnerungen und Gedanken*, S. 39.

12 Klaus Harpprecht: *Thomas Mann*, S. 390.

13 Klaus Mann: *Kind dieser Zeit*, S. 69.

14 Katia Mann: *Meine ungeschriebenen Memoiren*, S. 42 f.

15 Von Katia, Hedwig Pringsheim und Julia Mann sind kritische Äußerungen zum Krieg verbürgt. So entgegnete Julia Mann ihrem Jüngsten, Viktor, der ihr die Kriegsängste ausreden wollte, die Diplomatie sei zu allem fähig.

16 Katia Mann: *Meine ungeschriebenen Memoiren*, S. 43.
17 Peter de Mendelssohn: *Der Zauberer*, S. 1629 ff.
18 Der Text, auch als »Aufruf der 93« bekannt, wurde in zehn Sprachen übersetzt und in Tausenden von Briefen an Vertreter von Wissenschaft und Kunst, Kirche und Politik in den neutralen Ländern geschickt – ohne große Resonanz allerdings.
19 Peter de Mendelssohn: *Der Zauberer*, S. 1629 ff.
20 Heinrich Mann hatte am 12. August 1914 die Prager Schauspielerin Maria (Mimì) Kanóva geheiratet, die er seit einem Jahr kannte. Thomas sollte sein Trauzeuge sein, sagte jedoch brieflich ab – was von den Biografen Harpprecht und de Mendelssohn unterschiedlich bewertet wurde, nämlich als in den Wirrnissen des Kriegsbeginns sachlich und nachvollziehbar begründet oder als Affront. Vielleicht war auch ein Drittes noch von Belang: Heinrich war zu Thomas' und Katias Hochzeit trotz Einladung auch nicht erschienen. Zur Nottrauung seines jüngsten Bruders war Thomas übrigens in diesen Tagen als Trauzeuge verfügbar.
21 Thomas Mann/Heinrich Mann: *Briefwechsel*, S. 134 ff. und Klaus Harpprecht: *Thomas Mann*, S. 434 f.
22 Wedekind war am 9. März nach einer Operation im Alter von 54 Jahren gestorben.
23 Katia Mann: *Meine ungeschriebenen Memoiren*, S. 41.
24 Am 10. Dezember 1917 hatte Thomas Mann die *Betrachtungen* im Wesentlichen abgeschlossen, war dann nach den Feiertagen auf Lesereise nach Straßburg, Essen, Brüssel, Hamburg, Rostock, Lübeck, Berlin und München gegangen und hatte sie am 16. März 1918 nach Ergänzungen und Korrekturen an Fischer geschickt. Wegen Papierknappheit verzögerte sich der Druck, endlich kam am 7. Oktober 1918 ein Telegramm, dass sie nun ausgeliefert würden.
25 Thomas Mann Tb 01. 11. 1918.
26 Peter de Mendelssohn: *Der Zauberer*, S. 1609.
27 Lt. Duden bedeutet naiv: kindlich, unbefangen, treuherzig, arglos; auch: wenig Erfahrung erkennen lassend und entsprechend einfältig, töricht; auch: in vollem Einklang mit der Natur und Wirklichkeit stehend. Lt. Brockhaus bedeutet naiv: ungekünstelt. Golo Mann mag diese Bedeutung vor allem, die anderen aber auch ein wenig im Sinn gehabt haben.
28 Golo Mann: *Erinnerungen und Gedanken*, S. 37.
29 Ebd., S. 48.
30 Hans Reisiger (1884–1968): Erzähler und Übersetzer, lernte Thomas Mann 1911 (lt. Mendelssohn in seiner Mann-Biografie) oder 1913 (lt. Mendelssohns Anmerkungen in den Mann-Tagebüchern) kennen. Thomas Mann »taute auf, sobald Reisiger da war«. Peter de Mendelssohn: *Der Zauberer*, S. 1510 ff. Klaus Mann bezeichnete Reisiger respektlos als seines Vaters Hofnarr.

31 Albert von Schirnding: »Gruppenbild mit Collie«, in: *Süddeutsche Zeitung* vom 27./29. 7. 2001, S. VI.

32 Er entwickelte vier Schriften, darunter 1913 die Antiqua. Im Handsatz und auf der Handpresse wurden ab 1919 bis 1921 in Tölz einzigartige Druckwerke erstellt. Der Bremer Presse, dann in München ansässig, wurde 1922 ein Verlag angegliedert, 1934 stellte sie ihre Arbeit ein. Vermutlich seit 1921 wird das Tölzhaus vom Orden der Armen Schulschwestern genutzt.

33 Gelegentlich heißt es, Katia und Thomas hätten sich währenddessen nach München verzogen, an anderer Stelle ist das nicht nachvollziehbar. Das Grab von Motz ist noch heute durch ein Monumentchen aus Feldsteinen markiert.

34 Allerdings würde es beiden Frauenpersönlichkeiten nicht gerecht, in diesen Treffen Beratungen in Lifestyle-Fragen zu vermuten. Die beiden ehemaligen Kommilitoninnen hatten andere gemeinsame Interessen. In wirtschaftlich und politisch kritischen Zeiten kamen überdies die wichtigsten neuesten Nachrichten regelmäßig von Hedwig Pringsheim zur Familie Mann.

35 »Hübsch und schön« lobte Thomas Mann wiederholt Frauen, deren innere Schönheit der äußeren gleichkam. Rahel in *Joseph und seine Brüder* war dieses Lobes würdig – und Katia ihr Vorbild.

36 Peter de Mendelssohn (Hrsg.): *Thomas Mann. Briefe an Otto Grautoff 1894–1901 und Ida Boy-Ed 1903–1928*, S. 193.

37 Eine Geschichte über die Nachbarschaft am Rande: Mimi Pfitzner, Ehefrau des Komponisten Hans Pfitzner (der 1933 den gegen Thomas Mann gerichteten Protest der Richard-Wagner-Stadt München unterzeichnen würde), schickte Hallgartens einen eingeschriebenen Abschiedsbrief, in dem sie die Freundschaft wegen Constanzes radikal-pazifistischer Auffassung kündigte. Am 15. Juni 1917 waren Pfitzners zu Besuch in der Poschi gewesen. Thomas Mann mochte Hans Pfitzners *Palestrina*, hatte einen Aufsatz darüber geschrieben. Am Besuchstag notierte er Gespräche auf der Gartenterrasse und: »Daß er sich wohl gefühlt hat, bezweifle ich, wiewohl er mindestens fünf Gläser Moselwein trank, auch eine größere Anzahl hausgebackener Kuchenplätzchen zu sich nahm.« Martha Schad: *Frauen gegen Hitler. Schicksale im Nationalsozialismus*, S. 13 ff. und Peter de Mendelssohn: *Der Zauberer*, S. 1803.

38 Thomas Mann Tb 13.04.1919 – oder sollte dieser Hinweis auch mit dem Blick auf seine dann höchstschwangere Katia gemacht worden sein?

39 Thomas Mann Tb 11.09.1918.

40 Karl Smikalla: *Thomas Manns heimliche Liebe zum Tegernsee oder Die Entstehung des Denkmals*, S. 40.

41 Und wir bedauern mit Karl Smikalla, dem Autor des obigen Buches, das 2001 als Privatdruck erschien, dass Katia und Thomas

Mann sich nicht in das Gedenkbuch der Hirschberghütte eingetragen haben.

42 Peter de Mendelssohn: *Der Zauberer,* S. 1758 (»… sie grüßte ihn heiter …«).

43 Brief Hedwig Pringsheim an Maximilian Harden vom 14. 01. 1918. Bundesarchiv. Nachlass Maximilian Harden, N 1062/82.

44 Thomas Mann Tb 09. 04. 1919.

45 Während des Exils in Amerika, am 21. Mai 1945, verbrannte Thomas Mann im Garten seines Hauses in Pacific Palisades Tagebücher aus der Zeit vor 1933. Es gibt Hinweise darauf, dass er dicke Schulhefte mit schwarzem Einband schon in den Jahren vor dem Ersten Weltkrieg täglich mit Notizen füllte. Er vernichtete sie, wie bekannt, mit Ausnahme derer vom 11. September 1918 bis 1. Dezember 1921. Peter de Mendelssohn, in: Thomas Mann: *Tagebücher,* 1918–1921, S. V ff.

46 Thomas Mann Tb 20. 09. 1918.

47 Thomas Mann Tb 29. 09. 1918.

48 Es gab übrigens noch einen weiteren Paten, Günther Herzfeld-Wüsthoff, der allerdings wegen seiner Verwundungen nicht zur Taufe kommen konnte. Am 06. 08. 1918 schrieb Thomas Mann an Ernst Bertram, dass er und Katia den Gedanken gut und schön fänden, dass ein junger Schwerblessierter dieses Krieges der zweite Pate des »Kriegskindchens« sein sollte. Wegen der Darstellung beider Paten im *Gesang vom Kindchen* intervenierte Katia übrigens, sie fand es nicht gut, dass Thomas Mann in Bertrams Charakteristik seine Neigung zu Migräne und die Verletzungen Herzfeld-Wüsthoffs so herausgestrichen hatte, sie meinte, es sei »des Elends überhaupt zu viel. Der eine Pate zum Krüppel geschossen und der andere mit ›periodischer‹ Krankheit behaftet, es sei ja das reine Spital.« »Aber zum Spital habe ich nun mal eine Neigung«, gab Thomas Mann in diesem Brief zu, und »Ich, der ich in solchen Dingen vollkommen gefühllos bin …« erklärte sich bereit, Bertrams Meinung zu seiner Darstellung einzuholen. Thomas Mann an Ernst Bertram: *Briefe aus den Jahren 1910–1955*, S. 72 und 83 f.

49 Thomas Mann Tb 30. 04. 1919.

50 Sequenz Thomas Mann Tb. 06., 07. u. 08. 11. 1918.

51 Jürgen Kolbe: *Heller Zauber. Thomas Mann in München 1894–1933*, S. 299 und Thomas Mann Tb 21. 02. 1919.

52 Jürgen Kolbe: *Heller Zauber. Thomas Mann in München 1894–1933*, S. 295.

53 *Münchner Neueste Nachrichten* vom 14. 12. 1918, wo der bereits am 10. Dezember im Bayerischen Hof gehaltene Vortrag veröffentlicht wurde. Wenigstens einmal ging Thomas Mann mit Hedwig Pringsheim zu einer Veranstaltung des Rats.

54 *Münchner Neueste Nachrichten* vom 12., 13. und 15. 12. 1918. Am 15. wurde in dieser Zeitung der Wahltermin zur Nationalversammlung bekannt gegeben.
55 *Münchner Neueste Nachrichten* vom 11. 12. 1918. Bald darauf meldete das Blatt, dass ein Sturm die schönen Dekorationen zum großen Teil abgeräumt hatte.
56 Übrigens fand für sie das an diesem Tag in Kraft getretene neue Dienstbotenrecht Anwendung, das festlegte, dass die Arbeitszeit nicht vor 6 Uhr beginnen und nicht nach 20 Uhr andauern dürfe, dass 10 Arbeitsstunden täglich nicht dauerhaft überschritten werden sollten und Mehrarbeit ausgeglichen werden müsse. Der Ausgang von 4 Stunden an einem Werktag in der Woche und von 6 Stunden an jedem zweiten Sonn- und Feiertag sowie selbstverständlich Wohnung und Beköstigung entsprechend der Zuteilung waren zudem zu gewähren.
57 Hätte Thomas Mann nicht die bayerische Staatsangehörigkeit gehabt, hätte er nicht wählen können. Das allgemeine Interesse daran war Ende 1918 so groß, dass für die Bearbeitung der Anträge eine Mindestdauer von zwei Wochen angesetzt werden musste – trotz Verdoppelung des damit beschäftigten Personals.
58 Heutige Parteien könnten die DVP um ihre Präsenz in den *Münchner Neuesten Nachrichten* nur beneiden. Als Einzige war sie mit ihrem Wahlaufruf am 10., 11. und 12. Januar – dem Wahltag! – auf der Titelseite.
59 Thomas Mann Tb 02.02.1919.
60 Thomas Mann Tb 06.10.1918.
61 Thomas Mann Tb 11.10.1918.
62 Thomas Mann Tb 12.10.1918.
63 So in Thomas Manns Tagebüchern, bei Harpprecht Kleinshüble.
64 Klaus Mann: *Kind dieser Zeit*, S. 58 ff.
65 Sie wurde freigesprochen.
66 Es war nicht zu eruieren, um welches »Institut« es sich handelt.
67 Julia Mann: *Ich spreche so gern mit meinen Kindern*, S. 262.
68 Thomas Mann Tb 1918–1921, S. 652.
69 Thomas Mann Tb 21.04.1919; hier auch: »Empörter Ausbruch gegen das Mädchen Josefa, das sich unlustig zeigte, die Utensilien der Hebamme in deren Wohnung zurückzubringen, da kein Dienstmann zu bekommen war.«
70 Thomas Mann Tb. 08.05.1919.
71 Sequenz Thomas Mann Tb, Eintragungen April-Mai 1919.
72 Richter (1875–1942) hatte das Villino am 18. März 1919 für 48 000 Mark erworben. Mann kannte Richter seit 1901. Vgl. auch: Dirk Heißerer: »Das Feldafinger Verhältnis«, in: *Frankfurter Allgemeine Zeitung* vom 28.06.2001, S. 9.
73 Der Versuch schlug fehl. Auf dem Höhepunkt der Inflation ent-

nahm Richter das Geld – er hatte es gar nicht gebraucht – seinem Safe und gab Thomas Mann fast wertlose 10 000 Mark zurück

74 Thomas Mann Tb 22.05. 1919.
75 Thomas Mann Tb 06.06. 1919.
76 Thomas Mann Tb 29.06. 1919.
77 Thomas Mann Tb 05.08. 1919.
78 Thomas Mann Tb 11.08. 1919.

1919–1933

1 Golo Mann: *Erinnerungen und Gedanken*, S. 19.
2 Was sicher auch für Thomas zutraf, denn er hatte den Gang zu Prof. Ammann als Buße aufgefasst: »Immerhin beruhigte die Unbequemlichkeit des weiten, sonnig-heißen Weges zu dieser Stunde mein Gewissen.« Thomas Mann Tb 13.08. 1919.
3 Thomas Mann Tagebücher 1918–1921, Eintragungen aus den genannten Monaten.
4 Thomas Manns Tagebucheintragungen zeugen vom Widerwillen gegen diese ganze Aktion, die wohl nötig geworden war, weil man für die im Keller der Poschi installierte Zentralheizung kein Brennmaterial auftreiben konnte.
5 Thomas Mann Tb 24. 12. 1919.
6 Aus einem Sonett von Platen. Thomas Mann liebte dessen Werke.
7 Thomas Mann Tb 18.01. 1920.
8 Thomas Mann Tb 12.03. 1920. Seine Aufmerksamkeit war aber wohl zwischen der Ehefrau und dem Werk geteilt. In der Eintragung fährt er nämlich fort: »Der Zbg. wird das Sinnlichste sein, was ich geschrieben haben werde, aber von kühlem Styl.«
9 Thomas Mann Tb 10.02. 1920. Übrigens vergaß er am nächsten Tag den 15. Hochzeitstag.
10 Wilhelm Emanuel Süskind: »Die Zwillinge aus der Arcisstraße«, in: *Süddeutsche Zeitung* vom 23. Juli 1963, S. 12. Der Schriftsteller Süskind (1901–1970) war bis 1933 eng mit Erika und Klaus Mann befreundet, dann kam es zur Entfremdung, da Süskind Klaus Mann zur Rückkehr nach Deutschland bewegen wollte. Das Zitat stammt aus einem Artikel anlässlich des achtzigsten Geburtstags von Katia Mann und Klaus Pringsheim.
11 Thomas Mann Tb 05.05. 1920.
12 Dennoch wechselte sie in Oberammergau vom Waldhaus in die Pension Böld. Nach Kohlgrub war Katia am 27. Mai 1920 gereist.
13 Und ihr ein Foto von den Mitgliedern des »Laienbundes« (es zeigt »von oben links«, wie auch die Unterschriften auf der Rückseite belegen: Erika Mann, Klaus Mann, Golo Mann, Monika Mann, Richard Hallgarten, Karl Geffcken, Lisbet Geffcken, Willi Süs-

kind) gewidmet. Die Kinder des Malers Walter Geffcken waren auch Bogenhausener Nachbarschaft, Willi der schon erwähnte W. E. Süskind.

14 Thomas Mann Tb 02. 01. 1921.

15 Thomas Mann Tb 06. 06. 1920. Alfred Pringsheim hatte Wagnerstücke für Klavier oder wenige Instrumente bearbeitet.

16 Thomas-Mann-Archiv.

17 Katia Mann an Thomas Mann am 12. 06. 1920 (aus Oberammergau).

18 Hedwig Dohm: *Schicksale einer Seele*, S. 173 f.

19 Zitate dieser Sequenz: Brief Katia an Thomas Mann, Oberammergau, vom 12. 6. 1920. Thomas-Mann-Archiv.

20 Zitate dieser Sequenz: Brief Katia an Thomas Mann, Oberammergau, vom 16. 06. 1920. Thomas-Mann-Archiv.

21 Aus heutiger Sicht hat Thomas Mann wohl recht. Impotenz bedeutet Zeugungsunfähigkeit.

22 Thomas Mann Tb 14. 07. 1920.

23 Brief Katia an Thomas Mann vom 10. 09. 1920, Oberstdorf, Stillachhaus. Thomas-Mann-Archiv. Die Familie von Pidoll (samt ihren vier Söhnen) war mit den Pringsheims in der Arcisstraße eng befreundet. Ob es das Pferd des Diplomaten, des Malers, des Mathematikers, des Komponisten, Dirigenten und Romanschriftstellers war, ist nicht überliefert.

24 So unterzeichnete Katia ja meist ihre Briefe an Thomas Mann, gelegentlich auch mit »Katjulein«.

25 Brief Katia an Thomas Mann vom 2. 10. 1920, Oberstdorf, Stillachhaus. Thomas-Mann-Archiv.

26 Thomas Mann Tb 05. 10. 1920.

27 Thomas Mann Tb 17. 10. 1920.

28 Unter dem 21. Oktober 1920 (das Datum kann so nicht stimmen) verwahrt das Thomas-Mann-Archiv in Zürich eine genaue Handlungsanweisung Katias an Erika. (Der Tagesablauf des Hausmädchens, das jünger als Erika gewesen sein dürfte, erinnert übrigens an die bereits erwähnten jüngst fixierten Arbeitsbedingungen für Hausangestellte und zeigt nebenbei den Tagesablauf in der Poschi einmal nicht aus der Sicht des Schriftstellers, sondern der Hausfrau): »Also Sophie muß sich von der Milchfrau ihre Milchkarten geben lassen von Breit, Wagl, Bertl ihre Käse-, Lebensmittel-, Eier-, Fettkarte holen, ferner … ihre Fleischkarte (ich glaube die liegt unten in der Küchenschublade). Alle diese neuen Karten muß das neue Mädchen mitbringen (wenn sie aus München kommt) sowie einen Abmeldeschein von ihrer Schule. Sie muß zunächst bei unserem Freund dem Polizeikommissar an- und Sophie gleichzeitig abgemeldet werden. (Formular, für Sophie schon ausgefüllt, bekanntlich im Schreibtisch.) Hierauf muß sie *mit* der polizeilichen

Anmeldung und ihrem Abmeldeschein von ihrer vorigen Schule auf der unseren gemeldet werden. … Von 1. Oktober an wird sie ihren Zucker wohl mitbringen, den sie dann unter Abzug von 150 g abgeben muß, eventuell, wenn sie hat, auch Einmalzucker. Daß mir Sophie ihren Einmalzucker bezahlt, die Verfluchte! Dann muß, in einem Kouvert an die Krankenkasse Sophie ab- und die Neue [vermutlich Anna Kratz] angemeldet werden, …, vergiß ja nicht, das Formular auch zu unterschreiben … gebe ich gewöhnlich 10 M weniger an, das rechne ich noch so aufs Abendessen, aber es ist ziemlich gleichgültig. Ferner schreibst Du *volle* Verköstigung, Wohnung etc. Sophie bekommt also ihre Steuerkarte, …, Invalidenkarte (wo Du die fehlenden Marken noch einklebst) mit, das selbe läßt Du Dir von der Neuen einhändigen. Lohn bekommt sie 55 M, Elise u. Muhme [?] 60, Eva 65. Und die Arbeitseinteilung: morgens um 7 soll sie anfangen: Dich frisieren [?], Frühstück bringen, Badewasser bringen. … Schlafzimmer und Spielzimmer, Vorplatz, Treppe abkehren, obere Diele, Kinder, Moni und gnädiges Fräulein Zimmer, *Badezimmer*, die Böden werden abgekehrt und feucht gewischt, ferner Staubwischen, und die Matratzen der Betten täglich umkehren. Um 10, ½ 11 ist sie hiermit meiner Ansicht nach leicht fertig. Die Treppe und Anrichte muß sie ebenfalls zusammenkehren. Hierauf gönnt sie sich eine Frühstückspause. Dann spült sie das Frühstücksgeschirr und nimmt es auf, bürstet die Kleider und *räumt sie gleich* in die Schränke, und näht bis Mittag und macht sich sonst nützlich. Nach Tisch spült sie mit der Eva zusammen ab, dann wieder Nähen und Bügeln, Gänge machen etc. *Eure Stiefel* soll sie regelmäßig vor dem Abendessen putzen, ihr müsst sie aber auch rechtzeitig ausziehen und mit den wollenen Kleidern abwechseln, damit sie sie in Stand halten kann. Nach dem Abendbrot hilft sie wieder der Eva spülen. Freitag muß sie regelmäßig Kinderwäsche waschen, die sie Montag bügelt. (Küchenwäsche alle vierzehn Tage), Samstag *gründlich* rein machen. Ermahne sie nur gleich zu *größter Sparsamkeit* mit Licht und Gas, sorgfältigem Schließen der Türen (vor allem *Hintertreppe* und Garten) und sorgfältiger Behandlung der Putzlumpen, die sie auch flicken muß …«.

29 Brief Katia an Thomas Mann – ohne Ort und Datum, aber mit Umschlag adressiert an: Herrn Doctor Thomas Mann, Aarau (Schweiz), Literarische und Lesegesellschaft … Thomas-Mann-Archiv. Der Thomas Mann-Biograf Donald A. Prater vermutete hinter solchen Zornesausbrüchen einen Versuch, seine Gefühle dem Sohn gegenüber zu kompensieren. Thomas Mann fand in diesen Jahren aber auch seine Tochter Erika höchst attraktiv, ohne solche Reaktionen. Vielleicht sollte man hinter all dem nur vermuten, dass der Sohn ihn schlicht und ergreifend auf die Palme gebracht hatte.

30 Damals war er auf einer »rheinisch-westfälischen Reise«, in Mülheim, Duisburg, Bochum, Dortmund, Elberfeld und Barmen, Düsseldorf, Lüdenscheid, Essen, Bonn, Köln, Wiesbaden. Auch von dieser Reise sind Briefe Katias an Thomas Mann erhalten. Thomas-Mann-Archiv.
31 Thomas Mann Tb 29. 12. 1920.
32 Ida Marie Elsbeth Rosenberg (1856–1922), Hedwig Pringsheims Schwester.
33 Sequenz Briefe Katia Mann an Thomas Mann Januar/Februar 1921. Thomas-Mann-Archiv.
34 Sequenz Briefe Katia Mann an Thomas Mann November 1920 und Januar/Februar 1921. Thomas-Mann-Archiv.
35 Thomas Mann Tb 23. 03. 1921.
36 Thomas Mann Tb 14. 03. 1921.
37 Thomas Mann Tb 04. 04. 1921.
38 Katia Mann: *Meine ungeschriebenen Memoiren*, 63f. Hier stellt sie zudem klar: »Es hängt nicht mit seinen Zaubereien im Arbeitszimmer oder dem *Zauberberg* zusammen.«
39 Thomas Mann Tb 09. u. 11. 04. 1921.
40 Thomas Mann Tb 02. 05. 1921.
41 Thomas Mann Tb 25. 05. 1921 u. 26. 06. 1921.
42 Thomas Mann Tb 08. 05. 1921.
43 Thomas Mann Tb 13. 05. 1921.
44 Thomas Mann Tb 12. 10. 1921.
45 Thomas Mann Tb 25. 07. 1921.
46 Thomas Mann Tb 01. 12. 1921.
So endet die letzte erhaltene Tagebuchnotiz vor einer Lücke, die bis zum 14. März 1933 reicht.
47 Wie Anfang 1922 Prag, Brünn, Wien und Budapest mit Katia. In Wien hatte ein Hoteldieb Thomas Manns Uhr, Perlknöpfe und Ledersachen mitgehen lassen, Katias Schmuck aber nicht, er war wohl gestört worden.
48 Thomas Mann: *Über mich selbst*, S. 223 ff.
49 Thomas Mann: *Tagebücher 1918–1921*, Anmerkung S. 797.
50 Lion Feuchtwangers Vetter.
51 Thomas Mann: *Tagebücher 1918–1921*.
52 »Schade, dass aus den ›Spes‹ … nichts geworden ist«, lautete der Eintrag am 23. Juli 1925. Der Kontakt war also geblieben, aus der Nachbarschaft aber nichts geworden. Beide Gästebucheintragungen: Dokumente Thomas-Mann-Archiv.
53 Klaus Mann: *Kind dieser Zeit*, S. 99 f.
54 Dokumente Thomas-Mann-Archiv.
55 Monika hatte, nach ihren Erinnerungen, in der Höheren Töchterschule nicht reüssiert, sie sei aufsässig und faul gewesen, habe geschwänzt und mit ihrem Geschichtslehrer »die Grenze des

Statthaften überschritten«. Klaus Harpprecht: *Thomas Mann*, S. 562 ff.

56 Brief Marina Ewald an Paul Geheeb, o. D. Archiv Schule Schloss Salem.

57 In *Kind dieser Zeit*, S. 160, schrieb Klaus Mann von der »Bergschule« Hochwaldhausen. Im Bericht über einen Besuch von Landerziehungsheimen, der im Sommer 1920 stattgefunden hatte, nannte der Verfasser Erich Kummerow sie »Dürerschule«.

58 Hermann Kurzke erklärt, warum ein weiteres Institut der Reformpädagogik nicht in Frage kam: die Freie Schulgemeinde Wickersdorf, deren Gründer Gustav Wyneken sich dazu bekannte, edle Knaben leidenschaftlich zu lieben. Kurzke: *Thomas Mann*, S. 374.

59 Was Erikas Auftreten eine gewisse »Reife« gab und zusammen mit anderen Vorzügen einen Lehrer dazu brachte, ihr vor der Klasse Avancen zu machen. Marianne Krüll: *Im Netz der Zauberer*, S. 300.

60 Brief Katia an Erika Mann vom 10. 06. 1922. Thomas-Mann-Archiv.

61 Das intelligente Geschwisterpaar sah sofort die Schwachstellen. Erich Kummerow stellte in seinem *Bericht über einen Besuch von Landerziehungsheimen (1920)* (hrsg. von Dietmar Haubfleisch) seinerzeit schon fest, dass Theorie und Praxis sich in den Heimen nicht deckten.

62 Klaus Mann: *Kind dieser Zeit*, S. 190.

63 Brief Thomas Mann an Paul Geheeb vom 08. 03. 1923. Odenwaldschule-Archiv.

64 Brief Katia Mann an Paul Geheeb vom 14. 03. 1923. Odenwaldschule-Archiv.

65 Brief Thomas Mann an Paul Geheeb vom 20. 06. 1923. Odenwaldschule-Archiv.

66 Klaus Mann: *Kind dieser Zeit*, S. 188.

67 Ebd., S. 201 ff.

68 Thomas Mann/Heinrich Mann: *Briefwechsel*, S. 396, und *Thomas Mann an Ernst Bertram. Briefe aus den Jahren 1910–1955*, S. 107.

69 Im Oktober 1924 schrieb sie von dort aus an Erika, sie würde ja nun immer putzsüchtiger werden, was wohl mit ihrem Alter zusammenhänge. Sie habe sich einen Gummigürtel gekauft, in dem sie, wie Pielein sage, verdächtig krank aussehe. Thomas-Mann-Archiv.

70 Thomas Mann schrieb den Text 1930, während eines Urlaubs in Nidden. Er fängt die Stimmung ein, die dem heraufziehenden Faschismus in Europa so förderlich war. Vgl. auch Klaus Harpprecht: *Thomas Mann*, S. 636.

71 Anfang 1925 hatte es Ärger gegeben wegen einer Skizze in Klaus' Erzählband *Vor dem Leben*, die Geheeb als gemeine Verleumdung empfand, was er den Eltern auch mitteilte.

72 Klaus Mann: *Kind dieser Zeit*, S. 211.
73 Irmela von der Lühe: *Erika Mann*, S. 372.
74 Im März 1925 folgte ein Engagement an den Bremer Bühnen, am 22. 10. 1925 stand Erika in *Anja und Esther* von Klaus Mann mit dem Bruder, Pamela Wedekind und Gustaf Gründgens in Hamburg auf der Bühne. Später schrieb auch sie: ab 1929 vor allem Artikel für die Berliner Zeitschrift *Tempo*, aber auch Reise- und Kinderbücher.
75 Katia konnte sich freuen über: eine Weißgoldarmbanduhr, eine Handtasche, gefütterte Handschuhe, Murano-Vasen und eine Taschenlampe zum Beleuchten der Kleinen nachts in ihren Betten, ohne sie zu wecken.
76 Beide Paare spielten zusammen Theater: Klaus Manns Stücke *Anja und Esther* und *Revue zu Vieren* waren ihnen auf den Leib geschrieben und führten zu Skandalen.
77 Klaus Harpprecht: *Thomas Mann*, S. 586 f.
78 Katia Mann: *Meine ungeschriebenen Memoiren*, S. 65.
79 Noch nicht! Ihre neue Schwägerin – Heinrich, der sich 1928 trennte und 1930 scheiden ließ, heiratete 1939 Nelly (also zehn Jahre, nachdem er sie in Berlin, seinem Wohnort seit 1928, kennen gelernt hatte) – würde ihr später Probleme machen.
80 Schon während ihrer unglücklichen Ehe mit dem Bankier Josef Löhr, aus der drei Töchter hervorgingen, hatte Lula Drogen genommen. Nach dem Tod Löhrs war sie ihren Mann, vor dem es sie ekelte, zwar los und konnte sich den »gutaussehenden Herren des gehobenen Mittelstandes« widmen, für die sie eine Schwäche hatte, geriet aber in wirtschaftliche Schwierigkeiten. »Einerseits die forcierte Feinheit, andererseits die Gier nach Morphium und Umarmung. Das war zuviel, sie unterlag, griff zum erlösenden Stricke.« Hans Wisskirchen: *Die Familie Mann*, S. 44.
81 Brief an Bertram. Klaus Harpprecht: *Thomas Mann*, S. 524.
82 Mann wollte Bertram immer noch als Freund betrachten, trotz seiner Verstimmung wegen des von jenem abgelehnten Rufes an die Münchner Universität, dessen Zustandekommen er unterstützt hatte. Doch es würden andere, gewichtigere Belastungen für das Verhältnis der beiden zueinander kommen.
83 Hier erinnerte Thomas Mann sich eines früheren Aufenthaltes in Paris, der seinen Biografen heute noch Rätsel aufgibt.
84 Brief Katia an Thomas Mann aus Arosa, Waldsanatorium, vom 01. 06. 1926. Thomas-Mann-Archiv.
85 Es ist unklar, wen sie damit meinte.
86 Brief Katia an Thomas Mann aus Arosa, Waldsanatorium, vom 08. 06. 1926. Thomas-Mann-Archiv. (»Übersetze« könnte Hinweis auf die Übersetzung von *Vanity Fair* sein.)

87 Brief Katia (aus der Poschi) an Thomas Mann (vermutlich in Berlin) vom 27. 10. 1926. Thomas-Mann-Archiv.

88 Im Sommer 1926 waren sie ja privat in Forte dei Marmi. Auch 1927 waren es Erholungsreisen, die beide gemeinsam unternahmen: im Januar beispielsweise eine Woche Ettal (nicht das erste und letzte Mal), im August nach Kampen auf Sylt, ins so genannte Haus Kliffende. 1928 fuhren Katia (am Steuer?) und Thomas mit dem Auto durch die Schweiz und Südfrankreich. 1929 waren sie unter anderem in Gastein, wo Thomas sich über den »Badepöbel« aufregte.

89 Wilhelm von Humboldt an seine Frau Karolin, zitiert nach: *»Alles ist weglos«. Thomas Mann in Nidden*, S. 13.

90 Ebd., S. 27. (Hans Reisiger in einem Bericht von einem Abend am Meer, der fortfährt: »Und dann sagte Katia leise, in ihrer ganz unfeierlichen Art ›Da kann man ja eigentlich nur Hosianna rufen.‹«).

91 Was aber den Schriftsteller kaum beeindruckte, da er der Malerei fern stand. Da waren E. T. A. Hoffmanns »Majorat«, das im Nachbarort Rossitten angesiedelt ist – wohin Thomas Mann den einzig bekannten Ausflug von Nidden aus machte – oder Turgenjews Beschreibungen der Gegend schon eher von Bedeutung.

92 Brief Katia Mann an Leonas Stepanauskas vom 18. 01. 1964, zitiert nach *»Alles ist weglos«. Thomas Mann in Nidden*, S. 43.

93 Ebd., S. 47.

94 Ebd.

95 Ebd., S. 65

96 »Was den Briten ihre Windsors, das sind den Deutschen, jedenfalls den Intellektuellen, die Manns.« Marcel Reich-Ranicki: »Die Familie des Zauberers«, in: Thomas Sprecher u. Fritz Gutbrodt: *Die Familie Mann in Kilchberg*, S. 201.

97 Nach Salem (1923–1927) studierte Golo in Berkeley, Paris und vor allem Heidelberg (Promotion bei Jaspers) Geschichte und Philosophie, Staatsexamen machte er in Göttingen.

98 Hedwig Pringsheim hatte es eine »Kateridee« genannt, dort ein Sommerhaus zu bauen. *»Alles ist weglos«. Thomas Mann in Nidden*, S. 83 und generell zu Nidden: »Mein Sommerhaus«, in: Thomas Mann: *Über mich selbst*, S. 389 ff.

99 Briefe Katia an Thomas Mann vom 11. u. 14. 07. 1932. Thomas-Mann-Archiv.

100 Katia Mann, *Meine ungeschriebenen Memoiren*, S. 51.

101 Klaus Harpprecht: *Thomas Mann*, S. 542.

102 Katia und Thomas waren im Oktober 1923 ebenfalls dort gewesen.

103 Katia Mann: *Meine ungeschriebenen Memoiren*, S. 49 ff. und Klaus Harpprecht: *Thomas Mann*, S. 541 f.

104 Klaus Harpprecht: *Thomas Mann*, S. 627.

Zeitzeugin ist hier die Schwester Klaus Heusers, die Katia und Thomas 1927 auf Sylt beobachten konnte und auch feststellte: »Sie und Thomas, jeder auf seine Art dominierend, ergänzten sich offensichtlich sehr. Sie schienen aufeinander eingespielt. Wie ein Bühnenstück. Das funktionierte.«

105 Katia Mann: *Meine ungeschriebenen Memoiren*, S. 69 f.

106 Golo, der sich vom Preisgeld etwas wünschen durfte, entschied sich übrigens ebenfalls für ein Grammophon.

107 Klaus Harpprecht: *Thomas Mann*, S. 659 und Katia Mann: *Meine ungeschriebenen Memoiren*, S. 70.

108 Zu Thomas Manns Kairoreise siehe Klaus Harpprecht: *Thomas Mann*, S. 553 f.

109 Brief Katia an Erika Mann vom 21.03. 1925. Thomas-Mann-Archiv.

110 Brief Katia Mann an Erika Mann o. D. Thomas-Mann-Archiv.

111 Brief Katia Mann an Erika Mann vom 16.04. 1925. Thomas-Mann-Archiv.

112 Klaus Harpprecht: *Thomas Mann*, S. 661 f. und S. 553 f. Vgl. auch Katia Mann: *Meine ungeschriebenen Memoiren*, S. 70 f. und *Thomas Mann an Ernst Bertram. Briefe aus den Jahren 1910–1955*, S. 168.

113 Brief Katia an Thomas Mann, Cairo, Hotel Semiramis – mit passendem Umschlag, auf dessen Klappe mit Rotstift steht: »Manuskript habe ich *mitgenommen*«, o. D. Thomas-Mann-Archiv.

114 So sah er es selbst. Thomas Mann: *Über mich selbst*, S. 418 ff.

115 Thomas Mann: *Briefe I*, S. 247.

116 Hermann Kurzke: *Thomas Mann*, S. 368.

117 Gert Heine und Paul Schommer (Hrsg.): *herzlich zugeeignet. Widmungen von Thomas Mann 1887–1955*, S. 72. Wobei Schwester in Werken Thomas Manns eine durchaus unübliche Bedeutung haben kann!

118 Katia Mann: *Meine ungeschriebenen Memoiren*, S. 70.

119 *»Alles ist weglos«. Thomas Mann in Nidden*, S. 99. Im Jahr zuvor war in der Nähe ein Trainingslager für junge Männer entstanden, die durch hakenkreuzverzierte Hemden, Sweater, Badehosen auffielen. Was Thomas Mann davon hielt, ist seiner Rede vor Studenten an der Münchner Universität zu entnehmen: Ein niederschlagendes Schauspiel sei es, wenn junge Körper greisenhafte Ideen trügen und den schönen Schwung ihrer Seele daran verschwendeten. 1933 würden Werke Thomas Manns der Bücherverbrennung zum Opfer fallen.

120 Klaus Harpprecht: *Thomas Mann*, S. 697.

121 Übrigens hatte Alfred Knopf 1921 Fischer die Übersetzungsrechte für die *Buddenbrooks* abgekauft. Helene Lowe-Porter würde 1924 die Arbeit an der Übersetzung abgeschlossen haben.

122 Katia Mann: *Meine ungeschriebenen Memoiren*, S. 46.
123 Donald A. Prater: *Thomas Mann*, S. 261.
124 Die Schweizer Fabrikantentochter, eine in ihrer knabenhaften Eleganz wunderschöne junge Frau, war in »verzweiflungsvoller, unglücklicher Liebe« an Erika gebunden. Irmela von der Lühe: *Erika Mann*, S. 82 f.
125 Vgl. hierzu Hiltrud Häntzschel: »›Pazifistische Friedenshyänen?‹ Die Friedensbewegung von Münchner Frauen ... und die Familie Mann«, in: *Jahrbuch der deutschen Schiller-Gesellschaft* XXXVI, 1992, S. 307–332.
126 Donald A. Prater: *Thomas Mann*, S. 265.
127 Ebd., S. 272.
128 Und die Katia und Thomas Mann daran hinderte, am 13. März zur Wahl zu gehen. Diese Wahl musste wiederholt werden, und Hindenburg gewann sie mit 19 Millionen Stimmen (Hitler hatte 13 Millionen bekommen).
129 Klaus Harpprecht: *Thomas Mann*, S. 709 f. Der Vortrag war unter dem Titel »Leiden und Größe Richard Wagners« gehalten worden.
130 Was der Vater verdrängt. Ebd., S. 710.
131 Kerstin Holzer: *Elisabeth Mann Borgese*, S. 57 f. Noch in München hatte Katia Mann auch eine Wahlveranstaltung Hitlers besucht.
132 Thomas Mann vermutlich nicht, auch nicht zur ersten Vorstellung des zweiten Programms, zu der auch Klaus aus Berlin angereist war.
133 Irmela von der Lühe: *Erika Mann*, S. 104 f.

1933–1938

1 Thomas Mann Tb 15. 03. 1933. Elisabeth und zeitweise Erika (nachdem sie mit Therese Giehse in München die Situation erkundet hatte) waren auch in Arosa. Hans Reisiger lebte damals in einem Gasthof in Seefeld. Thomas Mann kannte Franz Werfel von der Preußischen Akademie der Künste her, deren Mitgliedschaft er noch im März 1933 kündigte.
2 Es gehörte Hanna Kiel, einer Freundin Erikas und Klaus'.
3 Thomas Mann Tb 18. 03. 1933.
4 Thomas Mann Tb 27. 03. 1933.
5 Thomas Mann Tb 06. 04. 1933.
6 Laut Thomas Mann Tb 30. 04. 1933 in Rohrschach-Hafen im Hotel Anker mit dem »kleinen Juden Tennenbaum«.
7 Thomas Mann Tb 26. 04. 1933.
8 Thomas Mann Tb 27. 03. 1933.
9 Thomas Mann Tb 21. 03. 1933.

10 Thomas Mann Tb 28.04.1933.
11 Thomas Mann Tb 27.03.1933.
12 Thomas Mann Tb 05.05.1933.
13 Hermann Kurzke: *Thomas Mann*, S. 397.
14 Nach einer heute als wahrscheinlicher angesehenen Version (die allerdings Katia und Thomas Mann unbekannt geblieben war) hatte der Lindauer Grenzbeamte Neeb den schwarzen Koffer geöffnet, die obenauf liegenden Verlagsverträge entnommen, ans Münchner Finanzamt zur Kenntnisnahme geschickt und, als sie wieder in Lindau eingetroffen waren, zurückgelegt, den Koffer verschlossen und zurückgegeben. Vgl. auch Klaus Harpprecht: *Thomas Mann*, S. 742 ff., Hermann Kurzke: *Thomas Mann*, S. 396, oder Jürgen Kolbe: *Heller Zauber*, S. 414 f.
15 Thomas Mann Tb 30.04.1933.
16 Thomas Mann Tb 21.04.1933.
17 Ilse Dernburg und Käte Rosenberg waren Töchter Else Rosenbergs, der Schwester Hedwig Pringsheims, beide würden 1939 nach England emigrieren.
18 Golo Mann: *Erinnerungen und Gedanken*, S. 541.
19 Thomas Mann Tb 28.05.1933.
20 Thomas Mann Tb 31.05.1933.
21 »Beständiger, herzlich unruhiger Blick auf K's Aussehen und die Spuren der Sorge und Aufregung, die sich, nicht überraschender, aber ergreifender Weise darin abzeichnen«, so Thomas Mann in seinem Tagebuch vom 20.07.1933.
22 Fritz Landshoff, ein Freund Klaus Manns, war gerade Leiter der deutschen Abteilung des Querido-Verlags in Amsterdam geworden und versuchte, Thomas Mann als Autor zu gewinnen.
23 René Schickele: *Tagebücher*, 3. Bd.
24 Brief Klaus Mann an Katia Mann vom 06. u. 12.04.1933, 44, rue Jacob, Paris. Monacensia.
25 Eine sehr bedenkenswerte Formulierung, deren Urheber René Schickele war!
26 Eine Anspielung auf eine Weihnachtsgabe für Gustaf Gründgens, den vorübergehenden Schwiegersohn?
27 Brief Klaus Mann (Grand Hotel Zandvoort) an Katia Mann am 19.07.1933. Monacensia.
28 Brief Katia Mann an Erika Mann vom 17.01.1925. Thomas-Mann-Archiv.
29 Brief Katia Mann an Erika Mann vom 28.11.1924. Thomas-Mann-Archiv.
30 Gott sei Dank.
31 Brief Katia Mann an Erika Mann vom 08.12.1924. Thomas-Mann-Archiv. Nicht sicher ist, ob der Juror Thomas Mann anlässlich einer Preisaufgabe, die von der Nietzsche-Gesellschaft Mün-

chen im April 1927 ausgeschrieben wurde, auch Katias Hilfe in Anspruch nahm.

32 Thomas Mann Tb 30.07. 1933.
33 Thomas Mann Tb 30.06. 1933.
34 Thomas Mann Tb 04.07. 1933.
35 Schickeles waren 1932 aus Badenweiler emigriert.
36 Brief Erika Mann an Katia Mann vom 15.08. 1933. Monacensia.
37 Thomas Mann Tb 25.08. 1933.
38 Deutschland wollte den Schriftsteller Thomas Mann ja ebenfalls entfernen: Bei den zwischen dem 13. April und dem 19. November 1933 stattfindenden Bücherverbrennungen warf man bekanntlich auch seine Werke ins Feuer.
39 Brief Erika Mann an Katia Mann vom 11.09. 1933.
40 Thomas Mann Tb 11.0 9. 1933.
41 Zu einer dieser Bücherverbrennungen war Ernst Bertram geladen, der die Aktion im Allgemeinen befürwortete, im Speziellen (d. h., wenn es um Bücher Thomas Manns ging) aber große Probleme beim Zuschauen hatte.
42 Armin Strohmeyr: *Klaus Mann*, S. 75.
43 Thomas Mann Tb 16.09. 1933. Unter anderem würden Bertrams antijüdische Gefühle Katias Mann zunehmend zu schaffen machen. Brief Thomas Mann an Werner Schmitz in: *Thomas Mann an Ernst Bertram*, S. 197.
44 Thomas Mann Tb 15.09. 1933.
45 Friedhelm Kröll: *Die Archivarin des Zauberers*, S. 114 f.
46 Brief Katia Mann an Ida Herz vom 27.04. 1933 (aus Lugano). Thomas-Mann-Archiv.
47 Brief Katia Mann an Ida Herz vom 06.05. 1932. Thomas-Mann-Archiv.
48 Thomas Mann Tb 27.09. 1933.
49 Thomas Mann Tb 25.11. 1933.
50 Thomas Mann Tb 09.08. 1935.
Es gab sogar noch einen dritten Hund namens Musch. Bill, der Kinder biss, wurde am 10. September 1935 wieder abgeschafft.
51 Thomas Mann Tb 11.08. 1936.
52 Thomas Mann Tb 12.04. 1934.
53 Brief Katia Mann an Erika Mann vom 20.04. 1925 (»… kann es wirklich schon sehr hübsch«). Thomas-Mann-Archiv.
54 Allerdings hätten ihm die anderen Professoren gratuliert. Siehe auch Thomas Sprecher: *Thomas Mann in Zürich*, S. 44.
55 Das erste Heft erschien im September 1937.
56 Briefe Erika Mann an Katia Mann. Monacensia.
57 Briefe Katia Mann an Klaus Mann vom 13.04., 28.05., 04. u. 12.06. 1937, 16.05. 1938. Monacensia.
58 Thomas Mann Tb 22.11. 1935.

59 Thomas Mann Tb 15. 04. 1936.
60 Thomas Mann Tb 17. 12 . 1936.
61 Thomas Mann Tb 28. u. 29. 11. 1936.
62 Thomas Mann Tb 24. 12 . 1936.
63 Thomas Mann Tb 09. 03. 1937.
64 Thomas Mann Tb 10. 03. 1937.
65 Thomas Mann Tb 17. 11 . 1933.
66 Thomas Mann Tb 2[2]. 12 . 1933.
67 Thomas Mann Tb 24. 01. 1934.
68 Heinrich Breloer: *Unterwegs zur Familie Mann*, S. 384.
69 Thomas Mann Tb 03. 01. 1934.
70 Thomas Mann Tb 27. 02. 1934.
71 Thomas Mann Tb 18. 05. 1934.
72 Brief Katia Mann an Klaus Mann vom 26. 05. 1934. Monacensia.
73 Thomas Mann Tb 05. 08. 1934.
74 Thomas Mann Tb 20. 10 . 1934.
75 Thomas Mann Tb 21. 06. 1935.
76 Thomas Mann Tb 06. 07. 1935.
77 Thomas Mann Tb 25. 06. 1935.
78 Noch heute führt der amerikanische Präsident – via Internet allerdings – die Gemälde vor, die in seinem Büro hängen.
79 Thomas Mann Tb 29. 06. 1935. Am 13. und 14. Januar 1941 würden Katia und Thomas Mann einer zweiten Einladung (mit Übernachtung!) ins Weiße Haus folgen.
80 Thomas Mann Tb 19. u. 20. 02. 1938.
81 Thomas Mann Tb 05. 03. 1938.
82 Viel hatte Ida Herz in den letzten Jahren durchgemacht: Gefängnis, Flucht in die Schweiz, wo sie zunächst beim Mann-Freund und Verleger Emil Oprecht in Zürich, dann in Genf Arbeit fand, 1938 übersiedelte sie nach London.
83 Und übrigens eine weitere eindrucksvolle Dame: Dorothy Thompson, Herz-Jahrgang, eine der prominentesten Journalistinnen ihrer Zeit in Deutschland und den USA, in zweiter Ehe mit dem Literatur-Nobelpreisträger von 1930, Sinclair Lewis, verheiratet – und mit Katia kaum zu vergleichen.
84 Thomas Mann Tb 09. 05. 1938.
Dinnergast war zudem Helen Lowe-Porter. Die Übersetzerin der Werke Thomas Manns war 1937 mit ihrem Mann, der seinen Lehrstuhl in Oxford aufgab und einem Ruf nach Princeton folgte, von England nach Amerika übergesiedelt. Auch sie konnte den Manns künftig nützlich sein.
85 Thomas Mann Tb 24. 05. 1938.
86 Thomas Mann Tb 27. 06. 1938.
87 Michael Mann war am 28. Mai 1938 von Jamestown abgereist, um sich am 1. Juni nach Europa einzuschiffen. Während des dies-

jährigen Europaaufenthalts besuchte Katia ohne Thomas Mann die Eltern Gret Mosers und suchte einen Notar auf, um zu klären, wie für den Neunzehnjährigen eine Heiratsgenehmigung zu bekommen sei. Parallel dazu ließ sie Ida Herz in dieser Angelegenheit tätig werden. Im Brief vom 3. August 1938 bat Katia die nun in London lebende Herz, die Möglichkeit einer englischen Heirat zu prüfen, und machte Angaben zum Bräutigam (Tscheche, unmündig, mit Pass, Geburtsschein, Leumundszeugnis, Einverständniserklärung der Eltern, kein Militärdienst) und zur Braut (Schweizerin, mündig, im Besitz aller erforderlichen Papiere) und mahnte: Größte Diskretion ist zwingend. Thomas-Mann-Archiv.

88 Thomas Sprecher: *Thomas Mann in Zürich*, S. 199.
89 Irmela von der Lühe: *Erika Mann*, S. 159.
90 Siebenundzwanzig waren es im Deutschen Reich noch 1937 gewesen, bis Ende 1938 waren alle geschlossen worden.
91 Klaus Harpprecht: *Thomas Mann*, S. 873 ff.
92 Schwarzschilds Aussage, die deutsche Literatur sei nahezu komplett ins Ausland abgewandert, konterte Korrodi mit der Bemerkung, dieser verwechsle wohl die deutsche Literatur mit der jüdischen. Hermann Kurzke: *Thomas Mann*, S. 414.
93 Thomas Mann Tb 31.01.1936.
94 Thomas Sprecher: *Thomas Mann in Zürich*, S. 178 ff.
95 Thomas Mann Tb 03.10.1934: Auf Thomas Manns Wunsch wurde der Wagen zur Durchfahrt durch den Gotthard-Tunnel (es ging nach Lugano) auf einen Zug verfrachtet, »obgleich K. nicht übel Lust hatte, über den Paß zu fahren«.
96 Thomas Sprecher: *Thomas Mann in Zürich*, S. 53 f.
97 Thomas Mann Tb 13.03.1936. Auch später in Kalifornien würden sie nicht weit voneinander entfernt wohnen.
98 Weihnachten 1936 verbrachten sie im Hotel Bedford in New York.
99 Auch Alma Mahler-Werfel war einmal mehr zu helfen bereit gewesen. Nachdem sie den Manns im Frühjahr 1933 fürs Erste ein Haus in Venedig angeboten hatte (Thomas Mann Tb 23.03.1933), tat sie sich weiter um und telegrafierte am 5. März 1936: »Einbürgerung in Österreich gesichert«. Thomas Mann Tb 05.03.1936.
100 Thomas Mann Tb S. 622 f.
101 Irmela von der Lühe: *Erika Mann*, S. 143 ff.
102 Brief Erika Mann an Katia Mann vom 18.05.1936. Monacensia.
103 Brief Erika Mann an Katia Mann vom 12.03.1935. Monacensia.
104 Brief Katia Mann an Erika Mann vom 08.03.1925. Monacensia.
105 Thomas Mann Tb 14.09.1938.
106 Brief Katia Mann an Ida Herz am 25.09.1938, New York, 118 East 40th Street, The Bedford (auf Hotelpapier). Thomas-Mann-Archiv.

107 Katia Mann: *Meine ungeschriebenen Memoiren*, S. 106.
108 Thomas Mann Tb 30. 09. 1938.
109 Thomas Mann Tb 07. 10 . 1938.

1938 – 1945

1 Thomas Mann Tb 26. 10. 1938.
2 Moni war bei ihrem Verlobten.
3 Hedda Korsch war die Ehefrau des marxistischen Philologen Karl Korsch.
4 Hans Jaffé, Physiker, war Golos Freund seit Salem. Der Sohn Edgar und Else Jaffés geborene von Richthofen (einer der beiden Richthofen-Schwestern) war 1935 nach Amerika emigriert. Siehe auch Kirsten Jüngling, Brigitte Roßbeck: *Frieda von Richthofen.*
5 Thomas Mann Tb 19. 02. 1939.
6 Die beiden hatten zunächst gemeinsam drei Monate in Mexiko verbracht, wo Borgese ein Forschungssemester hatte. Die Reise war von Thomas Mann autorisiert. Kerstin Holzer: *Elisabeth Mann Borgese*, S. 98 – 104.
7 Laut Harpprecht: *Thomas Mann*, S. 1067, hatte die standesamtliche Trauung im Januar stattgefunden.
8 Thomas Mann Tb 12. 04. 1939.
9 Sequenz Thomas Mann Tb 13. 04., 16. 04. u. 13. 05. 1939.
10 Thomas Mann Tb 28. 04. u. 18. 05. 1939 – nach Harvard, Yale und Columbia: Rutgers und Princeton. Noch im Mai 1939 kam Geneva dazu.
11 Thomas Mann Tb 28. 05. 1939.
12 Hans Wysling und Yvonne Schmidlin: *Thomas Mann*, S. 348.
13 Thomas Mann Tb 19. 08. 1939.
14 Brief Katia Mann an Klaus Mann vom 22. 08. 1939.
15 Die dreiunddreißigjährige Grete Walter hatte sich von ihrem Mann, einem deutschen Filmproduzenten, bereits getrennt und lebte bei ihren Eltern.
16 Thomas Mann Tb 25. 08. 1939.
17 Sequenz Thomas Mann Tb 12. u. 13. 09. 1939.
18 Thomas Mann Tb 24. 12. 1939.
19 Gert Heine und Paul Schommer: *herzlich zugeeignet*, S. 112.
20 Thomas Mann Tb 24. u. 25. 03. 1940.
21 Thomas Mann Tb 22. 05. 1940.
22 Ausdruck der Familie Mann, bedeutet etwa: abholen und nach Hause bringen.
23 Thomas Mann Tb 06. 01. 1940.
24 Eintrag Katia Manns in ein Gästebuch am 23. 07. 1925.
25 Thomas Mann Tb 09. 08. 1940.

26 Brief Katia Mann an Thomas Mann (Datum schlecht lesbar, laut Thomas-Mann-Archiv 06.08.1940, was aber laut Thomas Mann Tb nicht sein kann – er notierte am 18.08.1940: »Abreise K.'s nach Carmel auf drei Tage. Ungewohnt und bewegend.«). Thomas-Mann-Archiv.
27 Thomas Mann Tb 10.10.1940.
28 Thomas Mann Tb 14.11.1940.
29 Stefan Ringel: *Heinrich Mann*, S. 337.
30 Schilderungen dieser Flucht finden sich in Alma Mahler-Werfel: *Mein Leben*, S. 266 ff. und Stefan Ringel: *Heinrich Mann*, S. 332 ff.
31 Thomas Mann Tb 22. u. 24.09.1940.
32 Monika Mann: *Vergangenes und Gegenwärtiges*, S. 104 ff.
33 Sein Wortlaut lautet ungekürzt: »VATER SOEBEN FRIEDLICH ENTSCHLAFEN – STOP – FINK – STOP – BENACHRICHTIGT PETER«. Thomas-Mann-Archiv.
34 Thomas Mann Tb 25.06.1941.
35 Bayerisches Hauptstaatsarchiv, MK 44150.
36 Bayerisches Hauptstaatsarchiv, MK 44150.
37 Brief Hedwig Pringsheim an Thomas Mann vom 08.08.1932. Thomas-Mann-Archiv.
38 Golo Mann: *Erinnerungen und Gedanken*, S. 191.
39 »... ahnungslos und von den Vorgängen kaum berührt«, waren sie laut Thomas Manns Tagebucheintrag vom 16. März 1936.
40 Das Konvolut liegt im Thomas-Mann-Archiv.
41 Thomas-Mann-Archiv.
42 Brief Hedwig Pringsheim an Katia Mann vom 14.11.1933. Thomas-Mann-Archiv.
43 In deren Depot er sich noch heute befindet.
44 Brief Hedwig Pringsheim an Katia Mann vom 29.12.1934. Thomas-Mann-Archiv.
45 Golo Mann: *Erinnerungen und Gedanken*, S. 213.
46 Brief Katia Mann an Erika Mann vom 07.01.1926. Thomas-Mann-Archiv.
47 Die Weiterbeschäftigung der ›Arierin‹ war an eine Sondergenehmigung gebunden.
48 Es scheint, als wäre Monika dabei zu kurz gekommen.
49 Thomas Mann Tb 23.07.1938.
50 Brief Erika Mann an Thomas Mann vom 17.07.1939. Monacensia.
51 Hedwig Pringsheim-Dohm: *Thomas Manns Schwiegermutter erzählt*, S. 4.
52 Brief Hedwig Pringsheim an Katia Mann vom 14.11.1939. Thomas-Mann-Archiv.
53 Das Haus in Zürich steht äußerlich unverändert noch heute.
54 Vieles spricht dafür, dass die Finanzierung des Aufenthaltes von

Alfred und Hedwig Pringsheim in der Schweiz bis zu beider Tod weitgehend durch Zahlungen Thomas Manns ermöglicht wurde.

55 Rudolf Fritsch und Daniela Rippl: *Alfred Pringsheim*, S. 121.

56 Brief Hedwig Pringsheim an Katia Mann vom 11.07. 1941. Thomas-Mann-Archiv.

57 Hedwig Pringsheims sterbliche Überreste wurden wie die ihres Mannes eingeäschert. Nach 1945 kamen beider Urnen auf den Münchner Waldfriedhof. Ein Grabstein ist nicht mehr vorhanden.

58 Thomas Mann Tb 30.07. 1942.

59 Wohl aufgrund der Bemerkung »Dafür ist Los Angeles mit seinen Waffenfabriken überfüllt mit Nazi-Spionen« im Brief von Heinrich Mann aus Beverly Hills, 264 Doheny Drive, vom 28.2. 1941. Thomas Mann/Heinrich Mann: *Briefwechsel*, S. 290.

60 Thomas Mann Tb 03.03. 1941.

61 Thomas Mann Tb 13.03. 1941.

62 Thomas Mann Tb 16.03. 1941.

63 Thomas Mann Tb 17.03. 1941.

64 Thomas Mann Tb 26.03. 1941. Gemeint ist der siebte Doktorhut.

65 Thomas Mann Tb 08.04. 1941.

66 Thomas Mann Tb 18.04. 1941.

67 Erika hatte sich eingeschaltet. Sie hatte Katia daran erinnert, dass es einen jungen Architekten gab, Paul Lester Wiener, der kostenlos Pläne liefern wollte. Parallel zu den Hausbau-Überlegungen liefen Verhandlungen über Klaus Manns Zeitschrift *Decision*, die an Geldmangel litt. Erika hatte Agnes E. Meyer direkt angeschrieben und um Geld gebeten, für die *Decision* und für den Hausbau, ohne sich mit dem Vater abzusprechen. Er erfuhr durch einen Brief Mrs. Meyers von der »Finanz-Intrigue ... die Haus und Decision verkoppelt.« Und war sehr verärgert. Thomas Mann Tb 28.06. 1941. Er zahlte dann selbst an Klaus, damit er Geld für die Liquidation der Zeitschrift hätte.

68 Thomas Mann Tb 11.05. 1941.

69 Thomas Mann Tb 29.06. 1941.

70 Thomas Mann Tb 07.07. 1941.

71 Nach den Erinnerungen Hilde Kahn-Reachs gab es allerdings insgesamt nur fünf Schlafzimmer: das größte und schönste war Katias, das etwas kleinere Thomas', außerdem gab es drei »Kinderzimmer«. Heinrich Breloer: *Unterwegs zur Familie Mann*, S. 384.

72 Amerika hatte Probleme mit diesem Namen, im Artikel wurde sein Vorname von Konrad in Kanard gewendet, er nannte sich daher Conny und bald offiziell Konrad Kellen.

73 Genau genommen kam das Geld auch von ihr, es handelte sich um Zinsen auf ihr Vermögen, gezahlt wurden 4800 Dollar p.a. (zuzüglich 1000 Dollar für die Vorlesung).

74 Stefan Ringel: *Heinrich Mann*, S. 343.

75 Katia Mann: *Meine ungeschriebenen Memoiren*, S. 138.
76 Klaus Harpprecht: *Thomas Mann*, S. 1239.
77 Am 15. Juli 1941, auf dem Rückweg vom Arzt, der ihm wegen erhöhten Blutdrucks und Pulses Sedormit und Bellergal verordnet hatte, gab es laut Thomas Manns Tagebuch: »... leichte Carambolage mit querkommendem Auto«.
78 Schriftsteller-Vereinigung deutschsprachiger Emigranten in den USA, die Nachfolgeorganisation des von den Nazis aufgelösten »Schutzverbandes deutscher Schriftsteller«.
79 Thomas Mann Tb 10.07. 1940, 07.05. u. 07.08. 1941.
80 Katia Mann: *Meine ungeschriebenen Memoiren*, S. 107 u. 128 f.
81 Thomas Mann Tb 07.08. 1942. »Mit Erika« lautet der nächste Satz.
82 Sequenz Thomas Mann Tb.
Laut Harpprecht: *Thomas Mann*, S. 1244, soll – nach Ludwig Marcuse – Nelly eines Abends Gäste splitternackt empfangen und während des Essens mehrmals aufgeheult haben, sie habe ja so einen alten Mann – bis Heinrich das Zimmer verließ und sich die Gesellschaft betreten auflöste.
83 Sequenz Irmela von der Lühe: *Erika Mann*, S. 285 f.
84 Irmela von der Lühe: *Erika Mann*, S. 287.
85 Heinrich Breloer: *Unterwegs zur Familie Mann*, S. 502 f.
86 »Begann mit der Vernichtung alter Tagebücher.« Thomas Mann Tb 20.06. 1944.
87 »Danach alte Tagebücher vernichtet in Ausführung eines längst gehegten Vorsatzes. Verbrennung im Ofen draußen.« Thomas Mann Tb 21.05. 1945.

1945 – 1952

1 Thomas Mann Tb 24.06. 1945. Gemeint ist Ulrike von Levetzow, Goethes Spätliebe.
2 Thomas Mann Tb 31.07. 1945.
3 *Die Weltwoche*, Zürich, den 12. 12. 1947. Damals wohnten auf dem Grundstück zwölf ukrainische Familien.
4 Klaus Harpprecht: *Thomas Mann*, S. 1536. Derartiges Eingreifen Katias war kein Einzelfall. Außerdem war es auch Erikas Bestreben, Thomas Mann vor unbedachten Äußerungen zu bewahren.
5 Sequenz Thomas Mann Tb 17.01. bis 01.04. 1946.
6 Brief Katia Mann an Ida Herz vom 06.05. 1946. Thomas-Mann-Archiv.
7 »Ein kleiner Eingriff« in deutscher Sprache im englischen Brief Norbert Bloch an Ida Herz vom 09.05. 1946. Thomas-Mann-Archiv.

8 Katia Mann: *Meine ungeschriebenen Memoiren*, S. 150 ff., und Klaus Harpprecht: *Thomas Mann*, S. 1559 ff.
9 Heinrich Breloer: *Unterwegs zur Familie Mann*, S. 509.
10 In deren Verlag antifaschistische Werke erschienen und in deren Buchhandlung sich deutsche Schauspieler und Schriftsteller im Exil treffen konnten.
11 Thomas Sprecher: *Thomas Mann in Zürich*, S. 226.
12 Thomas Mann Tb 17.08.1947.
13 Thomas Mann Tb 18.08.1947.
14 Thomas Mann Tb 26.08.1947.
15 Sequenz 31.08. u. 04.09.1947.
16 Thomas Mann Tb 17., 19. u. 23.09.1947.
Klaus, der bekanntlich als Dirigent und Komponist nach Asien gegangen war, war 1937 aus seiner Stellung am Kaiserlichen Konservatorium in Tokio entlassen worden und seither in wirtschaftlichen Schwierigkeiten. Er würde später wieder nach Japan zurückkehren.
17 Thomas Mann Tb 18.01.1948.
18 Thomas Mann Tb 08.03.1948.
19 Thomas Mann Tb 22.07.1937.
20 Sequenz Thomas Mann Tb 26.01. u. 01.02.1948.
21 Thomas Mann Tb 04.04.1948.
22 Sequenz Thomas Mann Tb 27.06., 10.08. u. 27.08.1948.
23 »Bibis«, am 5. Juli in Pacific Palisades angekommen, wagten es nicht, das überfüllte Haus zu betreten, und verbrachten deshalb eine Sommernacht am Strand. Klaus wurde nach seiner Entlassung aus dem Krankenhaus zu Walters gebracht, wo schon Erika wohnte, seit Michael und Familie da waren. Erika kam dann wieder zurück ins Elternhaus, musste jedoch am 20. August Golo Platz machen.
24 Andrea Weiss: *Flucht ins Leben*, S. 180.
25 Thomas Mann Tb 14., 20. u. 22.10.1948.
26 Brief Katia Mann an Ida Herz vom 11.12.1948. Thomas-Mann-Archiv.
27 Thomas Mann Tb 30.12.1948.
28 *Welt am Sonntag* Nr. 1 vom 01.08.1948.
29 Thomas Mann: *Briefwechsel mit seinem Verleger Bermann Fischer. 1932 bis 1955*, S. 517.
30 Thomas Mann TB 31.12.1948 u. 01.01.1949.
31 Heinrich Breloer: *Unterwegs zur Familie Mann*, S. 415.
32 Thomas Mann Tb 10.02.1949.
33 Heinrich Breloer: *Unterwegs zur Familie Mann*, S. 338, es handelte sich um Charles Neider.
34 Elisabeth Mann Borgese im Gespräch mit den Autorinnen im Juli 2001 in München.

35 Thomas Mann Tb 29.04., 05.04., 05.05., 19.05., 21.05. u. 22.05.1949.
36 Thomas Mann Tb 22.05.1949.
37 Thomas Mann Tb 31.05.1949.
38 Thomas Mann Tb 02.06.1949.
39 Andrea Weiss: *Flucht ins Leben*, S. 187.
40 *Süddeutsche Zeitung* Nr. 89 (1949).
41 Bis Stuttgart war auch Hans Reisiger dabei.
42 Brief Katia Mann an Ida Herz vom 17.08.1949. Das politische Umfeld, in dem diese Reise stattfand, hier zu erläutern würde zu weit führen. Darüber gibt es ausführliche Darstellungen, beispielsweise in *Thomas Mann Tb 1949–1950*, S. 428 ff.
43 Thomas Mann Tb 06.09.1949.
44 Thomas Mann Tb 30.12.1949.
45 Thomas Mann Tb 17.09.1949.
46 Thomas Mann Tb 08.02.1950.
47 Thomas Mann Tb 11.03.1950.
48 Kurz zuvor hatte Viktor Mann seine Erinnerungen *Wir waren fünf* geschrieben, sie erschienen nach seinem Tod.
49 Thomas Mann Tb 12.03.1950.
50 Thomas Mann Tb 31.05.1950.
51 Thomas Mann Tb 06.06.1950.
52 Thomas Mann Tb 07.06.1950.
53 Thomas Mann Tb 20.06.1950.
54 Thomas Mann Tb 21.06.1950.
55 Thomas Mann Tb 23.06.1950.
56 Feuchtwanger war ein guter Freund Heinrich Manns und wusste daher um die Mühen, die Katia sich auferlegt hatte, um ihrem Schwager das Leben leichter zu machen.
57 Thomas Mann Tb 29.06.1950.
58 Lion Feuchtwanger: *Briefwechsel mit Freunden 1933–1958*, Band I, S. 131. Lion Feuchtwanger und Katia Mann kannten sich bekanntlich schon als Schüler in München.
59 Thomas Mann Tb 03.07.1950.
60 Thomas Mann Tb 12.06. bis 10.07.1950.
61 Thomas Mann Tb 07.07.1950.
62 Thomas Mann Tb 11.07. bis 15.07.1950.
63 Thomas Mann Tb 13.07.1950.
64 Das traf auch für andere Angehörige seines Haushalts zu. So wurde Erika Mann mehrfach verhört.
65 Thomas Mann Tb 01.06.1950.
66 Thomas Mann Tb 18.08.1950.
67 Thomas Mann Tb 22.08.1950.
68 Zum Erwerb dieser Dokumente gab es wohl Pläne der Library, aber ein konkretes Kaufangebot ließ auf sich warten.

69 Thomas Mann Tb 20. 11. 1950.
70 Pudel, benannt nach Alger Hiss, der wohl zu Unrecht Opfer der Kommunistenhatz McCarthys wurde.
71 Brief Katia Mann an Thomas Mann vom 22. 11. 1950. Thomas-Mann-Archiv. Rinderbruststück und Kapaun sah Katias Speiseplan vor.
72 Nach Marcel Reich-Ranicki: *Sieben Wegbereiter. Schriftsteller des zwanzigsten Jahrhunderts*, S. 40, »der prächtigste und auch raffinierteste deutsche Unterhaltungsroman des zwanzigsten Jahrhunderts«.
73 So regelmäßig wurden homoerotische ›Schübe‹ Thomas Manns ausgelöst durch die Geburt eines seiner Kinder oder die Menopause oder durch eine Operation an den »weiblichen Organen« Katias, dass man versucht ist, einen Zusammenhang herzustellen. War es ein Gefühl von Verlust, oder war er immer wieder zu überwältigen von der Erkenntnis, dass seine Frau eben eine Frau war?
74 Thomas Mann Tb 31. 12. 1951.
75 Thomas Mann Tb 16. 01. 1951.
76 Thomas Mann Tb 15. 12. 1950.
77 Thomas Mann Tb 29. 07. 1951.
78 Thomas Mann Tb 11. 08. 1951.
79 Thomas Mann Tb 09. 10. 1951.
80 Thomas Mann Tb 22. 10. 1951.
81 Thomas Mann Tb 04. 11. 1951.
82 Sequenz Thomas Mann Tb 04. u. 05. 11. 1951.
83 Thomas Mann Tb 24. 11. 1951.
84 Thomas Mann Tb 06. 04. 1952.
85 Thomas Mann Tb 13. 05. 1952.
86 Thomas Mann Tb 27. u. 29. 05. 1952. Schon das zehn Jahre zuvor erschienene englische Original *The Turning Point* hatte sie sehr berührt.
87 Thomas Mann Tb 06. 06. 1952.

1952–1955

1 Thomas Mann Tb.
2 Thomas Mann Tb 03. 07. 1952.
3 Thomas Mann Tb 11., 15. u. 19. 07. 1952.
4 Bereits 1948 war ihr ja, um abzunehmen, ein »Drüsen«präparat verschrieben worden, was auf eine Schilddrüsenunterfunktion als Ursache ihrer Beschwernisse hindeuten könnte.
5 Thomas Mann Tb 11. 01. 1953.
6 Thomas Mann Tb 01. 07. 1952.

7 Thomas Mann Tb 24. 07. 1952.
8 Thomas Mann Tb 01. 12. 1952.
9 Thomas Mann Tb 13. 08. 1952.
10 Thomas Mann Tb 21. 07. 1952.
11 Kerstin Holzer: *Elisabeth Mann Borgese*, S. 139.
12 Thomas Mann Tb 24. 07. 1952.
13 Thomas Mann Tb 10. 11. 1953.
14 Thomas Mann Tb 13. 09. 1952.
15 Thomas Mann Tb 21. 08. 1952.
16 Thomas Mann Tb 04., 05., 06. u. 07. 12. 1952.
17 Erich Kuby: »Vorweihnachtliche Reise zu deutschen Schriftstellern. Der alte (Thomas) Mann auf dem Berge«, in: *Süddeutsche Zeitung*, November 1952.
18 Thomas Mann Tb 04. 12. 1952. u. 01. 03. 1953.
19 Es funktionierte aber auch anders herum – 18. März 1953: »Ankunft Medi's mit den Kindern«; 19. März 1953: »Erika fort zu einem Hochgebirgsausflug.« Thomas Mann Tb.
20 Thomas Mann Tb, Eintragungen der letzten Dezembertage. Besser verliefen seine Nächte, wenn auf »Erregung« »Auslösung« folgte: »Zuweilen ist meine Brunst noch von der Hengste Brunst.« Thomas Mann Tb 08. 04. u. 05. 09. 1953.
21 »Schwere Constipation und Gemütsleiden.« Thomas Mann Tb 21. 05. 1953.
22 Thomas Mann Tb 21. 12. 1952.
23 Thomas Mann Tb 19. 12. 1952.
24 So Thomas Mann zu Katias 70. Geburtstag. Thomas Mann: *Über mich selbst*, S. 184.
25 Thomas Mann Tb 20. 12. 1952.
26 Thomas Mann Tb 17. 06. 1953.
27 Thomas Mann Tb 18. 03. 1953.
28 Thomas Mann Tb 19. 04. 1953.
29 Thomas Mann: *Briefe III*, S. 285.
30 Thomas Mann Tb 19. 05. 1953.
31 Thomas Mann Tb 13. 07. 1953.
Hans Reisiger, früher immer ein Hausgast, wurde in jener Zeit gleichfalls in einem Hotel einquartiert.
32 Brief Katia Mann an Tilly Wedekind vom 29. 08. 1953. Monacensia.
33 Brief Katia Mann an Lion Feuchtwanger. Lion Feuchtwanger: *Briefwechsel mit Freunden 1933–1958*, Band I, S. 152.
34 Brief Katia Mann an Ida Herz vom 03. 09. 1953. Thomas-Mann-Archiv. Thomas Mann: *Über mich selbst*, S. 180.
35 Brief Thomas Mann an Kuno Fiedler vom 19. 07. 1953. Thomas Mann: *Briefe III*, S. 299.
36 Thomas Mann: *Über mich selbst*, S. 184.
37 Thomas Mann Tb 01. 05. 1953 und Brief Thomas Mann an Lion

Feuchtwanger. Lion Feuchtwanger: *Briefwechsel mit Freunden 1933–1958*, Band I, S. 150.

38 Bruno Walter: »Gruß an Katja Mann«, in: *Die Neue Zeitung*, Frankfurt, Nr. 173 vom 24. 07. 1953.

39 Zum Leidwesen ihrer Kinder kehrten Michael und Gret Mann erst im April 1954 aus den USA zurück.

40 Thomas Mann Tb 20. 08. 1953.
Monika Mann reiste am 8. September ab.

41 Thomas Mann Tb 31. 08. 1953.

42 In Österreich wurden die Manns schließlich fündig.

43 Thomas Mann Tb 03. 09. 1953.

44 Thomas Mann Tb 16. 09. 1953.

45 Thomas Mann Tb 16. 09. 1953.

46 Thomas Mann Tb 05. 04. 1952.

47 Thomas Mann Tb 09. 09. 1953.

48 Die Berechnung erfolgte im Verhältnis 1 : 10. – Unklar ist, warum Katia Mann von der Wiedergutmachung väterlicher Vermögensverluste ausgeschlossen war.

49 Thomas Mann Tb 06. 01. 1954.

50 Thomas Mann Tb 03. 02. 1954.

51 Thomas Mann Tb 16. 02. 1954.

52 Thomas Mann: *Briefe III*, S. 326.

53 Thomas Mann Tb 15. 05. 1954.

54 Thomas Sprecher: *Thomas Mann in Zürich*, S. 267.

55 Erika Mann: »Thomas Mann. Die letzte Adresse«, in: *Schöner wohnen*, April 1965.

56 Thomas Mann Tb 19. 04. 1954.

57 Walter Janka vom Ostberliner Aufbau-Verlag und Hans Mayer, dem die Redaktion der zwölfbändigen Thomas-Mann-Gesamtausgabe übertragen werden sollte, wurde die Bitte des Hausherrn um Maßanfertigung eines Nerzmantels mit Otterfellkragen mit auf den Heimweg gegeben. Sie wurde ihm prompt erfüllt, und das überaus kostbare Stück fand nach seiner Fertigstellung großen Anklang auch bei Katia und Erika Mann.

58 Thomas Mann Tb 20. 05. 1954.

59 Thomas Mann Tb 20. 05. 1954.

60 Erika Mann: *Mein Vater, der Zauberer*, S. 236 f.

61 Thomas Mann Tb 05. 05. 1954.

62 Ebd.

63 Thomas Mann: *Briefe III*, S. 318.

64 Hauptsächlich arbeitete Golo Mann, der in jener Zeit am Bodensee wohnte, an seiner *Deutschen Geschichte des neunzehnten und zwanzigsten Jahrhunderts*.

65 Im Wesentlichen ging es um west-/ostdeutsche Querelen.

66 Bei der Entnazifierung als Belasteter eingestuft, hatte Ernst Ber-

tram Professorenamt und Pensionsanspruch verloren. Offiziell setzte sich Thomas Mann für seine Rehabilitierung ein, intern aber thematisierte er die Unverbesserlichkeit des Gelehrten: »Was uns zu meinem Kummer immer mehr entfremdete war ... sein begeisterter Glaube an das heraufziehende ›Dritte Reich‹, ein Glaube, in dem er durch keine Warnung, keinen beschwörenden Hinweis auf den Unheilszug im Gesicht dieser Massenbewegung zu beirren war ...« Brief Thomas Manns an einen Schüler Ernst Bertrams, zitiert nach Hermann Kurzke: *Thomas Mann*, S. 539 f.

67 Thomas Mann Tb 29. 08. 1954.
68 Thomas Mann Tb 28. 07. 1954.
69 Thomas Mann Tb 27. 09. 1954.
70 Thomas Mann Tb 07. 10. 1954.
71 Auch hier hatte Erika Mann die Dreharbeiten kontrolliert.
72 Thomas Mann Tb 11. 02. 1955.
73 Thomas Mann Tb 30. 06. 1955.
»Gestern tat es mir tatsächlich wohl, etwas aus dem 1. Brief der Korinther (Ehe) zu exzerpieren ...«
74 Korinther 7,1–2.
75 Thomas Mann Tb im Mai 1955.
76 Diese Ehre erwies ihm die Universität zu Jena.
77 Brief Katia Mann an Ida Herz vom 23. 04. 1955. Thomas-Mann-Archiv.
78 Erstmals seit 1933 hatte man »Old Reisi boy« im August 1952 getroffen.
79 Thomas Mann Tb 25. 06. 1955.
80 Erika Mann war von Amsterdam aus in eigenen Angelegenheiten nach London geflogen.
81 Katia Mann: *Meine ungeschriebenen Memoiren*, S. 171.
82 Thomas Mann Tb 08. 07. 1955.
83 Mit dem Ordenskreuz von Oranje-Nassau – im Kommandeursrang, was Erika anzumerken nicht vergaß – hatte man ihn kurz zuvor in Amsterdam ausgezeichnet.
84 Erika Mann: *Mein Vater, der Zauberer*, S. 439.
85 Thomas Mann Tb 22. 07. 1955.
86 Thomas Mann Tb 29. 07. 1955.
87 »Las Shaws ›Heiraten‹ zu Ende.« Die beinahe letzte Tagebucheintragung Thomas Manns: 29. 07. 1955.
88 Erika Mann: *Mein Vater, der Zauberer*, S. 448 .

Exkurs

1 Minni Vrieslander: »Nur seine Frau. Eine Begegnung mit Frau Katja Mann«, in: *Für's Haus*, Nr. 19, 06. 02. 1930.

2 Elisabeth Plessen: »Katja Mann erzählt«, Westdeutscher Rundfunk.
3 Gemeint war vermutlich Ernst Ludwig Freiherr von Wolzogen, Autor humorvoll-unterhaltender Lustspiele und Gesellschaftsromane.
4 Katia Mann: *Meine ungeschriebenen Memoiren*, S. 31 f.
5 Thomas Mann: *Briefe II*, S. 372.
6 Thomas Mann Tb 15. 12. 1951.
7 Thomas Mann Tb 19. 04. 1953.
8 Erika Mann: »Wenn ich an meine Mutter denke«, in: *Quick* Nr. 18 vom 02. 05. 1965.
9 Helga Maria Prinzessin zu Löwenstein und Volkmar von Zühlsdorff (sie trafen im amerikanischen Exil mit den Manns zusammen) im Gespräch mit Heinrich Breloer: *Unterwegs zur Familie Mann*, S. 312 f. u. 317.
10 Der Brief Katia Manns ist nicht erhalten.
11 Samuel Fischer/Hedwig Fischer: *Briefwechsel mit Autoren*, S. 421 ff.
12 Im Großen und Ganzen aber kam man gut miteinander aus.
13 Thomas Mann: *Briefwechsel mit seinem Verleger Bermann Fischer. 1932–1955*, S. 428.
14 Nachdem man sich duzte, an die »liebe Frau Katia«.
15 Gottfried Bermann Fischer/Brigitte Bermann Fischer: *Briefwechsel mit Autoren*, S. 55 f.
16 Thomas Mann Tb 05. 02. 1943.
17 Thomas Mann Tb 09. 01. 1946.
18 Thomas Mann Tb 19. 01. 1946.
19 Thomas Mann Tb 27. 01. 1946.
20 Thomas Mann Tb 02. 03. 1948.
21 Thomas Mann Tb 22. 08. 1948.
22 Thomas Mann Tb 25. 07. 1954.
23 Brief Katia Mann an Dr. Pavel Eisner vom 02. 06. 1948. Thomas-Mann-Archiv.
24 Erika Mann: »Wenn ich an meine Mutter denke«, in: *Quick*, Nr. 18 vom 02. 05. 1965.
25 Thomas Manns Sekretärin Hilde Kahn-Reach im Gespräch mit Heinrich Breleor: *Unterwegs zur Familie Mann*, S. 401.
26 Thomas Mann Tb 25. 12. 1948.
27 Brief Hedwig Pringsheim an Maximilian Harden vom 04. 12. 1902. Bundesarchiv, Nachlass Maximilian Harden, N 1062/82.
28 Schriftliche Mitteilung Elisabeth Mann Borgeses an die Autorinnen vom 11. 11. 2001.
29 Der zweitgenannte Brief, ohne Datumsangabe, wurde bei seiner Archivierung zeitlich an den Anfang des Jahres 1925 gestellt. Katia schrieb ihn, das geht aus seinem Inhalt hervor, kurz vor einer Reise nach Berlin, von deren glücklichem Verlauf sie Erika nachweislich am 13. 03. 1925 unterrichtete. Thomas-Mann-Archiv.

30 Das Vorwort wurde von Professor Dr. Walther Martin verfasst.
31 »Paul List-*Verlagsgeschichte*«, Typoskript vom 13. 12. 1947.
32 Briefe Hedwig Pringsheim an Maximilian Harden, Bundesarchiv, Nachlass Maximilian Harden, N 1062/82.
Maria Gagliardi stand unter Zeitdruck, denn der 500-Seiten-Roman *Der Heilige* kam schon bald darauf im Münchner G. Müller Verlag heraus.
33 Thomas Mann Tb 15. 10. 1918.
34 Thomas Mann Tb 02. 03. 1919.
35 Thomas Mann Tb 18. 03. 1919.
36 Thomas Mann, *Briefe I*, S. 354.
37 Thomas Mann Tb 07. 10. 1934.
38 Thomas Mann, *Briefe I*, S. 563.
Es ging um die Übersetzung von *Dr. Faustus*; Balzacs *La femme de trente ans* betreffend stimmte etwas nicht mit den Altersangaben der Protagonistin, und ebenso war es – der Gedächtnisfehler – bei den Geschwistern Echos.
39 Brief Erika Mann an Katia Mann vom 10. 03. 1940. Monacensia.

V. Die Überlebende. 1955 – 1980

1 Thomas-Mann-Archiv.
2 Die Familie gab ihr Einverständnis zur Obduktion. Das Ergebnis: Die poröse Arterienwand habe zunächst wohl sehr wenig, dann immer mehr Blut durchgelassen. Durch das Aneurysma, eine reiskornkleine Öffnung, sei das Blut in das umgebende Gewebe perforiert, wodurch langsam die Nerven und besonders die Geflechte des Sympathicus außer Funktion getreten seien. Dieser Vorgang habe Stunden gedauert und wohl noch angehalten, als der Tod eintrat, schmerzlos, da an der Öffnung keine Empfindungsfasern verliefen. Thomas Sprecher: *Thomas Mann in Zürich*, S. 289.
3 Thomas Mann Tb 30. 01. 1938.
4 Erika Mann: *Mein Vater, der Zauberer*, S. 453.
5 Werner Weber: »Die Begräbnisfeier für Thomas Mann«, in: *Neue Zürcher Zeitung* vom 18. 08. 1955.
6 Thomas Mann Tb 19. 02. 1938.
7 Die Anfertigung des Grabsteins dauerte ihr entschieden zu lange, energisch wies sie den Steinmetz zurecht und führte ihm die Bedeutung des Verstorbenen dabei vor Augen.
8 Brief Katia Mann an Lion Feuchtwanger vom 20. 12. 1955. Lion Feuchtwanger: *Briefwechsel mit Freunden 1933–1958*, Band I, S. 178. Den Vergleich hatte 1953 schon Thomas Mann angestellt.
9 Philemon und Baucis sollen einer in Ovids *Metamorphosen* aufgenommenen Sage nach trotz ihrer großen Armut die in Men-

schengestalt im Lande umherstreifenden Götter Jupiter und Merkur freundlich als Gäste aufgenommen haben. Ihr Lohn dafür war die Erfüllung eines Wunsches: gleichzeitiger Tod und Verwandlung in Bäume.

10 Brief Katia Mann an Lion Feuchtwanger vom 27.01.1957. Lion Feuchtwanger: *Briefwechsel mit Freunden 1933–1958*, Band I, S. 181.

11 Thomas Mann Tb 09.12.1952.

12 Thomas Mann Tb 29.12.1953.

13 Thomas Mann Tb 07.03.1953.

14 Thomas Mann Tb 07.03.1954.

15 Interview mit Ingrid Beck-Mann am 16.10.2002.

16 Kerstin Holzer: *Elisabeth Mann Borgese*, S. 158.

17 Corrado Tumiati war zwanzig Jahre lang in einer geschlossenen Anstalt tätig; seine Erfahrungen aus dieser Zeit veröffentlichte er in einem Buch.

18 1963 auf englisch mit dem Titel *Ascent of Woman* erschienen.

19 Frido Mann: »Mein Kilchberg«, in: Thomas Sprecher u. Fritz Gutbrodt: *Die Familie Mann in Kilchberg*, S. 84.

20 Michael, gab Katia Mann im Rückblick an, habe die Musik plötzlich »satt« bekommen: »...immer den Leuten Sachen vorspielen, die sie gar nicht so gern hören, außerdem: Konzerte geben und der ganze Betrieb drumherum.« Katia Mann: *Meine ungeschriebenen Memoiren*, S. 162. Michaels Studium der Germanistik verlief erfolgreich und brachte ihm einen Professorentitel ein.

21 Brief Erika Mann an Hermann Hesse vom 01.12.1955. Frido Mann: »Mein Kilchberg«, in: Thomas Sprecher u. Fritz Gutbrodt: *Die Familie Mann in Kilchberg*, S. 85.

22 Bis hin zu großzügiger Verabreichung von Schlaftabletten.

23 Brief Katia Mann an Lion Feuchtwanger vom 17.09.1958. Lion Feuchtwanger: *Briefwechsel mit Freunden 1933–1958*, Band I, S. 213. Mehr wohl als Katia Mann kümmerten sich die Schweizer Großeltern Moser um Toni.

24 Gespräch mit Frido Mann am 24.10.2002.
Katias Enkel berichtete auch, wie gewissenhaft die Großmutter unter anderem seine Hausaufgaben kontrollierte.

25 Danach studierte Frido in Deutschland noch Theologie, Psychologie und Medizin.

26 Er hatte das Tier, von Bruder Michael am Wolfgangsee zurückgelassen, sozusagen adoptiert.

27 Katia Mann an Gustav Hillard, zitiert nach Hermann Kurzke: *Thomas Mann*, S. 600.

28 Brief Katia Mann an Lion Feuchtwanger vom 17.01.1958. Lion Feuchtwanger: *Briefwechsel mit Freunden 1933–1958*, Band I, S. 195.

29 Brief Katia Mann an Kitty Neumann vom 12.04.1975. Monacensia.
30 Brief Katia Mann an Lion Feuchtwanger vom 17.01.1958. Lion Feuchtwanger: *Briefwechsel mit Freunden 1933–1958*, Band I, S. 195.
31 Brief Katia Mann an Genia Starer vom 20.12.1966. Thomas-Mann-Archiv.
32 Brief Katia Mann an Genia Starer vom 18.07.1968. Thomas-Mann-Archiv.
33 Brief Katia Mann an Lion Feuchtwanger vom 06.08.1958. Lion Feuchtwanger: *Briefwechsel mit Freunden*, 1933–1958, Band I, S. 205.
34 Der Erfolg ließ leider auf sich warten.
35 »Begegnung in Berlin. Frau Katia Mann«, in: *Allgemeine Wochenzeitung der Juden in Deutschland* vom 10.05.1957.
36 Carl Seelig: »Die ›Märchenbraut‹ von Thomas Mann. Zu Katia Manns 75. Geburtstag«, Sonntagsbeilage *Badener Tagblatt*, 24.07.1958.
37 Die Plätze der Stadt waren mit Flaggen geschmückt, die Straßen voller Menschen und zwei Hundertschaften der Polizei regelten den Verkehr, als die Auffahrt der Ehrengäste begann; stürmisch wurden Katia und Erika Mann von der Bevölkerung gefeiert; achtundzwanzig Schauspieler sowie einhundertvierzig Journalisten waren aus ganz Deutschland gekommen; abends gab es einen Staatsempfang im Lübecker Rathaus.
38 Brief Katia Mann an Lion Feuchtwanger vom 17.09.1958. Lion Feuchtwanger: *Briefwechsel mit Freunden 1933–1958*, Band I, S. 214.
39 Brief Katia Mann an Lion Feuchtwanger vom 17.09.1958. Lion Feuchtwanger: *Briefwechsel mit Freunden 1933–1958*, Band I, S. 212 f.
40 Brief Katia Mann an Lion Feuchtwanger vom 18.12.1958. Lion Feuchtwanger: *Briefwechsel mit Freunden 1933–1958*, Band I, S. 219.
1960, nach dem Erscheinen der *Gesammelten Werke in zwölf Bänden* bei S. Fischer (in Leinen und in Oasenziegenleder), dankte die Witwe Thomas Manns dem Verlag außerordentlich freundlich für sein Engagement: »Nun ist sie glücklich da, die Gesamtausgabe! Das ist wirklich ein großartiges Unternehmen des Verlages, zu dem ich Sie beglückwünsche, und ich brauche Ihnen kaum zu sagen, wie sehr der Anblick dieser zwölf schönen Bände mich erfreut und bewegt.« Brief Katia Mann an Gottfried Bermann Fischer vom 07.10.1960. Gottfried Bermann Fischer/Brigitte Bermann Fischer: *Briefwechsel mit Autoren*, S. 146.
41 Heinz Saueressig: *Zürcher Bericht über meine Begegnung mit Katja und Erika Mann 1959*. Monacensia.

42 »Verlorene Handschrift«, in: *Der Spiegel*, Nr. 20/1962.
43 *Münchner Merkur* vom 02. 03. 1962.
44 Friedhelm Kröll: *Die Archivarin des Zauberers*, S. 229.
45 Brief Katia Mann an Edith Geheeb vom 15. 01. 1960. Odenwaldschule-Archiv.
Die Bildungseinrichtung wurde im Übrigen von Katia Mann in jener Zeit mit großzügigen Spenden unterstützt.
46 Die Einbürgerung soll sich verzögert haben, weil aufgrund eines Fehlverhaltens bald nach dem Tode Thomas Manns Zweifel an ihrer Linientreue bestanden: »Die fernere Pflege des Grabes erwies sich als nicht ganz unpolitische Sache. Als die ersten Blumen aus Westdeutschland verwelkt waren, machte Katia den Fehler, darum zu bitten, sie durch solche aus Ostdeutschland zu ersetzen.« Thomas Sprecher: *Thomas Mann in Zürich*, S. 297.
47 Das galt auch für Frido und Toni Mann, deren Nationalitätenwechsel durch die schweizerische Staatsbürgerschaft ihrer Mutter Gret erleichtert war. Golo erfüllte die gesetzliche Voraussetzung zehnjährigen Aufenthaltes im Lande erst 1969.
48 Brief Katia Mann an Annette Kolb vom 22. 08. 1963. Monacensia. Katia Mann war bei Fridos Geburt siebenundfünfzig Jahre alt.
49 Brief Katia Mann an Genia Starer vom 12. 05. 1963. Thomas-Mann-Archiv.
50 Brief Katia Mann an Genia Starer vom 15. 06. 1966. Thomas-Mann-Archiv.
51 Ebd.
52 Erika Mann: *Mein Vater, der Zauberer*, S. 274.
53 Walter Janka und Hans Mayer hatten Thomas Mann den gewünschten aus sowjetrussischem Fellmaterial hergestellten und mit Westutensilien gefütterten Nerzmantel, ein Vermögen war er letztlich wert, persönlich nach Kilchberg gebracht. Anschließend ging es um des Beschenkten Einverständnis mit einer zwölfbändigen DDR-Gesamtausgabe. Den ihm zudem angebotenen hochdotierten Nationalpreis schlug er dann doch lieber aus. Erika war zuvor mit der Zusage des Drucks von Klaus' *Mephisto* geködert worden.
54 Klaus Harpprecht: *Thomas Mann*, Band 2, S. 1997.
55 Thomas Mann Tb 21. 08. 1941, 06. 01. 47 u. 13. 03. 1947.
56 Thomas Mann Tb 06. 08. 1951.
57 Thomas Mann Tb 15. 03. 1952.
58 Thomas Manns Geburtstag.
58 Thomas Sprecher u. Fritz Gutbrodt: *Die Familie Mann in Kilchberg*, S. 68.
60 Ebd., S. 74.
61 Ebd.
62 Interview mit Ingrid Beck-Mann am 16. 10. 2002.

63 Einmündung.
64 Frido Mann: »Mein Kilchberg«, in: Thomas Sprecher u. Fritz Gutbrodt: *Die Familie Mann in Kilchberg*, S. 90.
65 Ebd.
66 Interview mit Ingrid Beck-Mann am 16. 10. 2002.
67 Dr. med. Chr. Virchow: »Wiedersehen mit dem *Zauberberg«*, in: *Deutsches Ärzteblatt*, Heft 1 vom 3. Januar 1970.
68 Brief Katia Mann an Genia Starer vom 09. 01. 1968. Thomas-Mann-Archiv.
69 Marcel Reich-Ranicki: »Die Familie des Zauberers«, in: Thomas Sprecher u. Fritz Gutbrodt: *Die Familie Mann in Kilchberg*, S. 200 f.
70 Brief Katia Mann an Genia Starer vom 22. 06. 1969. Thomas-Mann-Archiv.
71 Brief Katia Mann an Genia Starer vom 03. 12. 1969. Thomas-Mann-Archiv.
72 Katia Mann: *Meine ungeschriebenen Memoiren*, S. 175.
73 Monika Mann: *Vergangenes und Gegenwärtiges*, S. 136 f.
74 Brief Katia Mann an Genia Starer vom 13. 01. 1973. Thomas-Mann-Archiv.
75 Brief Katia Mann an Genia Starer vom 18. 12. 1973. Thomas-Mann-Archiv.
76 Brief Katia Mann an Genia Starer vom 06. 05. 1973. Thomas-Mann-Archiv.
77 Heinrich Rumpel: »Katia Mann. Zum 90. Geburtstag. Mitkämpferin seines Lebens«, in: *Neue Zürcher Zeitung* vom 24. 07. 1973, Morgenausgabe.
78 Albrecht Goes: »Die Patriarchin. Katia Mann zum Neunzigsten«, in: *Stuttgarter Zeitung* vom 24. 07. 1973.
79 Des 90. Geburtstages von Katia Mann gedachten neben anderen Bundeskanzler Helmut Schmidt und Bundespräsident Walter Scheel.
80 Katia habe darauf bestanden, so Frido Mann gesprächsweise am 24. 10. 2002.
81 Brief Katia Mann an Kitty Neumann vom 02. 10. 1974. Monacensia.
82 Vorwort Katia Mann: *Meine ungeschriebenen Memoiren.*
83 Petra Kipphoff: »Die Erwählte: Katia Mann«, in: *ZEIT*-Magazin Nr. 35 vom 23. 08. 1974.
84 Brief Katia Mann an Kitty Neumann vom 14. 07. 1975. Monacensia.
85 Thomas Mann Tb 05. 06. 1952: »Hilde Kahn über den Nachmittag und Abend. Ließ sie in 3 Paketen die Tagebücher von 1933 bis 51 verpacken und verkleben, die auf die Bank kommen sollen. Werde sie … versiegeln und darauf schreiben: ›Daily notes from 33–51. Without literary value, but not to be opened by anybody before 20 years after my death.‹« Enthalten waren auch die Tagebücher 1918–1921.

86 Brief Katia Mann an Genia Starer vom 29. 10. 1977. Thomas-Mann-Archiv.
87 Ebd.
88 Zit.nach Michael Mann: *Fragmente eines Lebens*, S. 210.
89 Brief Katia Mann an Genia Starer vom 09. 02. 1977. Thomas-Mann-Archiv.
90 Hanno Helbling: »Golo Mann – ein Hausherr?«, in: Thomas Sprecher u. Fritz Gutbrodt: *Die Familie Mann in Kilchberg*, S. 122.
91 Briefe und Postkarte Katia Mann an Genia Starer vom 25. 5., 14. 10. u. 03. 11. 1979. Thomas-Mann-Archiv.
92 Brief Katia Mann an Genia Starer vom 20. 08. 1971. Thomas-Mann-Archiv.
93 Brief Katia Mann an Genia Starer vom 12. 01. 1976. Thomas-Mann-Archiv.
94 Katia Mann zum Sterben ihres Zwillingsbruders Klaus: »... ohne jede vorausgegangene Krankheit ... erloschen«, das Beste, was man sich wünsche könne. Brief Katia Mann an Genia Starer vom 06. 05. 1973. Thomas-Mann-Archiv.

Nachklang

1 Thomas Mann: *Über mich selbst*, S. 185.
2 Brief Thomas Mann an Agnes E. Meyer vom 27. 10. 1943. Thomas Mann: *Briefe II*, S. 337.
3 Klaus Mann: *Der Wendepunkt*, S. 18.
4 Ernst Walder: »Begegnungen mit Golo Mann«, in: Thomas Sprecher u. Fritz Gutbrodt: *Die Familie Mann in Kilchberg*, S. 249.

Archive

Archiv Schule Schloss Salem
Bayerische Akademie der Wissenschaften München
Bayerische Staatsbibiothek München
Bayerisches Hauptstaatsarchiv München
Bundesarchiv Berlin
Bundesarchiv Koblenz
Deutsches Rundfunkarchiv Frankfurt a. M. und Babelsberg
Deutsches Zeitungsarchiv Dortmund
Klaus-Pringsheim-Archiv der Mills Memorial Library der McMaster University Hamilton/Ontario/Canada
Kulturstiftung Meiningen/Meininger Museen/Schloss Elisabethenburg und Baumbachhaus
Landesarchiv Berlin
Landeskirchliches Archiv der Evangelischen Kirche in Berlin-Brandenburg Berlin
Münchner Stadtbibliothek/Monacensia/Literaturarchiv
Odenwaldschule-Archiv Heppenheim
Schiller Nationalmuseum/Deutsches Literaturarchiv Marbach
Schweizerisches Literaturarchiv Bern
Staatliche Museen Meiningen/Theatermuseum
Staatsarchiv München
Stadtarchiv Bad Tölz
Stadtarchiv Berlin
Stadtarchiv München
Thomas-Mann-Archiv/Eidgenössisch Technische Hochschule Zürich
Thüringisches Staatsarchiv/Herzogliches Hausarchiv Meiningen
Universitätsarchiv München
Zentral- und Landesbibliothek Berlin/Zentrum für Berlin-Studien

Namentlich ungenannt müssen leider die ungezählten Internet-Informanten bleiben.

Bibliografie

»›Alles ist weglos‹. Thomas Mann in Nidden«, bearbeitet von Thomas Sprecher, in: *Marbacher Magazin*, Sonderheft 89/2000

Bauer, Friedrich L.: *Pringsheim, Liebmann, Hartogs – Schicksale jüdischer Mathematiker in München*, Bayerische Akademie der Wissenschaften, München 1997

Bäumer, Gertrud: »Hedwig Dohm«, in: *Jahrbuch der Frauenbewegung*, 1914, S. 167 ff.

Baumunk, Bodo-Michael: »Die Wilhelmstraße«, in: *Die Zeit* Nr. 43 vom 18. 10. 1991

Berlin und seine Bauten, hrsg. vom Architekten-Verein, Berlin 1877

Bermann Fischer, Gottfried/Brigitte Bermann Fischer: *Briefwechsel mit Autoren*, hrsg. von Reiner Stach, Frankfurt am Main 1990

Bermann Fischer, Gottfried: *Bedroht-bewahrt. Der Weg eines Verlegers*, Frankfurt am Main 1994

Bertram, Ernst: »Thomas Manns ›Königliche Hoheit‹«, in: *Mitteilungen der literarischen Gesellschaft Bonn* Jg. 4, Nr. 8, 1909

Boehm, Letitia: »Von den Anfängen des akademischen Frauenstudiums in Deutschland. Zugleich ein Kapitel aus der Geschichte der Ludwig-Maximilians-Universität München«, in: *Historisches Jahrbuch* 77 (1958)

Böhm, Karl Werner: *Zwischen Selbstzucht und Verlangen. Thomas Mann und das Stigma Homosexualität. Untersuchungen zu Frühwerk und Jugend*, Würzburg 1991

Brandt, Heike: *»Die Menschenrechte haben kein Geschlecht«. Die Lebensgeschichte der Hedwig Dohm*, Weinheim und Basel 1989

Breloer, Heinrich: *Unterwegs zur Familie Mann. Begegnungen, Gespräche, Interviews*, Frankfurt am Main 2001

Brinkler-Gabler, Gisela (Hrsg.): *Frauen gegen den Krieg*. Mit Beiträgen von Olive Schreiner, Hedwig Dohm, Lida Gustava Heymann, Berta von Suttner …, Frankfurt am Main 1980

Bürgin, Hans (Hrsg.): *Thomas Mann. Schriften und Reden zur Literatur, Kunst und Philosophie*, Erster Band, Über die Ehe, Brief an den Grafen Hermann Keyserling, Frankfurt am Main 1968

Bußmann, Hadumod (Hrsg.): *Stieftöchter der Alma mater? 90 Jahre Frauenstudium in Bayern – am Beispiel der Universität München*. Katalog zur Ausstellung, München 1993

Cauer, Minna: »Hedwig Dohm zum 80. Geburtstag«, in: *Die Frauenbewegung* 18 (1913), S. 139

Demps, Laurenz: *Berlin – Wilhelmstraße. Eine Topographie preußisch-deutscher Macht*, Berlin 1994

Detering, Heinrich: *Das offene Geheimnis. Zur literarischen Produktivität eines Tabus von Winckelmann bis zu Thomas Mann*, Göttingen 1994

Dick, Jutta, u. Marina Sassenberg (Hrsg.): *Jüdische Frauen im 19. und 20. Jahrhundert. Lexikon zu Leben und Werk*, Reinbek bei Hamburg 1993

Dohm, Christian Wilhelm: *Über die bürgerliche Verbesserung der Juden*, Berlin u. Stettin 1773

Dohm, Hedwig: (eine Auswahl)

- *Die spanische National-Literatur in ihrer geschichtlichen Entwicklung. Nebst den Lebens- und Charakterbildern ihrer classischen Schriftsteller und ausgewählten Proben aus den Werken derselben (Die Classiker aller Zeiten und Nationalen, 3. Theil)*, Berlin 1867
- *Der Jesuitismus im Hausstande. Ein Beitrag zur Frauenfrage*, Berlin 1873
- *Die wissenschaftliche Emanzipation der Frau*, Berlin 1874
- *Der Frauen Natur und Recht*, Berlin 1876
- *Was die Pastoren von den Frauen denken*, 1872, Nachdruck Zürich 1977
- *Plein air*, Roman, Berlin 1891
- *Wie Frauen werden. Werde, die du bist*, Novellen, Breslau 1894
- *Sibilla Dalmar. Roman aus dem Ende dieses Jahrhunderts* (Drei Generationen, Bd. 2), Berlin 1896
- *Schicksale einer Seele*. Roman, Berlin 1899
- *Christa Ruland*. Roman, Berlin 1902
- *Die Antifeministen. Ein Buch der Vertheidigung*, Berlin 1902
- *Die Mütter. Ein Beitrag zur Erziehungsfrage*, Berlin 1903
- »Gesichtspunkte für die Erziehung zur Ehe«, in: *Sozialistische Monatshefte* 15 (1909), S. 639–645
- »Ehemotive und Liebe«, in: *Sozialistische Monatshefte* 15 (1909) S. 356–361
- »Über Ehescheidung und freie Liebe«, in: *Sozialistische Monatshefte* 15 (1909), S. 842–849
- *Erziehung zum Stimmrecht der Frau. Schriften des Preußischen Landesvereins für Frauenstimmrecht* Nr. 6, 2. Aufl. Berlin 1910
- »Kindheitserinnerungen einer alten Berlinerin«, in: *Erinnerungen und weitere Schriften von und über Hedwig Dohm*, hrsg. von Berta Rahm (1912), Zürich 1980, S. 44–78

Erck, Alfred, u. Hannelore Schneider: *Georg II. von Sachsen-Meiningen.*

Ein Leben zwischen ererbter Macht und künstlerischer Freiheit, Zella-Mehlis/Meiningen 1997
Erck, Alfred u. a.: *Die Meininger kommen! Hoftheater und Hofkapelle zwischen 1874 und 1914 unterwegs in Deutschland und Europa*, Meiningen 1999
Erck, Alfred: »Erinnerungen an der Jugend ›hochgespannte Hoffnungen‹. Hedwig Dohm-Pringsheim: Thomas Manns Schwiegermutter begann als erfolglose Schauspielerin bei den ›Meiningern‹«, in: *Meininger Tagblatt* 1999
Evans, Richard J.: *The Feminists. Women's Emancipation Movement in Europe, America and Australasia 1840–1920*, London and New York, 1977
Falke, Otto von: *Die Majolikasammlung Alfred Pringsheims in München*, 2 Bde., Leiden 1914–1923
Feuchtwanger, Lion: *Briefwechsel mit Freunden, 1933–1958*, 2 Bände, hrsg. von Harold von Hofe und Sigrid Washburn, Berlin u. Weimar 1991
Fischer, Samuel, u. Hedwig Fischer: *Briefwechsel mit Autoren*, hrsg. von Dierk Rodewald, Frankfurt am Main 1989
Franck, Dieter: *Als das Jahrhundert jung war*, Berlin 1997
Fritsch, Rudolf, u. Daniela Rippl: »Alfred Pringsheim«, in: *Forschungsbeiträge der Naturwissenschaftlichen Klasse. Schriften der Sudetendeutschen Akademie der Wissenschaften und Künste*, Bd. 22, Redaktion Heinrich F. K. Männl und Barbara Gießmann, München 2001
Fritz, Barbara: *Beziehungen zwischen Verlegern und Autoren am Beispiel der Verleger Samuel Fischer und Gottfried Bermann Fischer und ihren Autoren Hermann Hesse und Thomas Mann*, Erlangen-Nürnberg, Univ., Mag.-Arb., 1986
Fürstenberg, Carl: *Die Lebensgeschichte eines deutschen Bankiers. 1870–1914*, hrsg. von seinem Sohn Hans Fürstenberg, Berlin 1931
Goslich, Siegfried: »Nachruf auf Heinz Pringsheim«. Bayerischer Rundfunk ›Kulturspiegel‹, 01.04.1974, in: *BR gehört-gelesen*, Heft 5/1974
Häfner, Siegfried: »Das Wilhelms-Gymnasium im Wandel der Zeit«, in: *Erinnerungsgabe zur 400-Jahr-Feier des Wilhelms-Gymnasiums in München*, München 1959, S. 7–18
Hallgarten, Constanze: *Als Pazifistin in Deutschland. Biographische Skizze*, Stuttgart 1956
Hallgarten, George W.: *Als die Schatten fielen. Erinnerungen vom Jahrhundertbeginn zur Jahrtausendwende*, Berlin 1969
Häntzschel, Hiltrud: »›Pazifistische Friedenshyänen?‹ Die Friedensbewegung von Münchner Frauen ... und die Familie Mann«, in: *Jahrbuch der deutschen Schiller-Gesellschaft* XXXVI, 1992, S. 307–332
Häntzschel, Hiltrud, u. Hadumod Bußmann: *Bedrohlich gescheit. Ein Jahrhundert Frauen und Wissenschaft in Bayern*, München 1997

Härle, Gerhard: *Männerweiblichkeit. Zur Homosexualität bei Klaus und Thomas Mann*, Frankfurt am Main 1993
Harpprecht, Klaus: *Thomas Mann. Eine Biographie*. 2 Bde., Reinbek bei Hamburg 1996
Heine, Gert, u. Paul Schommer (Hrsg.): *herzlich zugeeignet. Widmungen von Thomas Mann 1887–1955*, Lübeck 1998
Heinrich-Jost, Ingrid (Hrsg.): *Kladderadatsch. Die Geschichte des Berliner Witzblattes von 1848 bis ins Dritte Reich*, Köln 1982
Heißerer, Dirk: *Wo die Geister wandern. Eine Topographie der Schwabinger Boheme von 1900*, München 1993
Heißerer, Dirk: *Wellen, Wind und Dorfbanditen. Literarische Erkundungen am Starnberger See*, München 1995
Heißerer, Dirk, u. Joachim Jung: *Ortsbeschreibung. Tafeln und Texte in Schwabing. Ein Erinnerungsprojekt*, München 1998
Heißerer, Dirk (Hrsg.): *Thomas Manns ›Villino‹ in Feldafing am Starnberger See*, München 2001
Heißerer, Dirk: »Das Feldafinger Verhältnis«, in: *Frankfurter Allgemeine Zeitung* vom 28. 06. 2001
Helftrich, Eckhard, u. Hans Wysling (Hrsg.): *Thomas Mann Jahrbuch Band 3 1990*, darin: »Thomas Mann-Kurt Martens: Briefwechsel I. Ein Briefwechsel, Aufsätze und Portraits«, Frankfurt am Main 2000
[Hermann] Hesse/Thomas Mann. *Briefwechsel*, hrsg. von Anni Carlsson, Frankfurt am Main 1981
Hofmann, Albert (Hrsg.): *Der Kladderadatsch und seine Leute 1848–1898. Ein Culturbild*, Berlin 1898
Holzer, Kerstin: *Elisabeth Mann Borgese. Ein Lebensportrait*, Berlin 2001
Jacobson, Jacob: *Jüdische Trauungen in Berlin 1759–1813* (Veröffentlichungen der historischen Kommission zu Berlin, Bd. 28, Quellenwerke, Bd. 4), Berlin 1901
Jahrbuch des Vermögens und Einkommens der Millionäre in Bayern, Berlin 1914
Jahres-Bericht über das k. Wilhelms-Gymnasium zu München für das Schuljahr 1900/1901, München 1901
Janka, Walter: *… bis zur Verhaftung. Erinnerungen eines deutschen Verlegers*, Berlin u. Weimar 1993
Jappe, Hajo: *Ernst Bertram. Gelehrter, Lehrer und Dichter*, Bonn 1969
Jonas, Ilsedore B.: »›Ich sah ein kleines Wunder …‹. Porträts von Thomas Manns Lebensgefährtin«, in: *Philobiblon* 26 (1982), S. 318–328
Jüngling, Kirsten, u. Brigitte Roßbeck: *Frieda von Richthofen*, Berlin 1998
Kahn-Reach, Hilde: »Thomas Mann, mein ›Boß‹«, in: *Neue Deutsche Hefte*, Heft 2/1973, S. 51–64
Kaplan, Gilbert (Hrsg.): *Das Mahler Album. Bild-Dokumente aus seinem Leben*, The Kaplan Foundation, New York 1995

Kellen, Konrad: »Als Sekretär bei Thomas Mann«, in: *Neue Deutsche Hefte No. 81*, Mai/Juni 1961, S. 37–46

Keyserling, Hermann Graf: *Das Ehe-Buch*, Celle 1925

Kipphoff, Petra: »Die Erwählte: Katia Mann«, in: *ZEIT*-Magazin Nr. 35 vom 23.08. 1974

Kolbe, Jürgen: *Heller Zauber. Thomas Mann in München 1894–1933*, Niedernhausen/Ts. 2001

Korsch, Hedda: »Erinnerungen an Hedwig Dohm«, in: *Erinnerungen und weitere Schriften von und über Hedwig Dohm*, hrsg. von Berta Rahm, Zürich 1980, S. 12–37

Kreis, Gabriele: *Frauen im Exil. Dichtung und Wirklichkeit*, Düsseldorf 1984

Kröll, Friedhelm: *Die Archivarin des Zauberers. Ida Herz und Thomas Mann*, Cadolzburg 2001

Kruft, Hanno-Walter: *Alfred Pringsheim, Hans Thoma, Thomas Mann. Eine Münchner Konstellation*, Bayerische Akademie der Wissenschaften, München 1993

Krüll, Marianne: *Im Netz der Zauberer. Eine andere Geschichte der Familie Mann*, Frankfurt am Main 1993

Kuby, Erich: »Vorweihnachtliche Reise zu deutschen Schrifstellern. Der alte (Thomas) Mann auf dem Berge«, in: *Süddeutsche Zeitung*, November 1952

Kummerow, Erich: *Bericht über einen Besuch von Landerziehungsheimen (1920)*, hrsg. von Dietmar Haubfleisch, Marburg 1999

Kurzke, Hermann: *Thomas Mann. Das Leben als Kunstwerk*. Eine Biographie, München 1999

Laloyanova-Slavova, Ludmila: *Übergangsgeschöpfe. Gabriele Reuter, Hedwig Dohm, Helene Böhlau und Franziska zu Reventlow*, New York u. a. 1998

Lange, Helene, u. Gertrud Bäumer (Hrsg.): *Handbuch der Frauenbewegung*, 1. Teil, Berlin 1901

»Letzter Gruß in lübischen Farben. Abschied von Katia Mann in Kilchberg«, in: *Lübecker Nachrichten* vom 03.05. 1980

Lindau, Paul: »Ernst Dohm und der ›Kladderadatsch‹«, in: *Nord und Süd*, 1879

Lindau, Paul: *Nur Erinnerungen*, 2 Bde., Stuttgart u. Berlin 1919

Lindenberg, Ken: *Thomas Mann – Davos – der Zauberberg*, Chur 2000

Lühe, Irmela von der: *Erika Mann. Eine Biographie*, Frankfurt am Main 1999

Mahler-Werfel, Alma: *Mein Leben*, Frankfurt am Main 1970

Mann Borgese, Elisabeth: *Ascent of Woman*, New York 1963

Mann, Erika und Klaus: *Escape to Life. Deutsche Kultur im Exil*, Hamburg 1996

Mann, Erika: »Wenn ich an meine Mutter denke«, in: *Quick*, Nr. 18 vom 02.05. 1965

Mann, Erika: *Briefe und Antworten*, 2 Bde., 1922–1950 u. 1951–1969, hrsg. von Anna Zanco-Prestel, München 1984 u. 1985
Mann, Erika: *Das letzte Jahr. Bericht über meinen Vater*, Frankfurt am Main 1984
Mann, Erika: *Mein Vater, der Zauberer*, Reinbek bei Hamburg 1998
Mann, Golo: *Erinnerungen und Gedanken. Eine Jugend in Deutschland*, Frankfurt am Main 1991
[Golo] Mann – Marcel Reich-Ranicki: *Enthusiasten der Literatur. Ein Briefwechsel, Aufsätze und Portraits*, Frankfurt am Main 2000
Mann, Heinrich: *Ein Zeitalter wird besichtigt*, Frankfurt am Main 1988
Mann, Julia: *Ich spreche so gern mit meinen Kindern, Erinnerungen, Skizzen, Briefwechsel mit Heinrich Mann*, hrsg. von Rosemarie Eggert, Berlin 2000
Mann, Katia: *Meine ungeschriebenen Memoiren*. Hrsg. von Elisabeth Plessen und Michael Mann, Frankfurt am Main 2000
Mann, Klaus: *Der Wendepunkt*, Reinbek bei Hamburg 1984
Mann, Klaus: *Kindernovelle*, Frankfurt am Main 1967
Mann, Klaus: *Kind dieser Zeit*, Reinbek bei Hamburg 2000
Mann, Klaus: *Tagebücher 1931–1949*, 6 Bde., hrsg. von Joachim Heimannsberg, Peter Lemmle und Wilfried F. Schoeller, München 1989–1991 (Nachdruck mit erweitertem Anmerkungsteil Reinbek bei Hamburg 1995)
Mann, Klaus: *Briefe und Antworten 1922–1949*, hrsg. von Martin Gregor-Dellin, Reinbek bei Hamburg 1991
Mann, Michael: *Fragmente eines Lebens. Lebensbericht und Auswahl seiner Schriften*, hrsg. von Frederic C. u. Sally P. Tubach, München 1986
Mann, Monika: *Vergangenes und Gegenwärtiges. Erinnerungen*, München 1956
Mann, Monika: *Wunder der Kindheit. Bilder und Impressionen*, Köln 1965
Mann, Thomas: *Thomas Mann an Ernst Bertram. Briefe aus den Jahren 1910–1955*, kommentiert und mit einem Nachwort versehen von Inge Jens, Pfullingen 1960
Mann, Thomas: *Briefwechsel mit seinem Verleger Gottfried Bermann Fischer 1932–1955*, hrsg. von Peter de Mendelssohn, Frankfurt a. M. 1973
Mann, Thomas: *Briefwechsel mit seinem Verleger Bermann Fischer. 1932–1955*, 2 Bd., Frankfurt a. M. 1975
Mann, Thomas: *Die Briefe. Regesten und Register*, bearbeitet und hrsg. unter Mitwirkung des Thomas-Manns-Archivs der Eidgenössisch-Technischen Hochschule Zürich von Hans Bürgin und Hans-Otto Mayer, 5 Bde., Frankfurt am Main 1976–1987
Mann, Thomas: *Tagebücher*, 10 Bde., Bd. 1–5 hrsg. von Peter de Mendelssohn; Bd. 6–10 hrsg. von Inge Jens, Frankfurt am Main 1997 (Erstausgaben 1977 ff.)

Mann, Thomas: Briefe, 3 Bde., I 1889–1936, II 1937–1947, III 1948–1955 und Nachlese, hrsg. von Erika Mann, Frankfurt am Main 1996
Mann, Thomas: Gesammelte Werke in Einzelbänden (20 Bde.), hrsg. von Peter de Mendelssohn, Frankfurt am Main 1980–1986 (Frankfurter Ausgabe)
Mann, Thomas: *Unbekannte Dokumente aus seiner Jugend*. Sammlung Prof. Dr. P. R. Franke. Ausstellung. Landesbank Saar Girozentrale Saarbrücken vom 2. bis 20. September 1991, Saarbrücken 1991
Mann, Thomas: *Notizbücher*. Edition in zwei Bänden, hrsg. von Hans Wysling, Frankfurt am Main 1991 u. 1992
Mann, Thomas: *Essays*. Nach den Erstdrucken, textkritisch durchgesehen, kommentiert und herausgegeben von Hermann Kurzke und Stephan Stachorski, 6 Bde., Frankfurt am Main 1993–1997
Mann, Thomas: *Über mich selbst. Autobiographische Schriften*, Frankfurt am Main 1997
Mann, Thomas: *Der Zauberberg*, Frankfurt am Main 2000
[Thomas] Mann/Erich von Kahler: *Briefwechsel 1931–1955*, hrsg. von Michael Assmann, Hamburg 1933
[Thomas] Mann/Alfred Neumann: *Briefwechsel*, hrsg. von Peter de Mendelssohn, Heidelberg 1977
[Thomas] Mann/Heinrich Mann: *Briefwechsel 1900–1949*, hrsg. von Hans Wysling, Berlin u. Weimar 1965 und Frankfurt am Main 1984
[Thomas] Mann/Agnes Meyer: *Briefwechsel 1937–1955*, hrsg. von Hans Rudolf Vaget, Frankfurt am Main 1992
Mann, Viktor: *Wir waren fünf. Bildnis der Familie Mann*, Frankfurt am Main 1994
Martens, Kurt: *Schonungslose Lebenschronik*, 2 Bde., I 1870–1900, II 1901–1923, Wien/Berlin/Leipzig/München 1921 u. 1924
Meißner, Julia: *Mehr Stolz ihr Frauen. Hedwig Dohm – eine Biographie*, Düsseldorf 1987
Mendelssohn, Peter de: *Der Zauberer. Das Leben des deutschen Schriftstellers Thomas Mann*, 3 Bde., 1875 bis 1905, 1905 bis 1918, 1919 und 1933, Frankfurt am Main (1975) 1997
Mendelssohn, Peter de (Hrsg.): *Briefe an Otto Grautoff 1894–1901 und Ida Boy-Ed 1903–1928*, Frankfurt am Main 1975
Menke, Stefanie u. a.: *Thomas und Katia Mann in Sanary-sur-Mer*, Stuttgart 1996, S. 173–186
Meyer, Gustav (Hrsg.): *Ferdinand Lassalle. Nachgelassene Briefe und Schriften*, 2. Bd.: Lassalles Briefwechsel von der Revolution 1848 bis zum Beginn seiner Arbeiteragitation, Berlin 1923
Miller, Alice: *Das Drama des begabten Kindes und die Suche nach dem wahren Selbst*, Frankfurt am Main 1979
Müller, Nikola: *Hedwig Dohm (1831–1919). Eine kommentierte Bibliografie*, Berlin 2000

Na'aman, Shlomo: *Lassalle*, Hannover 1970
Nachama, Andreas, Julius H. Schoeps u. Hermann Simon: *Juden in Berlin*, Berlin 2001
Nauck, Ernst Theodor: »Das Frauenstudium an der Universität Freiburg im Breisgau«, in: *Beiträge zur Freiburger Wissenschafts- und Universitätsgeschichte*, Freiburg 1953
Osborne, Max: »Ernst Dohm«, in: *ADB*, 48. Bd. (Nachträge bis 1899), hrsg. durch die hist. Kommission bei der königl. Akademie der Wissenschaften, Leipzig 1904, S. 219–224
Perron, Oskar: »Alfred Pringsheim, Oskar Perron«, in: *Jahrbuch der Bayerischen Akademie der Wissenschaften* 1944/48, München 1948
Perron, Oskar: »Alfred Pringsheim«, in: *Jahresbericht der Deutschen Mathematiker-Vereinigung* 56 (1953), S. 1–6
Pietsch, Ludwig: *Wie ich Schriftsteller geworden bin*, Bd. 2 : *Erinnerungen aus den sechziger Jahren*, Berlin 1894
Plothow, Anna: *Die Begründerinnen der deutschen Frauenbewegung*, Berlin und Leipzig 1907
Prater, Donald A.: *Thomas Mann. Deutscher und Weltbürger*, München 1998
Pringsheim, Heinz: »Katja«, in: Hanns Arens (Hrsg.): *Die schöne Münchnerin*, München 1969
Pringsheim, Klaus: »Ein Nachtrag zu ›Wälsungenblut‹«, in: *Neue Züricher Zeitung* vom 17. 12. 1961
Pringsheim, Klaus jr. (mit Victor Boesen): *Wer zum Teufel sind Sie?*, Bonn 1995
Pringsheim-Dohm, Hedwig: »Vater muß sitzen«, in: *Das Unterhaltungsblatt der Vossischen Zeitung* vom 14. 11. 1929
– »Ernst Dohms Montag-Abende«, in: *Das Unterhaltungsblatt der Vossischen Zeitung* vom 03. 01. 1930
– »Das Modell der Kronprinzessin. Erinnerungen«, in: *Das Unterhaltungsblatt der Vossischen Zeitung* vom 22. 02. 1930
– »Häusliche Erinnerungen«, in: *Das Unterhaltungsblatt der Vossischen Zeitung* vom 27. 03. 1930
– »Meine Eltern Ernst und Hedwig Dohm«, in: *Das Unterhaltungsblatt der Vossischen Zeitung* vom 11. 05. 1930
– »Auf dem Fahrrad durch die weite Welt«, in: *Das Unterhaltungsblatt der Vossischen Zeitung* vom 10.08.1930
– »Bayreuth einst und jetzt«, in: *Das Unterhaltungsblatt der Vossischen Zeitung* vom 16. 08. 1930
– »Ein Blumenstrauß von Liszt«, in: *Das Unterhaltungsblatt der Vossischen Zeitung* vom 05. 04. 1931
– *Thomas Manns Schwiegermutter erzählt oder Lebendige Briefe aus großbürgerlichem Haus.* Hedwig Pringsheim-Dohm an Dagny Langen-Sautreau, transkribiert, erläutert und herausgegeben von Hans-Rudolf Wiedemann mit einem Geleitwort von Golo Mann, Lübeck 1988

Radkau, Joachim: *Die deutsche Emigration in den USA: ihr Einfluß auf die amerikanische Europapolitik 1933–1954*, Düsseldorf 1971
Rahm, Berta (Hrsg.): *Erinnerungen und weitere Schriften von und über Hedwig Dohm (1912)*, Zürich 1980
Rasmussen, Jörg: »Die Majolikasammlung Alfred Pringsheims in den Schriften Thomas Manns«, in: *Jahrbuch des Museums für Kunst und Gewerbe Hamburg* 2 (1983)
Reed, Philippa: *»Alles, was ich schreibe, steht im Dienst der Frauen«. Zum essayistischen und fiktionalen Werk Hedwig Dohms*, Frankfurt am Main 1987
Reich-Ranicki, Marcel: »Noch einmal: die Erwählte. Zum Tod von Katia Mann«, in: *Frankfurter Allgemeine Zeitung* vom 29.04.1980
Reich-Ranicki, Marcel: *Thomas Mann und die Seinen*, Stuttgart 1989
Reich-Ranicki, Marcel: *Sieben Wegbereiter. Schriftsteller des zwanzigsten Jahrhunderts*, München 2002
Ringel, Stefan: *Heinrich Mann. Ein Leben wird besichtigt*, Darmstadt 2000
Rosenstein, Conrad (alias Naftali): »Besuch bei Frau Katja Mann im Herbst 1974«, unveröffentlichtes Typoskript, Thomas-Mann-Archiv
Runge, Doris: *Welches Weib! Mädchen und Frauengestalten bei Thomas Mann*, Stuttgart 1988
Rürup, Reinhard (Hrsg.): *Jüdische Geschichte in Berlin. Essays und Studien*, Berlin 1995
Saueressig, Heinz: »Zürcher Bericht über meine Begegnung mit Katja und Erika Mann 1959«, 3 S., unveröffentlichtes Typoskript, Monacensia
Schad, Martha: *Frauen gegen Hitler. Schicksale im Nationalsozialismus*, München 2001
Scharf, Hans-Wolfgang: *Eisenbahnen zwischen Oder und Weichsel*, Freiburg 1981
Schickele, René: *Tagebücher*, 3 Bde., Köln 1961
Schirnding, Albert von: »Gruppenbild mit Collie«, in: *Süddeutsche Zeitung* vom 27./29.07.2001
Schlesinger, Paul: »Die Anmut der Dichterfrauen«, in: *Berliner Illustrirte Zeitung Nr. 8* , 1909
Schmidt, Hartwig: *Das Tiergartenviertel*, Teil I, Berlin 1981
Schreiber, Adele: *Hedwig Dohm als Vorkämpferin und Vordenkerin neuer Frauenideale. Unsere Dichterinnen und die neuen Frauenideale*, Bd. 1 , Berlin 1914
Schulz, Klaus: *»Kladderadatsch«. Ein bürgerliches Witzblatt von der Märzrevolution bis zum Nationalsozialismus 1848–1944*, Bochum 1975
Schwarberg, Günther: *Es war einmal ein Zauberberg. Thomas Mann in Davos. Eine Spurensuche*, Göttingen 2001
Smikalla, Karl: *Thomas Manns heimliche Liebe zum Tegernsee oder Die Entstehung des Denkmals*, Privatdruck 2001

Sommerhage, Claus: *Eros und Poesie. Über das Erotische im Werk Thomas Manns*, Bonn 1983
Sprecher, Thomas: *Thomas Mann in Zürich*, Zürich 1992
Sprecher, Thomas (Hrsg.): *Vom ›Zauberberg‹ zum ›Doktor Faustus‹. Die Davoser Literaturtage 1998*, Frankfurt am Main 2000
Sprecher, Thomas u. Fritz Gutbrodt (Hrsg.): *Die Familie Mann in Kilchberg*, Zürich u. München 2000
Strohmeyer, Armin: *Klaus Mann*, München 2000
Stropp, Emma: »Hedwig Dohm«, in: *Neu-Deutschlands Frauen, Monatsschrift für alle Stände*, Juli 1919, S. 26–28
Stuckenschmidt, H. H.: »Deutsche Musiker in Japan. Gespräch mit Klaus Pringsheim«, in: *Die neue Zeitung*, München, vom 22.07.1953.
Süskind, Wilhelm Emanuel: »Die Zwillinge aus der Arcisstraße«, in: *Süddeutsche Zeitung* vom 23.07.1963
Thiede, Rolf: *Stereotypen vom Juden. Die frühen Schriften von Heinrich und Thomas Mann. Zum antisemitischen Diskurs der Moderne und dem Versuch seiner Überwindung*, Berlin 1998
Tillmann, Claus: *Das Frauenbild bei Thomas Mann*, Wuppertal 1994
Virchow, Dr. med. Christian: »Wiedersehen mit dem Zauberberg«, in: *Deutsches Ärzteblatt*, Heft 1 vom 03.01.1970
Vrieslander, Minni: »Nur seine Frau. Eine Begegnung mit Frau Katja Mann«, in: *Fürs Haus*, Nr. 19 vom 06.02.1930
Wagner, Cosima: *Die Tagebücher*, Bd. II: 1873–1883, hrsg. von Martin Gregor Dellin und Dietrich Mack, München u. Zürich 1977
Walter, Bruno: »Gruß an Katja Mann«, in: *Die Neue Zeitung*, Frankfurt am Main, Nr. 173 vom 24.07.1953
Walter, Bruno: *Thema und Variationen. Erinnerungen und Gedanken*, Frankfurt am Main 1988
Wedekind-Schwertner, Barbara: *›Daß ich eines und doppelt bin‹ – Studien zur Idee der Androgynie unter besonderer Berücksichtigung Thomas Manns*, Frankfurt am Main 1984
Wehefritz, Valentin: *Gefangener zweier Welten. Prof. Dr. phil. Dr. rer. nat. h. c. Peter Pringsheim (1881–1963). Ein deutsches Gelehrtenschicksal im 20. Jahrhundert.* Universität im Exil. Biographisches Archiv verfolgter Universitätsprofessoren 1933–1945 an der Universitätsbibliothek Dortmund, Nr. 4, Dortmund 1999
Weiss, Andrea: *Flucht ins Leben. Die Erika und Klaus Mann-Story*, Reinbek bei Hamburg 2001
Werner, Anton von: *Erlebnisse und Eindrücke 1870–1890*, Berlin 1913
Wißkirchen, Hans (Hrsg.): *›Luftschifferinnen, die man nicht landen läßt‹. Frauen im Umfeld der Familie Mann*, Lübeck 1996
Wißkirchen, Hans: *Die Familie Mann*, Reinbek bei Hamburg 1999
Wysling, Hans u. Yvonne Schmidlin: *Thomas Mann. Ein Leben in Bildern*, Zürich 1994

Zarek, Otto: »Begegnung in Berlin. Frau Katja Mann«, in: *Allgemeine Wochenzeitung der Juden in Deutschland* vom 10. 05. 1957
Zepler, Wally: »Hedwig Dohm«, in: *Sozialistische Monatshefte* 19 (1913), S. 1292–1301
Zepler, Wally: »Hedwig Dohm«, in: *Sozialistische Monatshefte* 25 (1919), S. 595–596
Zinnecker, Jürgen: *Sozialgeschichte der Mädchenbildung*, Weinheim 1973

Danksagung

Wir danken Elisabeth Mann Borgese (†), Frido Mann und Ingrid Beck-Mann für ihre Auskünfte und ihr Interesse an unserem Werk, den Mitarbeiterinnen und Mitarbeitern des Thomas-Mann-Archivs in Zürich und der Monacensia, des Literaturarchivs der Münchner Stadtbibliothek, der Berliner Zentral- und Landesbibliothek sowie des Odenwaldschule-Archivs in Heppenheim, des Archivs Schloss Salem, des Bundesarchivs in Koblenz, des Universitäts-, Staats-, Stadt- und Bayerischen Hauptstaatsarchivs München.

Christian Seeger vom Propyläen Verlag stand uns zuverlässig zur Seite; auch Alfred Erck, Robert Fredrixen, Jutta Groß, Rosmarie Noris, Gerlinde Off, Ursula Salentin sowie unsere Ehepartner Bernd Roßbeck und Michael Warnke seien hier stellvertretend für all jene genannt, die uns auf unterschiedlichste Art die Arbeit erleichtert haben.

Personenregister

Bildnachweis

Bildarchiv Preussischer Kulturbesitz 2
dpa 39
Keystone 4, 7–11, 13, 17–19, 21, 25–38, 41
Monacensia 42, 43
Stadtarchiv München 5, 6
Thomas Mann Archiv, Zürich 44–46
ullstein bild 3, 12, 14–16, 20, 22–24, 40
Zentrum für Berlinstudien 1